REVOLUÇÃO E CONTRARREVOLUÇÃO NA ALEMANHA

Leon Trotsky

REVOLUÇÃO E CONTRARREVOLUÇÃO NA ALEMANHA

Mario Pedrosa
(organização e prefácio)

Dainis Karepovs
(introdução, notas e
revisão técnica)

Coleção
**Outras artes de Mario Pedrosa
e seus camaradas**

Volume 1 (2023)

Editora Fundação Perseu Abramo

Coordenação editorial
Rogério Chaves

Assistente editorial
Raquel Maria da Costa

Revisão
Angélica Ramacciotti e Claudia Andreoti

Editoração eletrônica e capa
Antonio Kehl

Índices remissivo e onomástico
Dainis Karepovs e Claudia Andreoti

*Agradecemos ao Quito Pedrosa pela gentileza na cessão dos direitos
dos textos de Mario Pedrosa, que compõem esta edição.*

T772 Trotsky, Leon
Revolução e contrarrevolução na Alemanha / MárioPedrosa (org.) – São Paulo : Fundação Perseu Abramo, 2023.

484 p. (Coleção Outras artes de Mario Pedrosa e seus Camaradas ; v.1)
Inclui bibliografia
ISBN 978-65-5626-046-4 (Fundação Perseu Abramo)
ISBN: 978-85-9571-138-9 (Editora Veneta)

1. Política – Alemanha 2. Revolução alemã 3. Nazismo 4. Comunismo I. Título II. Pedrosa, Mário (org.)

Este livro obedece às regras do Novo Acordo Ortográfico da Língua Portuguesa

Fundação Perseu Abramo
Rua Francisco Cruz, 234 – Vila Mariana
CEP 04117-091 – São Paulo – SP
Telefone: (11) 5571-4299
www.facebook.com/fundacao.perseuabramo
Twitter.com/fpabramo

Editora Veneta
Rua Araújo, 124, 1º Andar,
São Paulo, SP, Brasil
CEP 012020-020
www.veneta.com.br

Sumário

Outras artes de Mario Pedrosa e seus camaradas

*Dainis Karepovs**

Mario Pedrosa, o Filiado Número Um do Partido dos Trabalhadores, foi mais que um extraordinário homem dividido entre arte e política. Sua ânsia por mudar o mundo o levou a muitos campos de ação. Um deles foi o de transformá-lo através da palavra e da leitura. Aqui o veremos atuando, juntamente com seus camaradas da Liga Comunista do Brasil, organização que integrava a Oposição Internacional de Esquerda – que tinha como seu mais destacado dirigente um dos homens que realizou a Revolução Russa de 1917 –, em um projeto de publicações que tinha como meta transformar o mundo e combater o fascismo.

O trágico 30 de janeiro

Em 30 de janeiro de 1933, Adolf Hitler foi nomeado chanceler pelo presidente da Alemanha, Paul Von Hindenburg. Hitler era o líder do Nationalsozialistische Deutsche Arbeiterpartein (Partido Nacional-Socialista dos Trabalhadores

---

* Mestre e doutor em História pela Faculdade de Filosofia, Letras e Ciências Humanas da Universidade de São Paulo e com pós-doutorado em História realizado no Instituto de Filosofia e Ciências Humanas da Universidade Estadual de Campinas. Coautor, com Fulvio Abramo, de *Na Contracorrente da História* (Sundermann, 2015) e autor de *Pas de politique Mariô! Mario Pedrosa e a política* (Ateliê; Editora da Fundação Perseu Abramo, 2017).

Alemães, mais conhecido como Partido Nazista). No dia seguinte, a imprensa brasileira noticiava o fato com destaque em suas primeiras páginas. Boa parte dos jornais brasileiros classificava o novo governo como fascista. Alguns poucos o chamaram de racista. Alguns desdenharam o novo chanceler: agitador, desertor austríaco, imitador de Mussolini, aventureiro de nacionalidade estranha, demagogo austríaco, plagiador incoerente de teorias importadas, pintor de tabuletas, detentor da mentalidade de um garçom de cervejaria, possuidor do aspecto de um rudimentar proprietário de tabacaria, estavam entre os epítetos a ele oferecidos. Mas boa parte exibia qualificativos elogiosos: cabotino de gênio verbal, estadista, homem formidável, veemente, sincero, intransigente, orador prodigioso... Obstinado era o mais frequente dos elogios. E parte significativa desses elogios provinha de textos assinados. Dentre estes, podemos destacar as palavras do diretor de um dos mais importantes diários brasileiros daquele período, o *Correio da Manhã*, do Rio de Janeiro, Manuel Paulo Filho, as quais, além disso, mostram bem a assimilação acrítica[1] da demagógica propaganda nazista:

> O que mais caracteriza a figura de Adolf Hitler, elevado agora à direção do governo da Alemanha, é a força de vontade servindo a uma ação inteligente, enérgica e decisiva. Nascido para lutar e vencer, por um homem da sua espécie a adversidade só é encarada como um estímulo a mais, a fim de que a partida se tenha logo por ganha, custe o que custar. [...] Falava no direito, mas num direito que emanasse da força. Exaltava a justiça, mas uma justiça fundada nos interesses raciais. [...] A sua cidadania alemã decorreu do segredo da sua imensa influência. Orador teatral, imitando a Mussolini nos lances audazes, embora sem a cultura universalizada do Duce italiano, as suas atitudes e as suas afirmações empolgaram o povo alemão. Viu-se nele o estadista em condições de desoprimir a Alemanha, livrando-a do militarismo francês, do navalismo inglês e da agiotagem internacional. Os seus discursos e as suas constantes proclamações eram arrojados desafios ao terrorismo da Rússia bolchevista. [...] Tudo nele é protesto, é rajada de indignação, é explosão de ódios, é necessidade de vingança. Para executar o seu programa, começa por exigir a revisão do Tratado de Versalhes. As instituições capitalistas, nos moldes

[1] Tal assimilação chegava até o ponto de alguns editorialistas e jornalistas afirmarem Hitler ser loiro! Ver, por exemplo, "O gabinete de Hitler", *Diário da Manhã*. 03-02-1933,: p. 3; H. de Campos, "O verme do dia", *A Noite*, 04-02-1933,: p. 1.

> da burguesia-democrática, não lhe inspiram confiança e Hitler se tem prevenido contra os trustes, contra a usura dos bancos, contra os latifúndios, contra as especulações da Bolsa e contra o semitismo. Confunde religiões e superstições, e é pelo ateísmo como razão de Estado. Desdenha do pacto de Locarno, ataca a Liga das Nações e não crê nem no pacifismo nem no desarmamento.[2]

A imprensa brasileira naquele momento acreditava que Hitler, a quem um membro do clero católico chegou a chamar de "macaco de Mussolini"[3], trilharia uma trajetória semelhante à do fascista italiano e se acomodaria às "regras" do poder. Perspectiva essa, aliás, que também era acalentada pelos partidos que naquele momento compunham o ministério de coalizão de direita que acompanhou ao poder o chanceler Hitler, acreditando que poderiam "domesticar" o dirigente dos nazistas:

> Provavelmente, pois, muita gente temerá uma repetição dos sucessos de Mussolini há dez anos passados. Mas o mais certo é que o chefe nacionalista venha a tornar-se muito menos perigoso no governo do que fora dele, o que em regra acontece com todos os radicais da direita como da esquerda. O governo tem atrativos extraordinários e os homens grande capacidade de adaptação. Na oposição, as doutrinas, os sistemas lógicos e intransigentes são fáceis, simpáticos e agradáveis; mas no governo os métodos, corredores que se podem abrir sobre todos eles, são muito mais interessantes para os dirigentes e para os próprios dirigidos.[4]

No sentido da "domesticação" dos nacional-socialistas e de seu governo não é raro encontrar outros jornalistas brasileiros que abraçavam essa tese, mesmo que possuindo a percepção (abrandada, é verdade, por artifícios do gênero "etc. etc.") do que seria efetivamente um governo de Hitler:

> Quais as consequências do advento ao governo do sr. Hitler? Os acontecimentos sociais são de tal forma complexos, que ninguém pode prever, não só a sua marcha acelerada, no mundo moderno, além de que a própria fisionomia dos homens se altera ao contato das circunstâncias. Estamos convencidos de que no governo o novo

---

2 M.: p. T. de Matos Filho, "Um homem de ação", *Correio da Manhã*, 03-02-1933,: p. 4.

3 J. C. Bezerril (padre), "Hitler, *Mussolini-Affe*!", *Jornal do Commercio*, 05-02-1933,: p. 3.

4 "Ecos e novidades", *A Noite*, 31-01-1933,: p. 2.

> chanceler aplacará um pouco os seus ardores e não será a primeira vez que o comando modificará os excessos do chefe de partido. Do contrário, se o sr. Hitler quiser executar os seus planos, não só na ordem internacional, como na interna, teremos uma efervescência sem precedentes. Naquela, será a guerra. Nesta, uma luta tremenda, bastando dizer que o sr. Hitler quer reabrir a campanha antissemítica, para reduzir os judeus à vassalagem, pois lhes cerceia os próprios direitos civis, obrigar os grandes órgãos da imprensa germânica, em mãos israelitas, a serem publicados em iídiche etc. etc. A notícia de que o sr. Hitler colocaria também fora da lei os comunistas, que constituem a segunda bancada do *Reichstag*, é também dessas que podem trazer consequências imprevistas. O organismo social alemão não comporta tais embates e, por isso, acreditamos que o sr. Hitler, que chegou ao poder, com uma prudente transigência, muitas outras fará, para a felicidade do seu país, do qual pretende ser o salvador.[5]

Representantes de setores que eram alvos das invectivas dos nazistas tinham alguma percepção do que poderia ser uma ditadura comandada por Hitler. Os católicos, por exemplo, apresentavam alguma clareza nisso, mas, mesmo assim, alimentavam-se nas ilusões fornecidas pelas relações dos católicos com Mussolini, o qual teria enxergado a Igreja Católica como uma "tradição nacional italiana", mantendo-a como religião oficial. Apesar disso, não sem razão, temiam que na Alemanha o mesmo não se passasse:

> Na Alemanha, o Estado hegeliano aparece como simples expressão da raça. Não de uma raça qualquer, porque raças são desiguais. Mas da raça nórdica ou germânica, a raça dos dolicocéfalos loiros e de olhos azuis. A raça, eis o único valor absoluto na ideologia hitlerista. Tudo o mais é relativo, e deve ser encarado em função do sangue. Religião, filosofia, direito, moral e arte, são meros produtos de elaboração racial, de acordo com as leis da hereditariedade biológica. [...] Alguns exemplos. Ao homem capaz de transmitir preciosas disposições hereditárias, permite-se tudo. Mesmo a poligamia. É a eugenia da raça que quer assim, como a perfeição da raça exige também a eliminação das crianças fracas e disformes. Não se espantem, que são citações de Nürnberg, um dos oráculos do racismo. O próprio Hitler, apesar de sempre cauteloso ao expressar-se, tornou-se o apóstolo do suicídio obrigatório, aconselhando-o aos incuráveis e aos grandes mutilados de guerra. [...] Como fica demonstrado, uma

[5] "O Momento Internacional: Hitler, chanceler do Reich", *Diário de Notícias*, 31-01-1933,: p. 2.

ditadura hitlerista constitui um perigo muito sério para a paz da Igreja Católica na Alemanha. Quanto às outras confissões religiosas filiadas à Reforma, o racismo não vê nelas obstáculos invencíveis. [...] Terá Hitler a plasticidade de Mussolini?[6]

Mesmo aqueles distantes da visão confessional manifestavam, em suas páginas editoriais, sob outro foco, alguma percepção do que poderia ser uma ditadura nazista:

O sistema hitleriano se baseia na ideia nietzschiana do super-homem, por cujo intermédio a raça germânica receberá a função universal de dominar o mundo, para aí fazer reinar o ideal da ação, da força e do poder temporal. Em outras palavras: o hitlerismo se propõe estabelecer a soberania do "punho forte". A fim de que, no entanto, a raça não seja poluída pelo afluxo de alienígenas e represente o triunfo do "braquicéfalo louro", o hitlerismo pretende guerrear católicos, judeus e as demais raças que não apresentam os seus traços somáticos. Quando os seus homens gritam "Abaixo Roma!", "Abaixo Israel!", perpetuam a estirpe dos que semearam as ideias de predomínio universal do tipo germânico. A intolerância para as raças fracas, os biótipos duvidosos, chega ao ponto de o professor Stammler, notoriedade desse partido, propor um projeto de lei estabelecendo a separação das raças e um outro destinado a "manter a pureza alemã". Outros projetos, saídos de cabeças universitárias, aspiram instituir uma lei determinando quais as "raças estrangeiras" dentro do país. Assim é o hitlerismo. Fenômeno que remonta ao passado de narcisismos raciais. Força também do presente, disposta a quebrar quantos diques pretendam construir-se, a fim de impedir a expansão da "*volonté de puissance*"[7] alemã na Europa e fora do continente.[8]

A postura desses analistas e editorialistas, no fundo, era daqueles que alimentam o "crocodilo" na ilusão de que, enquanto devorava os outros, ele não os devoraria. Sua ilusão provinha, e não escondiam isso, do "consolo" que o "crocodilo" lhes ofereceria devorando suas primeiras vítimas, mesmo que sob um regime ditatorial: a extirpação do comunismo. Isto era tanto um desejo manifestado em editorial de periódico da portuária cidade paulista de Santos:

6 J. C. Bezerril (padre), *op. cit.*

7 "Vontade de poder", conceito de Nietzsche que foi apoderado de maneira deturpada pelos nazistas.

8 "O ideal nietzschiano e a mística de Hitler", *Folha da Manhã*, 22-02-1933,: p. 6.

> Entretanto, uma iniciativa de notável alcance pode ser tomada como relevante serviço prestado por Hitler ao seu país: subindo ao poder, não teve um minuto de vacilação. Compreendendo o perigo resultante do vulto da propaganda comunista, ali, julgou, e acertadamente, que o seu primeiro cuidado seria cortar as cabeças à famosa hidra: proibindo as reuniões comunistas ao ar livre, o novo chanceler acaba de fechar a Casa de Liebknecht, que é a sede central do partido, em Berlim. Assegura-se que é esse o golpe de força mais ousado que já se desferiu contra a corrosiva doutrina que tanto sangue tem custado aos povos da Europa. Como expressão de coragem e de patriotismo, os primeiros atos de Hitler estão, pois, despertando confiança e simpatia.[9]

Como também era acalentado em editoriais e colunas de jornais do Rio de Janeiro:

> Era apelar para Hitler, cujo nome era já uma espécie de bandeira de redenção. E, fazendo-o, fê-lo sabiamente, consciente de prestar à Alemanha, que idolatra, o maior dos serviços, isto é, ampará-la sobre ombro forte, de um mal que se avizinhava das suas portas: O comunismo com o seu facho incendiário e sua coorte de devastação.[10]

> Não tenhamos dúvida de que o chanceler Hitler poderá prestar um grande serviço a todo o mundo extirpando o vírus comunista na Alemanha, como Mussolini fez na Itália. Nesse ponto, a sua ditadura seria benéfica e não lhe faltariam aplausos em toda parte. Em nenhum país o comunismo é mais perigoso do que na Alemanha. A sua proximidade da Rússia a destina a tornar-se o baluarte de defesa do ocidente contra o regime oriental por excelência, consoante a fórmula de Kayserling, o que exige, portanto, a maior cautela em evitar a sua infiltração pelas fronteiras próximas. Há também a circunstância das condições de pauperismo em que se encontra o Reich, favorecendo, portanto, a exaltação das ideologias radicais. Assim, se o chanceler Hitler, com mão forte, dominar o surto comunista, expresso nas votações consideráveis das últimas eleições, terá prestado assinalado serviço.[11]

---

[9] "A vitória do hitlerismo", *Gazeta Popular*, 11-02-1933,: p. 3.

[10] "Hitler no poder", *Jornal do Brasil*, 01-02-1933,: p. 5.

[11] "O Momento Internacional: Os primeiros dias do chanceler Hitler", *Diário de Notícias*, 04-02-1933,: p. 2.

Bem como em editoriais regionais:

> Não seria possível, pois, que o núcleo de simpatizantes do credo vermelho invadisse impunemente o Estado para satisfação de seu cobaísmo sociológico e econômico. Os que consideram a Alemanha como o reduto máximo da ordem do Ocidente contra os ventos destruidores das estepes moscovitas não poderiam deixar de encarar o hitlerismo como uma solução violenta mas imprescindível para os males e perigos de que sofre a nação.[12]

O próprio Hitler, em suas falas, sempre enfatizava este ponto, como em uma entrevista que deu a uma jornalista estadunidense do *The New York Times*, respondendo a uma questão sobre os aspectos positivos e negativos [*sic*] da política antissemita dos nazistas:

> Você deve entender que o combate que fazemos não é dirigido contra os judeus como tais, mas contra os comunistas, e todos os elementos que nos destroem e nos desmoralizam. Quando ajo contra um comunista não me interrogo se ele é saxão ou prussiano. O que quero dizer é que não posso poupar um comunista porque ele é judeu.[13]

Não é difícil de perceber que por trás de tais posturas não seria possível encontrar-se na imprensa brasileira, nem na mundial[14], aliás, a atitude de buscar esclarecer aos seus leitores quem eram Hitler e suas milícias assassinas e o que sinificavam a sua chegada ao poder em toda a sua amplituide. Tal comportamento, excetuando-se especialmente a imprensa de esquerda e uns poucos casos isolados, somente seria revertido de uma maneira global com o início da Segunda Guerra Mundial, em 1939. No caso do Brasil, também ocorreu o mesmo, obviamente um pouco mais tarde, pois, como se sabe, o Brasil declarou guerra ao chamado Eixo em 1942, o que levou a que no Brasil se desse mais tempo e tolerância ao nazismo. Isto sem contar que

---

12 "A ditadura na Alemanha", *Folha da Manhã*, 05-03-1933,: p. 6.

13 A. O'H. McCormick, "Hitler Seeks Jobs for all Germans", *The New York Times*, 10-07-1933 *apud* D. Schneidermann: *Berlin, 1933: La presse internationale face à Hitler*, 2018,: p. 142.

14 A este propósito, ver o instigante livro do jornalista francês D. Schneidermann, acima citado, que tem como um de seus objetivos compreender as razões pelas quais a imprensa mundial se calou frente a Hitler ("Por que eles nada disseram?").

testemunhássemos coisas bizarras em terras brasileiras, como a colaboração de comunistas e nazistas (resultado do pacto germano-soviético de 1939) em um diário carioca que recebia recursos e se alimentava de uma agência noticiosa nazista, o *Meio-Dia*[15].

Um alerta solitário

No início dessa gigantesca maré de desinformação em prol do fascismo houve apenas uma voz isolada manifestando-se na imprensa brasileira[16] sobre o que se passava na Alemanha e que perspectivas ali se desenhavam: a palavra de Mario Pedrosa. O jovem jornalista e então dirigente da Liga Comunista do Brasil, ligada à Oposição Internacional de Esquerda, liderada por Leon Trotsky, se especializara nas coisas da Alemanha, pois, além de acompanhá-las por dever profissional, ali estivera entre 1927 e 1929 e presenciara o ascenso do nazismo. Nesta condição foi que o diário paulistano *Correio de S. Paulo*[17], no calor dos fatos, o entrevistou, publicando suas opiniões na edição de 4 de fevereiro de 1933[18].

Mario Pedrosa, logo depois da ascensão ao poder por parte dos nazistas, em sua então condição de jornalista especializado nas questões internacionais, deu esta longa entrevista comentando os primeiros atos no poder de Hitler e as perspectivas que se apontavam na Alemanha, bem como reiterou os pontos de vista da Oposição Internacional de Esquerda. Nela, enfatizou que a política da recusa de aliança com a social-democracia alemã por parte dos comunistas, considerada por estes como equivalente ao nazismo e por eles alcunhada de social-fascista, levou Hitler ao poder. Tal diretriz, produto da orientação da Internacional Comunista resultante do seu VI Congresso de 1928, pontuava Pedrosa, levou os comunistas a um impasse em todo o planeta, que somente a frente única entre as forças de esquerda poderia superar.

---

[15] Sobre este episódio ver: J. Silveira e G. Moraes Neto, *Hitler / Stalin, o pacto maldito*.

[16] Aqui não estamos no referindo à imprensa de esquerda brasileira, que naquela época, como se sabe, se encontrava na clandestinidade.

[17] Diário publicado na cidade de São Paulo, fundado pelo jornalista Rubens do Amaral, que circulou de 1932 a 1937.

[18] "O que representa para a política internacional a subida de Hitler ao poder", *Correio de S. Paulo*, 04-02-1933,: p. 1-2.

Pedrosa começa a sua entrevista deixando claro algo que os nazistas nunca esconderam: eles tomariam o poder pelas urnas e não o devolveriam mais. Era coisa, aliás, que já era do conhecimento dos jornalistas e editorialistas do Brasil, pois Hitler sempre deixou isto público. Inclusive, pouco antes, havia sido publicado no Brasil um livro de um correspondente estadunidense em Berlim, Hubert Renfro Knickerbocker (ele seria, inclusive, expulso da Alemanha logo após a chegada ao poder dos nazistas), no qual ele escrevia que "Hitler prometeu subir ao poder somente por meios legais. Não prometeu, entretanto, resignar, se a maioria se transformasse em minoria. Declarou, entretanto, que aboliria a democracia e o governo parlamentarista no momento em que subisse ao poder, guindado pelo voto democrático"[19]. Pedrosa punha a nu os mecanismos dessa ação:

> Isto, porém, não passa de uma pura manobra para dar tempo a Hitler de se assenhorear da máquina do Estado, ocupando todos os pontos estratégicos necessários à ofensiva ulterior. Os fascistas querem fortificar-se primeiro no poder e por isso falam em legalidade constitucional, convocação do Parlamento, novas eleições etc., no intuito de impedir uma ação imediata e conjunta das massas trabalhadoras, facilitando assim a covardia e a traição dos líderes social-democratas e a falência, a perplexidade e a indecisão, que já vão tomando as proporções de uma traição caracterizada, dos chefes stalinistas do Partido Comunista alemão, cuja sede já foi até ocupada militarmente. A coalizão com outros partidos, a capa legal com que Hitler montou ao governo, serviram para evitar a possibilidade de sua ascensão ser respondida imediatamente com a greve geral de todo o proletariado, como devia ter acontecido se o Partido Comunista tivesse seguido a política previdente preconizada por Trotsky.

Um pequeno parêntese, aliás, até o momento em um prazo de tempo mais longo que o de Hitler e o de Mussolini, esta tomada da máquina do Estado para sua destruição estamos hoje a testemunhando no governo das milícias de Messias Bolsonaro.

Pedrosa, a seguir, alertava àqueles que eventualmente acreditaram que Hitler se dobrara às regras da República de Weimar ao dissolver o Parlamento alemão e convocar novas eleições assim que assumiu seu cargo de chanceler:

---

[19] H. R. Knickerbocker, "*Alemanha: Fascista ou soviética?*" *apud* "O momento internacional: A situação alemã", *Diário de Pernambuco*, 04-02-1933,: p. 2.

Mas o seu jogo é visível. Esse apelo às urnas tem por objetivo formar a união dos componentes do governo, vencendo a resistência e os "escrúpulos" constitucionais de Hindenburg, contentando assim não os preconceitos constitucionais ou democráticos do presidente, mas, paradoxalmente, os preconceitos feudais e militares do velho e nobre marechal, preso a um juramento de fidelidade à Constituição. Com isso, Hitler também não fechou a porta aos chefes do Centro. Pelo contrário, é uma espécie de satisfação que dá a estes partidos, facilitando aos seus chefes a adesão e submissão aos novos senhores da Alemanha, sob a forma "pseudodemocrática" de consulta eleitoral ao povo.

Em resposta àqueles que simplesmente traçavam um sinal de igualdade entre as experiências da Itália e da Alemanha, Pedrosa chamava a atenção para a importante questão da força e da importância que tinham os trabalhadores na cena política no momento da chegada das forças fascistas ao poder na Itália e na Alemanha:

A experiência italiana é ilustrativa para o caso. Nos primeiros tempos do seu predomínio. Mussolini teve que suportar em seu flanco o parlamento, puro político incômodo embora decorativo. As relações de forças, porém entre o fascismo italiano e o fascismo alemão, na hora da subida ao poder, são diferentes. Mussolini subiu quando a vaga revolucionária já tinha passado. O movimento operário estava em refluxo, já quase esgotado pela ofensiva anterior. Isso facilitou o seu trabalho. E se a sua elevação à ditadura foi também realizada sob as aparências da legalidade, ele teve pelo menos, para contentar a sua própria megalomania e impressionar os papalvos, a sua marcha de opereta sobre Roma.

Na Alemanha, pelo contrário, os quadros da democracia proletária ainda estão em forma perfeita, e, sobretudo, as forças proletárias organizadas ainda se encontram intactas, e pela sua massa e disciplina, são infinitamente mais poderosas do que as do proletariado italiano, na mesma situação histórica. Além disso, faltava ao proletariado italiano o instrumento necessário de sua ação revolucionária: o partido de vanguarda, senhor de uma ideologia precisa e tendo por objetivo levar as massas operárias ao poder, isto é, o Partido Comunista. Daí a necessidade em que se viu Hitler de acentuar ainda com mais força do que o seu precursor a sua intenção de se manter fielmente dentro das regras do jogo parlamentar democrático. E por isso Hitler não pôde gozar dos efeitos teatrais de uma marchinha decorativa sobre Berlim. Além do mais, Berlim não era Roma, a "cidade eterna", museu de tradições, mas um formidável centro industrial-proletário moderno, dominado pelos vermelhos.

Enfim, Pedrosa enfatizava que ainda o líder nazista percebia a força de seus adversários e para isto tinha de ir cautelosamente apalpando o terreno, e "foi a força do adversário, passiva ainda, mas ameaçadora, que o levou à audácia desse ato", o de convocar eleições. Neste momento, "o ilustre publicista Mario Pedrosa" (como fora apresentado aos leitores do *Correio de S. Paulo*) punha em questão, no âmbito das eleições, o argumento que tanto seduzira os jornalistas e os editorialistas brasileiros:

> A interpretação desse decreto se encontra no discurso-programa de Hitler, em que, definindo os campos, obriga os elementos indecisos e tímidos da burguesia a tomar posição definida contra os "partidos do marxismo", isto é, contra o proletariado organizado.
>
> A maioria absoluta do povo alemão é composta de proletários, que são representados de modo quase absoluto pelos dois grandes partidos "marxistas". Hitler lançou um desafio a esses partidos, que, embora inimigos irredutíveis, são confundidos por ele num só bloco. O chefe fascista, reunindo os adversários num só bloco, quer limitar a luta entre dois campos perfeitamente distintos. Pretende mesmo modificar a lei eleitoral de modo a impedir que os partidos pequenos entrem na dança, dispersando os esforços e desviando as forças para fora dos dois campos irredutíveis. Não quer nuances entre as duas cores decisivas, entre o preto e o vermelho. Nestas condições, basta que se faça essa pergunta: – e se os resultados das eleições forem desfavoráveis à coligação? Hitler obedecerá ao "*fair play*" democrático e entregará o governo aos "marxistas"? – para que salte evidente aos olhos de todo o mundo que o resultado dessas eleições em nada decidirá.

Enfim, para Pedrosa era a força das ruas que decidiria, e nisto tanto os nazistas como a esquerda alemã tinham elementos a serem considerados:

> Infinitamente mais decisivo do que um pobre exercício de contagem de votos, são os quatrocentos milicianos hitleristas, bem armados, os duzentos mil Capacetes de Aço, já legalizados antes da subida de Hitler e que agora fervem de impaciência para cair sobre o adversário, sob a proteção das "leis" da república e do aparelho

do Estado. Eis aí os fatores decisivos da campanha eleitoral hitlerista. Contra estas forças se opõem as tropas democráticas das Bandeiras Republicanas, semitoleradas antes da subida de Hitler, e as tropas ilegais da Frente Vermelha[20], sem contar com a arma específica do proletariado organizado: a greve geral. As eleições hitleristas se decidirão, não nas urnas, mas nas ruas e nos campos, entre estes dois exércitos. A luta poderá começar nos moldes de uma campanha eleitoral, mas transbordará inevitavelmente do terreno parlamentar. A guerra civil decidirá, e não os votos.

Após as eleições, Pedrosa vislumbrava uma nova fase no campo de batalha alemão, em que, mediante o apoio que os nazistas receberam de industriais e banqueiros alemães, se jogariam nele as forças da pequena burguesia desesperada com o seu processo de proletarização, exibindo a verdadeira amplitude do fascismo:

> É a fase decisiva. Para ela é que os industriais e banqueiros forneceram os meios e se arriscaram a aplicar a cirurgia perigosa de Hitler, a fim de salvar o capitalismo alemão do impasse em que jaz. Com os recursos fornecidos pelo capital financeiro, Hitler mobilizou a pequena burguesia, arruinada pela crise do regime, pela concorrência profissional, ameaçada de cair definitivamente na proletarização, desesperada, não vendo outra saída que ou seguir o proletariado no caminho da revolução socialista ou se agarrar a uma tábua de salvação qualquer para conservar as próprias posições.
>
> Como Mussolini na Itália, Hitler recebeu dos capitalistas o encargo de aproveitar esse desespero das massas pequeno-burguesas, amotinando-as contra o proletariado, que, pela sua posição social e o papel preponderante que exerce na produção, é muito mais capaz de organizar-se, disciplinado e coeso, muito mais capaz de resistir à crise e, já não tendo nada a perder, mas só a ganhar na queda do regime capitalista. É este o grande papel político do fascismo: o resto do seu programa é puramente demagógico, para arrastar pequeno-burgueses e operários inconscientes e, sobretudo, entre os desempregados.
>
> Os industriais contam, assim, com a destruição dos partidos políticos do proletariado e a destruição de seu aparelho de organização autônoma, que é a ossatura da resistência à ofensiva dos patrões – sindicatos, cooperativas, clubes etc. – para

[20] As Bandeiras Republicanas e a Frente Vermelha eram as milícias defensivas, respectivamente, dos social-democratas e dos comunistas.

impor novamente à massa operária vencida, destroçadas as suas organizações, a sua vontade discricionária. Coisa que, na fase de desenvolvimento do proletariado atual dos grandes países industriais, a polícia e os meios repressivos "normais" do Estado burguês são insuficientes para conseguir.

Por fim, Pedrosa apontava para a fase final do projeto hitlerista. Este envolvia a busca de uma saída para a expansão do capitalismo alemão sob o invólucro nazista e que tinha como objetivo uma cruzada antissoviética para a qual Hitler teria, "não a rivalidade, mas o apoio e até os créditos das grandes potências financeiras e imperialistas".

Embora Pedrosa ainda mantivesse uma pequena esperança no que talvez fosse o único meio de efetivamente fazer freio ao ascenso nazista, ou seja, a retomada do caminho revolucionário por parte do Partido Comunista alemão e da Internacional Comunista, ele fazia um severo inventário de responsabilidades naquela tragédia que visivelmente se avizinhava:

> A partida, porém, ainda não está decidida para Hitler. Agora é que a luta decisiva vai começar: é a luta pelo poder, entre a burguesia e o proletariado. É inegável que os fascistas, com a subida ao poder, ocupam agora posições estratégicas superiores às do adversário. A Internacional Comunista e o Partido Comunista Alemão nada souberam prever e estão na iminência de capitular frente ao inimigo. A Social-Democracia, enfeudada a chefes corrompidos pela longa prática parlamentar e governista, facilitou, pela passividade e pelo recuo sistemático diante do inimigo, a ascensão hitlerista. A teoria social-fascista, criada pela cegueira política de Stalin, serviu para deseducar a massa comunista, entravando a ação do próprio Partido e impedindo a realização de sua tarefa primordial e mais imediata: a conquista dos operários social-democratas.

Sabia Pedrosa que o acúmulo de erros por parte, em significativa proporção, dos comunistas, desde o final dos anos 1920 – e que ele pessoalmente testemunhara estes primórdios – até 1933, era um pesado fardo a ser carregado pelos trabalhadores alemães na sua luta contra Hitler e suas milícias e seus aliados da burguesia financeira e industrial alemã. E não foi por falta de alertas sobre o caminho suicida trilhado pelos comunistas que isto ocorrera:

> Todas as previsões da Oposição Internacional de Esquerda, sobretudo de Trotsky, vão se realizando, infelizmente, com uma precisão matemática. A política, para a

conquista da maioria social-democrata, era a política de frente única de todas as organizações proletárias, tendo por objetivo imediato e concreto a defesa contra o inimigo comum, isto é, o fascismo. Tivesse sido feita esta frente única, com planos concretos de ação e de defesa contra o assalto do fascismo, e este ou não teria chegado ao poder, ou a sua tentativa de galgá-lo teria encontrado pela frente todo o proletariado preparado e organizado para a luta, que seria iniciada com a greve geral imediata. Agora, o que estamos vendo é a necessidade em que o Partido se encontra de fazer essa frente única, mas em condições muito mais desfavoráveis, porque já é sob a ofensiva do adversário, reforçado pelas forças repressivas do Estado. A preparação da greve geral se torna assim muito mais difícil. Mesmo agora, sob o fogo concentrado do inimigo, a única solução é a política há tanto tempo já preconizada pela Oposição de Esquerda: frente única para a greve geral, congresso dos comitês de empresa, controle operário da produção, formação de sovietes, e, contra a demagogia fascista de planos econômicos nacionais, a elaboração comum, entre os sindicatos alemães e russos, de um plano econômico russo-alemão, que teria uma significação e proporções verdadeiramente gigantescas.
A Internacional Comunista não pode continuar calada diante da mais brutal ameaça que já pesou não só sobre o movimento comunista alemão como sobre a própria Rússia. O proletariado alemão precisa nesta hora terrível para a sua existência não só da solidariedade política da Internacional Comunista como da assistência por todos os meios do Estado proletário soviético.

No entanto, como se sabe, a tragédia acabou ocorrendo muito mais rapidamente do que Pedrosa e seus camaradas da Oposição de Esquerda imaginavam. Como as eleições foram marcadas para 5 de março, não era possível que Pedrosa, no início de fevereiro, fosse capaz de prever o seu resultado e muito menos antever o episódio do incêndio do Parlamento alemão, em 27 de fevereiro de 1933, e suas repercussões tanto na manipulação do processo eleitoral como sobre o eleitorado alemão e entre os aliados políticos dos nazistas que com ele conformavam a coalizão governamental. Assim, confirmando em um grau muito mais acentuado do que imaginara Pedrosa no início de fevereiro de 1933, as eleições de 5 de março de 1933 deram 43,9% dos votos aos nazistas (um aumento de 10,8% em relação à eleição anterior, ocorrida em 6 de novembro de 1932), que conseguiram 288 assentos no Parlamento alemão; a social-democracia alemã obteve 18,3% dos votos (uma diminuição de 2,1%) e obtiveram 120 assentos no Parlamento; os comunistas alemães conquistaram 12,3% dos votos (uma redução de 4,6%) e ocuparam 81 assentos no Parlamento; o Partido do Centro obteve 11,3% dos votos (uma diminuição de 0,6%) e ocupou 73 assentos no Parlamento; e os aliados de coalizão de Hitler, reunidos na Frente de Combate Preto-Branco-Vermelho (uma aliança eleitoral composta pelo Partido Popular Nacional Alemão e pelos milicianos dos Capacetes de Aço), formada exclusivamente para as eleições de 5 de março, obtiveram 8% dos votos, conquistando 52 assentos no Parlamento. Juntamente com a Frente de Combate Preto-Branco-Vermelho os nazistas conquistaram maioria no parlamento e abriram caminho para a implantação da sua ditadura. As eleições de 5 de março, como se sabe, foram as últimas eleições nacionais em que mais de um partido delas participou até o fim do regime nazista. Este foi o princípio do chamado processo de harmonização ou sincronização (*gleichgeschalted*), como foi chamado pelos nazistas o período de pouco mais de um ano e meio ocorrido entre a nomeação de Hitler à chancelaria (30 de janeiro de 1933) e o plebiscito de 19 de agosto de 1934 (realizado após a morte do presidente Paul von Hindenburg e que decidiria a fusão do cargo de presidente e de chanceler como *Führer* [líder] da Alemanha, para centralizar todo o poder nas mãos de Hitler). Ao longo desse período, houve, em um crescente rumo à ditadura nazista, a dissolução do Parlamento alemão; a supressão do caráter federal do Estado; a supressão dos estados (*Länder*); a proibição dos comunistas e dos social-democratas, declarados "inimigos do povo e do Estado"; a abolição das liberdades democráticas; a abertura dos primeiros campos de concentração; a lei dos funcionários (a chamada Lei para a Restauração do Serviço Público Profissional, que forçava todos os não arianos a saírem de seus cargos e do serviço público); a instauração do partido único; a criação da Frente Alemã do Trabalho (que substituiu os sindicatos – que haviam sido fechados em maio de 1933 pelos nazistas –, reunindo, em seu interior, tanto trabalhadores como empresários); e a liquidação (na chamada "Noite das Facas Longas") dos possíveis opositores dentro do partido nazista, dos meios conservadores e das forças armadas. Em 19 de agosto de 1934, Hitler teve 90% dos votos.

Coube a Pedrosa, ao final de sua entrevista, evidenciar claramente o que se tornaria inevitável:

> O fascismo vitorioso no poder, tendo esmagado, na guerra civil, o proletariado, será o único governo capaz de uma aventura desse quilate, e Hitler, como o disse Trotsky há quase dois anos, será um super Wrangel do imperialismo mundial. Assim, a última consequência, e inevitável, da atual ascensão de Hitler, se conseguir manter-se no poder, será a guerra contra a União Soviética.

Revolu3ro e Contrarrevolu3ro na Alemanha

Pouco mais de duas semanas depois de sua entrevista, mais uma vez Mario Pedrosa reapareceu nas páginas de *Correio de S. Paulo*[21]. Desta vez, o diário paulistano divulgou, na íntegra, o prefácio que Pedrosa escrevera para uma coletânea de textos de Leon Trotsky sobre a questão alemã e que foi publicada pela editora Gráfico-Editora Unitas, sob o título de *Revolução e Contrarrevolução na Alemanha*, e que acabara de chegar às livrarias em meados de fevereiro de 1933. Este livro fazia parte de um projeto editorial de publicação de obras políticas e de textos de Leon Trotsky que já vinha se desenvolvendo, sob a Unitas, por parte da organização política à qual Pedrosa se filiava então, a Liga Comunista do Brasil, como dissemos anteriormente. Era um projeto coletivo. A organização de *Revolução e Contrarrevolução na Alemanha* foi realizada por Mario Pedrosa, o qual também ouviu as opiniões e sugestões de seus camaradas. Ele se valeu de uma estadia forçada por problemas de saúde que fizera na cidade serrana paulista de Campos do Jordão para ler, selecionar e realizar parte do trabalho de versão para o português[22]. Mas a tradução de todo o volume, que possuía 448 páginas, foi certamente resultado de um trabalho coletivo, do qual tomaram parte Livio Xavier e Aristides Lobo, os principais

---

[21] M. Pedrosa, "Revolução e Contrarrevolução na Alemanha", *Correio de S. Paulo*, 21-02-1933,: p. 2.

[22] Um dos textos que integram *Revolução e Contrarrevolução na Alemanha*, "Está na Alemanha a chave da situação internacional", já havia sido anteriormente publicado, com algumas pequenas e insignificantes diferenças estilísticas em relação à versão publicada pela Unitas, em uma revista da Liga Comunista do Brasil no início de 1932 (*Boletim da Oposição*. São Paulo, n. 3, jan. 1932,: p. 2-14).

tradutores entre os militantes da Liga Comunista[23]. Aliás, esta era uma característica do trabalho coletivo dos militantes da Liga Comunista do Brasil. A não ser em poucas ocasiões, tanto no trabalho interno – exceto nos momentos de discussão interna, quando a identificação, obviamente sob pseudônimo, era necessária – como no trabalho político realizado na Unitas e em outras editoras, como na Editora Lux, não havia a preocupação da identificação da autoria, especialmente nos trabalhos de tradução[24]. A única exceção conhecida é o livro de Trotsky, publicado pela Unitas em 1931, *O plano quinquenal*, cuja tradução está claramente atribuída no livro e foi de Livio Xavier. Em algumas outras traduções, foi possível a identificação através de documentos internos da Liga Comunista, mas nos livros em si não existe, com exceção do livro acima mencionado, nenhuma identificação de autoria. Isto denota, de um lado, o desprendimento com essa questão, pois o trabalho estava subordinado ao combate político que travavam e que punham acima de tudo, e, de outro, que, também, eram trabalhos realizados por mais de uma pessoa.

Revolução e Contrarrevolução na Alemanha reunia os principais textos de Trotsky escritos sobre o assunto entre 1929 e 1932. A apresentação de Pedrosa deixa clara a ideia de que no volume, muito mais que uma homenagem a Engels – autor de um livro com o mesmo título sobre a Revolução de 1848 –, há um fio de continuidade na compreensão do processo revolucionário alemão entre o companheiro de Marx e Trotsky, enfatizando que "o que se está decidindo atualmente na Alemanha não é mais do que o mesmo processo histórico iniciado em 1848"[25], e que naquele momento encaminhava-se para seu epílogo. Pedrosa salientava que em 1933 não existia mais a luta entre o feudalismo e a ascendente

[23] No processo de confecção e revisão desta edição foi possível notar, a partir do exame das diferentes origens dos textos de Trotsky (no caso francesas e estadunidenses), que havia, na edição da Unitas, diferentes soluções, nos vários textos, para a transcrição de nomes, divisão de parágrafos, expressões idiomáticas etc. (que acabaram sendo aqui nesta edição padronizadas), as quais indicavam, efetivamente, diferentes tradutores.

[24] A Lux, de São Paulo, publicou duas traduções que foram identificadas como sendo de Aristides Lobo: *Dez dias que abalaram o mundo*, de John Reed, e *O encouraçado "Potemkin"*, de F. Slang, com um prefácio de outro militante da Liga Comunista do Brasil, o francês Benjamin Péret, publicados em 1930 e 1931, respectivamente.

[25] M. Pedrosa, "Prefácio", *in Trotsky*, *Op. cit.*,: p. 10. Este prefácio foi também reproduzido em um diário paulistano: M. Pedrosa, "Revolução e contrarrevolução na Alemanha", *Correio de S. Paulo*, 21-02-1933,: p. 2.

burguesia de 1848, mas sim a disputa entre o capitalismo agonizante e o ascendente socialismo, tendo como contendores a burguesia e o proletariado. Em 1848 na Alemanha prevaleceram os interesses locais e fracionados, pois aí não havia enormes massas concentradas em grandes cidades, o que levou ao retardamento da revolução burguesa na Alemanha e à formação de um proletariado, aspirando apenas ser um pequeno patrão e repleto de valores provincianos. Foi somente no século XX que surgiu a oportunidade do seu desenvolvimento. No entanto, isto engendrou uma situação que era o pano de fundo daquele momento, ou seja, o das relações entre a pequena burguesia e o proletariado:

> Atualmente, esse processo de diferenciação entre a pequena burguesia e a classe operária chegou a seu termo completo – e é a pequena burguesia que, temendo ser absorvida no proletariado, procura defender desesperadamente o seu lugar ao sol, ameaçada de soçobrar definitivamente na proletarização.[26]

Essa diferenciação, no momento em que o proletariado via a possibilidade da tomada do poder, para Pedrosa, abriu a brecha para o surgimento do fascismo:

> A pequena burguesia tornou-se para sempre incapaz de conduzir qualquer movimento independente. Os papéis se inverteram: agora, ou ela segue o proletariado para o futuro, ou toma à direita para a reação. De democrática revolucionária que era, passa a reacionária, de jacobina transforma-se em fascista. O fascismo, segundo a definição de Trotsky, não é mais do que a caricatura reacionária do jacobinismo, na época do capitalismo em decadência. Enquanto, em 1848, a pequena burguesia fazia o proletariado lutar por ela contra a sociedade feudal, em 1933 vê-se mobilizada pelo capital financeiro, como um aríete contra a classe operária organizada: espera assim vencer a crise que corrói o regime e que a leva à miséria, sair da situação desesperadora em que se encontra, procurando destruir os fatores de intensificação da implacável luta que enche toda a nossa época, travada entre a burguesia e o proletariado. Eis o fundamento do fascismo.[27]

Para fazer frente ao crescimento do fascismo, Pedrosa apontava como única saída a conquista da maioria da classe operária, em particular dos social-

---

[26] *Idem, ibidem.*

[27] *Idem,*: p. 11.

-democratas, por meio da política de frente única preconizada por Trotsky e pela Oposição Internacional de Esquerda.

Nos textos do revolucionário soviético, é possível acompanhar e compreender minuciosamente a evolução da situação alemã e a atuação dos atores nela envolvidos e nos quais, embora o último texto do volume seja datado de outubro de 1932, pode-se intuir claramente o desfecho da tragédia que desembocou com a chegada dos nazistas ao poder em janeiro de 1933. *Revolução e Contrarrevolução na Alemanha* é certamente a melhor e mais impactante reunião de textos de Trotsky existente sobre o tema, publicada ao seu tempo da vida. Até o assassinato de Trotsky a mando de Stalin, em agosto de 1940, no México, estes textos haviam circulado apenas através da imprensa dos grupos políticos vinculados à organização internacional liderada por Trotsky, seja em periódicos seja em pequenas brochuras, as quais, justamente por essa forma de difusão, acabavam não permitindo uma melhor e mais abrangente compreensão da questão alemã. Somente após os anos 1950 é que foram publicadas obras de maior extensão, reunindo tanto um volume maior de textos como aqueles publicados em datas posteriores a *Revolução e Contrarrevolução na Alemanha*, sobretudo na França e nos Estados Unidos da América, e que podem ser comparadas a *Revolução e Contrarrevolução na Alemanha.*

A edição da Unitas teve inegável repercussão no Brasil na ocasião, tendo sido publicadas várias resenhas em diários e revistas, especialmente do Rio de Janeiro e de São Paulo. Mas indubitavelmente o maior índice de sucesso de *Revolução e Contrarrevolução na Alemanha* foi o do impacto entre aqueles que Pedrosa e seus camaradas consideravam como o público-alvo de sua publicação: os militantes comunistas, em primeiro lugar, e os trabalhadores de modo geral. O antigo militante trotskista Hermínio Sacchetta, na época ainda militante comunista em São Paulo, afirmou que esta obra foi a base teórica fundamental para as divergências que resultaram em sua saída do Partido Comunista do Brasil (PCB) cinco anos mais tarde[28]. Outra evidência desse impacto, esta de caráter físico, também pode ser atestada pela localização de um exemplar do livro, lido e anotado, que pertenceu a Arthur Basbaum, que

[28] Algumas dessas resenhas podem ser vistas em *A Noite*, 03-03-1933,: p. 6; *Correio da Manhã*, 18-03-1933,: p. 2; *Fon-Fon*, ano XXVII, n. 12, 25-03-1933,: p. 33; o testemunho de Hermínio Sacchetta está em: *Em Tempo*, n. 103, 03/16-04-1980,: p. 17.

fora um dos dirigentes e fundadores da Juventude Comunista em 1927 e que na ocasião da publicação encontrava-se em Belém do Pará. Além de Sacchetta e dos muitos militantes da esquerda brasileira que leram com atenção os pontos de vista de Trotsky sobre a questão alemã expressos nas páginas do livro da Unitas, muitos outros acabaram influenciados pelos militantes da Liga Comunista, especialmente em São Paulo. Tal impacto pode ser mensurado em termos práticos, em 1933 e 1934, pela constituição e atuação da Frente Única Antifascista, uma organização formada em torno das ideias de Trotsky a respeito da compreensão do fascismo e de como combatê-lo, feita a partir, sobretudo, da questão alemã[29].

Com a fundação da Ação Integralista Brasileira, um partido de ideologia nitidamente fascista, em outubro de 1932, e o que se desenrolava na Europa, especialmente na Alemanha, fez com que a Liga Comunista do Brasil introduzisse um novo elemento em sua ação política: a construção de uma frente única de organizações de esquerda para barrar o caminho do fascismo no Brasil. Em janeiro de 1933, em reunião da Comissão Executiva da Liga, em São Paulo, aprovou-se a proposta de lançamento de uma Frente Única Antifascista[30]. Tal proposta ainda ganhou maior urgência e necessidade com a ascensão de Hitler ao posto de chanceler no final daquele mesmo mês.

A Liga Comunista do Brasil, que naquela época considerava-se ainda uma fração do PCB e, portanto, como uma questão de disciplina partidária o tinha como seu interlocutor privilegiado, dirigiu uma carta aberta ao PCB. Nela, em uma linguagem dura e franca, deixava clara a responsabilidade da Inter-

---

[29] Entre 1933 e 1935 foram publicados, após a chegada de Hitler ao poder, vários livros com textos de autores de esquerda discutindo a questão do nazismo e do fascismo. Eis uma relação deles: J. Amado *et al*, *Para onde vai o Brasil? Para o comunismo? O fascismo? O integralismo? A democracia? O socialismo? O federalismo? A ditadura? Para onde?*; N. Bukharin, "O papado a serviço do fascismo e do capitalismo", *in A luta religiosa na URSS*; H. B. Davis, *N.R.A., fascismo e comunismo*; J. Guanabarino, *O que vi em Roma, Berlim e Moscou*; D. Guérin, *Hitler: Defesa ou invasão da Europa?*; J. Jobim, *Hitler e seus comediantes na tragicomédia "O despertar da Alemanha"*; E. Lussu, *Marcha sobre Roma... e arredores*; M. L. de Moura, *Fascismo, filho dileto da igreja e do capital*; O. A. Piatnitski, *A ditadura fascista na Alemanha*; A. Piccarolo *et al.*, *Por que ser antissemita?*; K. Radek, *Hitler no poder*; R. Rolland, *Os que morrem nas prisões de Mussolini (Antônio Gramsci)*; E. Varga, *A derrocada do fascismo alemão: Situação econômica mundial.* Nenhum deles, por razões as mais variadas, gerou o impacto de *Revolução e Contrarrevolução na Alemanha*.

[30] F. Abramo, *A revoada dos galinhas verdes: Uma história da luta contra o fascismo no Brasil.*

nacional Comunista pela chegada de Hitler ao poder na Alemanha e que esta postura não poderia mais prosseguir e que no Brasil tal situação, frente aos integralistas, não poderia se repetir. Para tanto, se fazia necessária uma frente única das organizações de esquerda. Desse modo, a Liga Comunista, entre outras iniciativas, propôs a sua constituição, indicando os seus componentes: "organizações políticas antifascistas, de caráter democrático, como as ligas antifascistas italianas ou alemãs, ligas dos direitos do homem, organizações proletárias, independentemente de sua tendência política, na base de uma ação verdadeira de frente única contra o fascismo"[31].

O PCB sequer se deu ao trabalho de responder à proposta dos trotskistas, os quais, diante disso, sentiram-se desimpedidos para tomar em suas mãos a iniciativa de criação da organização.

Sua primeira iniciativa, neste sentido, foi a criação – a partir da proposta do exilado italiano Goffredo Rosini, que militou com Antonio Gramsci no Partido Comunista italiano e então integrava as fileiras da Liga Comunista do Brasil[32] –, de um jornal destinado a construir e apoiar a Frente Única Antifascista: *O Homem Livre*. À sua frente, o novo jornal tinha como redator-chefe o jornalista Geraldo Ferraz; como gerente, o advogado José Isaac Pérez, ambos simpatizantes da Liga Comunista; e como secretário do jornal, o militante da Liga Comunista Fulvio Abramo. O seu primeiro número foi lançado em 27 de maio de 1933. As suas páginas, ao longo de seus 22 números, publicados entre 1933 e 1934, não se restringiram apenas ao combate ao fascismo, dedicavam-se também a tratar de música, cinema, arte, literatura, ciência, refletindo a linha editorial do jornal, que era a da defesa da democracia em todos os campos do saber humano contra o obscurantismo fascista.

A Frente Única Antifascista (FUA) começou a ser constituída no comício em memória do nono aniversário do assassinato de Giacomo Matteotti (socialista italiano assassinado a mando de Mussolini), realizado em 10 de

[31] "Em defesa do proletariado alemão", *A Luta de Classe* (Órgão da Liga Comunista, S. B. da O. I. E.), n. 11, abr. 1933,: p. 3 e 4.

[32] Quase em seguida ao aparecimento de *O Homem Livre*, Rosini foi expulso do Brasil. "Expulsando do território nacional, o italiano Goffredo Rosini, por ter sido apurado pela polícia de São Paulo, ter-se constituído elemento nocivo à tranquilidade pública e à ordem social": assim eram explicadas as razões da expulsão de Rosini nas resenhas de atos oficiais do governo brasileiro ("Atos do Governo Provisório", *Diário de Notícias*, 23-05-1934,: p. 6).

junho de 1933, na sede da União dos Trabalhadores Gráficos de São Paulo. Aí foi proposta a formação da organização antifascista e os presentes, mais de 500 pessoas, decidiram constituir uma comissão com a tarefa de estabelecer as bases de sua constituição. Uma semana depois, em 25 de junho, na sede da União Cívica 5 de Julho erigia-se a FUA, em uma reunião presidida pelo socialista italiano Francesco Frola. À FUA aderiram a Liga Comunista do Brasil, o Partido Socialista Brasileiro de São Paulo, o Grêmio Universitário Socialista, o Partido Socialista Italiano, a União dos Trabalhadores Gráficos de São Paulo, a União dos Profissionais do Volante, a Federação Operária de São Paulo, a Legião Cívica 5 de Julho, a Bandeira dos 18, o Grupo Socialista Giacomo Matteotti, o Grupo Itália Líbera e os periódicos *O Homem Livre*, *A Rua*, *O Socialismo*, *A Lanterna*, *A Plebe* e *O Brasil Novo*[33]. Afora o PCB, que, mesmo convidado, não compareceu, todas as correntes de esquerda estavam representadas. Dali por diante, a FUA começou a levar a sua atividade, com a presença intermitente dos stalinistas, de enfrentar o fascismo nas ruas e que culminou com a contramanifestação de 7 de outubro de 1934 na Praça da Sé e que derrotou, de armas nas mãos, os integralistas, num evento que ficou sarcasticamente conhecido como a "Revoada dos Galinhas Verdes", no qual Mario Pedrosa foi alvejado pelas costas. Ou, então, como resumira um participante do confronto: "Foram quatro horas de ditadura do proletariado"[34].

Por fim, é importante ressaltar que ao longo de sua existência *Revolução e Contrarrevolução na Alemanha* foi o sucesso editorial de mais longa duração da Unitas, indicando, ao mesmo tempo, a solidez das ideias de seu autor e, também, a durabilidade da estrutura que lhe deu Mario Pedrosa. Além de ter ocorrido em algum momento, entre fevereiro de 1933 e setembro de 1934, uma "nova" edição do livro (quando, na verdade, houve apenas a troca da capa, com a manutenção de seu miolo tal e qual fora publicado em 1933, porque talvez se quisesse evitar qualquer confusão e má interpretação, pois a capa original possuía uma cruz suástica) com título de *Aonde vai a Alemanha?*, posteriormente ocorreram republicações nas décadas de 1960 e 1970, em 2011 e a mais recente em 2019[35].

---

[33] F. Abramo. *Op. cit.*,: p. 36-37.

[34] M. Pedrosa, "Quatro horas de ditadura do proletariado", *Isto É*, 10-10-1979,: p. 83.

[35] Além da edição de 1933, *Revolução e Contrarrevolução* recebeu reedições em 1968 (Laemmert), 1979 (Ciências Humanas) e 2011 (Sundermann). Em 2019 (novamente pela Sun-

A Gráfico-Editora Unitas e seu projeto editorial

A Gráfico-Editora Unitas era uma casa editorial que surgiu após a chamada "Revolução de 1930". Editoras como a Unitas, a Pax, a Lux, a Marenglen (uma curiosa justaposição de Marx, Engels, Lenin), a Calvino Filho, a Cultura Brasileira, a Caramuru, a Nosso Livro, a Alba e a Trabalho, a maioria delas com uma curta atuação – apenas a Calvino Filho e a Cultura Brasileira sobreviveram após os anos 1930 – apareceram neste período como resultado da percepção de que as temáticas políticas e sociais vinculadas ao mundo do trabalho, especialmente as de esquerda e de extração marxista[36]. passaram a ter uma maior possibilidade de expressão, coisa que até 1930 não existiu na história editorial do Brasil. Até então poucos livros, em especial os publicados em francês e espanhol[37], com foco nestas temáticas chegavam ao Brasil e a sua edição no Brasil, afora raríssimas exceções e envoltos na mais absoluta clandestinidade, eram impensáveis, pois havia uma intensa e violenta perseguição e repressão exercidas pelos sucessivos governos da chamada Primeira República ou República Velha, também conhecida como "República do Café Com Leite", que existiu até 1930. Obviamente, aqui não se está dizendo que tais características tenham desaparecido após a chamada "Revolução de 1930", mas algumas novas normas legais tornaram ao aparato repressivo o seu exercício um pouco mais trabalhoso. Tanto é assim, que parte significativa das editoras acima mencionadas teve curta duração, com algumas delas sendo fechadas pelo aparato repressivo do novo regime – o qual, no entanto, nunca as deixou de vigiar de muito perto e, quando as forças repressivas voltaram a crescer após as fracassadas revoltas militares comunistas de novembro de 1935, atuaram com extremo afinco na apreensão de sua produção editorial e na sua destrui-

---

dermann) houve uma nova reedição, mas que descaracterizou a edição de Pedrosa, pelo acréscimo de quatro textos de Trotsky do ano de 1933 e a modificação do título para *A luta contra o fascismo: Revolução e contrarrevolução*, embora mantendo o prefácio de Pedrosa. Além destas há uma edição sem data, supostamente publicada em Lisboa pela editora Centro do Livro Brasileiro, mas, na verdade, esta apenas se aproveitou do miolo da edição Laemmert, na qual foram inseridas uma nova capa e uma nova página de rosto.

[36] Sobre esse período inicial ver D. Karepovs, "Dez dias abalando um século", *Livro: Revista do Núcleo de Estudos do Livro e da Edição*, n. 9-10, nov. 1921, especialmente: p. 255-263.

[37] E. Carone, *O marxismo no Brasil (das origens a 1964)*,: p. 11.

ção física, como veremos adiante – e outras, como boa parte delas e a própria Unitas, não suportaram manter-se financeiramente e fecharam suas portas.

A Unitas, cujo nome originava-se de um termo latino que significa "unidade, qualidade do que é um, união, concórdia" e que, ironicamente, como também veremos adiante, apresentava como divisa a expressão latina *Alere Flammam* ("alimentar a chama"[38]), tinha como proprietário Salvador Cosi Pintaudi. Ela publicou seus livros na cidade de São Paulo[39] de junho de 1931 a setembro de 1934, quando faliu.

Em uma pequena nota de jornal, de 11 de junho de 1931, informava-se o surgimento da Unitas e os seus objetivos editoriais:

> Organizou-se em S. Paulo, sob a direção do sr. S. C. Pintaudi, a Empresa Editora "Unitas", que vem para o campo cultural brasileiro animada de um espírito moderno e guiada pelas constantes exigências e necessidades intelectuais e espirituais dos novos tempos e das novas gerações, necessidades cada vez mais complexas e mais vastas em relação ao livro.
>
> A Empresa Editora Unitas transportará e adaptará ao ambiente brasileiro tudo quanto houver na Europa e nos Estados Unidos de mais moderno com referência ao livro, quer no seu conteúdo intelectual, quer no seu aspecto artístico.
>
> Uma das finalidades da empresa será a edição de obras de sociologia, ao lado das outras formas de atividade humana reflexa no livro: literatura, ciência (filosofia, pedagogia, história etc.), arte, técnica e o próprio romance para o povo.[40]

Salvador Cosi Pintaudi (1908-1973) fora membro da Juventude Comunista do PCB (Partido Comunista do Brasil). Quando da cisão envolvendo os

---

[38] A Unitas tinha como logomarca uma candeia com duas chamas, acompanhada do dístico em latim acima mencionado.

[39] Em 1931 sua razão social era Empresa Editora Unitas, com sede na Avenida São João, 34. Em janeiro de 1932 passou a adotar a razão social que a acompanharia até o fim, Gráfico-Editora Unitas Ltda., situando-se sua nova sede à Rua Três de Dezembro, 12 – 4º andar. Em agosto de 1933 se mudou para o número 48 da mesma rua. Em novembro de 1933 a Unitas mudou-se para a Rua São Bento, 11 e anunciou também a existência de um depósito, situado na Alameda Barão de Limeira, 113, e uma filial no Rio de Janeiro, na Rua General Câmara, 286.

[40] Empresa Editora Unitas. *Folha da Manhã*, 11-06-1931,: p.16. Uma nota praticamente idêntica foi publicada no órgão do Partido Democrático, *Diário Nacional*, em sua edição de 12-06-1931,: p. 4. Outra nota assemelhada, sem data nem fonte, se encontra no Prontuário n. 828 (Unitas) do Deops-SP (Arquivo do Estado de São Paulo).

partidários brasileiros de Leon Trotsky e os de Josef Stalin, ocorrida no final dos anos 1920 e no início da década de 1930, Pintaudi acabou aderindo aos primeiros e esteve, sob o pseudônimo de "Sérgio", entre os que participaram da fundação da Liga Comunista do Brasil. Isto correu em reuniões realizadas em 21 e 22 de janeiro de 1931, na sede da Associação dos Empregados do Comércio de São Paulo. Nesta reunião, Pintaudi foi designado para fazer parte da Comissão de Agitprop (Agitação e Propaganda) da nova organização[41]. No entanto, sua passagem militante na Liga acabou sendo relativamente curta: Pintaudi acabou se afastando de uma atuação mais ativa na organização trotskista brasileira. Após o fechamento da Unitas, Pintaudi passou a ter uma atuação profissional ligada mais aos meios publicitários e parece ter-se novamente reaproximado de algum modo do PCB[42].

Apesar de seu afastamento militante da Liga Comunista do Brasil, Pintaudi e sua editora não deixaram de colaborar com a organização no campo das edições, razão pela qual é possível caracterizar-se a Unitas como a responsável pela divulgação das ideias de Trotsky no Brasil na primeira metade dos anos 1930[43]. Para tanto, existem várias evidências documentais nesse sentido. Na documentação interna da Liga Comunista do Brasil – conservada no Fundo Livio Xavier do Centro de Documentação e Memória da Universidade Estadual Paulista (Cedem–Unesp) – estão preservados vários documentos relativos às finanças da organização trotskista brasileira, demonstrando seu papel na comercialização e na difusão das obras políticas da Unitas. Mas, além disso, é a produção editorial da Unitas que demonstra isso de forma mais enfática, tanto pelo conjunto das obras publicadas e anunciadas pela editora, como pela estreita participação dos principais dirigentes da Liga Comunista do Brasil, em especial Mario Pedrosa, Livio Xavier, Aristides Lobo, Victor de Azevedo e Fulvio Abramo, na seleção, tradução e edição dos livros de caráter político publicados pela Unitas. Mas mais do que a produção editorial relativa às obras de Trotsky, é importante enfatizar a atuação da Unitas pela sua contribuição na difusão das ideias marxistas no Brasil, pois nos anos 1930 a difusão de publicações marxistas no Brasil

---

[41] Liga Comunista (Oposição). Ata n. 2: Reunião realizada, em segunda convocação, em 22-01-31,: p. 1 (Fundo Livio Xavier, Cedem-Unesp).

[42] Carone. *Op. cit.*,: p. 68; A. Tonussi, *Fui estudante em Moscou*,: p. 23.

[43] Carone. *Op. cit.*,: p. 68.

possuía um recorte, como destacou Carone, em sua grande parte voltado para a publicação de traduções que se dedicavam a problemas de organização e à ideologia partidária, sendo muito poucas as editoras que tinham como foco de sua produção a difusão e discussão das ideias de Marx[44]. E neste último ponto é que cabe destacar a atuação de Mario Pedrosa e de seus camaradas.

Inicialmente a Unitas, para sua criação, teve um "aporte de capital" especial proveniente da organização trotskista brasileira, mas que na verdade vinha de Luiz Carlos Prestes. O repasse de tais recursos foi acordado em um encontro que Mario Pedrosa tivera com Luiz Carlos Prestes em Buenos Aires, em meados de 1930, para tentar conquistar sua adesão ao comunismo, pois o "Cavaleiro da Esperança" pouco antes do encontro com Pedrosa havia publicado um manifesto anunciando suas simpatias pelo comunismo. Pedrosa também propôs a Prestes a ideia da criação de um jornal, de cuja redação se incumbiria Livio Xavier. Prestes concordou com a proposta de Pedrosa e forneceu-lhe os recursos para a edição do jornal e de outras publicações (brochuras de Marx, Engels, Lenin etc.). No entanto, com a eclosão da chamada "Revolução de 1930", o projeto abortou e o jornal acabou não sendo publicado. Apenas alguns livretos foram publicados pelos oposicionistas brasileiros, em um plano de publicações centrado em textos de formação política (como o *Manifesto Comunista*, de Marx e Engels; *O marxismo*, de Lenin; *Princípios do Comunismo*, de Engels). A Liga antes disso editara suas publicações mediante arrecadação de fundos com simpatizantes. Foi assim que, com recursos provenientes de Luiz Carlos Prestes, foi possível obter a edição de sete obras, além do *Manifesto Comunista,* "paga por Prestes, mas saindo como edição '*Luta de Classe*'"[45]. No final de 1930, após a transferência do grupo dirigente da Oposição de Esquerda brasileira do Rio de Janeiro – onde iniciara, ainda em 1929, suas atividades como Grupo Comunista Lenin – para São Paulo, ocorreu a aproximação com Pintaudi e os recursos de Prestes acabaram fazendo parte do capital inicial de constituição da Unitas.

Sumariamente, daremos aqui sua produção editorial de livros de esquerda ao longo de sua existência. Em seu primeiro ano de existência, 1931, a Unitas

---

44 Carone. *Op. cit.*,: p. 67.

45 Ata da reunião da Comissão Executiva da Liga Comunista do Brasil de 01-03-1931. "A Luta de Classe" era o nome do órgão oficial da Liga Comunista do Brasil.

publicou sete títulos de livros de esquerda[46], o maior número em sua trajetória, sem deixar de enfatizar que esta foi uma realização ocorrida em apenas um semestre. Tal produção, pelo acima relatado, certamente foi resultado da injeção de recursos provenientes de Prestes. Já no ano seguinte, os resultados não foram tão alentadores, com quatro títulos publicados[47]. No entanto, é importante não perder de vista, sobretudo porque estava sediada em São Paulo, que os episódios da Mazorca Constitucionalista (como os chamavam Mario Pedrosa e seus camaradas) de 9 de julho de 1932 dificultaram os resultados editoriais naquele momento. Em 1933 houve um pequeno incremento, com o lançamento de seis títulos[48]. Já em seu último ano de existência, o de 1934, a Unitas publicou mais quatro novos títulos e uma reedição (do *Manifesto comunista*, de Marx e Engels)[49]. Enfim, ao longo de sua curta trajetória, de 1931 a 1934, a Unitas publicou 22 títulos de livros de esquerda. Já examinando a produção editorial integral da Unitas neste mesmo período e verificamos que ela publicou 124 títulos, além de anunciar, sem que haja indícios de que os tenha editado, outros 58 (dos quais 31 eram livros de esquerda), num total de 182 obras[50].

---

[46] Engels: *Princípios do comunismo* (2ª ed.); *Socialismo utópico e socialismo científico* (tradução de Octaviano Du Pin Galvão); Lenin: *No caminho da insurreição* (tradução de Aristides Lobo); Plekhanov: *A concepção materialista da história* (tradução de Octaviano Du Pin Galvão); Trotsky: *A revolução espanhola*; *O plano quinquenal* (tradução de Livio Xavier); *Os problemas do desenvolvimento da URSS*. Em 1931, a Unitas lançou 28 títulos, incluindo os aqui citados.

[47] Engels: *Socialismo utópico e socialismo científico ã*; L. Mantsô (pseudônimo de Livio Xavier): *Tempestade sobre a Ásia: A luta pela Manchúria*; Marx: *O Capital* – Resumo de Carlo Cafiero; Marx & Engels: *Manifesto comunista* (2 ed., tradução de Livio Xavier – revisão). Em 1932, a Unitas lançou 23 títulos, incluindo os aqui citados.

[48] Beer: *Karl Marx – Sua vida – Sua obra*; Bukharin: *ABC do comunismo* (2ª ed., tradução de Aristides Lobo – revisão); Kropotkin: *O anarquismo: Sua filosofia – seu ideal, Suas bases científicas, Seus princípios econômicos* (tradução de Hendioser); Luxemburg *et al.*: *O marxismo exposto por Kautsky, Lenine, Plekhanov, Rosa Luxemburg*; Trotsky: *O que é a revolução de outubro*; *Revolução e contrarrevolução na Alemanha* (tradução de Aristides Lobo; Mario Pedrosa e Livio Xavier). Em 1933, a Unitas lançou 42 títulos, incluindo os aqui citados.

[49] Com os acima mencionados, a Unitas lançou 26 títulos no ano de 1934.

[50] Em alguns casos, não pudemos ter acesso ao exemplar, o qual, no entanto, teve sua existência comprovada através de anúncios, de informações existentes em outros livros da Unitas ou de notas na imprensa, informando sobre sua publicação. Não pudemos, no entanto, embora atestando sua existência fisicamente, estabelecer o ano de sua publicação para 5 títulos.

A Unitas, ao longo de sua existência, como parte significativa de suas congêneres ao seu tempo, como a Calvino, a Cultura Brasileira, a Alba, por exemplo, ao lado de suas publicações voltadas para a esquerda, também manteve uma linha editorial voltada para um público mais amplo e que tinha como objetivo a sustentação econômica da casa editora. As modestas dimensões das organizações de esquerda, combinadas com o elevadíssimo grau de analfabetismo existente no país naquela época, eram fatores que ajudam a compreender esta dicotomia militante e comercial da Unitas e de várias de suas contemporâneas, que não podiam dedicar-se exclusivamente ao seu "público-alvo", ao contrário do que ocorrera em vários países – em particular naqueles em que os partidos comunistas e socialistas eram legais –, onde foram criadas casas editoras claramente vinculadas aos partidos.

Este processo de ampliação da linha editorial ocorreu a partir de 1932. Em 1931, a Unitas ainda dava grande ênfase aos livros de política e, como vimos anteriormente, encontrava-se com os recursos provenientes de Luiz Carlos Prestes. Ao mesmo tempo, a editora adotou uma política de arrematar lotes de livros de editoras que haviam encerrado suas atividades. Tais livros, numa prática de "canibalização" muito comum naquela época, recebiam novas capas ou tinham simplesmente coladas etiquetas da Unitas sobre os dados editoriais antigos. Este conjunto de livros fundamentalmente agrupava dois tipos de literatura. De um lado, um conjunto de livros de Fábio Luz Filho, todos publicados na coleção "Cooperativismo". De outro, manuais de ensino de idioma, taquigrafia, literatura, física, química e matemática, que foram agrupados sob a rubrica "Didática", mas nada que se desviasse do anunciado publicamente quando de seu aparecimento. Nesse momento, apenas um livro de literatura, *Poemas Proletários*, do jornalista Paulo Torres, o qual, como não nega o título, se mantém na esfera sob a qual apareceu a Unitas.

Em fevereiro de 1932 surgiu um primeiro signo de mudança na orientação editorial. A Unitas anunciou publicamente que iniciaria a publicação de uma nova coleção: "Literatura"[51]. Além do invariável anúncio de publicação de novelas e romances dos "melhores autores", a Unitas informou que eles seriam do século XIX, especialmente os do romantismo, e os de modernos autores brasi-

[51] "Graphico-Editora Unitas", *Diário Nacional*, 02-02-1932,: p. 2; "Pela nossa cultura", *Diário Carioca*, 13-02-1932,: p. 7.

leiros. Mas neste anúncio se operou uma mudança de orientação: "A 'Coleção Literária' da Gráfico-Editora Unitas Ltda., além de formar uma fonte certa de saber e de cultura virá a ser, dentro em breve, o principal deleite dos espíritos que sabe colher o belo e o útil através da amenidade da leitura"[52]. Ao lado da preocupação social, surgia a "amenidade".

Ao final da Mazorca Constitucionalista, cujos efeitos se fizeram sentir economicamente na situação da Unitas, a editora se viu obrigada a lançar com mais intensidade novas coleções.

Assim, as obras voltadas para um público de esquerda foram agrupadas em coleções que receberam os nomes de "Sociologia", "Filosofia", "Economia" e, claro, "Política". Além disso, foi apresentada uma coleção voltada para a publicação de literatura de caráter mais social, chamada significativamente de "Aurora" (na qual Mario Pedrosa e Livio Xavier tiveram um papel preponderante em sua formulação[53]) e outra voltada para questões de pedagogia marxista, a "Biblioteca Contemporânea de Educação" (cujo primeiro volume foi de autoria de um militante comunista alemão e que havia sido traduzido por um professor militante da Liga Comunista do Brasil, José Neves). Mas ao lado dessas coleções, começaram, como consequência dessa mudança de orientação visando um público maior que pudesse sustentar a edição de obras de esquerda, a surgir coleções que recebiam os reveladores nomes de "Aventuras", "Crime", "Brasileira" (que englobava livros de poesia e romances de autores brasileiros, tendo, inclusive, numa exacerbação do "espírito comercial", publicado um livro do líder fascista Plínio Salgado, *O Cavaleiro de Itararé*, pouco antes de ter ele fundado a Ação Integralista Brasileira), a já mencionada "Literária", "Ocultismo", "Serie Itálica" (que publicava romances clássicos em idioma italiano, pensando

---

[52] "Pela nossa cultura", *Diário Carioca*, 13-02-1932,: p. 7.

[53] É importante recordar que Livio Xavier nesta época já era um respeitado crítico literário e que assinava uma coluna literária nos Diários Associados de Assis Chateaubrind, que publicava em São Paulo o *Diário da Noite* e o *Diário de São Paulo*. A Coleção Aurora teve publicados três volumes: D. Fibitch, *Os libertos: Romance da Rússia contemporânea*; F. V. Gladkov, *Cimento*; e A. Malraux, *A condição humana*. Além disso, a Unitas chegou a anunciar outros volumes para a Coleção Aurora, os quais acabaram não sendo publicados: Theodor Dreiser, *Uma tragédia americana*; Ilya Grigorevich Erenburg, *O rei dos fósforos*; Lion Feuchtwanger (pseudônimo de J. L. Wetcheek), *O judeu Süss*; Ernest Glaeser, *A paz*; London, Jack (pseudônimo de John Griffith Chaney), *O tacão de ferro*; Pantieleimon Romanov, *O camarada Kisliakov*; Eugène Samy, *Os vencidos*; e Arnold Zweig, *O caso do sargento Grisha*.

no significativo número de italianos que viviam em São Paulo), "Universal" (de romances estrangeiros de aventura), e "Volga" (de romances clássicos russos). Por fim, a Unitas possuía algumas coleções que revelavam certas práticas comerciais daquela época: a já citada "Didática" ou "Biblioteca das Escolas" (livros técnicos e didáticos), "Legislação" e "Medicina". Além dessas, também existia a coleção chamada "Moças", posteriormente denominada "Biblioteca Feminina" (de romances para o chamado público feminino) que reunia títulos de diversas editoras especializadas nesta temática e que tinha em suas páginas de rosto impressas a indicação do nome da Unitas como sua distribuidora[54].

Por fim, no campo dos livros marxistas, é imperioso mencionar a iniciativa editorial mais audaciosa da Unitas: a coleção "Biblioteca Socialista"[55]. Dirigida por Mario Pedrosa e anunciada em 1934 às vésperas da falência da editora, seu projeto previa a publicação de 31 volumes dos quais acabou publicando apenas dois títulos, ambos de Lenin: *A revolução proletária e o renegado Kautsky* e *O Estado e a revolução*, traduzidos, possivelmente, por Mario Pedrosa. E, mais uma vez, pela primeira vez publicados no Brasil.

---

[54] Eles provinham basicamente de duas editoras cariocas, Marisa e Americana, as quais publicaram estes romances entre 1930 e 1931. Ambas os publicaram, respectivamente, nas coleções "Coleção das Moças" e "Bibliotheca Feminina". O primeiro e, aparentemente, único livro publicado na Biblioteca Feminina da Unitas, havia sido editado em 1931 pela Marisa. Mas os dados de identificação da Unitas existentes na capa, na verdade, eram os referentes aos de 1933/1934 (R. S. Bento, 11 – CP 2977 (escr.) / Al. Barão de Limeira, 113 (depósito)).

[55] Eis a proposta de edições da Biblioteca Socialista (apenas os livros de Lenin com data de 1934 foram publicados pela Unitas): Max Adler: *Democracia socialista e democracia social*; August Bebel: *A mulher e o socialismo*; Friedrich Engels: *A guerra dos camponeses*; *A origem da família, da propriedade privada e do estado*; *A situação das classes laboriosas na Inglaterra*; Karl Kautsky: *A doutrina socialista*; *A revolução social*; *O programa socialista*; Antonio Labriola: *Ensaios sobre a concepção materialista da História*; Lucien Laurat: *Naufrágio do capitalismo – O imperialismo e a decadência capitalista*; V. I. Lenin: *A questão agrária e o Partido Bolchevique*; *A revolução proletária e o renegado Kautsky* (1934); *O esquerdismo, moléstia infantil do comunismo*; *O estado e a revolução* (1934); *O imperialismo, última etapa do capitalismo*; Rosa Luxemburg: *Introdução à economia política*; *Reforma ou revolução?*; Karl Marx: *A guerra civil em França – A luta de classes em França*; *Trabalho assalariado e capital – Salários, preços e lucros*; *O Capital*, edição especial; *O Dezoito de Brumário de Luiz Bonaparte*; K. Marx & F. Engels: *Manifesto comunista*, edição comentada; George Plekhanov: *As questões fundamentais do marxismo*; Khristian Rakovsky: Do *estado e da economia soviética*; David Riazanov: *Marx e Engels*; Georges Sorel: *O futuro socialista dos sindicatos*; Leon Trotsky: *A revolução permanente*; *Literatura e revolução; Novo curso – Lições de Outubro*; *Revolução internacional ou socialismo num só país – Para o socialismo ou o capitalismo?*; *Terrorismo e comunismo*.

Seu projeto era extremamente arrojado para aqueles anos. Ao mesmo tempo em que propunha a publicação de textos clássicos do marxismo, de Marx, Engels, Lenin, Plekhanov, Rosa Luxemburgo, Antonio Labriola, e do próprio Trotsky, a Biblioteca Socialista apresentava obras de autores que haviam sido incluídos no "índex" do stalinismo, como Georges Sorel, Karl Kautsky, Max Adler e Lucien Laurat. Isto sem contar com as interpretações instigantes sobre a formação da burocracia soviética, enunciadas por Khristian Rakovsky em *Do estado e da economia soviética*.

A maioria das obras da Biblioteca Socialista acabou sendo publicada apenas após 1945 e em boa parte com traduções de Livio Xavier. No entanto, alguns outros, como os livros de Adler, Bebel, Kautsky (deste último tratam-se de *A revolução social* e *A doutrina socialista*), Laurat, Rakovsky e Trotsky (neste caso, tratam-se de *Novo Curso*, *Revolução internacional ou socialismo num só país* e *Para o capitalismo ou para o socialismo?*), jamais foram publicados no Brasil até a presente data.

Mais que um projeto editorial interrompido, por razões econômicas que, obviamente, escaparam ao controle de seus idealizadores, a Biblioteca Socialista mostrava, na verdade, um retrado do marxismo no Brasil nos anos 1930: uma enorme carência na sua circulação, assimilação e entendimento e, portanto, uma dificuldade em sua utilização como ferramenta de compreensão e transformação da sociedade. A propósito, nunca é demais repetir uma blague de João Quartim de Moraes, a de que "o comunismo precedeu o marxismo em nosso país"[56]. Esta grande indigência foi agravada com o que se compreendeu que seria a difusão do marxismo naquele momento: as formulações escolásticas oriundas do Estado Soviético, encarnadas pelas figuras de Stalin e de seus próximos, que transformaram o marxismo em um código jesuítico de compreensão da política e da sociedade e que, na verdade, o utilizavam como um escudo para a defesa do Estado que dirigiam e não como um instrumento de mudança social e de emancipação dos trabalhadores. Tal situação perdurou várias décadas no Brasil. Foi apenas a partir da segunda metade dos anos 1960, quando começou a se editar Gramsci e se publicaram os primeiros volumes de

[56] J. Q. de Moraes, "A influência do leninismo de Stálin no comunismo brasileiro", *in*: J. Q. de Moraes e D. A. Reis (Orgs.), *História do marxismo no Brasil*. Vol. I: O impacto das revoluções.,: p. 134.

O Capital em terras brasileiras e, mais efetivamente, no início dos anos 1980, que tal panorama se modificou, embora o chamado "marxismo-leninismo" nunca tenha deixado de sobreviver em diversas organizações marxistas e socialistas que atuavam e continuam atuando desde então[57].

Algum tempo após a decretação de sua falência, o acervo editorial da Unitas foi brutal e violentamente golpeado pela ditadura varguista. Em janeiro de 1936, após as revoltas militares comunistas de novembro de 1935, o liquidatário da massa falida da Unitas, o zeloso senhor Bento Lima Brito, pediu ao juiz da 6ª Vara Cível de São Paulo que examinasse o estoque sob sua guarda a fim de verificar a necessidade de apreensões de livros. Depois de errar o endereço em 6 de fevereiro de 1936, a Secretaria de Ordem Política e Social de São Paulo, por ordem do "poder judiciário", desta vez em ataque certeiro, apreendeu 25.696 livros que integravam a "massa falida" da Unitas no dia 6 de março de 1936, obras estas que supostamente seriam atentatórias à ordem política e social de São Paulo e do Brasil. Somente em junho a inepta e morosa polícia política paulista conseguiu concluir a separação da amostra de um volume de cada título, num total de 60, que foi encaminhada, em três pacotes, à seção paulista da Justiça Federal para ser apensa ao inquérito judicial que tramitaria no Tribunal de Segurança Nacional. Doravante os 25.636 livros restantes desapareceriam, não sendo mais mencionados. Em dezembro de 1936 os autos e os três pacotes com os 60 livros foram enviados para o Tribunal de Segurança Nacional (TSN), no Rio de Janeiro. Este, apenas em junho de 1937, acusou o recebimento do material, sem, no entanto, mencionar os três pacotes. Depois de arrastar-se nos escabrosos desvãos do "poder judiciário" brasileiro, o processo acabou arquivado em abril de 1939, pois se concluiu que a apreensão fora ilegal, já que os livros sequestra-

[57] Ao final do Estado Novo o plano de publicações da Biblioteca Socialista da Unitas foi praticamente copiado por uma casa editora do Paraná, a Editora Guaíra Limitada ou Edições Guaíra. Sobre esta casa editorial há poucas informações disponíveis, havendo apenas indicações de sua atuação durante os anos 1940 e 1950 e de que chegou a ter um escritório em São Paulo. Na Guaíra, em uma coleção denominada "Estante do Pensamento Social", alguns dos livros traduzidos e publicados pela Unitas foram novamente editados (*ABC do Comunismo, O estado e a revolução, Ludwig Feuerbach* e *O marxismo exposto por Kautsky, Lenine, Plekhanov, Rosa Luxemburgo*) e o plano de publicação da "Estante", num total de 30 volumes, mesclado com algumas outras obras da Unitas, trazia em boa parte títulos propostos na "Biblioteca Socialista", com uma curiosa supressão de sua matriz de inspiração: não havia nenhum livro de Trotsky...

dos pela polícia política paulista haviam sido publicados antes da vigência da Lei de Segurança Nacional (Lei 38, de 4 de abril de 1935, modificada pela Lei 136, de 14 de dezembro de 1935). Mas no parecer de arquivamento do processo, seu autor dava uma tenebrosa "piscadela" ao seu leitor, afirmando que as apreensões ao menos tiveram um mérito: "retirá-las [as obras, dk] de circulação e coibir de agora em diante sua venda e a edição das publicadas no Brasil". O destino dos 25.696 livros da Unitas foi, provavelmente, a incineração, como confessaria um funcionário ao longo da tramitação do processo: "É de se supor, entretanto, que outro não teria sido seu fim senão o comum a ser dado a todas as obras literárias deste gênero subversivo, por não oferecer nenhuma vantagem ou utilidade a sua conservação: a incineração".

Se o final do restante da produção editorial da Unitas acabou consumido pelas chamas, em uma versão mais silenciosa e longe dos olhos do que aquela tragédia ocorrida na Alemanha e em outros países com os "comandos incendiários" nazistas nas cerimônias públicas de incineração de livros realizadas, sobretudo defronte bibliotecas, felizmente a conservação de sua produção editorial e, sobretudo, a sua leitura pelos seus contemporâneos e alguns de seus resultados práticos, como a constituição da Frente Única Antifascista, permitiram a perpetuação e a perenidade do legado da Unitas, bem como da memória daqueles, como Mario Pedrosa, Livio Xavier, Aristides Lobo e Fulvio Abramo e tantos outros, que tanto lutaram pelos trabalhadores do Brasil e pela mudança do Brasil.

Esta edição

Este livro teve como base inicial a reedição *Revolução e Contrarrevolução na Alemanha*, realizada pela Livraria Editora Ciências Humanas, publicada em 1979, a qual, na verdade, era uma reedição fac-similar daquela feita pela Laemmert, em 1968. Estas edições tinham, em relação à edição *princeps* da Unitas, de 1933, realizado pequenas correções tipográficas. No entanto, após o trabalho aqui feito de cotejamento com edições francesas e estadunidenses das obras de Trotsky[58], foram constatados alguns trechos truncados, bem

[58] Écrits, 1928-1940. Tome III – La tragédie de la classe ouvrière allemande; Révolution espagnole; *Contre le fascisme (1922-1940)*; *The struggle against fascism in Germany*; *Writings, 1929-1940.*

como a ausência de um longo trecho, um *post-scriptum*, que aqui se restaurou e que constava do texto original de Trotsky ao tempo de sua publicação e que, por razões editoriais – por fazer alusão a uma questão que seria tratada em outro texto da edição da própria Unitas – não foi incluída e que julgamos importante restaurá-lo em seu lugar de origem nesta edição. Este trabalho de cotejamento permitiu, também, reiteramos o acima dito, que notássemos haver, na edição da Unitas e suas subsequentes reedições, diferentes soluções, nos vários textos em que ele se divide, para a transcrição de nomes, divisão de parágrafos, expressões idiomáticas etc. (que acabaram sendo aqui nesta edição padronizadas), as quais indicavam, efetivamente, diferentes tradutores.

Além disso, julgamos necessário incluir nesta edição, ao fim do livro, uma seção de notas biográficas e outra seção de notas sobre jornais/periódicos e organizações, partidos e instituições. Isto se explica facilmente pelo fato de que muitas dessas personalidades, jornais/periódicos e organizações, partidos e instituições aqui citadas por Leon Trotsky, em grande parte ainda presentes aos leitores da edição da Unitas nos anos 1930, hoje se tornaram opacos com o passar do tempo, razão pela qual se fez necessário um significativo trabalho no sentido de recuperá-los aos leitores do século XXI e situá-los no âmbito dos fatos mencionados por Trotsky há quase um século. Além disso, e pelas mesmas razões, tornou-se necessária a inclusão de notas de rodapé sobre episódios e conceitos aludidos e empregados por Trotsky em *Revolução e Contrarrevolução na Alemanha* e que vão identificas ao final de cada uma delas como Nota da Edição (N.Ed.). Foram mantidas as notas originais da tradução (N. do T.) e da Unitas (N. do Ed.), bem como, evidentemente, as do próprio Trotsky, que, ao contrário das demais, não possuem identificação ao seu final.

Por fim, é importante destacar que os critérios que aqui foram apontados para a organização deste volume também presidirão os outros dois volumes que a este seguirão, reunindo a produção editorial realizada pela Unitas. Ou seja, o segundo volume reeditará *A Revolução Espanhola*, de Leon Trotsky, publicado em 1931, e o terceiro volume trará as obras de Trotsky publicadas pela Unitas e dedicadas à União Soviética (*O plano quinquenal* e *Os problemas do desenvolvimento da URSS* – ambas publicadas em 1931 – e *O que é a revolução de outubro*, publicada em 1933).

Revolução e contrarrevolução na Alemanha

Advertência

Os trabalhos de L. Trotsky, que formam a presente coletânea brasileira, encontram-se publicados, separadamente, em vários idiomas, quer em brochuras, quer nos órgãos da imprensa comunista dissidente. Constituem, entretanto, um todo único e completo. Tendo tomado, logo de início, o fio dos acontecimentos que se desenrolam na Alemanha, o autor lhes tem consagrado o melhor de sua atividade de escritor, analisando-os à luz do pensamento marxista, atento sempre a todas as mudanças de situação. Este livro se torna, assim, um manual político de um valor inestimável, não só por sua grande atualidade, como pela originalidade das opiniões expendidas.

Desde o primeiro estudo – *A chave da situação internacional está na Alemanha*, onde Trotsky coloca, sob uma forma mais geral, o problema da luta contra o fascismo –, até a última análise da situação alemã, subordinada ao título – *O Único Caminho* –, esta obra reflete, com extrema clareza, os pontos de divergência tática e estratégia entre os grupos em que se dividiram os adeptos do comunismo.

A importância fundamental desta coletânea deve ser encontrada, entretanto, sob o seu aspecto amplamente informativo, permitindo ao leitor uma visão nítida do quadro geral da situação na Alemanha. Assim, mesmo para aqueles cujas opiniões doutrinárias se afastem inteiramente das que Trotsky defende com a sua habitual intransigência não deixa de ter o livro que ora damos à publicidade um grande e excepcional interesse.

As notas do texto, quando do tradutor, vêm sempre seguidas da observação: N. do T.

Os editores

Prefácio

Os trabalhos aqui reunidos são, pela primeira vez, enfeixados em volume, sob o título *Revolução e Contrarrevolução na Alemanha*. Escritos em momentos diversos, tratam, porém, do mesmo tema: o problema da revolução proletária alemã, posto em ordem do dia com uma extraordinária acuidade pelo irromper da crise em 1929. E o primeiro artigo data justamente daí.

O título dado torna, aliás, perfeitamente clara a unidade interna que prende esses escritos. Trata-se, como diz Trotsky, não de salvar o capitalismo alemão, mas a Alemanha do seu capitalismo. Este é o tema central da obra.

Os problemas do destino do povo alemão, especialmente do seu proletariado, são estudados nestas páginas com a precisão e a argúcia que só o destro manejo desse extraordinário instrumento de investigação sociológica que é o marxismo pode proporcionar. Ainda mais quando é manejado por mãos que não são apenas de um grande teórico, mas de um homem de ação que já experimentou, nos laboratórios sociais da Revolução, as suas ideias e a sua doutrina. O analista e o revolucionário aqui se fundem, e é esta síntese que caracteriza o verdadeiro marxista.

Revolução e Contrarrevolução na Alemanha repete o título da obra de Engels (atribuída, aliás, a Marx) sobre a revolução alemã de 1848. Ambas estudam as relações de classes da sociedade germânica em duas épocas decisivas de sua história.

O livro de Trotsky continua o do mestre numa etapa mais alta do desenvolvimento histórico. As premissas, então, levantadas pelo colaborador de Marx são confirmadas agora na obra do companheiro de Lenin, e têm aí o seu desenvolvimento final. As previsões apenas esboçadas pelo primeiro são completadas pelo segundo. Sobre as perspectivas que Engels traçou, já realizadas pela evolução histórica, Trotsky constrói novas que a marcha dos acontecimentos irá ou já vai pondo à prova.

Assim, na distância de quase um século, se patenteia a continuidade do processo histórico, atestando a fecundidade do método marxista e confirmando objetivamente as descobertas e as previsões geniais dos fundadores do socialismo científico.

Em 1848, a luta se travava entre a sociedade feudal e a sociedade burguesa em crescimento. Era a luta da burguesia em ascensão, sobretudo das suas classes médias, contra a nobreza, a burocracia e a coroa feudais. Hoje, a luta é entre o capitalismo agonizante, e o socialismo em gestão, e os lutadores de um e outro lado são o proletariado e a burguesia.

Então, a grande maioria da nação era constituída de pequenos industriais, lojistas, artesãos e camponeses. Hoje, a maioria absoluta é composta de operários industriais.

Em 1848, não existiam os grandes centros urbanos, e havia uma ausência completa de massas concentradas nas grandes cidades, e este fato impediu que as classes médias alcançassem a supremacia política, como a alcançaram as burguesias francesa e inglesa. A revolução burguesa ficou, desde então, retardada na Alemanha, e, quando surgiu a oportunidade de desenvolver-se, já foi em plena revolução proletária.

Em 1848, predominava no país a descentralização política, fracionado que era em cem principados rivais, provincianos, isolados, reacionários, entravando com os seus privilégios feudais não só o desenvolvimento político, como o próprio desenvolvimento econômico geral, cujos interesses já se tinham nacionalizado, vencendo o seu localismo primitivo.

Hoje, o proletariado, pela sua simples existência como classe organizada, choca-se com a legalidade burguesa, ameaçando constantemente o próprio regime capitalista.

Engels constatava, naquela época, que

o movimento da classe operária nunca será independente, não possuirá nunca um caráter proletário, enquanto as diferentes frações da classe média, e sobretudo a sua parte mais progressista, os grandes manufatureiros, não conquistarem o poder político e refundirem o Estado segundo os seus interesses.

Tinha então a massa da classe operária como empregador – não os grandes industriais modernos, mas o pequeno industrial, cujo sistema de exploração não passava de uma sobrevivência da Idade Média.

"O homem que os (operários) explorava, mesmo nas grandes cidades, era o pequeno patrão". Mal começava então na Alemanha o modo de produção moderno, e a economia geral ainda se caracterizava pela ausência das grandes empresas industriais, pela falta de condições modernas de existência. Esse atraso econômico refletia-se na mentalidade do operário, que se distinguia pelo provincianismo e pelo artesanato.

> Todos os operários esperavam por sua vez, no fim de contas, tornarem-se um pequeno patrão. [...] Esses proletários ainda não eram proletários no sentido pleno do termo, [...] eram apenas um prolongamento da pequena burguesia nas vésperas de tornar-se o proletariado moderno, não se achavam em oposição direta com a burguesia, isto é, com o grande capital.

Atualmente, esse processo de diferenciação entre a pequena burguesia e a classe operária chegou a seu termo completo – e é a pequena burguesia que, temendo ser absorvida no proletariado, procura defender desesperadamente o seu lugar ao sol, ameaçada de soçobrar definitivamente na proletarização.

Como a casta feudal em 1848, agora, acima de todas as classes da nação, pairam os novos barões da finança, a casta do capital financeiro.

Finalmente, assim punha Engels o problema político do partido proletário na sua época:

> As necessidades imediatas e as condições do movimento eram tais que não permitiam lançar nenhuma reivindicação especial do partido proletário. [...] Com efeito, enquanto o terreno não estiver limpo para permitir uma ação independente dos operários, enquanto o sufrágio universal e direto não estiver estabelecido, enquanto os trinta e seis Estados continuarem a dividir a Alemanha em pedaços inúmeros, que podia fazer o partido proletário, senão... lutar ao lado dos pequenos

comerciantes para adquirir os direitos que lhes permitissem mais tarde conduzir a sua própria luta?

Desorganizados, desabusados, os operários apenas despertavam para a luta política, sentindo unicamente o "simples instinto de sua posição social".

De sua análise, Engels concluía que seria preciso esperar que chegasse "primeiramente a vez da democracia dos pequenos burgueses, antes da classe operária e comunista poder esperar tomar o poder e abolir definitivamente esse sistema de salariado que a conserva sob o jugo da burguesia".

Assim, quase um século depois, percebe-se hoje claramente que o que se está decidindo atualmente na Alemanha não é mais do que o mesmo processo histórico iniciado em 1848. O processo do desenvolvimento industrial *pari passu* com o desenvolvimento do proletariado e de sua consciência de classe, iniciado naquela época, encontra agora o seu epílogo. A pequena burguesia, então revolucionária, tinha fatalmente de ocupar o primeiro lugar na cena política, e era a condutora natural do proletariado na senda da revolução. O proletariado via-se obrigado a pegar em armas para defender interesses que não eram diretamente os seus.

A situação em nossos dias é outra. E o problema que se põe agora com toda a sua grandeza e acuidade é o problema da tomada do poder pelo proletariado. A pequena burguesia tornou-se para sempre incapaz de conduzir qualquer movimento independente. Os papéis se inverteram: agora, ou ela segue o proletariado para o futuro, ou toma a direita para a reação.

De democrática revolucionária que era, passa a reacionária, de jacobina transformar-se em fascista. O fascismo, segundo a definição de Trotsky, não é mais do que a caricatura reacionária do jacobinismo, na época do capitalismo em decadência.

Enquanto, em 1848, a pequena burguesia fazia o proletariado lutar por ela contra a sociedade feudal, em 1933 vê-se mobilizada pelo capital financeiro, como um aríete contra a classe operária organizada: espera-se, assim, vencer a crise que corrói o regime e que a leva à miséria, sair da situação desesperada em que se encontra, procurando destruir os fatores de intensificação da implacável luta que enche toda a nossa época, travada entre a burguesia e o proletariado. Eis o fundamento do fascismo.

Decapitada a revolução proletária, em 1918, a república democrática weimariana que surgiu em consequência tem-se caracterizado pela impotência e esterilidade. Foi um aleijão saído das mãos senis dos burocratas e dos políticos corrompidos da social-democracia. Mas na dinâmica da luta de classe, no estado atual das condições históricas, já não há lugar para os artigos pedantes da constituição de Weimar. O resultado é esse que se tem visto: sob o peso dos acontecimentos, sob os entrechoques da luta de classes, esse aborto liberal tem vindo, ora mais ora menos disfarçadamente, numa marcha lenta mas progressiva, revelando, cada vez mais, sob a capa livresca e cor de rosa da constituição de Weimar, o seu caráter reacionário.

A sua evolução para a direita, depois da nova derrota do proletariado em 1923, e depois da agravação da crise que ora devasta o organismo econômico e social da Alemanha capitalista, tem-se acelerado. Por isso, estamos vendo, contra as perspectivas dos doutores sabichões da social-democracia, a volta de todos os elementos retrógrados da monarquia prussiana. Os fantasmas reacionários do passado, que pareciam mortos, se levantam na arena política atual da Alemanha, como se nada tivesse acontecido desde a grande guerra. Recordemos aqui as palavras proféticas de Engels em 1848, em face da falência revolucionária da pequena burguesia e das classes médias, na época da formação e do crescimento do proletariado: "O liberalismo político, o reino da burguesia sob a forma do governo monárquico ou republicano, tornou-se para sempre impossível na Alemanha".

Trotsky mostra claramente esse processo:

> O mundo assombrado reverá a imagem do período passado, apenas sob a forma de convulsões ainda mais violentas. E, simultaneamente, ressurgirá o militarismo alemão. Como se os anos de 1914-1918 não tivessem existido! A burguesia alemã coloca, de novo, à frente da nação, os barões do leste do Elba.

É aqui o ponto culminante dessa marcha para a direita: Hindenburg, os velhos marechais e barões, os príncipes, o neobonapartismo – e como uma forma nova de reação –, enfim, o fascismo. As palavras geniais de Marx diante dos jurados de Colônia, ao cabo da revolução de 1848, se atualizam com uma força de evidência irresistível: "Depois de uma revolução, a contrarrevolução permanente torna-se para a coroa uma questão da existência cotidiana".

Após as derrotas de 18 e de 23, é precisamente a isso que estamos assistindo – a instalação paulatina da contrarrevolução. O fascismo não é mais do que essa contrarrevolução permanente na sua expressão final e decisiva.

Fiel aos ensinamentos dos seus grandes mestres, e continuando-os dialeticamente, Trotsky opõe ao processo da contrarrevolução permanente o da revolução permanente. Nessa oposição, não há lugar para os sonhos senis de democracia e de liberalismo dos velhos enxaquecados e dos lacaios e caixeiros de fraque da social-democracia; a questão se decidirá como Marx a pôs em 1849 – ou pelo "triunfo completo da contrarrevolução, ou então por uma nova revolução, vitoriosa".

Eis a questão histórica decisiva da Alemanha atual. E esta questão toda se resume agora na conquista da maioria da classe operária para a bandeira revolucionária do comunismo. É esta a tarefa do Partido Comunista alemão, sua tarefa imediata e inadiável. Dentro do regime capitalista, não há saída para o povo alemão. Todas as condições existem para facilitar esta tarefa ao Partido Comunista. Basta que ele compreenda – assinala Trotsky – que "ainda hoje só representa a minoria do proletariado", e ponha de lado a política do ultimatismo burocrático que o tem paralisado até agora. Os destinos da revolução alemã dependem apenas da conquista dos operários social-democratas. E só há um meio de realizar essa conquista, é pela política de frente única preconizada pela Oposição de Esquerda, de acordo com os ensinamentos de Lenin, e da qual este livro é um verdadeiro manual.

Debruçado febrilmente sobre os acontecimentos que se desenrolam na Alemanha, lá do seu exílio de Prinkipo, na vigilância incansável pelos destinos do heroico proletariado alemão, Trotsky escreveu nessas páginas um tratado completo de estratégia e tática revolucionária marxistas, digno de emparelhar-se ao lado das grandes obras políticas clássicas de Marx e de Engels e que é uma verdadeira continuação das páginas imortais da *Moléstia infantil do comunismo* de Lenin, na época atual, nessa nova fase decisiva para a revolução proletária mundial, que se abriu com o estalar da crise de 1929.

A diferença é só que, neste caso, o mal é o oposto do infantilismo: senilidade burocrática. Mas, então como agora, a terapêutica é do mesmo modo acertada, e tem igual eficiência.

Mario Pedrosa

São Paulo, 12 de janeiro de 1933.

Está na Alemanha a chave da situação internacional

O objetivo destas linhas é marcar, pelo menos em largos traços, como a situação *política* mundial se encadeia no presente momento – em virtude das contradições fundamentais do capitalismo em declínio, contradições complicadas e agravadas por uma tremenda crise comercial, industrial e financeira. As considerações rapidamente esboçadas abaixo estão longe de se estenderem a todos os países e, por isso, exigem ser estudadas coletivamente e com seriedade.

A Revolução Espanhola[1]

A Revolução espanhola[2] criou premissas políticas gerais favoráveis a uma luta imediata do proletariado pela conquista do poder. As tradições sindicalistas do proletariado espanhol se manifestaram logo de início como um dos principais obstáculos no caminho do desenvolvimento da revolução. A Internacional Comunista foi apanhada de surpresa pelos acontecimentos. Absolutamente impo-

---

1 Ver a obra de L. Trotsky, *A Revolução Espanhola*, Edições Unitas. – N. do T.

2 Em abril de 1931, com a abdicação do rei Alfonso XIII, a Espanha tornou-se uma república. Uma ampla mobilização de massas iniciou-se em maio e as eleições realizadas em junho seguiram-se por uma greve geral. (N.Ed.)

tente no começo da Revolução, o Partido Comunista adotou uma posição falsa em quase todas as questões essenciais. A experiência espanhola demonstrou – recordemos ainda uma vez – que terrível instrumento de desorganização da consciência revolucionária dos operários avançados representa a atual direção da Internacional Comunista. O atraso extremo da vanguarda proletária em relação ao desenrolar dos acontecimentos, a dispersão, no sentido político, das lutas heroicas das massas operárias, o acordo mútuo existente de fato entre o anarcossindicalismo[3] e a social-democracia – tais foram, em essência, as condições políticas que permitiram à burguesia republicana, aliada à social-democracia, restabelecer o aparelho de repressão e, desfechando golpe sobre golpe nas massas que se levantavam, concentrar nas mãos do governo considerável potência política.

Segundo este exemplo, vemos que o fascismo não é absolutamente o único recurso da burguesia na sua luta contra as massas revolucionárias. O regime que existe atualmente na Espanha se assemelha, antes de tudo, ao que se chamou o *kerenskismo*[4], isto é, o último (ou "penúltimo") governo "de esquerda" que a burguesia pode apresentar na sua luta contra a Revolução. Mas um governo desta espécie não significa necessariamente que haja fraqueza e prostração. Na ausência de um poderoso partido revolucionário do proletariado, uma combinação de semirreformas, de frases esquerdistas, gestos ainda mais de esquerda e repressões, pode ser muito mais útil à burguesia do que o fascismo.

Inútil dizer que a Revolução espanhola não está terminada. Ela não deu solução a nenhum de seus problemas mais elementares (questões agrária, clerical e problema das nacionalidades), e está longe de ter esgotado os recursos revolucionários das massas populares. A revolução burguesa nada mais poderá dar do que já deu. No que diz respeito à revolução proletária, a situação atual na Espanha pode ser considerada pré-revolucionária, mas nada mais. É muito provável que o desenvolvimento progressivo da revolução espanhola dure por um período de tempo mais ou menos longo. E por aí o processo histórico abre, de algum modo, um novo crédito ao comunismo espanhol.

---

[3] O anarcossindicalismo é uma manifestação do anarquismo no campo sindical, que agrega à oposição à ação parlamentar e aos partidos políticos a concepção de que os sindicatos independentes são suficientes para realizar a emancipação da classe trabalhadora do capitalismo e estabelecer uma nova ordem social gerida pelos sindicatos. (N.Ed.)

[4] Referência a Aleksandr F. Kerensky, que governou a Rússia e foi destituído pelos bolcheviques em 1917. (N.Ed.)

A situação na Inglaterra

A situação na Inglaterra pode também, e não sem justas razões, ser considerada como pré-revolucionária, se se admite em rigor que, entre uma situação pré-revolucionária e uma situação imediatamente revolucionária, pode haver um prazo de vários anos, período em que se produzirão fluxos e refluxos.

A situação econômica da Inglaterra tornou-se de extrema gravidade. Mas a superestrutura política nesse país arquiconservador está excepcionalmente em atraso para com as mudanças que se produziram na base econômica. Antes de recorrer a novas formas e métodos políticos, todas as classes da nação inglesa ainda procuram descobrir alguma coisa no velho celeiro, virar pelo avesso a roupa velha de vovô e vovó. É fato que a Inglaterra, a despeito de uma terrível decadência nacional, não existe ainda nenhum partido revolucionário importante nem, no seu antípoda, um partido fascista. Foi graças a isso que a burguesia teve a possibilidade de mobilizar a maioria do povo, sob o estandarte "nacional", quer dizer, sob a mais fútil palavra de ordem que possa existir. Em circunstâncias pré-revolucionárias, o mais obtuso conservantismo que se poderia supor obteve uma formidável predominância política. Para que a superestrutura política se adapte às condições reais do país, será preciso provavelmente mais de um mês e talvez mais de um ano.

Não há razão de se pensar que o esboroamento do bloco "nacional"[5] – e este esboroamento é inevitável num futuro relativamente próximo – trará diretamente, seja uma revolução proletária (bem entendido, na Inglaterra não pode haver outra revolução), seja um triunfo do "fascismo". Ao contrário, é infinitamente mais provável que, encaminhando-se para um desenlace revolucionário, a Inglaterra passe ainda por um prolongado período de demagogia radical, democrática, socialista e pacifista, ao gosto de Lloyd George e do *Labour Party*[6]. Assim, pode-se afirmar, sem dúvida alguma, que o desenvolvimento histórico da Inglaterra dará, ainda, ao comunismo britânico um prazo considerável para transformar-se efetivamente em partido do proletariado, para o momento em que estiver próximo o desenlace. Não se deve, entretan-

---

[5] Este bloco a que se refere Trotsky é o da aliança trabalhista-conservadora do governo de James Ramsay MacDonald. (N.Ed.)

[6] Partido Trabalhista britânico. (N.Ed.)

to, concluir do que precede que se possa continuar a perder tempo em experiências perigosas e em ziguezagues centristas. Na situação atual do mundo, o tempo é a mais preciosa das matérias-primas.

A França

A *França*, que os augúrios da Internacional Comunista colocavam, há dezoito meses ou dois anos, "na primeira fila do surto revolucionário", é, na realidade, o país mais conservador da Europa e talvez do mundo. A estabilidade relativa do regime capitalista na França provém, em grande parte, do estado de atraso do país. No domínio financeiro, Paris tenta mesmo igualar-se a Nova York. A "prosperidade" atual das finanças da burguesia francesa tem por fonte imediata a pilhagem perpetrada em Versalhes[7]. Mas é precisamente a paz de Versalhes que gera a maior ameaça para todo o regime da República Francesa. Entre a cifra da população, a das forças produtivas e a da renda nacional da França, de uma parte, e a sua situação internacional, atualmente, de outra parte, existe uma contradição gritante que levará inevitavelmente a uma explosão. Para manter a sua efêmera hegemonia, a França, como país "nacionalista" e também como país radical-socialista[8], viu-se forçada a procurar no mundo inteiro apoio nas forças mais reacionárias, nas formas mais arcaicas de exploração, na inominável corja romena[9], no regime em decomposição de Pilsudski, na ditadura militar na Iugoslávia[10]; teve de conservar as diversas

[7] O Tratado de Versalhes, assinado em 28 de junho de 1919, devolveu a Alsácia e a Lorena à França, privou a Alemanha de outros territórios na Europa, além de todas as suas colônias ultramarinas, limitou a força militar da Alemanha e previa o pagamento de reparações de guerra pela Alemanha às potências aliadas. O efeito do tratado sobre a economia alemã foi desastroso; além de projetar o desmantelamento da força econômica e militar alemã em favor das outras potências imperialistas; além disso, também tinha o objetivo de conter a maré revolucionária na Alemanha. Foi um dos fatores que ajudaram a levar Hitler ao poder. (N.Ed.)

[8] Referência ao Partido Radical francês, o qual, na ocasião, acabara de governar a França. (N.Ed.)

[9] Referência de Trotsky ao reinado de Carol II (Carol Caraiman de Hohenzollern-Sigmaringen, 1893-1953). Carol II rodeou-se de industriais, banqueiros e políticos de direita, que ficaram conhecidos como "A Camarilha". (N.Ed.)

[10] No então Reino dos Sérvios, Croatas e Eslovenos, o rei Alexandre I (Alexandre Karadjordjevitch, 1888-1934) – em resposta à crise política desatada em janeiro de 1929 pelo assassinato do deputado Stefan Raditch, chefe do Partido Camponês Croata – suspendeu a Constituição, dissolveu o Parlamento e introduziu uma ditadura pessoal. Em outubro, alterou o nome

frações existentes na nação alemã (a Alemanha e Áustria), manter também o corredor aberto para a Polônia, na Prússia Oriental[11], favorecer a intervenção japonesa na Manchúria, instigar a camarilha militar japonesa contra a URSS, manifestar-se como o inimigo principal do movimento emancipador dos países coloniais etc. etc. A contradição entre o papel secundário da França na economia mundial e os privilégios monstruosos que possui, e suas pretensões na política mundial, se manifestará de mês a mês mais nitidamente, acumulando perigo sobre perigo, abalando a estabilidade interior, provocando receios e descontentamentos nas massas populares e acarretando deslocamentos cada vez mais profundos da opinião pública. Esses processos, sem dúvida, se manifestarão a partir das próximas eleições parlamentares.

Mas, por outro lado, tudo nos obriga a supor que, se não se derem grandes acontecimentos fora desse país (por exemplo, a vitória da Revolução na Alemanha, ou então, ao contrário, a vitória do fascismo), o desenvolvimento das relações internas na própria França produzir-se-á, para o período mais próximo, de modo relativamente "rítmico", o que oferece ao comunismo a possibilidade de utilizar, para consolidar-se, um período considerável de preparação, até o momento em que se sobrevierem situações pré-revolucionárias.

Nos Estados Unidos

Nos *Estados Unidos*, que são o país capitalista mais poderoso, a crise atual pôs a nu, com uma violência impressionante, pavorosas contradições sociais. Depois de um período de prosperidade inaudita, que espantou o mundo inteiro, espécie de fogo de artifício de milhões e milhões, os Estados Unidos passaram de repente à desocupação de milhões de homens, a um período de miséria espantosa, de miséria biológica para os trabalhadores. Esse abalo

do país para Reino da Iugoslávia e reorganizou as divisões territoriais. Em 1931 Alexandre outorgou uma nova Constituição que transferia o poder executivo para o rei. As eleições passariam a ser por sufrágio masculino e o voto secreto foi suprimido. Metade da Câmara Alta do parlamento seria indicada diretamente pelo rei e a legislação poderia ser aprovada com o voto de apenas uma das duas casas, se também fosse aprovada pelo rei. (N.Ed.)

[11] A Prússia Oriental foi separada da Alemanha pelo Tratado de Versalhes e ficou conhecida como o Corredor Polonês, o qual deu à Polônia acesso ao Mar Báltico (exclusivamente através de Dantzig [Gdansk], uma cidade-estado mantida sob a tutela da Liga das Nações). (N.Ed.)

social, de uma extensão formidável, não poderá passar sem deixar traços no desenvolvimento político do país. Presentemente, ainda é difícil estabelecer-se, pelo menos quando se está longe do país, qual possa ser a radicalização das massas operárias americanas. Pode-se calcular que foram a tal ponto pegadas de surpresa pela crise catastrófica da economia geral, ficaram tão abatidas e desconcertadas pela desocupação, ou pelo medo da desocupação, que ainda não tiveram tempo de achar as conclusões políticas mais elementares a propósito da calamidade que sobre elas se abateu. Para isso, é preciso tempo. Mas as conclusões virão. A imensa crise econômica, que tomou um caráter de crise social, se transformará fatalmente em uma crise da consciência política da classe operária americana. É muito possível que a radicalização revolucionária das largas camadas operárias se manifeste não no período da conjuntura econômica mais baixa, mas, pelo contrário, já quando se voltar a uma nova atividade, a um novo surto. De um modo ou de outro, na vida do proletariado, e, mais geralmente, do povo americano, a crise atual há de inaugurar uma nova época. Podem-se esperar novas mudanças e permutas nos meios dirigentes dos partidos, novos esforços para a criação de um terceiro partido etc. O movimento sindical, já aos primeiros sintomas de uma mudança de direção na situação econômica no vértice, sentirá violenta necessidade de libertar-se das presas da vil burocracia da Federação Americana do Trabalho. Ao mesmo tempo, possibilidades ilimitadas se abrirão para o comunismo.

No passado, os Estados Unidos por mais de uma vez conheceram explosões violentas de movimentos de massas revolucionárias ou semirrevolucionárias. Todas as vezes, esses movimentos logo se apagaram: seja porque, em cada uma dessas ocasiões, os Estados Unidos entrassem numa nova fase ativa da ascensão econômica, seja porque esses movimentos fossem caracterizados por um grosseiro empirismo e por uma completa insuficiência teórica. Nada resta dessas duas circunstâncias. Novo surto da vida econômica (que não se deve considerar de antemão como impossível) terá de se apoiar não no "equilíbrio" interior, mas no caos atual da economia mundial. O capitalismo americano entrou numa época de monstruoso imperialismo, do aumento constante de armamentos, de intervenções nos negócios do mundo inteiro, de conflitos militares, de abalos de toda sorte. Por outro lado, sob a forma do comunismo, as massas do proletariado americano, que se radicalizam, têm – ou, mais exatamente, podem ter, sob a condição de uma política justa – não mais o que tinham outrora, uma mistura de empirismo, de misticismo e charlatanismo, mas uma doutrina cientificamente fundada, que estaria à altura dos acontecimentos.

Transformações radiais como essas permitem prever com segurança que é inevitável e relativamente próxima uma mudança na consciência revolucionária do proletariado americano, a qual já não será mais "um fogo de palha" que se apaga facilmente, mas o início de um verdadeiro e grande incêndio revolucionário. O comunismo nos Estados Unidos pode caminhar com segurança para um grande futuro.

Japão – URSS – China

A aventura iniciada pelo czar, na Manchúria, provocou a guerra russo-japonesa; a guerra provocou a Revolução de 1905[12]. A aventura japonesa atual na Manchúria[13] pode acarretar uma revolução no *Japão*.

O regime feudal e militar no país, no começo deste século, ainda servia com algum sucesso os interesses do jovem capitalismo japonês. Mas, no novo quarto de século, que acaba de decorrer, o desenvolvimento do capitalismo provocou uma decomposição extrema das antigas formas sociais e políticas do país. O Japão, a partir desse tempo, já por várias vezes se pôs em movimento para a revolução. Faltava-lhe, entretanto, uma forte classe revolucionária para

---

[12] Em 1894 o Japão, durante Primeira Guerra Sino-Japonesa (1894-1895), ocupou o porto chinês de Luyshun, na época chamado de Port Arthur. No ano seguinte, por pressão da França, da Alemanha e da Rússia, o Japão foi obrigado a devolvê-lo à China em troca de uma indenização. No governo do czar Nicolau II, em fins de 1897, a frota russa invadiu Port Arthur e meses depois a China arrendou a cidade para os russos que precisavam de uma base naval no Extremo Oriente. Os japoneses, insatisfeitos com o avanço russo, decidiram que somente uma guerra poderia assegurar a Coreia e ainda reconquistar Port Arthur. Em 8 de fevereiro de 1904, a Marinha Imperial Japonesa lançou um ataque surpresa à frota russa ancorada em Port Arthur, iniciando a Guerra Russo-Japonesa (1904-1905), que resultou na destruição das frotas russas do Pacífico e do Báltico e com o Exército Imperial Russo batendo em retirada na Manchúria. O czar se rendeu ao Japão, reconhecendo a soberania japonesa sobre a Coreia, abandonando a Manchúria, além de ceder Port Arthur, a península de Liaodong e metade da ilha Sacalina ao Japão. (N.Ed.)

[13] Ver o livro de L. Mantsô, *Tempestade sobre a Ásia (A luta pela Manchúria)*, Edições Unitas. (N. do T).
L. Mantsô é o pseudônimo do escritor, jornalista e advogado Livio Barreto Xavier (1900-1988), militante da seção brasileira da Oposição Internacional de Esquerda. (N.Ed.)

responder pelas tarefas indicadas pelo seu próprio desenvolvimento. A aventura da Manchúria pode apressar a catástrofe revolucionária do regime japonês.

A China atual, por mais enfraquecida que esteja pela ditadura das camarilhas do Kuo Min-tang, difere profundamente da China que o Japão, seguindo as potências europeias, violentou no passado. A China não está em condições de botar para fora no primeiro impulso o corpo de expedição japonês, mas a consciência nacional e a atividade do povo chinês cresceram; centenas de milhares, milhões de chineses passaram pela experiência da vida militar. Os chineses improvisarão exércitos cada vez mais frequentemente. Os japoneses sentir-se-ão sitiados. As estradas de ferro servirão muito mais para necessidades estratégicas do que para utilidades econômicas. Tornar-se-á necessário enviar tropas cada vez mais numerosas. Estendendo-se, a expedição da Manchúria começará a esgotar o organismo econômico do Japão, causará um descontentamento crescente no interior do país, agravará as contradições e aproximará mais a crise revolucionária.

• • •

Na *China*, a necessidade duma defesa resoluta contra a invasão imperialista deve também dar origem a sérias consequências políticas internas. O regime do Kuo Min-tang cresceu, graças ao movimento revolucionário e nacional das massas, que foi utilizado e abafado pelo militarismo burguês (graças à colaboração da burocracia de Stalin). É precisamente por isso que o regime atual, pesado de contradições e vacilante, é incapaz de tomar uma iniciativa de guerra revolucionária. A necessidade de se opor uma defesa às violências japonesas agirá cada vez mais contra o regime do Kuo Min-tang, entretendo o estado de espírito revolucionário das massas. Nessas condições, a vanguarda proletária, guiada por uma política justa, pode recobrar o terreno perdido tão tragicamente no curso dos anos de 1924-1927.

• • •

Os acontecimentos atuais na Manchúria mostram em particular a ingenuidade dos senhores que reclamavam do governo soviético a entrega pura e simples da estrada de ferro da China Oriental aos chineses. Teria sido entregar levianamente esta via férrea ao Japão, em cujas mãos se teria tornado um poderoso instrumento, não só contra a China, mas também contra a URSS Se até agora alguma coisa reteve a corja militar do Japão em sua intervenção na Manchúria e se alguma coisa pode conservá-la ainda hoje, nos limites da prudência, é o fato da estrada de ferro da China Oriental ter continuado como propriedade dos Sovietes[14].

• • •

Entretanto, não poderá a aventura na Manchúria, a que o Japão se entregou, levá-lo a declarar a guerra à URSS? Esta possibilidade, bem entendido, não está excluída, por mais razoável e circunspecta que se mostre a política do governo dos Sovietes. As contradições internas do Japão feudal e capitalista fizeram, evidentemente, o seu governo perder o equilíbrio. Não faltaram instigadores (a França!). E, segundo a experiência feita pelo czarismo no Extremo Oriente, sabemos de que é capaz uma monarquia militar e burocrática que perdeu o equilíbrio.

A luta que se trava no Extremo Oriente não tem por objeto, já se vê, a tomada de uma via férrea[15]: é a sorte de toda a China que está em jogo. Nessa

---

[14] A Ferrovia Oriental Chinesa era parte da rota original da Ferrovia Transiberiana que passava pela Manchúria até Vladivostok. Um ramal construído a partir de Harbin corria para o sul através de Mukden até Port Arthur, e foi cedido ao Japão no Tratado de Portsmouth em 1905; era a Ferrovia do Sul da Manchúria. Nesse ponto, os russos começaram a construir uma nova rota, ao norte da Manchúria, para a Transiberiana, concluída em 1917. Os russos mantiveram o controle da Ferrovia Oriental Chinesa após a Revolução de Outubro. Os japoneses consolidaram seu controle sobre a Manchúria, com exceção da Ferrovia Oriental Chinesa, no início de 1932, estabelecendo o governo fantoche de Manchukuo. Os "senhores ingênuos" a quem Trotsky se refere aqui incluíam uma facção dentro da Oposição de Esquerda em 1929, principalmente na França e na Bélgica, que argumentavam que a Ferrovia Oriental Chinesa era um empreendimento czarista e imperialista e que, portanto, um governo proletário deveria renegá-la, devolvendo-a ao governo burguês da China. Stalin ficou com a ferrovia em 1935; no entanto, ele a vendeu ao governo de Manchukuo em um esforço para evitar um ataque japonês à União Soviética. A URSS recuperou a ferrovia nos acordos de Yalta ao final da Segunda Guerra Mundial. Embora a Revolução Chinesa tenha ocorrido em 1949, foi somente em 1952 que Stalin devolveu a ferrovia ao governo chinês. (N Ed.)

[15] Alusão de Trotsky ao atentado de 18 de setembro de 1931 que destruiu na China um trecho de uma ferrovia pertencente a uma empresa japonesa. Arquitetado pelo exército japonês, o episódio serviu de pretexto para a invasão da Manchúria. (N.Ed.)

formidável batalha histórica, o governo dos Sovietes não pode ficar neutro, não pode adotar uma atitude que seja a mesma para a China e para o Japão. Os Sovietes têm a obrigação de tomar, totalmente e sem restrição, o partido do povo chinês. Só por uma irredutível fidelidade à luta emancipadora dos povos oprimidos é que o governo dos Sovietes poderá efetivamente repelir os ataques que vêm do Oriente, do Japão, da Inglaterra, da França, dos Estados Unidos.

Sob que forma auxiliará o governo soviético, no período imediatamente próximo, a luta do povo chinês? A resposta depende das circunstâncias históricas concretas que se apresentarem. Mas, se fora estúpido entregar de bom grado ao Japão a estrada de ferro da China Oriental, seria igualmente estúpido subordinar toda a política dos Sovietes no Extremo Oriente à questão dessa via férrea. Numerosos indícios parecem apontar que a conduta da corja militar japonesa nesse caso provém de uma intenção consciente de provocação. Os instigadores diretos dessa provocação são os governantes da França. O fim da provocação é obrigar a URSS a manter-se em complicações no Oriente. O governo soviético, em face disso, não deve mostrar senão mais reserva e perspicácia.

As condições essenciais do Oriente – imensidade dos territórios, populações incalculáveis, estado econômico atrasado – implicam, em todo o processo, lentidão, em marasmo, num movimento rastejante. Em todo caso, não existe, do lado do Extremo Oriente, perigo imediato ou grave para a União Soviética. Durante o próximo período, os principais acontecimentos se desenrolarão na Europa. Desse lado é que podem advir grandes possibilidades, mas é também daí que podem surgir grandes perigos. Por enquanto, só o Japão no Extremo Oriente está com as mãos atadas. A União Soviética deve conservar as suas livres.

No fundo da política mundial, que está longe de ser pacífica, a situação na Alemanha se destaca com nitidez

No fundo da política mundial, que está longe de ser pacífica, a situação na *Alemanha* se destaca com nitidez. Os antagonismos políticos e econômicos atingiram nesse país uma gravidade inaudita. O desenlace se anuncia muito próximo. Está chegando o momento em que a situação pré-revolucionária tem de se transformar em situação revolucionária ou... contrarrevolucionária. Segundo a direção e a solução que tiver a crise alemã, a sorte, não só da Alemanha (o que já seria muito), como também os destinos da Europa, os destinos do mundo inteiro, serão decididos por muitos anos.

A edificação da URSS, a marcha da revolução espanhola, o desenvolvimento de uma situação pré-revolucionária na Inglaterra, o futuro do imperialismo francês, a sorte do movimento revolucionário na China e na Índia, – tudo isso se reduz direta e imediatamente a uma só pergunta: qual será o vencedor na Alemanha no correr dos meses vindouros? O comunismo ou o fascismo?

• • •

Depois das eleições de setembro do ano de 1930 para o *Reichstag*[16], a direção do Partido Comunista alemão afirmou que o fascismo tinha alcançado o seu ponto culminante e que iria, dali por diante, entrar em rápida decomposição, preparando o caminho para uma revolução proletária. A oposição comunista de esquerda (bolcheviques-leninistas) riu-se, então, deste otimismo de estouvados. O fascismo provém de duas condições: de um lado, de uma grave crise social; de outro lado, da fraqueza revolucionária do proletariado alemão. A fraqueza do proletariado, por sua vez, tem duas causas: primeiro, o papel histórico particular da social-democracia, que ainda é uma agência poderosa do capitalismo nas fileiras do proletariado; em seguida, a incapacidade de direção centrista do Partido Comunista em unir os operários sob a bandeira da Revolução.

O fato subjetivo para nós é o Partido Comunista, pois a social-democracia é o obstáculo objetivo que é preciso suprimir. O fascismo cairia, de fato, em pedaços, se o Partido Comunista fosse capaz de fazer a união da classe operária, transformando-a em poderoso polo de atração de todas as massas oprimidas da população. Mas a política do Partido Comunista, desde as eleições de setembro, só tem feito agravar a sua inconsistência: frases declamatórias sobre o "social-fascismo"[17], namoro com o chauvinismo, imitação do fascismo autêntico com o objetivo de fazer-lhe concorrência no mesmo mercado, e essa

---

16 Designação em alemão de seu Parlamento nacional. (N.Ed.)

17 A social-democracia foi rotulada como social-fascista de acordo com a opinião de Stalin pela qual "O fascismo é a organização militante da burguesia que se baseia no ativo apoio da Social-democracia. Objetivamente, a Social-democracia é a ala moderada do fascismo. [...] Estas organizações não se opõem, mas complementam uma à outra. Elas não são antípodas, mas gêmeas". Exposta pela primeira vez em 1924, essa posição foi consagrada como

aventura criminosa do "*referendum* vermelho", tudo isso impede que o partido se torne o guia do proletariado e do povo. Só conseguiu reunir sob a sua bandeira, nestes últimos meses, os novos elementos que uma crise formidável empurrou para ele quase que violentamente. A social-democracia, apesar de uma situação política que lhe deveria ter sido mortal, pôde, entretanto, conservar o grosso de seus efetivos, graças ao auxílio do Partido Comunista, e mantém por enquanto as suas posições, apesar de perdas consideráveis, é verdade, mas, no entanto, de importância secundária. Quanto ao fascismo, a despeito das fanfarronadas de Thälmann, Remmele e outros, mas perfeitamente conforme aos prognósticos dos bolcheviques-leninistas, deu, de setembro do ano passado para cá, um novo e enorme salto para a frente. A direção da Internacional Comunista não soube nem prever nem prevenir. Limita-se a registrar as derrotas. Suas resoluções e outros documentos no máximo representam – desgraçadamente – a fotografia do posterior do processo histórico.

Os "líderes do proletariado mundial" estão com um boi na língua!

A hora em que será preciso tomar resoluções se aproxima. Ora, a Internacional não quer tomar conhecimento do caráter verdadeiro da situação mundial atual, ou então, mais exatamente, teme fazê-lo. O *Bureau* da Internacional Comunista procura sair-se do embrulho, expedindo folhas de agitação que nada significam. O partido dirigente da Internacional Comunista, o Partido russo, não tomou posição. "Os líderes do proletariado mundial" estão com um boi na língua. Julgam ficar de fora se calando. Estão dispostos a ficar quietos, nos seus lugares, enquanto for possível. Esperam durar, aguardando os acontecimentos. Substituíram a política de Lenin pela do avestruz. Aproxima-se o momento, um desses momentos decisivos da história, em que a Internacional Comunista, depois de ter cometido grandes erros, que não passavam entretanto de erros "parciais", embora abalassem ou destruíssem as suas próprias forças acumuladas nos cinco primeiros anos de sua existência, se arrisca a cometer um erro fundamental, fatal, que pode arrastar nas suas consequências a pró-

---

doutrina oficial no início do chamado "Terceiro Período", consagrado no VI Congresso da Internacional Comunista em 1928. (N.Ed.)

pria Internacional Comunista, suprimi-la, como fator revolucionário, da carta política, durante todo um período histórico.

Que os cegos e os covardes não o vejam! Que os caluniadores e jornalistas estipendiados nos acusem de estarmos ligados, à contrarrevolução! Não estará subentendido que a contrarrevolução não é absolutamente o que reforça o imperialismo mundial, mas sim o que perturba a digestão do funcionário comunista? A calúnia não fará medo aos bolcheviques-leninistas e não os reterá no cumprimento do dever revolucionário. Nada a calar, nada a atenuar. É preciso dizer clara, energeticamente, aos operários avançados: Depois do "terceiro período"[18] de aventura e fanfarronada, chegou o "quarto período", o período do pânico e das capitulações.

"Deixem-nos em paz"

Se se traduzir o silêncio dos dirigentes atuais do Partido Comunista da União Soviética em linguagem clara, esse silêncio significa: "Deixem-nos em paz". As dificuldades internas na URSS são extremas. Como não estão regularizadas, as contradições econômicas e sociais continuam a agravar-se. A desmoralização do aparelho, resultado inevitável de um regime plebiscitário[19] tomou proporções verdadeiramente ameaçadoras. As relações políticas e, antes de tudo, as relações no interior do Partido, as relações entre o aparelho desmoralizado e a massa desagregada, atingiram o máximo de tensão. Toda a sabedoria da burocracia consiste em *esperar que as coisas melhorem*, em *adiar*. A situação da Alemanha encerra evidentes ameaças de perturbações. Mas o aparelho stalinista teve, precisamente, acima de tudo, as perturbações. "Deixem-nos em paz! Deixem-nos primeiro sair das contradições mais graves aqui do interior. Lá fora... depois veremos". Eis o estado de espírito das esferas superiores da facção stalinista. Aí está precisamente o que esconde o escandaloso silêncio dos

---

[18] Em 1928, em seu VI Congresso, a Internacional Comunista proclamou o "terceiro período", o período final do capitalismo, sendo o primeiro (1917-1924) o de crise do capitalismo e ascenso revolucionário e o segundo (1925-1928) o de estabilização do capitalismo. (N.Ed.)

[19] Relativo ao *plebiscito*, onde os problemas a resolver não se discutem livremente, mas são colocados sob a forma de uma alternativa. – N. do T.

"líderes" no instante mesmo em que o dever mais elementar do revolucionário é pronunciar-se clara e nitidamente.

• • •

Não há nada a admirar em que o silêncio pérfido da direção de Moscou tenha dado sinal de pânico entre os líderes berlinenses. No momento em que é necessário preparar-se para conduzir as massas às batalhas decisivas, a direção do Partido Comunista alemão se mostra amedrontada, tergiversa e se sai da enrascada com frases ocas. Essa gente não tem o hábito de agir sob a própria responsabilidade. Está agora desejando poder demonstrar que o "marxismo-leninismo" exige que se fuja ao combate.

A esse respeito, parece que ainda não chegou a construir uma teoria completa. Mas esta já paira no ar. Anda de boca em boca e se trai nos artigos e discursos. Eis o sentido dessa teoria: o fascismo sobe irresistivelmente; de qualquer modo, sua vitória é certa; em vez de nos lançarmos "cegamente" na luta e sermos batidos, é mais prudente batermos em retirada, darmos ao fascismo a oportunidade de tomar o poder e de, com isso, comprometer-se. E então – oh! então – mostraremos de que somos capazes.

O espírito de aventura e a leviandade, conforme às leis da psicologia política, se transformaram em prostração e capitulação. A vitória dos fascistas, que se considerava há um ano como inimaginável, é tida hoje como assegurada. Um Kuusinen qualquer, inspirado nos bastidores por um qualquer Radek, prepara para Stalin uma genial fórmula estratégica: bater em retirada em tempo oportuno, afastar as tropas revolucionárias das linhas de fogo e armar ao fascismo uma armadilha, que seria... o poder governamental.

Se essa teoria fosse definitivamente adotada pelo Partido Comunista alemão e determinasse o curso político desse Partido para os meses próximos, seria preciso ver nisso uma traição, por parte da Internacional, de uma gravidade histórica não menor do que a que foi cometida pela social-democracia em 4 de agosto de 1914[20]; e as consequências seriam hoje ainda mais pavorosas.

[20] O dia 4 de agosto de 1914 foi a data simbólica do colapso da Internacional Socialista. Nesse dia o Partido Social-Democrata da Alemanha votou favoravelmente ao orçamento de guerra do governo, apesar da postura antimilitarista do partido até então. No mesmo dia os

O dever da Oposição da Esquerda é dar o alarme: a direção da Internacional Comunista conduz o proletariado alemão a uma catástrofe imensa, que consistirá numa capitulação diante do fascismo, causada pelo pânico.

Evitar a batalha seria entregar o proletariado ao seu inimigo

A tomada do poder pelos "nacional-socialistas" terá como efeito, antes de tudo, a exterminação da elite do proletariado alemão, a destruição de suas organizações; ela lhe tirará toda a fé em si mesmo e no seu futuro. Se tomarmos em conta a maior maturidade e a gravidade ainda maior dos antagonismos existentes na Alemanha, a obra infernal do fascismo italiano parecerá provavelmente insignificante; seria uma experiência quase humanitária em comparação com o que poderia fazer o nacional-socialismo alemão.

Bater em retirada, dizeis, vós que ontem fostes os profetas do "terceiro período"! Os líderes e as instituições podem bater em retirada. Alguns indivíduos podem esconder-se. Mas a classe operária, diante de um poder fascista, não terá abrigo, não saberá onde esconder-se. Com efeito, se admitirmos o que há de mais monstruoso e inverossímil, isto é, que o Partido Comunista evitará efetivamente a batalha e abandonará, por conseguinte, o proletariado a seu inimigo mortal, essa atitude não teria outro sentido senão este: combates terríveis se dariam não *antes* da tomada do poder pelos fascistas, mas *depois*, isto é, em condições infinitamente mais favoráveis para os fascistas. A luta de um proletariado traído por sua própria direção, pegado de surpresa, desorganizado, desesperado, contra o regime fascista, se transformaria numa série de terríveis convulsões sangrentas, que ficariam sem resultado. Uma dezena de levantes proletários, uma dezena de derrotas, uma após outra, não poderiam sangrar e enfraquecer o proletariado alemão tanto quanto o debilitaria neste momento um recuo diante do fascismo, quando apenas começa a ser posta a questão de saber quem será senhor em território alemão.

• • •

partidos socialistas da França e da Bélgica publicaram manifestos declarando apoio aos seus governos em guerra. (N.Ed.)

O fascismo ainda não chegou ao poder. O caminho do poder ainda não lhe está aberto. Os líderes do fascismo ainda não ousam dar provas de insolência: compreendem a importância da partida a jogar, sabem que se trata, para cada um, de arriscar a cabeça. Nessas condições, somente as tendências à capitulação, nas altas esferas do comunismo, podem simplificar o problema e facilitar a sua solução.

Se, atualmente, mesmo os círculos influentes da burguesia temem as experiências do fascismo, é precisamente porque não querem perturbações; não desejam uma longa guerra civil cheia de ameaças; por outro lado, a política de capitulação do Partido Comunista, que abre para o fascismo o caminho do poder, empurrará totalmente para o lado dos fascistas as classes médias, a pequena burguesia ainda hesitante e também camadas consideráveis do proletariado.

Bem entendido, o fascismo que no momento triunfa cairá algum dia, vítima das contradições objetivas e de sua própria inconsistência. Mas, de modo mais imediato, num futuro que se pode prever, no decorrer dos 10 ou 20 anos que se seguirão, a vitória do fascismo na Alemanha significará uma ruptura no desenvolvimento da tradição revolucionária, o desmoronamento da Internacional Comunista, o triunfo do imperialismo mundial nos seus aspectos mais odiosos e mais sanguinários.

A vitória do fascismo na Alemanha determinará inevitavelmente uma guerra contra a URSS

A vitória do fascismo na Alemanha determinará inevitavelmente uma guerra contra a URSS

Seria de fato uma verdadeira estupidez política pensar-se que os nacional-socialistas alemães, chegando ao poder, começassem por declarar a guerra à França ou, pelo menos, à Polônia. Uma guerra civil inevitável contra o proletariado alemão entravará fortemente o fascismo em sua política exterior durante todo o primeiro período de sua dominação. Hitler terá tanta necessidade de Pilsudski quanto Pilsudski de Hitler. Ambos de tornarão, na mesma medida, os instrumentos de ação da França. Se neste momento o burguês francês teme a tomada do poder pelos fascistas alemães, como um salto no escuro, não é menos certo que, no dia da vitória de Hitler, a reação francesa, "nacionalista" ou radical-socialista, se apoiará inteiramente no fascismo alemão.

Nenhum dos governos burgueses "normalmente" parlamentares pode, por enquanto, correr o risco de empenhar-se numa guerra contra a URSS; semelhante empreendimento acarretaria incalculáveis complicações internas. Mas, se Hitler chega ao poder, se esmaga em seguida a vanguarda proletária alemã, se pulveriza e desmoraliza por muitos anos o proletariado em conjunto, o governo fascista será o único capaz de fazer a guerra à URSS Neste caso, agirá, bem entendido, em contato com a Polônia e a Romênia, com outros estados limítrofes e, no Extremo Oriente, com o Japão. Numa empresa dessas, o governo de Hitler não seria senão o órgão executivo de todo o capitalismo mundial. Clemenceau, Millerand, Lloyd George, Wilson, não puderam fazer abertamente a guerra à República dos Sovietes, mas puderam, durante três anos, sustentar os exércitos de Denikin, de Koltchak, de Wrangel. Hitler, no caso de ser vitorioso, tornar-se-ia um superWrangel da burguesia mundial.

Não se trata de adivinhar (o que, aliás, seria impossível) como terminaria um conflito de tão formidáveis dimensões. Mas é absolutamente claro que, se fosse declarada pela burguesia mundial uma guerra aos Sovietes, depois da ascensão dos fascistas ao poder na Alemanha, isso resultaria em um terrível isolamento para a URSS, que teria de lutar não para viver, mas para escapar à morte nas condições mais penosas e perigosas. O esmagamento do proletariado alemão pelo fascismo, por si só, comportará, pelo menos, um semidesmoronamento da República dos Sovietes.

• • •

Mas a questão deve ser resolvida na Alemanha, antes de sair do campo das batalhas europeias. É por isso que dizemos que a chave da situação mundial está na Alemanha. Quem está com essa chave? Ela ainda está, por enquanto, nas mãos do Partido Comunista. O Partido ainda não a deixou cair. Mas poderá perdê-la. A direção do Partido o leva a isso.

Aquele que prega uma "retirada estratégica", isto é, uma capitulação, aquele que tolera semelhante prédica, é um traidor. Os propagandistas de uma retirada diante dos fascistas devem ser considerados como agentes inconscientes do inimigo nas fileiras do proletariado.

O dever revolucionário elementar do Partido Comunista alemão é dizer: O fascismo só pode chegar ao poder por meio de uma guerra civil implacável e exterminadora, sem tréguas. É o que devem saber, antes de tudo, os operários comunistas. É o que devem saber os operários social-democratas, os sem-partido, o proletariado em geral. É o que deve saber o proletariado mundial. É o que deve saber, antes de tudo, o Exército Vermelho.

Mas, de fato, a luta é desesperada?

O conteúdo da "força" fascista

Em 1923[21], Brandler exagerava monstruosamente a importância dos efetivos do fascismo, dissimulando, com isso, a capitulação. O proletariado mundial está, até hoje, sofrendo as consequências dessa estratégia. A capitulação histórica do Partido Comunista alemão e da Internacional Comunista, em 1923, serviu de base à ascensão do fascismo. Atualmente, o fascismo alemão dispõe de uma força política infinitamente superior à de que dispunha há oito anos. Não cessamos, durante todo esse tempo, de prevenir a subestimação do perigo fascista e não somos nós quem agora vá negá-lo. É precisamente por isso que podemos e devemos dizer aos operários revolucionários alemães: Vossos líderes caem de um extremo no outro.

Por enquanto, a principal força dos fascistas é a do número. Sim, eles obtêm votos numerosos nas eleições. Mas não é o boletim de voto que decide

---

[21] Referência à fracassada tentativa de insurreição na Alemanha ocorrida em 1923. Neste ano uma série de eventos (a ocupação por forças militares francesas e belgas do Ruhr, a agitação separatista na Renânia, uma greve geral da Alemanha contra o atual chanceler Wilhelm Cuno e a rebelião na Baviera contra o governo) fez com que a Alemanha caísse no caos político no outono de 1923. Isto levou a Internacional Comunista a acreditar na possibilidade de uma tentativa de levante armado na Alemanha. Sobre a questão, no entanto, a direção do Partido Comunista da Alemanha (KPD) encontrava-se dividida, mas, no entanto, tomou medidas no sentido de sua realização. O KPD, ao buscar alianças com a esquerda do Partido Social-Democrata da Alemanha (SPD) na Turíngia e na Saxônia em outubro de 1923 sob uma "frente única" de esquerda, acreditava ter obtido um ponto de partida favorável para a insurreição. Quando o SPD de esquerda se recusou a participar da greve geral na conferência do conselho de trabalhadores de Chemnitz em 1923, o KPD decidiu cancelar o levante, que só estourou isolado em Hamburgo e fracassou. O presidente do KPD, Heinrich Brandler foi responsabilizado pelo fracasso da tentativa da insurreição comunista de novembro de 1923, em razão da recusa da social-democracia de apoiar o movimento, o que levou ao seu afastamento da direção do Partido Comunista alemão. (N.Ed.)

na luta social. Os principais efetivos do fascismo continuam a ser constituídos pela pequena burguesia e a nova classe média que se formou: pequenos artesãos e empregados no comércio nas cidades, funcionários, empregados técnicos, intelectuais, camponeses arruinados. Na balança de uma estatística eleitoral, mil votos fascistas pesam tanto quanto mil votos comunistas. Mas, na luta revolucionária, mil operários pertencentes a uma grande empresa representam uma força cem vezes maior do que a de um milhar de funcionários, de amanuenses, contados com suas esposas e sogras. A principal massa fascista se compõe de uma poeira de humanidade.

Os socialistas-revolucionários, na revolução russa, foram o partido dos votos numerosos. Com eles votaram, nos primeiros tempos, todos aqueles que não eram burgueses conscientes ou operários conscientes. Mesmo na Assembleia Constituinte, isto é, depois da Revolução de Outubro, os socialistas-revolucionários tiveram ainda a maioria. É por isso que se consideravam o grande partido nacional. Entretanto, verificou-se que não eram senão um grande zero nacional.

Não temos a intenção de traçar um sinal de igualdade entre os socialistas-revolucionários russos e os nacional-socialistas alemães. Mas, indiscutivelmente, há entre os dois alguns traços de semelhança muito importantes para quem quiser elucidar a questão ora tratada. Os socialistas-revolucionários constituíam o partido das confusas esperanças populares. Os nacional-socialistas são um partido de desespero nacional. É a pequena burguesia que se mostra mais capaz de passar da esperança ao desespero, arrastando consigo uma parte do proletariado. O grosso dos efetivos nacional-socialistas, como o dos socialistas-revolucionários, é uma poeira de humanidade.

A superioridade social e combativa do proletariado

Entregando-se ao pânico, os nossos infelizes estrategistas esquecem o essencial: a grande superioridade social e combativa do proletariado. As forças do proletariado não foram gastas até o esgotamento. O proletariado não só é capaz de lutar, mas de vencer. Quando nos falam em uma deficiência do estado de espírito que existe nas empresas, vemos na maior parte dos casos a expressão do marasmo que reina entre os observadores, isto é, os funcionários do Partido, que perderam o norte. Mas é também preciso considerar que os operários não podem deixar de ficar perturbados diante de uma situação complexa e da confusão que se manifesta nas esferas superiores. Os operários compreendem que uma grande batalha exige uma direção segura. O que assusta os operários não é a força dos fascistas, não é a necessidade de uma luta encarniçada. O que os inquieta é a falta de segurança da direção, suas hesitações, suas tergiversações, no momento mais grave. Se existe certo acabrunhamento nas fábricas, uma deficiência, desaparecerão sem deixar vestígios assim que o Partido levantar sua voz fortemente, claramente, com toda a segurança.

O Exército Vermelho!

Indiscutivelmente, os fascistas dispõem de quadros seriamente formados para a batalha, possuem batalhões de choque experimentados. Não se deve considerar isso levianamente: os "oficiais", mesmo num exército criado para a guerra civil, desempenham um papel importante. Mas o que decide não são os oficiais, são os soldados. Ora, os soldados do exército proletário são incontestavelmente superiores aos do exército do Hitler, mais seguros e mais senhores de si mesmos.

Quando o fascismo tiver tomado o poder, achará facilmente seus soldados. Quando se dispõe do aparelho do Estado, pode-se formar um exército com filhos de família, intelectuais, empregados de administração, operários desmoralizados, capengas etc. Exemplo: o fascismo italiano. Se bem que devamos dizer que o valor combativo da milícia fascista na Itália ainda não foi seriamente posto à prova. Mas tratemos, por enquanto, do fascismo alemão, que ainda não está no poder. Ainda tem de conquistar o poder numa luta contra o proletariado. Será possível que o Partido Comunista tenha formado, para essa luta, quadros menos bons que os dos fascistas? E pode-se admitir um instante que os operários alemães, senhores de poderosos meios de produção e de transporte, que constituem, pelas próprias condições de trabalho, o exército do ferro, do cobre, do trilho, do fio elétrico, não manifestem na luta decisiva a sua superioridade infinita sobre a poeira de humanidade que Hitler representa? Há ainda um importante elemento de força para uma classe ou um partido: é a ideia que esse partido ou essa classe tem das relações de forças existentes no país. Em toda guerra, o inimigo se esforça por dar uma ideia exagerada de suas forças. Era este um dos segredos da estratégia de Napoleão. Hitler é, em todo caso, capaz de mentir não menos habilmente do que Napoleão. Mas a sua fanfarronada não lhe será útil, nesta guerra, senão a partir do momento em que os comunistas começaram a dar-lhe crédito. O que é sobremodo importante fazer agora é uma estimativa real das forças. De que dispõem os nacional-socialistas nas fábricas, entre os ferroviários, no exército? Com quantos oficiais organizados e armados podem contar? Uma análise clara da composição social dos dois campos, um recenseamento permanente e vigilante das forças que se confrontam, eis as fontes de um otimismo revolucionário que não comportaria erro.

A força dos nacional-socialistas, neste momento, consiste menos em seu próprio exército do que nas dissensões de seus inimigos mortais. Mas é precisamente a realidade do perigo fascista, o crescimento e a iminência desse perigo, é a consciência da necessidade de prevenir esse perigo custe o que custar, que impõem aos operários o dever de cerrar fileiras em sua própria defesa. A concentração das forças proletárias se fará tanto mais rapidamente e com tanto maior sucesso quanto o instrumento essencial desse processo – isto é, o Partido Comunista – se mostrar mais confiante em si mesmo. A chave da posição ainda está, por enquanto, nas mãos desse partido. Ai dele, se a deixar cair!

Nestes últimos anos, os funcionários da Internacional Comunista, em todas as ocasiões e invocando toda sorte de pretextos, por vezes absolutamente injustificáveis, deram sinal de alarma contra os perigos de guerra que ameaçavam imediatamente a URSS Atualmente, esse perigo se apresenta em toda a sua realidade e sob aparências concretas. Para todo operário revolucionário, o seguinte axioma deve ser considerado como evidente: se os fascistas tentam tomar o poder na Alemanha, é forçoso que se siga uma mobilização do Exército Vermelho. Para o Estado proletário, trata-se simplesmente de sua própria defesa revolucionária no sentido mais amplo. A Alemanha não é só a Alemanha. É o coração da Europa. Hitler não é somente Hitler. É candidato ao papel de um superWrangel. Mas o Exército Vermelho não é somente o Exército Vermelho. É o instrumento da revolução proletária mundial!

26 de novembro de 1931.

P.S.[22] – O texto "Contra o nacional-comunismo", do autor destas linhas, obteve algumas aprovações equivocadas da imprensa social-democrata e democrática.

Não apenas seria estranho, mas paradoxal, num momento em que o fascismo alemão usa com tanto sucesso os erros mais grosseiros do comunismo alemão, se os social-democratas não tentassem usar uma crítica franca e violenta a esses erros.

É inútil dizer que a burocracia stalinista, tanto em Moscou como em Berlim, se apossou dos artigos da imprensa social-democrata e democrática dedicados ao nosso texto como um presente dos céus: eles finalmente têm a "prova" de nossa frente única com a social-democracia e a burguesia.

Esta gente que fez a revolução chinesa de mãos dadas com Tchang Kai-chek e a greve geral[23] na Inglaterra com Purcell, Citrine e Cook (aqui não se trata de artigos, mas eventos históricos gigantescos!) é forçada, com gritos de alegria, a se agarrar a alguns incidentes de uma polêmica na imprensa. Mas não temos medo de um confronto, mesmo neste terreno. Devemos raciocinar e não gritar, analisar e não nos cobrir com insultos.

Antes de tudo colocamos a seguinte questão: quem se beneficiou da estúpida e criminosa participação do Partido Comunista alemão no plebiscito fascista?

Os fatos já deram uma resposta irrefutável: o lucro foi somente para os fascistas e apenas para eles. Foi por esta razão que o principal instigador dessa aventura criminosa renegou covardemente aos seus direitos de paternidade: em um discurso feito em Moscou, aos altos dirigentes do partido, Stalin depois de defender a participação no plebiscito, se recompôs e proibiu os jornais não só de publicar seu discurso, mas até de mencioná-lo.

---

[22] Este *postscriptum* de Trotsky não foi publicado na edição de 1933 de *Revolução e contrarrevolução na Alemanha* por razões editoriais, bem como em suas posteriores reedições brasileiras. Aqui restabelecemos sua originalidade. (N.Ed.)

[23] A greve geral britânica começou em Primeiro de maio de 1926, mas foi boicotada dez dias depois pela liderança sindical reformista, deixando apenas os mineiros envolvidos com o movimento. (N.Ed.)

Evidentemente, *Vorwärts*, *Berliner Tageblatt* e *Wiener Arbeiterzeitung* – especialmente este último – citam nosso texto com a maior má-fé possível. Mas pode-se pedir boa-fé à imprensa burguesa e pequeno-burguesa quando se tratam de ideias revolucionárias proletárias?

No entanto, estamos prontos a negligenciar as adulterações e a examinar as acusações dos funcionários stalinistas com franqueza. Estamos prontos a reconhecer que, na medida em que a social-democracia teme a vitória dos fascistas, traduzindo assim a inquietude revolucionária dos operários, ela também tinha um certo direito *objetivo* de utilizar a crítica que fizemos à política dos stalinistas que prestou um grande serviço aos fascistas. Foi a sua política e não o nosso texto que explica esse "direito".

Ó sábios estrategistas! Vocês afirmam que fizemos uma "frente única" com Wels e Severing? *Somente na medida em que vocês formaram uma frente única com Hitler e seus bandos ultrarreacionários*. E com a diferença de que se tratava em seu caso de uma ativa política comum, enquanto para nós isso se resumiu à equivocada utilização de algumas citações de nossos artigos por parte do adversário.

Quando Sócrates postulou o princípio filosófico do "Conheça a si mesmo", ele certamente tinha Thälmann, Neumann e até Remmele em pessoa em mente.

A reviravolta na Internacional Comunista e a situação na Alemanha

As fontes da última reviravolta

Em nossa época, as reviravoltas táticas, e mesmo as grandes reviravoltas, são absolutamente inevitáveis. Elas provêm de reviravoltas na situação objetiva (falta de estabilidade nas relações internacionais; oscilação brusca e irregular da conjuntura; reflexo brusco das oscilações econômicas na política; impulsos da massa com a impressão de uma situação sem saída etc.). Acompanhar atentamente as mudanças da situação objetiva é uma tarefa mais importante e mais difícil hoje do que antes da guerra, na época do desenvolvimento "orgânico" do capitalismo. A direção do partido se encontra agora na situação de um motorista que guia o seu automóvel por estradas de curvas muito fechadas. Uma volta fora de tempo, uma velocidade inoportuna, constituem para o viajante e a equipagem ameaça de perigos muito grandes, e mesmo ameaça de morte.

Durante os últimos anos, a direção da Internacional Comunista nos deu exemplos de reviravoltas muito bruscas. Observamos a última delas nestes últimos meses. De onde provêm as reviravoltas da Internacional desde a morte de Lenin? De mudanças na situação objetiva? Não. Pode-se dizer com certeza: a partir de 1923, nenhuma reviravolta tática foi efetuada em tempo pela Internacional Comunista, sob a influência de mudanças, exatamente apreciadas, da situação objetiva. Ao contrário: cada reviravolta tem sido o resultado da contradição insuportável entre a linha da Internacional e a situação objetiva. Desta vez, ainda, vemos a mesma coisa.

O IX Pleno do Executivo da Internacional Comunista, o VI Congresso e sobretudo o X Pleno[1] se orientaram numa linha direta e brusca para um surto revolucionário ("terceiro período"), orientação que naquele momento estava completamente contrariada pela situação objetiva, após as grandes derrotas na Inglaterra, na China, após o enfraquecimento dos partidos comunistas no mundo inteiro, sobretudo nas condições de um surto da indústria e do comércio, que abarcou uma série de países capitalistas mais importantes. Desde fevereiro de 1928[2] que a reviravolta tática da Internacional Comunista é, por assim dizer, completamente o oposto da reviravolta real do desenvolvimento histórico. Desta contradição nasceram: tendências aventuristas, uma separação maior do partido e das massas, o enfraquecimento das organizações etc.

Somente depois que todos esses fenômenos tomaram um caráter ameaçador, é que a direção realizou uma nova reviravolta, em fevereiro de 1930[3],

---

[1] O IX Pleno [termo que significa a assembleia de todos os seus membros, originário do latim *plenus*, completo] do Comitê Executivo da Internacional Comunista (CEIC), ocorrido em Moscou entre 9 e 25 de fevereiro de 1928, cujas atas não foram publicadas, apresentou para discussão os seguintes relatórios: A Oposição na PCUS e a Internacional Comunista, de Bukharin; A questão sindical, de Humbert-Droz; e relatórios das comissões chinesa, inglesa, francesa e sindical. O VI Congresso da Internacional Comunista ocorreu em julho de 1928 e ficou conhecido como o congresso que adotou as políticas ultraesquerdistas do "Terceiro Período" e do "Social-fascismo", O Congresso enfatizou a proximidade de um novo (o "terceiro") período no desenvolvimento revolucionário do mundo após a Revolução de Outubro – um período de forte exacerbação de todas as contradições do capitalismo, caracterizado por uma iminente crise econômica global, uma intensificação da luta de classes e um novo ressurgimento do movimento de libertação nos países coloniais e dependentes. Nesse sentido, o Congresso aprovou a tática delineada pelo IX Pleno do CEIC (fevereiro de 1928), expressa pela fórmula "classe contra classe". O X Pleno do CEIC, realizado em Moscou entre 3 e 19 de julho de 1929, ocorreu logo após o rompimento entre Bukharin e Stalin. Ele confirmou a decisão da Comissão Central de Controle e do Comitê Central do PCUS de remover Bukharin de suas funções na Internacional Comunista. A agenda do Pleno possuía os seguintes itens: Relatório sobre a situação internacional e as tarefas da Internacional Comunista, de Kuusinen; A luta econômica e as tarefas dos partidos comunistas, de Losovsky; O dia internacional de luta contra a guerra imperialista, de Barbé; A expulsão do *Presidium* do CEIC de Bukharin, Gitlow, Tasca e Humbert-Droz; e A expulsão do CEIC de Jilek, Lovestone e Spector. (N.Ed.)

[2] Alusão de Trotsky às decisões do IX Pleno do Comitê Executivo da Internacional Comunista. (N.Ed.)

[3] Trotsky se refere à reunião do *Presidium* ampliado do Comitê Executivo da Internacional Comunista, que se reuniu em Moscou de 18 a 28 de fevereiro de 1930. De sua ordem do

para trás e à direita da tática do "terceiro período". A nova reviravolta tática da Internacional, por ironia do acaso, que é severo para todos os caudismos[4], coincide com uma nova reviravolta na situação objetiva. Uma agravação inesperada da crise internacional rasga, sem dúvida, perspectivas de radicalização das massas e de agitações sociais. Na situação presente, principalmente, podia-se e dever-se-ia fazer uma reviravolta à esquerda, isto é, tomar um ritmo audacioso no sentido de um impulso revolucionário.

Isto teria sido inteiramente justo e necessário se, durante estes três últimos anos, a direção da Internacional Comunista tivesse utilizado como devia o período de reerguimento econômico, que foi acompanhado de um refluxo do movimento revolucionário, para fortificar as posições do Partido nas organizações de massa, nos sindicatos, em primeiro lugar. Nessas condições, o motorista poderia e deveria, durante o ano de 1930, passar da segunda à terceira velocidade, ou preparar-se, ao menos, para uma tal operação, no futuro mais próximo. Na realidade, houve um processo inteiramente oposto. Para não cair no precipício, o motorista foi obrigado, por ter tomado a terceira velocidade num momento desfavorável, a passar à segunda e diminuir o ritmo no momento mesmo em que, com uma linha estratégica justa, fora necessário aumentar a velocidade.

Tal é a contradição flagrante entre a necessidade tática e a perspectiva estratégica, contradição em que se encontram atualmente os partidos comunistas de uma série de países, pela lógica dos erros de suas direções.

Verificamos agora essa contradição, da maneira mais eloquente e mais perigosa, na Alemanha, onde as últimas eleições evidenciaram uma particularidade extraordinária das relações de forças, que foram criadas como consequências não só dos dois períodos de estabilização de pós-guerra na Alemanha, como também dos três períodos de erros da Internacional Comunista.

---

dia constavam os seguintes pontos: 1. A crise aconômica mundial, o desemprego de massa e a luta grevista (Relator: Manuilsky); 2. As tarefas das seções da Internacional Comunista no campo da política municipal (Relator: Fritz Heckert (1884-1936)); 3. Informes sobre as seções inglesa, italiana, alemã e soviética da Internacional Comunista; 4. Preparação do V Congresso da Internacional Sindical Vermelha (Relator: Losovsky). (N.Ed.)

[4] Neologismo empregado para designar a tendência a marchar na cauda, isto é, depois dos acontecimentos. – N. do T.

A vitória parlamentar do Partido Comunista à luz das tarefas revolucionárias

Hoje, a imprensa oficial da Internacional apresenta os resultados das eleições alemãs[5] como uma vitória grandiosa do comunismo, que põe a palavra de ordem: "A Alemanha soviética". Os burocratas otimistas não querem compreender o sentido das relações de forças que surgiram nas estatísticas eleitorais. Analisam o acréscimo do número de votos comunistas independentemente das tarefas revolucionárias que são criadas pela situação e os obstáculos que estas determinam.

O Partido Comunista obteve cerca de 4,6 milhões de votos contra 3,3 milhões em 1928. O acréscimo é de 1,3 milhão; do ponto de vista da mecânica parlamentar "normal", é considerável, mesmo se se considera o aumento do número dos eleitores. Mas a conquista do Partido Comunista é muito pálida em face do salto fascista de 800 mil a 6,4 milhões de votos. O fato de que a social-democracia, embora perdendo muito, tenha conservado os seus quadros principais e recolhido assim mesmo mais votos operários do que o Partido Comunista tem uma significação não menos importante para a apreciação das eleições.

Todavia, se se perguntasse que combinação de condições internacionais e nacionais poderia, com maior força, atrair a classe operária para o comunismo, não se poderia apresentar melhor exemplo de condições favoráveis a essa reviravolta do que a atual situação da Alemanha: o nó do plano Young[6],

---

5 As eleições legislativas alemãs ocorreram em 14 de setembro de 1931. (N.Ed.)

6 Em 1928 os alemães reclamaram a necessidade de um novo plano para concluir o que julgavam ser uma solução inicial e temporária, ou seja, o Plano Dawes para o pagamento das reparações da Primeira Guerra Mundial, que haviam sido estabelecidas pelo acordo de paz de 1919 assinado em Versalhes. Foi formado um comitê, presidido pelo empresário estadunidense Owen D. Young, para discutir a questão, sendo suas conclusões apresentadas em 1929 e aprovadas em 1930. Neste novo documento, conhecido como Plano Young, que reduziu em 17% os valores inicialmente estabelecidos para as reparações, eliminou-se a maioria dos controles de supervisão então existentes sobre a economia da Alemanha, estabeleceu-se um prazo de 58 anos para o seu pagamento e parcelas anuais de 2 bilhões de marcos-ouro, das quais um terço deveria ser pago sem condições e os outros dois terços poderiam ser renegociados e sobre os quais incidiriam juros e poderiam ser financiados por um consórcio de bancos estadunidenses. Além disso, criava-se um Banco Internacional de Compensações, que deveria gerir os recursos dos pagamentos das reparações. No entanto, com a crise econômica desencadeada pela quebra da Bolsa de Nova Iorque, o Plano Young foi inviabilizado, sobretudo pelo fato de o sistema bancário estadunidense ter-se tornado incapaz de propiciar os créditos previstos. (N.Ed.)

a crise econômica, a decadência dos dirigentes, a crise parlamentar, a social-democracia, no poder, desmascarando-se de maneira espantosa. Do ponto de vista dessas condições históricas concretas, o peso específico do Partido Comunista alemão na vida social do país, apesar da aquisição de 1,3 milhão de votos, continua relativamente fraco.

A fraqueza das posições do comunismo, ligada estreitamente à política e ao regime da Internacional Comunista, aparece de uma forma ainda mais eloquente se relacionamos com o peso social atual do Partido Comunista as tarefas concretas e inevitáveis que a ele se apresentam nas condições históricas presentes.

É verdade que o próprio Partido Comunista não contava com um tal acréscimo. Mas isso demonstra que, sob o golpe dos erros e derrotas, a direção do Partido Comunista perdeu o hábito dos grandes objetivos e das grandes perspectivas. Se ontem subestimou as suas próprias possibilidades, hoje subestima as dificuldades. Dessa forma, um perigo é multiplicado por outro.

A primeira qualidade de um partido verdadeiramente revolucionário é poder olhar de frente a realidade.

Oscilações da grande burguesia

A cada volta do caminho histórico, a cada crise social, é preciso sempre examinar de novo a questão das relações das três classes da sociedade atual: da grande burguesia, que é dirigida pelo capital financeiro, da pequena burguesia, que oscila entre os dois campos fundamentais, e, enfim, do proletariado.

A grande burguesia, que é uma pequena minoria da nação, não se pode manter no poder se não tem apoio na pequena burguesia das cidades e dos campos, isto é, nos restos do passado e nas massas das novas classes médias. Esse apoio toma, na época atual, duas formas principais, politicamente antagônicas, mas que historicamente se completam: a social-democracia e o fascismo. A pequena burguesia que segue o capital financeiro, na pessoa da social-democracia, arrasta consigo milhões de operários.

Hoje, a *grande burguesia alemã oscila*, fende-se. A questão de saber qual dos dois métodos lhe é preciso empregar atualmente para resolver a crise social absorve as suas divergências. A social-democracia afasta de si uma parte da grande burguesia por causa dos seus resultados duvidosos e de grandes compromissos suplementares (impostos, leis de seguros sociais, salários). A intervenção cirúrgica do fascismo apresenta-se a uma outra parte da grande burguesia como muito arriscada e sem consonância com a situação. Por outras palavras, a finança burguesa, no seu conjunto, oscila na apreciação da situação, ainda sem base para proclamar o advento do seu "terceiro período", no qual a social-democracia será substituída de forma absoluta pelo fascismo, sendo que, no ajuste de contas, a social-democracia, pelos seus serviços passados, deverá sofrer com outros, como se sabe, um *progrom*[7] geral. As oscilações da grande burguesia entre a social-democracia e o fascismo – em virtude do enfraquecimento dos seus partidos principais – constituem um sintoma muito evidente de uma situação pré-revolucionária. Com o advento de condições verdadeiramente revolucionárias, essas oscilações cessarão de um golpe, naturalmente.

A pequena-burguesia e o fascismo

Para que a crise social possa resultar na Revolução Proletária, é indispensável, afora outras condições, que se produza um deslocamento decisivo das classes pequeno-burguesas para o proletariado. Isso dá ao proletariado a possibilidade de se colocar como guia à testa da nação.

As últimas eleições mostram, e isto constitui o seu valor sintomático essencial, um deslocamento inverso: sob os golpes da crise, a pequena-burguesia se inclina não para a Revolução Proletária, mas para a reação imperialista mais extremada, arrastando consigo importantes camadas do proletariado.

O acréscimo gigantesco do nacional-socialismo é expressão de dois fatos: da crise social profunda, que lança as massas pequeno-burguesas fora de seu equilíbrio, e da ausência de um partido revolucionário, que já se possa apresentar, hoje, aos olhos das massas populares, como aquele que deverá ser o seu guia revolucionário. Se o Partido Comunista é um *partido de esperança revolucionária*, o fascismo, como movimento de massas, é então um partido de *desespero contrarrevolucionário*. Quando a massa proletária é abrasada pela esperança revolucionária, arrasta, inevitavelmente, consigo, no caminho da Revolução, camadas importantes e crescentes da pequena burguesia. Nesse

[7] Massacre de judeus. – N. do T.

domínio, precisamente, as eleições oferecem uma imagem inteiramente oposta: o desespero contrarrevolucionário abraçou o maciço pequeno-burguês com tal força que atraiu as importantes camadas do proletariado.

Como se pode explicar isso? Vimos, no passado (Itália, Alemanha), um brutal robustecimento do fascismo, vitorioso ou, pelo menos, ameaçador, como resultado de situações revolucionárias esgotadas ou inutilizadas, ao fim de crises revolucionária em que a vanguarda do proletariado se mostrou incapaz de se colocar à testa da nação para mudar a sorte de todas as classes, inclusive a da pequena burguesia. Foi isso, precisamente, que deu forças excepcionais ao fascismo na Itália. Hoje, na Alemanha, a coisa se apresenta não à saída da crise revolucionária, mas à sua vizinhança. Daí os funcionários dirigentes do partido, otimistas por dever, deduzirem que o fascismo, chegando "muito tarde", se acha condenado a uma derrota inevitável e rápida (*Die Rote Fahne*).[8] Essa gente nada quer aprender. O fascismo chega "muito tarde" com relação às antigas crises revolucionárias, mas chega muito cedo – ao alvorecer – como relação à nova crise revolucionária. O fato dele ter tido a possibilidade de ocupar uma forte posição de partida *nas vésperas* do período revolucionário, e não no seu fim, não constitui o ponto fraco do fascismo, mas o ponto fraco do comunismo. A pequena burguesia não espera, e por causa disso, não tem novas esperanças nas capacidades do Partido Comunista para melhorar a sua sorte. Apoia-se na experiência do passado, recorda-se das lições de 1923, dos saltos ultraesquerdistas caprichosos de Maslow, Thälmann, da impotência oportunista desse mesmo Thälmann, do barulho do "terceiro período" etc. E, sobretudo – e isto é o mais importante –, a sua desconfiança para a Revolução Proletária se nutre da desconfiança de milhões de operários social-democratas para com o Partido Comunista. A pequena burguesia, mesmo quando é lançada fora da vida conservadora, só pode orientar-se para a Revolução social se as simpatias da maioria dos proletários se dirigem para a Revolução social. Essa condição, que é a mais importante, é precisamente a que ainda falta na Alemanha; e não falta por acaso.

A declaração-programa do Partido Comunista alemão, antes das eleições, foi consagrada, no seu conjunto, e exclusivamente, ao fascismo, considerado

[8] *Die Rote Fahne*: "*A Bandeira Vermelha*", órgão do Partido Comunista alemão. – N. do T.

o inimigo essencial. O fascismo, entretanto, saiu vencedor, recolhendo não só milhões de votos de elementos semiproletários, mas muitas centenas de milhares de votos de operários industriais. Nisso se exprime o fato de que, apesar da vitória parlamentar do Partido Comunista, a Revolução Proletária, como um todo, sofreu uma derrota séria nessas eleições, derrota de natureza preventiva, evidentemente, pré-preventiva mesmo, não de caráter decisivo. Ela pode tornar-se decisiva, e se tornará inevitavelmente se o Partido Comunista não souber apreciar a sua vitória parlamentar parcial, ligando-a ao caráter "preventivo" da derrota da Revolução, considerada como um todo, e tirar daí as conclusões necessárias.

O fascismo é um perigo real na Alemanha, como expressão aguda da situação sem saída do regime burguês, do papel conservador da social-democracia, em relação a esse regime, e da fraqueza acumulada do Partido Comunista para destruir esse regime. Quem nega isso é um cego ou um fanfarrão.

Em 1923, Brandler, apesar de todas as nossas advertências, sobrestimou de maneira inaudita as forças fascistas. Da apreciação falsa da relação de forças nasceu uma política de espera, de tergiversações, de defensiva, de covardia. Isso aniquilou a Revolução. Acontecimentos como esses não passam sem deixar traços na consciência de todas as classes da nação. A sobrestimação do fascismo, pela direção comunista, criou uma das condições para o fortalecimento real do fascismo. Um erro oposto, precisamente a subestimação do fascismo pela direção atual do Partido Comunista, pode provocar um desmoronamento mais terrível da Revolução por toda uma longa série de anos.

O perigo toma uma acuidade particular, ligado à questão do ritmo de desenvolvimento, que não depende de nós somente. O caráter aparente da linha política sinuosa, tal como se revelou nas eleições, admite que se pense que o ritmo de desenvolvimento da crise nacional possa ser muito rápido. Por outras palavras, o curso dos acontecimentos pode produzir na Alemanha, no futuro mais próximo, a uma nova altura histórica, a antiga contradição trágica entre a maturidade da situação revolucionária, de um lado, e a fraqueza e a impotência estratégica do partido revolucionário, de outro lado. É preciso dizer isso claramente, abertamente, e sobretudo, em tempo.

O Partido Comunista e a classe operária

Fora erro considerável, por exemplo, rejubilar-se com o fato de que o Partido bolchevique, que, em abril de 1917 depois da chegada de Lenin, começava apenas a se preparar para a conquista do poder, tivesse menos de 80 mil membros e não arrastasse, mesmo em Petrogrado[9], mais de um terço dos operários e uma parte ainda menor de soldados. A situação na Rússia era inteiramente outra. Os partidos revolucionários só saíram da ilegalidade em março, depois de uma interrupção de três anos da vida política, abafada embora, que existia antes da guerra. A classe operária se renovou durante a guerra de cerca de 40%; a massa esmagadora do proletariado ignorava a existência dos bolcheviques, e mesmo nada ouvira sobre eles. O voto pelos mencheviques e socialistas-revolucionários, em março-junho, era a simples expressão dos primeiros passos cambaleantes, em seguida ao despertar. Nesse voto, não existia sequer uma sombra de desilusão para com os bolcheviques ou acumulação de desconfiança a seu respeito, desilusão ou desconfiança que somente se podem criar com resultado de erros do Partido, verificados pelas próprias massas, na sua experiência. Ao contrário, cada dia da experiência revolucionária de 1917 arrancava as massas dos conciliadores para os bolcheviques. Disso nasceu o aumento torrencial e irresistível das fileiras do partido e, sobretudo, de sua influência.

O Partido Comunista e os operários social-democratas

No fundo, neste como em muitos outros aspectos, a situação alemã tem um caráter diferente. O Partido Comunista alemão não apareceu em cena somente ontem ou anteontem. Em 1923, teve ao seu lado, abertamente ou quase abertamente, a maioria da classe operária. Em 1924, na vaga descendente, colheu 3,6 milhões de votos, porcentagem mais elevada da classe operária do que a de hoje. Isso quer dizer que os operários que ficaram com a social-democracia, como os que voltaram desta vez com os nacional-socialistas, agiram,

[9] A cidade de São Petersburgo foi fundada em 1703. Em 1914, o nome da cidade foi mudado para Petrogrado. Em 1924 após a morte de Lenin, a cidade teve sua denominação alterada para Leningrado. Em 1991, após o colapso da União Soviética, a cidade voltou a ter seu nome original. (N.Ed.)

assim, não por simples ignorância ou porque só ontem tivessem despertado, mas porque se basearam na sua própria experiência dos últimos anos e não *acreditam mais* no Partido Comunista.

Não esqueçamos que, em fevereiro de 1928, o IX Pleno do Executivo da Internacional deu o sinal de uma luta encarniçada, extraordinária e sem quartel contra os "social-fascistas". A social-democracia alemã se encontrava no poder mais ou menos por esse tempo, mostrando às massas, a cada passo, o seu papel criminoso e vergonhoso. E tudo terminou por uma grande crise econômica. É difícil imaginar condições mais favoráveis para o enfraquecimento da social-democracia. Apesar disso, no fundo, ela conservou as suas posições. Que razões podem explicar esse fato surpreendente? Tal coisa só aconteceu porque a direção do Partido Comunista auxiliou, com a sua política, a social-democracia, sustentando-a pela esquerda.

Que cinco ou seis milhões de operários tenham votado pela social-democracia, isto não significa, absolutamente, que lhe tenham dado confiança plena e ilimitada. É preciso não considerar os operários social-democratas como cegos, e eles não são tão ingênuos a respeito de seus dirigentes, mas não veem outra saída para situação atual. Não falamos, evidentemente, da aristocracia e da burocracia proletária, mas dos operários da base. A política do Partido Comunista não conquista a sua confiança, não porque o Partido Comunista seja um partido revolucionário, mas porque eles não acreditam na sua capacidade em alcançar uma vitória revolucionária e, por isso, não desejam arriscar a cabeça sem proveito. Votando a contragosto pela social-democracia, esses trabalhadores não exprimem a sua confiança nela, mas a sua desconfiança para com o Partido Comunista. Nisso é que consiste a diferença enorme entre a situação comunista alemã de hoje e a dos bolcheviques russos em 1917.

A influência e os efetivos

Mas as dificuldades não desaparecem com isso apenas. No próprio Partido, e sobretudo nos círculos operários que o apoiam ou que só votam por ele, há uma grande acumulação de muda desconfiança para com a direção do Partido. Isso cria o que se chama a "desproporção" entre a influência geral do Partido e os seus efetivos; sobretudo em relação à sua função sindical – na Alemanha, uma tal desproporção existe indiscutivelmente. A explicação oficial da desproporção é que o Partido não pode "fortificar" organicamente a sua influência. Considera-se a massa como uma matéria inteiramente passiva, cuja entrada ou saída do Partido depende exclusivamente da maneira por que o secretário saiba ou não saiba tomar cada operário pelo braço. Os burocratas não compreendem que o operário tem o seu pensamento próprio, a sua experiência, a sua vontade e a sua política ativa ou passiva a respeito do Partido. O operário vota pelo Partido, pela sua bandeira, pela Revolução de Outubro, pela sua própria Revolução que se aproxima. Mas, recusando-se a entrar pelo Partido, ou a segui-lo nas lutas sindicais, diz com isso mesmo que não tem confiança na sua política cotidiana. A "desproporção" é, pois, em último lugar, uma expressão de desconfiança das massas para a direção atual da Internacional. E esta desconfiança, criada e fortificada pelos erros, as derrotas, o blefe e as mistificações evidentes das massas, de 1923 até 1930, constitui um dos maiores obstáculos no caminho da vitória da Revolução Proletária.

Sem confiança em si mesmo, o Partido não poderá guiar a classe. Sem guiar o proletariado, ele não separará do fascismo as massas pequeno-burguesas. Uma coisa está ligada indissoluvelmente à outra.

Retorno ao "segundo" período ou, de novo, marcha para o "terceiro"?

Se empregarmos a terminologia oficial do centrismo[10], devemos formular o problema da maneira seguinte. A direção da Internacional impôs às seções nacionais a tática do "terceiro período", isto é, a tática do surto revolucionário imediato, em um momento (1928) que tinha os traços visíveis do "segundo

[10] Trotsky utiliza o termo centrismo para designar as tendências socialistas que se posicionam ou oscilam entre o reformismo, que é a posição da burocracia operária e da aristocracia operária, e o marxismo, que expressa os interesses históricos da classe trabalhadora. Como uma tendência centrista não tem base social independente, ela deve ser avaliada em termos de suas origens, sua dinâmica interna e a direção que está tomando ou sendo empurrada pelos acontecimentos. Até por volta de 1935, Trotsky via o stalinismo como uma variedade especial, o centrismo burocrático; depois disso, ele sentiu que esse termo era inadequado para descrever o que a burocracia soviética estava se tornando. (N.Ed.)

período", isto é, da estabilização burguesa, de um refluxo e descida da Revolução. A reviravolta que disso resultou em 1930 significa o abandono da tática do "terceiro período" em proveito da tática do "segundo período". Essa reviravolta, entre outras, foi realizada pelo aparelho burocrático num momento em que sintomas essenciais começavam a testemunhar, de forma eloquente, ao menos na Alemanha, uma verdadeira aproximação do "terceiro período". Não decorre daí a necessidade de uma nova reviravolta tática, no sentido da tática, hoje abandonada, do "terceiro período"?

Empregamos essa terminologia para tornar mais acessível o enunciado do problema aos círculos cuja consciência foi emporcalhada pela metodologia e pela terminologia dos burocratas centristas. Mas, não estamos dispostos a adotar, por nossa conta, essa terminologia, atrás da qual se escondem as combinações do burocratismo stalinista e da metafísica bukhariniana. Repelimos a apreciação apocalíptica do "terceiro" período considerado como o último: o número de períodos até a vitória do proletariado é uma questão de relação das forças e de mudanças de situação; tudo isso só pode ser verificado pela ação. Condenamos o próprio conteúdo do esquematismo estratégico com os seus períodos enumerados; não existe uma tática abstrata, estabelecida de antemão para o "segundo" ou o "terceiro" período. É evidente que não se pode chegar à vitória e à conquista do poder sem um levante armado. Mas, como chegar-se a esse levante? A questão de se saber por que métodos e com que ritmo se devem mobilizar as massas depende não só da situação objetiva em geral, mas, antes de tudo, do estado em que a crise social no país encontra o proletariado, das relações entre o Partido e a classe, entre o proletariado e a pequena-burguesia etc. A situação do proletariado no limiar do "terceiro período" depende, por sua vez, da tática que o Partido adotou no período precedente.

A "reviravolta" da situação objetiva

A mudança tática normal e natural correspondente à reviravolta atual da situação na Alemanha deveria ser *a aceleração do ritmo, a acentuação das palavras de ordem e dos métodos de luta*. Mas a reviravolta tática teria sido normal e natural somente no caso em que o ritmo da luta e as palavras de ordem da véspera correspondessem às condições do período precedente. Mas não houve nada disso. A contradição flagrante entre a política ultraesquerdista e a estabilização da situação foi, pois, a causa da reviravolta tática. Como um dos resultados, verificou-se que no momento em que a nova reviravolta da situação objetiva, paralelamente ao reagrupamento geralmente desfavorável das forças políticas, deu ao comunismo um ganho importante de votos, o Partido se acha, mais do que nunca, estratégica e taticamente, muito desorientado, desgarrado e desprevenido.

Para esclarecer a contradição em que caiu o Partido Comunista alemão, como a maioria das outras seções da Internacional, mas mais profundamente do que as outras, façamos a mais simples comparação. Para saltar por cima de uma barreira, é necessário primeiro tomar impulso. Quanto mais alta é a barreira, tanto mais importa tomar o impulso a tempo, não muito tarde, mas também não muito cedo, a fim de se aproximar do obstáculo com as reservas de forças necessárias. Entretanto, o Partido Comunista alemão, desde julho de 1929, não fez mais do que tomar o seu impulso. Naturalmente, o Partido começou a se esbofar e a arrastar a perna. Enfim, a Internacional Comunista ordenou: "Diminua a velocidade!". Mal, porém, o Partido, já esbofado, começou a entrar numa cadência mais normal, apresenta-se diante dele uma barreira real e não imaginária, que pode exigir um salto revolucionário. Terá ele distância bastante para tomar impulso? Será preciso renunciar à reviravolta e transformá-la em contrarreviravolta? Eis as questões táticas e estratégicas que se apresentam diante do Partido Comunista alemão em toda a sua acuidade.

Para que os quadros dirigentes possam encontrar respostas justas a essas questões, precisam ter a possibilidade de, no mais curto lapso de tempo, calcular, em ligação com a estratégia dos últimos anos e os seus resultados, tais como apareceram nas eleições, o caminho que será preciso percorrer imediatamente. Se a burocracia conseguir, contrariamente a isso, abafar com gritos de vitória a voz da autocrítica política, o proletariado será levado inevitavelmente a uma catástrofe mais terrível do que a de 1923.

As variantes possíveis do desenvolvimento ulterior

A situação revolucionária, que põe o proletariado diante do problema imediato da conquista do poder, se compõe de elementos objetivos e subjetivos, ligados entre si e que, numa grande medida, dependem uns dos outros. Mas essa interdependência é relativa. A lei do desenvolvimento desigual[11] se estende também, em geral, aos fatores da situação revolucionária. O desenvolvimento insuficiente de um deles pode ter como resultado ou o desaparecimento da situação revolucionária geral, por não ter essa chegado a explodir, ou, com

---

[11] Poucos meses depois, em novembro de 1930, no prefácio de sua *História da Revolução Russa*, assim tratava Trotsky a respeito da "lei do desenvolvimento desigual", acrescentando-lhe o conceito de "desenvolvimento combinado", que muitos consideram ser sua maior contribuição às ideias marxistas: "Os países atrasados assimilam as conquistas materiais e ideológicas das nações avançadas. [...] O capitalismo prepara e, até certo ponto, realiza a universalidade e permanência na evolução da humanidade. Com isto se exclui já a possibilidade de que se repitam as formas evolutivas nas distintas nações. Obrigado a seguir os países avançados, o país atrasado não ajusta em seu desenvolvimento a concatenação das etapas sucessivas. O privilégio dos países historicamente atrasados – o que de fato é – está em poder assimilar as coisas ou, dito melhor, em se obrigar a assimilá-las antes do prazo previsto, saltando por toda uma série de etapas intermediárias. Os selvagens passam da flecha ao fuzil de um golpe, sem recorrer à trilha que, no passado, separaram essas duas armas. [...] O desenvolvimento de uma nação historicamente atrasada induz, forçosamente, que se confundam nela, de uma maneira característica, as distintas fases do processo histórico. Aqui o ciclo apresenta, visto em sua totalidade, um caráter confuso, complexo, combinado. Está claro que a possibilidade de passar por cima das fases intermediárias não é nunca absoluta; está sempre condicionada, em última instância, pela capacidade de assimilação econômica e cultural do país. Além disso, os países atrasados rebaixam sempre o valor das conquistas tomadas do estrangeiro ao assimilá-las à sua cultura mais primitiva. [...] O desenvolvimento desigual, que é a lei mais geral do processo histórico, não se revela, em nenhuma parte, com maior evidência e complexidade do que no destino dos países atrasados. Açoitados pelo chicote das necessidades materiais, os países atrasados se veem obrigados a avançar aos saltos. Desta lei universal do desenvolvimento desigual da cultura decorre outra que, por falta de nome mais adequado, chamaremos de lei do *desenvolvimento combinado*, aludindo à aproximação das distintas etapas do caminho e à confusão de distintas fases, ao amálgama de formas arcaicas e modernas. [...] O partido revolucionário russo, incumbido de estampar sua marca em toda uma época, buscou a expressão dos problemas da revolução não na Bíblia, nem no cristianismo secularizado chamado de democracia "pura", mas nas condições materiais das classes que integram a sociedade. O sistema soviético deu a estas condições sua expressão mais simples, mais transparente e mais franca. O regime dos trabalhadores foi realizado pela primeira vez no sistema soviético, que sejam quais forem as vicissitudes históricas imediatas que lhe estão reservadas, penetrou tão irrevogavelmente na consciência das massas como, a seu tempo, o sistema da Reforma ou da democracia pura." (N.Ed.)

a explosão dessa, uma derrota da classe revolucionária. A propósito, qual é a situação atual da Alemanha?

1) Uma crise nacional profunda (economia, situação internacional) existe indiscutivelmente. Pela via normal do regime parlamentar burguês, não se vê saída.

2) A crise política da classe dominante e de seu sistema de governo existe indiscutivelmente. Não é uma crise do parlamentarismo, mas uma crise de dominação de classe.

3) A classe revolucionária acha-se ainda, entretanto, profundamente dividida pelas contradições interiores. O robustecimento do partido revolucionário, em detrimento do partido reformista, apenas, se inicia, e se desenvolve ainda, por enquanto, a um ritmo que só de longe corresponde à profundeza da crise.

4) A pequena-burguesia já tomou, logo no começo da crise, uma posição que ameaça o *sistema atual* de dominação capitalista, mas que é, ao mesmo tempo, de hostilidade mortal para com a Revolução Proletária.

Em outras palavras, as condições objetivas principais da Revolução Proletária já existem, já existe uma das suas condições políticas (o estado da classe dominante); uma outra condição política (estado do proletariado) começa apenas a evoluir para a Revolução e, por causa da herança do passado, não pode evoluir rapidamente; enfim, a terceira condição política (estado da pequena-burguesia) não se dirige para a Revolução Proletária, mas para a contrarrevolução burguesa. Uma modificação favorável desta última condição não pode ser realizada, sem modificações radicais no próprio proletariado, isto é, sem a liquidação política da social-democracia.

Temos, pois, uma situação profundamente contraditória. Um dos fatores atuais põe na ordem do dia a Revolução Proletária e os outros excluem as possibilidades da sua vitória no período mais próximo, isto é, sem uma profunda mudança preliminar das relações das forças políticas.

Teoricamente, podem-se imaginar muitas variantes do desenvolvimento ulterior da situação atual da Alemanha, variantes que dependem das causas objetivas, às quais se juntam a política dos inimigos de classe e a atitude do próprio Partido. Notemos, esquematicamente, quatro variantes possíveis do desenvolvimento.

1) O Partido Comunista, aterrorizado pela sua própria estratégia do "terceiro período", avança às apalpadelas, com extrema prudência, evitando os passos arriscados e, sem combate, deixa escapar situações revolucionárias. Isto

seria a repetição, sob outro aspecto, da política de Brandler em 1921-1923. Os brandlerianos e semibrandlerianos[12] do Partido e fora do Partido o empurrarão nessa direção, refletindo a pressão da social-democracia.

2) Sob a influência do sucesso eleitoral, o Partido faz, ao contrário, uma nova reviravolta brusca à esquerda, no sentido da luta direta pelo poder, e, sendo o Partido a minoria ativa, sofrerá uma derrota catastrófica. O fascismo, os parlapatões, os surdos, os menos refletidos, menos informados, todos os que estão ensurdecidos pela agitação do aparelho, e, enfim, o desespero e a impaciência de uma parte da classe revolucionária, sobretudo dos jovens desempregados, o levarão para esse lado.

3) É igualmente possível que a direção, nada abandonando, procure encontrar empiricamente uma linha média entre os perigos dessas duas variantes; cometerá uma série de novos erros, atenuará tudo o que pode vencer a desconfiança das massas proletárias e semiproletárias, ao mesmo tempo em que as condições objetivas acabarão modificando-se no sentido desfavorável à Revolução, cedendo lugar a uma nova fase de estabilização. Para essa direção eclética, que contém o caudismo em geral e, numa certa medida, o aventurismo, o Partido Comunista alemão é empurrado principalmente pelos vértices stalinistas de Moscou, que têm medo de tomar uma posição definida e que preparam de antemão um *alibi*[13], isto é, a possibilidade de lançar as responsabilidades sobre os "executantes" – à esquerda ou à direita, conforme os resultados. É uma política que nos é bem conhecida, que sacrifica os interesses históricos mundiais do proletariado ao "prestígio" dos vértices burocráticos. As premissas teóricas de um tal curso já se acham na *Pravda*[14] de 16 de setembro.

4) Enfim, a variante mais favorável, ou, melhor, a única variante favorável: o Partido Comunista alemão, por um esforço dos seus melhores elementos,

---

[12] Referência ao período de radicalização vivido pelo Partido Comunista da Alemanha, época em que ocorrem duas tentativas insurrecionais fracassadas em 1921 e 1923. Brandleriano era como Trotsky se referia aos seguidores do ex-secretário-geral do Partido Comunista alemão de 1921 a 1923, Heinrich Brandler, e que estavam reunidos no Partido Comunista da Alemanha (Oposição) (*Kommunistische Partei Deutschlands (Opposition)* - KPDO), fundado no final de 1928, agrupando a ala direita do comunismo alemão. (N.Ed.)

[13] Advérbio latino que significa: em outra parte, em outro lugar. É empregado, em linguagem judiciária, para designar o recurso do réu alegando a sua ausência do local do crime. – N. do T.

[14] *Pravda: "A Verdade"*, órgão do Partido Comunista russo. – N. do T.

dos mais conscientes, se compenetra claramente de todas as contradições da situação atual. Por uma política justa, audaciosa e maleável, o Partido consegue ainda, nas bases da atual situação, reunir a maioria do proletariado e obter uma mudança de frente das massas semiproletárias e pequeno-burguesas mais oprimidas. A vanguarda do proletariado, como guia da nação trabalhadora e oprimida, alcança a vitória. Auxiliar o Partido a nortear sua política nesse sentido é a tarefa dos bolcheviques-leninistas (Oposição de Esquerda).

A tarefa da Oposição

É supérfluo procurar prever qual dessas variantes tem maiores probabilidades de se realizar no período mais próximo. Questões como essas não se resolvem com previsões, mas pela luta.

O elemento mais indispensável da última variante é a luta ideológica implacável contra a direção centrista da Internacional Comunista. Já se deu de Moscou o sinal para a política do prestígio burocrático, que esconde os erros da véspera e prepara os de amanhã, confirmando a linha, de novo, solenemente, com urros mentirosos. Exagerando fortemente os êxitos do Partido e diminuindo fortemente as dificuldades, comentando mesmo os sucessos fascistas como um fator positivo da Revolução Proletária, a *Pravda* faz, entretanto, uma pequena reserva: "Os sucessos não nos devem perturbar a cabeça". A política falsa da direção stalinista continua, nisso também, fiel a si mesma. Faz-se a análise da situação num sentido ultraesquerdista incriticável. Por esse meio, o Partido é levado conscientemente para o caminho do aventurismo. Ao mesmo tempo, Stalin prepara de antemão o seu *alibí* pela expressão ritual: "perturbar a cabeça". Precisamente essa política obtusa, conscientemente errada, pode aniquilar a Revolução alemã.

Onde está a saída?

Demos anteriormente, sem nenhuma atenuação ou mascaramento, a análise das dificuldades e dos perigos que pertencem, todos, à esfera subjetiva da política, que são engendrados, antes de tudo, pelos erros e pelos crimes dos epígonos[15] da

[15] Epígonos, que significam os discípulos que corrompem as doutrinas de seus mestres, era o termo irônico de Trotsky para os stalinistas, que se diziam leninistas. (N.Ed.)

direção e que ameaçavam abertamente destruir a nova situação revolucionária que se desenvolve aos nossos olhos. Ou os funcionários fecharão os olhos diante da nossa análise, ou atualizarão o seu estoque de injúrias. Mas a questão não existe para funcionários perdidos, mas para a sorte do proletariado alemão. No Partido, e mesmo no seu aparelho, ainda há homens que observam e refletem e que a situação aguda obrigará amanhã a refletir duplamente. Oferecemos-lhes a nossa análise e as nossas deduções.

Toda situação crítica contém em si grandes fontes de incertezas. Os estados de espírito, os pontos de vista e as forças inimigas e amigas, formam-se no processo da crise. Não se pode prevê-los matematicamente de antemão. É necessário medi-los, no processo da luta, pela luta, e introduzir, segundo essas medidas vivas, as correções necessárias na sua política.

Pode-se medir de antemão a força de resistência conservadora dos operários social-democratas? Não se pode. À luz dos acontecimentos dos últimos anos, essa força aparece gigantesca. Mas, o essencial consiste em que a falsa política do Partido Comunista – que encontrou a sua mais alta expressão na teoria inábil do social-fascismo – contribuiu mais do que qualquer outra coisa para a coesão da social-democracia. Para medir a verdadeira força de resistência dos quadros social-democratas, é preciso um outro padrão, isto é, uma tática comunista justa. Com essa condição – e não é uma condição desprezível – pode revelar-se, num prazo relativamente curto, em que grau a social-democracia está carcomida interiormente.

Sob outra forma, o que se disse mais acima se aplica igualmente ao fascismo. Ele cresceu em outras condições, graças ao fermento da estratégia de Zinoviev-Stalin. Qual é a sua força de ataque? De resistência? Já atingiu o seu ponto culminante, como o afirmam os otimistas por dever, ou se acha apenas nos primeiros passos? Não se pode prever isso mecanicamente. Só se pode determiná-lo pela ação. Precisamente, para com o fascismo, que é uma arma afiada nas mãos do inimigo de classe, uma política falsa do Partido Comunista pode ter um resultado fatal, e num prazo muito curto. Ao contrário, uma política justa, num prazo que não será, é verdade, tão curto, pode solapar as posições do fascismo.

O partido revolucionário, no momento de uma crise de regime, é mais forte nas batalhas extraparlamentares do que no quadro do parlamentarismo.

Mas, com a condição, ainda, de que saiba apreciar exatamente a situação e que possa ligar praticamente as necessidades vitais das massas à tarefa da conquista do poder. Tudo consiste nisso, agora.

Eis porque fora um erro capital só enxergar, na atual situação da Alemanha, dificuldades e perigos. Não, a situação abre imensas possibilidades, com a condição de que seja esclarecida, compreendida até o fim e bem utilizada.

Que é preciso para isso?

1) A reviravolta forçada "à direita", no momento em que a situação vira "à esquerda", exige um estudo muito atento, consciencioso e inteligente das variações ulteriores dos fatores da situação.

É preciso condenar imediatamente a oposição abstrata que se faz entre os métodos do segundo e do terceiro período. É preciso tomar a situação como ela é, com todas as suas contradições e na dinâmica viva de seu desenvolvimento. É preciso adaptar-se atentamente às variações reais dessa situação e agir, dentro dela, na direção de seu verdadeiro desenvolvimento e não segundo o arbítrio dos esquemas de Molotov ou Kuusinen.

Orientar-se na situação é a parte mais importante e mais difícil da tarefa. Não se pode resolvê-la com os métodos burocráticos. A estatística, por importante que seja em si mesma, não basta para esse fim. É preciso que se entre em contato, todos os dias, com as massas compactas do proletariado e em geral com as massas trabalhadoras. É preciso não só que se lancem palavras de ordem vivas, mas examinar, em seguida, como estas atuam nas massas. Tal coisa não se pode realizar sem um partido ativo, que penetre por toda a parte, por meio de dezenas de milhares de tentáculos que reúnam testemunhos, discutam todas as questões e elaborem ativamente a sua opinião coletiva.

Um partido livre do cativeiro burocrático

2) Disso não se pode dissociar a questão do regime do Partido. Os homens nomeados por Moscou, independentemente da confiança ou da desconfiança do Partido, não poderão levar as massas ao assalto da sociedade capitalista. Quanto mais artificial é o regime atual do Partido, tanto mais a crise será profunda nos dias e horas de seu desenlace. De todas as "reviravoltas", a do regime do Partido é a mais necessária e é inelutável. É uma questão de vida e de morte.

3) A mudança do regime é a condição preliminar da mudança de curso e, ao mesmo tempo, a sua conclusão. Uma não pode ser imaginada sem a outra. O Partido deve arrancar-se à atmosfera falsa, convencional, em que se silenciam as infelicidades reais, em que se celebram os valores fictícios – em uma palavra, à atmosfera perniciosa do stalinismo, que se cria não por uma influência ideológica ou política, mas pela dependência grosseira, material do aparelho e pelos métodos de comando baseados nessa dependência.

Uma das condições indispensáveis para que o Partido se liberte do cativeiro burocrático é a revisão completa da "linha geral" da direção alemã, desde 1923, e mesmo desde as jornadas de março de 1921[16]. A Oposição de Esquerda, numa série de documentos, chamou a atenção para todas as etapas desastradas da política oficial do Partido. Não se conseguirá ignorá-la ou abafá-la. O Partido não se elevará à altura de suas tarefas grandiosas sem uma apreciação livre de seu presente à luz de seu passado.

4) Se o Partido Comunista, apesar das condições excepcionalmente favoráveis, se mostrou impotente para abalar seriamente o edifício da social-democracia, com o auxílio da fórmula do "social-fascismo", o fascismo real ameaça agora esse edifício, não com fórmulas verbais de um radicalismo artificial, mas com fórmulas químicas de explosivos. Por mais verdadeira que seja a afirmativa de que a social-democracia preparou com toda a sua política o desenvolvimento do fascismo, não deixa de ser menos exato que o fascismo aparece primeiramente como uma ameaça mortal para a própria social-democracia, cuja grandeza está indissoluvelmente ligada às formas de governo parlamentares, democráticas, pacifistas.

A frente única contra o fascismo

Não se pode duvidar que os dirigentes da social-democracia e uma camada muito pequena de operários aristocratas preferirão, em última análise, a vitó-

[16] O Partido Comunista alemão, em março de 1921, lançou um chamado à insurreição armada para tomar o poder, em conexão com as mobilizações dos mineiros da Alemanha Central, em oposição ao governo social-democrata e desencadeou uma fracassada greve geral insurrecional no país. O III Congresso da Internacional Comunista criticou a ação e as teorias de "ofensiva" apresentadas pelos esquerdistas. (N.Ed.)

ria do fascismo à vitória revolucionária do proletariado. Mas a aproximação de uma tal escolha cria, precisamente, para a direção da social-democracia, dificuldades excepcionais nas suas próprias fileiras. A política de frente única dos operários contra o fascismo decorre de toda a situação. Ela oferece imensas possibilidades ao Partido Comunista. A condição do êxito reside, pois, no abandono da teoria e da prática do "social-fascismo", cuja nocividade se torna perigosa nas condições atuais. A crise social provocará inevitavelmente abalos profundos no seio da social-democracia. A radicalização das massas atuará sobre os operários social-democratas muito antes deles deixarem de ser social-democratas. Ser-nos-á preciso, inevitavelmente, realizar acordos, contra o fascismo, com as diversas organizações e frações social-democratas, apresentando, diante das massas, condições precisas aos seus dirigentes. Prender-se de antemão por compromissos formais, contra tais acordos, só é possível a oportunistas medrosos, aliados de ontem de Purcell e Cook, de Tchang Kai-chek e Wang Jing-wei. Da frase oca dos funcionários sobre a frente única, é preciso tornar à política de frente única, como sempre foi aplicada pelos bolcheviques, sobretudo no ano de 1917.

5) O problema do desemprego é um dos fatores capitais da crise política. A luta contra a racionalização capitalista e pela jornada de sete horas continua inteiramente na ordem do dia. Mas somente uma palavra de ordem de colaboração larga e sistemática com a URSS pode elevar essa luta à altura das tarefas revolucionárias. Na declaração-programa das eleições, o Comitê Central (CC) do Partido Comunista alemão declara que *depois da tomada do poder* os comunistas instaurarão a colaboração econômica com a URSS. Isso se subentende. Mas não se pode opor a perspectiva histórica às tarefas políticas de hoje. É preciso desde hoje mobilizar os operários e, em primeiro lugar, os desempregados, sob a palavra de ordem de larga colaboração econômica com a República Soviética. A Comissão de Planejamento Estatal da URSS deve elaborar, com a participação dos comunistas alemães e dos profissionais, um plano de colaboração econômica, que deve basear-se no desemprego atual e desenvolver-se numa colaboração geral, englobando todos os ramos essenciais da economia. A tarefa não consiste na promessa de que se reconstruirá a economia depois da conquista do poder. A tarefa não consiste na promessa de uma colaboração da Alemanha soviética com a URSS, mas a conquista atual

das massas operárias para essa colaboração, ligada estreitamente à crise e ao desemprego e desenvolvida em seguida num plano gigantesco de reconstrução socialista dos dois países.

6) A crise política alemã põe em xeque o regime que o tratado de Versalhes estabeleceu na Europa. O Comitê Central do Partido Comunista alemão diz que o proletariado alemão, se tomar o poder, liquidará os pergaminhos de Versalhes. Isso é tudo? A abolição do tratado de Versalhes seria, então, a mais alta conquista da Revolução Proletária?! Mas o que se colocaria em seu lugar? Nem uma palavra a esse respeito. Apresentar a questão, sob essa forma negativa, é aproximar o Partido dos nacional-socialistas. Os *Estados Unidos soviéticos da Europa*, tal é a única palavra de ordem justa que oferece uma solução ao espedaçamento da Europa, espedaçamento que ameaça não somente a Alemanha, mas toda a Europa, de uma completa decadência econômica e cultural.

A palavra de ordem de unificação proletária da Europa é, ao mesmo tempo, uma arma muito importante na luta contra o nacionalismo abjeto do fascismo, sua agitação contra a França etc. A política mais falsa, mais perigosa, é a que consiste em adaptar-se passivamente ao adversário, em tomar as suas cores. Contra as palavras de ordem de desespero nacional e de loucura, é preciso apresentar as palavras de ordem de uma solução internacional. Para isso, é indispensável depurar o próprio partido do veneno do nacional-socialismo, cujo elemento essencial é a teoria do socialismo num só país[17].

Ofensiva ou defensiva?

Para resumir numa fórmula simples tudo o que se disse mais acima, apresentamos a questão da forma seguinte: a tática do Partido Comunista alemão, no período mais próximo, deve ser realizada sob o signo da *defensiva* ou da *ofensiva*? Respondemos: da defensiva.

[17] A chamada teoria do socialismo num só país foi proclamada por Stalin em 1924 e depois incorporada no programa e táticas da Internacional Comunista. Ela transformou-se na cobertura ideológica para o abandono do internacionalismo revolucionário em favor de um estreito nacionalismo e foi usada para justificar a conversão dos partidos da Internacional Comunista em todo o mundo em dóceis peões da política externa do Kremlin, ou como dizia Trotsky, em guarda-fronteiras da União Soviética. (N.Ed.)

Se o choque se produzisse hoje como resultado da ofensiva do Partido Comunista, a vanguarda do proletariado quebraria a cabeça, então, contra o bloco do governo e do fascismo, no meio da neutralidade amedrontada da maioria da classe operária e da sustentação direta do fascismo pela maioria da pequena burguesia.

Pôr-se na defensiva é aproximar-se da maioria da classe operária alemã, e é fazer a frente única com os operários social-democratas e sem partido contra o perigo fascista.

Negar esse perigo, subestimá-lo, não tomá-lo a sério é o maior crime que se pode cometer hoje contra a Revolução Proletária na Alemanha.

Quem "defenderá" o Partido Comunista? A constituição de Weimar?[18] Não, deixamos essa tarefa a Brandler. O Partido Comunista deve tomar a defesa das posições materiais e intelectuais que a classe operária conquistou no Estado alemão. O problema que se apresenta imediatamente é o da sorte de suas organizações políticas, de seus sindicatos, de seus jornais e tipografias, seus clubes e bibliotecas etc. O operário comunista deve dizer ao operário social-democrata: "Os políticos de nossos partidos são inconciliáveis; mas, se os fascistas vierem esta noite fazer um *pogrom* no local de tua organização, então, eu irei em teu auxílio, de armas na mão. Prometes vir, em meu auxílio, se o perigo ameaçar a minha organização?" Tal é a quinta-essência da política do período atual. Toda a agitação deve ser realizada nesse espírito.

Quanto mais realizarmos essa agitação de forma resoluta, séria, refletida – sem gritos e sem fanfarronada, que aborrecem depressa os operários –, e quanto mais apresentarmos propostas concretas para organizar a defesa em cada fábrica, em cada quarteirão, em cada bairro operário, tanto menor será o perigo de que a ofensiva dos fascistas nos apanhe de improviso e maior a certeza de que essa ofensiva não disparará, mas reforçará as fileiras operárias.

---

[18] O governo da Alemanha foi reorganizado em 1919 em Weimar, uma pequena cidade da Turíngia que havia sido o lar e onde se encontram sepultados os escritores Johann Wolfgang von Goethe (1749-1832) e Johann Christoph Friedrich von Schiller (1759-1805). A burguesia explicou isso como um aceno à tradição humanista clássica da Alemanha, evitando a Berlim "prussiana" e militarista (que não era então o melhor lugar para organizar um governo burguês, além de ter sido o centro da insurreição revolucionária em 1919). (N.Ed.)

A reunião das fileiras operárias, primeira etapa

Os fascistas, precisamente por causa dos êxitos que lhes perturbam a cabeça e por causa dos efetivos pequeno-burgueses impacientes e indisciplinados de seu exército, serão obrigados a se lançar na ofensiva no período mais próximo. Fazer-lhes concorrência hoje, nesse terreno, seria não só desesperado, mas também moralmente perigoso. Ao contrário, quanto mais os fascistas se apresentarem aos olhos dos operários social-democratas e das massas trabalhadoras em geral como a fração agressiva e nós como a fração que se defende, tanto mais teremos oportunidades, não só de quebrar a agressão dos fascistas, mas também de passar a uma ofensiva vitoriosa. A defensiva deve ser mais vigilante, ativa e audaciosa. O estado-maior deve examinar todo o campo de batalha, atento a todas as modificações, a fim de não deixar escapar novas falhas, na hora em que for preciso dar o sinal de assalto geral.

Há estrategistas que são pela defensiva, sempre e em todas as condições. A essa espécie de estrategistas pertencem, por exemplo, os brandlerianos. Admirar-se de que falem *hoje*, também, de defensiva, é puro infantilismo; eles o fazem sempre. Os brandlerianos são um dos sustentáculos da social-democracia. Nossa tarefa consiste, ao nos aproximarmos dos operários social-democratas na base da defensiva, em arrastá-los em seguida à ofensiva decisiva. Os brandlerianos são absolutamente incapazes disso. No momento em que a relação de forças se modificar radicalmente em favor da Revolução Proletária, os brandlerianos se mostrarão de novo um fardo inútil, um freio da Revolução. Eis porque a política de defensiva, estabelecida na aproximação com as massas social-democratas, não significa em nenhum caso uma atenuação das divergências com o estado-maior brandleriano, atrás do qual não há e nunca haverá massas.

• • •

Em ligação com a característica, dada acima, dos agrupamentos das forças e das tarefas da vanguarda proletária, os métodos de luta física empregados presentemente pela burocracia stalinista, na Alemanha e nos outros países, contra os bolcheviques-leninistas, adquirem uma significação muito particular. Trata-se de um serviço direto à polícia social-democrata e às brigadas de choque do fascismo. Esses métodos estão em contradição completa com a tradição do movimento proletário revolucionário; correspondem bem à mentalidade dos funcionários pequeno-burgueses que vivem de um salário garantido do alto e que têm medo de perdê-lo se a democracia aparecer no Partido. Contra esse trabalho vergonhoso dos stalinistas, é preciso mover um largo trabalho de esclarecimento, o mais concreto possível, desmascarando-se o papel dos funcionários menos capazes do aparelho do Partido. A experiência da URSS e dos outros países mostra que os senhores que devem dissimular, aos olhos de seus chefes, os seus próprios pecados e os seus crimes, isto é, a dilapidação do dinheiro das organizações[19], o abuso de suas funções ou simplesmente a sua inutilidade completa, lutam contra a Oposição de Esquerda com a maior ferocidade. É inteiramente claro que a nossa campanha, para desmascarar o heroísmo de punho do aparelho stalinista, contra os bolcheviques-leninistas, dará maiores frutos, à medida que desenvolvermos mais largamente a nossa agitação geral na base das tarefas aludidas.

• • •

Examinamos a questão da reviravolta tática da Internacional Comunista exclusivamente à luz da situação alemã, porque, antes de tudo, a crise alemã coloca novamente, hoje, o Partido Comunista alemão no centro da atenção da vanguarda proletária internacional, e também porque, à luz dessa crise, todos os problemas surgem com maior relevo. Não seria difícil mostrar-se que o que se diz aqui se relaciona, em maior ou menor medida, com os outros países.

---

[19] Referência de Trotsky a um escândalo de desvio de recursos no Partido Comunista da Alemanha (KPD) promovido por John Friedrich Wittorf (1894-1981), que o secretário-geral do KPD, Ernst Thälmann, protegia de longa data. Em 1928, quando as irregularidades foram descobertas durante uma auditoria de caixa, Wittorf tentou, sem sucesso, culpar um militante que simpatizava com a Oposição de Esquerda alemã. Descobriu-se inicialmente que Wittorf havia desviado 1.800 marcos, porém mais tarde viu-se que a soma (proveniente de fundos secretos da Internacional Comunista) era muito maior. Depois de Thälmann ter tentado, sem sucesso, encobrir o desfalque, tentou permitir que Wittorf recuperasse o dinheiro. Quando o Comitê Central do KPD recebeu a denúncia dos desfalques Wittorf foi expulso do KPD em setembro de 1928. O escândalo de encobrimento chegou a levar à demissão temporária de Thälmann. (N.Ed.)

Na França, todas as formas da luta de classes, depois da guerra, têm tido um caráter incomensuravelmente menos agudo e menos decisivo do que na Alemanha. As reviravoltas da Internacional Comunista têm, em todo o caso, um caráter universal. O Partido Comunista francês, que foi decretado, em 1928, por Molotov, como o primeiro candidato ao poder, realizou uma política de suicídio durante os dois últimos anos; e ignorou, em particular, o surto econômico. A reviravolta tática é proclamada na França no momento em que o surto industrial começa a se transformar em crise. As mesmas contradições, dificuldades e tarefas de que falamos a propósito da Alemanha estão igualmente na ordem do dia na França.

Essa reviravolta da Internacional Comunista, em relação com a reviravolta da situação, apresenta tarefas novas de importância particular à Oposição Comunista de Esquerda. Suas forças não são grandes. Mas toda corrente aumenta com o aumento de suas tarefas. Compreendê-las claramente é preencher uma das mais importantes condições de vitória.

Prinkipo, 26 de setembro de 1930.

Contra o nacional-comunismo
(As lições do plebiscito "vermelho")

Quando estas linhas forem conhecidas dos leitores, terão talvez envelhecido em certas partes. Graças aos esforços do aparelho stalinista e com o apoio amigável de todos os governos burgueses[1], o autor destas linhas está colocado em condições tais que só pode reagir sobre os acontecimentos políticos com um atraso de algumas semanas. A isso, é preciso acrescentar que o autor é obrigado a basear-se em informações que estão longe de serem completas. O leitor deve levar isso em conta. Mas é preciso procurar tirar, mesmo de uma situação pouco cômoda, algumas vantagens. Não tendo a possibilidade de reagir sobre os acontecimentos, dia a dia, em todos os seus aspectos concretos, o autor é obrigado a concentrar a sua atenção sobre os pontos fundamentais e sobre as questões cruciantes. Eis a justificação do presente trabalho.

---

1 Trotsky alude aqui aos sucessivos pedidos de asilo por ele feitos após sua expulsão da União Soviética aos governos europeus e que lhe foram negados, após terem sido pressionados pelo governo de Stalin para recusar as solicitações de asilo de Trotsky. (N.Ed.)

Como tudo é posto às avessas

Os erros do Partido Comunista alemão na questão do plebiscito[2] pertencem à categoria desses erros que se tornam cada vez mais evidentes e que acabarão entrando definitivamente para os manuais da estratégia revolucionária como exemplos do que não se deve fazer.

Na atitude do Comitê Central do Partido Comunista alemão, tudo está errado: a apreciação da situação é falsa, o fim imediato é colocado de maneira falsa, os meios escolhidos para atingi-lo são falsos. E, de passagem, a direção do Partido se esforçou por derrubar todos os "princípios" que defendem nestes últimos anos.

A 21 de julho, o CC se dirigiu ao governo prussiano com reivindicações democráticas e sociais, ameaçando, em caso de recusa, de tomar a defesa do *referendum*. Apresentando essas reivindicações, a burocracia stalinista efetivamente se dirigiu ao vértice do Partido Social-Semocrata com propostas, sob certas condições, de frente única contra o fascismo. Depois que a social-democracia repeliu essas condições, os stalinistas fizeram a frente única com os fascistas contra a social-democracia. A política de frente única se faz, pois, não somente "por baixo", mas também "por cima". É permitido a Thälmann, pois, dirigir-se a Braun e a Severing, por meio de uma "carta aberta", para a defesa comum da democracia e da legislação social contra os bandos de Hitler. Assim, essa gente, sem o perceber, destrói, com auxílio da experiência mais inepta e mais escandalosa da frente única *somente por cima*, toda a sua metafísica de frente única "*somente por baixo*", experiência inesperada para as massas e contrária à vontade das massas.

Se a social-democracia não constitui mais do que uma variedade do fascismo, como se pode apresentar aos "social-fascistas" um convite oficial de defesa comum da democracia? Adotando o caminho do *referendum*, a burocracia do

[2] Em meados de 1931, a pedido do grupo paramilitar dos capacetes de aço (*Stahlhelm, Bund der Frontsoldaten*) e com o apoio do partido nazista, se organizou na Prússia um referendo para destituir o governo social-democrata. O Partido Comunista da Alemanha (KPD) igualmente pediu a saída do governo. Em julho de 1931 a Internacional Comunista denunciava a "mentira social-democrata" que afirmava que o principal inimigo da classe operária era o fascismo. Apesar das campanhas do KPD e dos nazistas, o movimento de destituição do governo social-democrata não obteve a aprovação de mais da metade do eleitorado no referendo de agosto. (N.Ed.)

Partido não impôs nenhuma condição aos nacional-socialistas. Por quê? Se os social-democratas e os nacional-socialistas só representam variações do fascismo, por que podem ser impostas condições à social-democracia e não podem ser impostas aos nacional-socialistas? É que existem, então, algumas diferenças importantes de *qualidade* entre essas duas "variedades", tanto no que concerne à sua base social, como no que concerne ao seu método de enganar as massas? Mas, então, não chamem fascistas a uns e outros, porque os termos, em política, servem para distinguir as coisas e não para meter tudo no mesmo saco.

É justo, entretanto, dizer-se que Thälmann realizou a frente única com Hitler? A burocracia stalinista deu ao *referendum* de Thälmann o nome de "vermelho", por oposição ao plebiscito negro ou cinzento de Hitler. Está, evidentemente, fora de dúvida que se trata de dois partidos irredutivelmente inimigos, e todas as mentiras da social-democracia não conseguirão fazer com que os operários se esqueçam disso. Mas o fato é este: numa determinada campanha, a burocracia stalinista arrastou os operários revolucionários a uma frente única com os nacional-socialistas contra a social-democracia. Se, ao menos, se pudesse marcar o nome do Partido a que pertence o votante na cédula de voto, o *referendum* teria a justificação (politicamente muito insuficiente, no caso dado) de ter permitido contar as forças e, ao mesmo tempo, diferençar-se das forças do fascismo. Mas a "democracia" burguesa não teve o contato, em Weimar, de dar aos partidários do *referendum* o direito de marcar o nome de seu partido. Todos os votantes se misturam indistintamente na massa que dá a uma pergunta determinada a mesma resposta. *Nos quadros dessa pergunta*, a frente única com os fascistas é um fato incontestável.

Assim, do dia para a noite, tudo foi virado pelo avesso.

"Frente Única", mas com quem?

Que objetivo político visava a reviravolta da direção do Partido Comunista? Quanto mais se leem os documentos oficiais e os discursos dos dirigentes, tanto menos se compreende o seu sentido. O governo da Prússia, dizem-nos, franqueia o caminho aos fascistas. É inteiramente exato. O governo do Reich de Brüning, acrescentam os chefes do Partido Comunista alemão, na realidade, não faz mais do que fascistizar a República e já realizou nesse domínio um grande trabalho. Inteiramente justo, respondemos a isso. Ora, sem Braun na Prússia Brüning não pode manter-se no Reich!, dizem-nos os stalinistas. Isso também é justo, respondemos. Até esse ponto, estamos de inteiro acordo. Mas quais as conclusões políticas que é preciso tirar daí? Não temos nenhuma razão para apoiar o governo de Braun ou assumir sombra de responsabilidade por ele diante das massas, ou diminuir de um ponto a nossa luta política contra o governo de Brüning e sua agência prussiana. Mas temos menos razão ainda de auxiliar os fascistas a substituir o governo Brüning-Braun. Se acusamos justamente a social-democracia de ter preparado o caminho para o fascismo, nossa tarefa não deve absolutamente consistir em encurtar esse caminho.

A carta do Comitê Central do Partido Comunista alemão, de 27 de junho, endereçada a todas as células, por ser produto de um exame coletivo da questão, revela, de forma particularmente cruel, a inconsistência da direção. O essencial dessa carta, postas de parte a confusão e as contradições, se reduz à ideia de que, em suma, não há nenhuma diferença entre o inimigo que engana os operários e os trai, explorando a sua longanimidade, e o inimigo que quer simplesmente degolá-los. Vendo toda a inépcia dessa identificação, os autores da carta-circular realizam inopinadamente uma reviravolta e apresentam o *referendum* vermelho como "uma aplicação decisiva da política de frente única por baixo (!) com os operários social-democratas, os operários cristãos e sem-partido". Nenhum cérebro proletário poderá compreender porque a participação no plebiscito, ao lado dos fascistas, contra os social-democratas e o Partido do Centro, deve ser considerada como uma política de frente única com os operários social-democratas e cristãos. Trata-se, com toda a evidência, dos operários social-democratas que, destacando-se de seu partido, tomaram parte no *referendum*. Quantos são eles? Por política de frente única deve-se, em todo caso, compreender uma ação comum, não com os operários que deixaram a social-democracia, mas com os que continuam nas suas fileiras. Desgraçadamente, eles são ainda muito numerosos.

A questão das relações de forças

A única frase do discurso de Thälmann, de 24 de julho, que parece ser uma justificação séria da reviravolta é a seguinte: "Pela utilização dos meios legais de uma ação parlamentar da massa, o plebiscito vermelho representa um passo para a frente no sentido de uma mobilização extraparlamentar das massas". Se essas palavras têm um sentido qualquer, isso quer dizer: tomamos o voto parlamentar como ponto de partida de nossa ofensiva revolucionária, a fim de derrubar, pela via legal, o governo da social-democracia e os partidos de meio termo ligados a ela, para, em seguida, derrubar, pela pressão revolucionária das massas, o fascismo, que procura tornar-se o herdeiro da social-democracia. Em outras palavras, o *referendum* prussiano exerce apenas um papel de trampolim para o salto revolucionário. Sim, como trampolim, o plebiscito seria inteiramente justificável. O fato de que os fascistas votem ou não votem ao lado dos comunistas perde toda significação, a partir do momento em que o proletariado, pela sua pressão, derruba os fascistas e toma nas mãos o poder. Pode-se utilizar como trampolim qualquer prancha, inclusive a prancha do *referendum*. *É preciso apenas ter a possibilidade de realizar efetivamente o salto*, não em palavras, mas de verdade. O problema se reduz, pois, à relação de forças. Sair à rua com a palavra de ordem: "Abaixo o governo Brüning-Braun!" quando, segundo a relação de forças, esse governo só pode ser substituído por um governo Hitler-Hugenberg, é puro aventurismo. A mesma palavra de ordem adquire, entretanto, sentido inteiramente diverso se se torna uma introdução à luta imediata do próprio proletariado pelo poder. No primeiro caso, os comunistas teriam aparecido aos olhos das massas como auxiliares da reação; no segundo, a questão de saber-se como votaram os fascistas antes de serem esmagados pelo proletariado perderia toda significação política.

Consideramos, pois, a questão da coligação de votos com os fascistas não do ponto de vista de um princípio abstrato qualquer, mas do ponto de vista da luta de classes, real, pelo poder, e da relação de forças em determinado estágio da luta.

Consultemos a experiência russa

Pode-se considerar como certo que, no momento da insurreição proletária, a diferença entre a burocracia social-democrata e os fascistas será reduzida no mínimo, senão a zero. Durante as Jornadas de Outubro, os mencheviques russos e os socialistas-revolucionários lutaram, contra o proletariado, de mãos dadas com os cadetes (democratas-constitucionais), os kornilovistas, os monarquistas. Os bolcheviques, em outubro, saíram do Pré-Parlamento à rua para chamar as massas à insurreição armada. Se um grupo qualquer de monarquistas tivesse deixado ao mesmo tempo em que os bolcheviques o Pré-Parlamento, isso não teria nenhuma significação política, pois os monarquistas foram derrubados ao mesmo tempo em que os democratas.

Entretanto, o Partido chegou à insurreição de outubro passando por uma série de degraus. Durante a demonstração de abril de 1917[3], uma parte dos bolcheviques lançou a palavra de ordem: "Abaixo o governo provisório". O Comitê Central logo chamou à ordem os ultraesquerdistas. Devemos, bem entendido, propagar a necessidade de derrubar o governo provisório; mas não podemos ainda chamar as massas à rua por essa palavra de ordem, pois estamos ainda em minoria na classe operária. Se, nessas condições, conseguimos derrubar o governo provisório, não o poderemos substituir e, por conseguinte, auxiliaremos a contrarrevolução. É preciso explicar pacientemente às massas o caráter antipopular desse governo antes que soe a hora de sua derrubada. Tal foi a posição do Partido.

No período seguinte, a palavra de ordem do Partido foi: "Abaixo os ministros capitalistas". Foi uma pressão sobre os social-democratas para romperem a coligação com a burguesia. Em julho, dirigimos a demonstração dos operários e soldados, sob a palavra de ordem: "Todo o poder aos Sovietes", o que significava naquele momento: Todo o poder aos mencheviques e aos socialistas-revolucionários. Os mencheviques e os socialistas-revolucionários, com os guardas-brancos[4], nos esmagaram.

Dois meses depois, Kornilov se insurgia contra o governo provisório. Na luta contra Kornilov, os bolcheviques ocuparam logo as primeiras posições. Lenin encontrava-se nesse momento na ilegalidade. Milhares de bolcheviques se achavam nas prisões. Os operários, os soldados e os marinheiros exigiam

---

[3] Referência ao momento de retorno de Lenin à Rússia em 1917, em que clamou "Por todo o Poder aos Sovietes" e apontou publicamente as novas diretivas para o movimento dos trabalhadores, sintetizadas nas consignas "Paz, Terra e Pão", expostas em suas "Teses de Abril". (N.Ed.)

[4] Guardas-brancos (também chamados de "Brancos") era a designação geral dada às forças contrarrevolucionárias russas da revolução de outubro até a guerra civil. A cor branca foi identificada com a monarquia contrarrevolucionária desde a Revolução Francesa, pois era a cor da bandeira dos Bourbons. (N.Ed.)

a liberdade de seus chefes e dos bolcheviques em geral. O governo provisório recusou-a. O Comitê Central do Partido bolchevique não deveria então dirigir-se ao governo de Kerensky, com este *ultimatum*: pôr em liberdade imediata os bolcheviques e renunciar à acusação ignóbil de estarem a serviço dos Hohenzollern e, no caso de recusa da parte de Kerensky, negar-se a combater Kornilov? Assim agiria certamente o Comitê Central de Thälmann-Remmele-Neumann. Mas não foi dessa forma que agiu o Comitê Central dos bolcheviques. Lenin escreveu então:

> Seria profundamente errôneo acreditar-se que o proletariado revolucionário é capaz, por assim dizer, por 'vingança' contra os mencheviques e os socialistas-revolucionários que apoiaram as perseguições contra os bolcheviques, as execuções na frente e o desarmamento dos operários, de 'negar-se' a apoiá-los na luta contra a contrarrevolução. Essa maneira de colocar a questão seria, primeiramente, uma tentativa de atribuir ao proletariado as noções pequeno-burguesas de moral (pois, em benefício da causa, o proletariado apoiará sempre não apenas a pequena-burguesia oscilante, mas até mesmo a grande burguesia); e seria, em segundo lugar – e isto é essencial –, uma tentativa pequeno-burguesa para velar, com o auxílio da 'moral', o fundo da coisa.

Se não nos tivéssemos oposto a Kornilov, em agosto, e se lhe tivéssemos facilitado a vitória, ele teria, antes de tudo, exterminado a elite da classe operária e, por conseguinte, nos teria impedido de alcançarmos a vitória, dois meses depois, sobre os conciliadores e de castigá-los – não verbalmente, mas de fato – pelos seus crimes históricos.

É precisamente a "moral pequeno-burguesa" que Thälmann e Cia. revelam quando, para justificar a sua própria reviravolta, começam a enumerar as ignomínias sem número dos chefes social-democratas!

Os fogos apagados

As analogias históricas não são mais do que analogias. Não se trata, aqui, de identidade de condições e de tarefas. Mas, na linguagem convencional das analogias, podemos perguntar: No momento do *referendum*, na Alemanha apresentava-se, caso, a questão da defesa contra o perigo Kornilov, ou se estava de fato às vésperas de uma derrubada de todo o regime da burguesia pelo proletariado? Essa questão se resolve não por princípios abstratos, nem por fórmulas polêmicas, mas pela relação de forças. Como os bolcheviques estudaram, calcularam e mediram minuciosa e conscienciosamente as relações de força em cada etapa dada da revolução! A direção do Partido Comunista alemão procurou, ao empenhar-se na luta, estabelecer um balanço preliminar das forças em luta? Não encontramos esse balanço nem nos artigos, nem nos discursos. A exemplo de seu mestre Stalin, os discípulos berlinenses conduzem a política com os fogos apagados.

Thälmann reduz as suas considerações sobre a questão decisiva das relações de força a duas ou três frases gerais: "Não vivemos mais em 1923" – dizia em seu relatório. "O Partido Comunista é agora um partido que arrasta milhões, que cresce prodigiosamente". E é tudo! Thälmann não podia demonstrar mais claramente como a compreensão da diferença entre a situação de 1923 e a de 1931 lhe é estranha! Naquela época, a social-democracia se decompunha aos pedaços. Os operários que ainda não tinham deixado as fileiras da social-democracia volviam os seus olhos com esperança para o lado do Partido Comunista. Naquela época, o fascismo era muito mais um espantalho na horta da burguesia do que uma realidade política seria. A influência do Partido Comunista nos sindicatos e nos comitês de fábrica foi, em 1923, incomparavelmente mais importante do que agora. Os comitês de fábrica realizavam então, efetivamente, as funções de sovietes. A burocracia social-democrata perdia terreno, diariamente, nos sindicatos.

O fato de que a situação de 1923 não foi utilizada pela direção oportunista da Internacional Comunista e do Partido Comunista alemão está sempre vivo na consciência das classes e dos partidos e nas relações de força entre eles. O Partido Comunista, diz Thälmann, é um partido que arrasta vários milhões. Isso nos alegra; isso nos orgulha. Mas não esquecemos que a social-democracia continua ainda, também, a ser um partido que influencia muitos milhões. Não esquecemos que, graças à cadeia de erros espantosos dos epígonos, nos anos de 1923-1931, a social-democracia de hoje oferece maior resistência do que a social-democracia de 1923. Não esquecemos que o fascismo de hoje, que se nutriu e cresceu graças às traições da social-democracia e aos erros da burocracia stalinista, representa um entrave enorme no caminho da conquista do poder pelo proletariado. O Partido Comunista é um partido que influencia milhões. Mas, graças à estratégia anterior do "terceiro período", do período da burrice burocrática concentrada, o Partido Comunista é hoje ainda muito fraco nos sindicatos e nos conselhos de fábrica. Não se pode conduzir a luta pelo poder só com o apoio dos votos do *referendum*. É preciso ter-se apoio nas empresas e nas oficinas, nos sindicatos e nos conselhos de fábrica. Thälmann esquece tudo isso ao substituir a análise da situação por fortes expressões.

Só homens de um outro planeta poderiam afirmar que, em julho-agosto de 1931, o Partido Comunista alemão se acha bastante forte para poder entrar numa luta aberta contra a sociedade burguesa, representada pelas suas duas alas, a social-democracia e o fascismo. A própria burocracia do Partido não o crê. Se ela recorre a essa afirmação, é porque o plebiscito fracassou e, por conseguinte, não deve ser submetida a um exame ulterior. Nessa irresponsabilidade, nessa cegueira, nessa procura insensata dos efeitos, é que a metade aventurista da alma do centrismo stalinista encontra toda a sua expressão!

"Revolução popular" em lugar de revolução proletária

O ziguezague, à primeira vista "inesperado", de 21 de julho não caiu como um raio num céu claro, mas foi preparado por todo o curso do último período. Que o Partido Comunista alemão seja conduzido pela vontade sincera e ardente de vencer o fascismo, de arrancar-lhe as massas, de derrubá-lo e esmagá-lo, não pode haver, bem entendido, dúvida a respeito. Mas a desgraça é que a burocracia stalinista tende cada vez mais a agir contra o fascismo, utilizando as armas deste último: pede-lhe emprestado as cores da sua palheta política e procura ultrapassá-lo no apregoar o patriotismo. Esses não são métodos e princípios de política de classe, mas processos de concorrência pequeno-burguesa.

É difícil imaginar-se uma capitulação de princípio mais vergonhosa do que a da burocracia stalinista que substituiu a palavra de ordem de Revolução Proletária pela palavra de ordem de revolução popular. Nenhuma dissimulação, nenhum jogo de citações, nenhuma falsificação histórica destruirá o fato de que o marxismo foi traído nos seus princípios para se obter uma melhor contrafação do charlatanismo fascista. Sou obrigado a repetir o que já escrevi a respeito, há alguns meses:

Bem entendido, cada grande revolução é uma revolução popular ou revolução nacional, no sentido em que reúne em torno da classe revolucionária todas as forças vivas e criadoras da nação e reconstrói a nação em torno de um novo eixo. Mas, isso não é uma palavra de ordem, é uma descrição sociológica da Revolução, exigindo explicações positivas e concretas. Como palavra de ordem, é fanfarronada e charlatanismo, concorrência de bazar aos fascistas, feita ao preço de uma confusão que espalha na cabeça dos operários.

Evolução espantosa das palavras de ordem da Internacional, sobretudo nessa questão. Desde o terceiro Congresso da Internacional Comunista, a palavra de ordem "classe contra classe"[5] tornou-se a expressão popular da política de "frente única proletária". Era muito justo: todos os operários devem unir-se contra a burguesia. Em seguida, isso foi transformado em aliança com os burocratas reformistas contra os operários (experiência da greve geral inglesa). Passou-se, depois, ao outro extremo: nenhum acordo com os reformistas, "classe contra classe". A mesma palavra de ordem que devia servir para a aproximação dos operários social-democratas e dos operários comunistas começou a significar, durante o "terceiro período", a luta contra os operários social-democratas, como classe adversa. Hoje, nova reviravolta: revolução popular em lugar de Revolução Proletária. O fascista Strasser diz: 95% do povo está interessado na Revolução; é, por conseguinte, uma revolução popular e não de classe. Thälmann o acompanha nessa cantiga. Mas, na realidade, o operário comunista deveria dizer ao operário fascista: Evidentemente 95%, senão 98%, são explorados pelo capital financeiro. Mas essa exploração está organizada de maneira hierárquica: há exploradores, há subexploradores, há subsubexploradores etc. É só graças a essa hierarquia que os superexploradores dominam a maioria da nação. Para que a nação possa efetivamente reconstruir-se em torno de um novo eixo de classe, ela deve reconstruir-se ideologicamente, e isto só é realizável no caso em que o proletariado, sem se dissolver no "povo", na "nação", mas, ao contrário, desenvolvendo "seu" programa de revolução "proletária", obrigue a pequena-burguesia a escolher entre os dois regimes. A palavra de ordem de revolução popular adormece tanto a pequena burguesia como as largas

[5] Entre as diretivas consagradas no VI Congresso da Internacional Comunista, em julho de 1928, e que compunham o arsenal stalinista, estava a da "classe contra classe", a qual buscava sintetizar a crise econômica global ali definida, com uma consequente intensificação da luta de classes. (N.Ed.)

massas operárias, concilia-as com a estrutura hierárquica burguesa do "povo", retarda a sua libertação. Nas atuais condições da Alemanha, a palavra de ordem de revolução "popular" anula as fronteiras ideológicas entre o marxismo e o fascismo, concilia parte dos operários e da pequena-burguesia com a ideologia do fascismo, permitindo-lhes acreditar que não há necessidade de escolher, uma vez que, tanto num como no outro caso, se trata da revolução popular.[6]

"Revolução popular" como meio de "libertação nacional"

As ideias têm a sua lógica. A revolução popular é apresentada como meio auxiliar para a "libertação nacional". Tal maneira de colocar a questão deu acesso às tendências nacionalistas no Partido. Não há, bem entendido, nada de mal no fato de que os patriotas desesperados do campo do nacionalismo pequeno-burguês se aproximem do partido do proletariado: elementos diferentes se incorporam ao comunismo por caminhos e atalhos diferentes. Há, incontestavelmente, elementos sinceros e honestos – ao lado dos arrivistas e dos aventureiros falhos – nas fileiras dos oficiais, guardas-brancos e cem negros que, durante os últimos meses, ao que parece, começaram a volver os olhos para o comunismo. O Partido pode, bem entendido, utilizar também tais metamorfoses individuais como meio auxiliar de decomposição do campo fascista. O crime da burocracia stalinista – sim, um verdadeiro crime – reside, entretanto, no fato de que ela se solidariza com esses elementos, identifica os seus votos com os do Partido, recusa-se a denunciar as suas tendências nacionalistas e militares, fazendo da brochura profundamente pequeno-burguesa, reacionária-utópica e chauvinista de Scheringer um novo evangelho do proletariado revolucionário. Foi dessa concorrência vulgar ao fascismo que nasceu a decisão, à primeira vista inesperada, de 21 de julho: Tendes uma revolução popular, nós também temos uma; entre vós a libertação nacional é um critério supremo – entre nós, é a mesma coisa; proclamais a guerra ao capitalismo ocidental, nós prometemos a mesma coisa; entre vós, há plebiscito, nós também faremos um, e melhor do que isto – um plebiscito todo "vermelho".

[6] L. Trotsky, *A Revolução Espanhola*,: p. 119, 120, 121 – Edições Unitas. – N. do T.

É um fato que o antigo operário revolucionário Thälmann faz todos os esforços possíveis para não ser inferior ao conde Stenbock-Fermor. A ata da reunião dos militantes do Partido em que Thälmann inaugurou a reviravolta para o plebiscito é publicada na *Rote Fahne*, com o título pretensioso: "Sob a bandeira do marxismo". Entretanto, Thälmann coloca no primeiro plano de suas conclusões o pensamento de que "a Alemanha é hoje um joguete nas mãos da *Entente*"[7]. Trata-se, pois, antes de tudo, da "libertação nacional".

Ora, num certo sentido, a França, a Itália e mesmo a Inglaterra são, também, "joguetes" nas mãos dos Estados Unidos. A dependência da Europa para com a América, que reapareceu por ocasião da proposta Hoover[8] (amanhã essa dependência se revelará de uma forma ainda mais aguda e mais brutal), tem uma importância muito mais profunda para o desenvolvimento da revolução europeia do que a dependência da Alemanha para com a *Entente*[9]. Eis porque – digamo-lo de passagem – a palavra de ordem dos Estados Unidos Soviéticos da Europa, e não apenas a palavra de ordem isolada "abaixo o tratado de Versalhes", é uma resposta proletária às convulsões do continente europeu.

---

7 *Entente* foi o nome dado à aliança que se concretizou na Primeira Guerra Mundial entre Inglaterra, França, Rússia e Sérvia, à qual mais tarde se uniram Grécia, Bélgica, Itália, Romênia, Portugal, Estados Unidos e Japão. A *Entente* declarou guerra às chamadas Potências Centrais, Alemanha e Austro-Hungria, às quais mais tarde uniram-se a Turquia e a Bulgária. Posteriormente serviu para designar os vencedores da Primeira Guerra Mundial (N.Ed.)

8 O presidente dos Estados Unidos Herbert Hoover propôs, em 1931, adiar por um ano o pagamento de todas as dívidas da Primeira Guerra Mundial. Os governos europeus viram esta moratória como o reconhecimento estadunidense de que as dívidas e reparações interaliadas deveriam continuar ou terminar juntas. Na Conferência de Lausanne, realizada no verão de 1932, representantes da Alemanha e das potências da *Entente*, com exceção dos Estados Unidos, propuseram um acordo sobre a questão das reparações e dívidas interaliadas, que previa a redução das dívidas da Alemanha, a qual deveria emitir títulos para tanto, bem como o cancelamento das dívidas das potências aliadas para com os Estados Unidos. A proposta fracassou devido à recusa do Congresso estadunidense a qualquer "redução ou cancelamento das dívidas das potências estrangeiras para com os Estados Unidos". Em tese, isso significava voltar ao Plano Young, porém, o fato foi que a Alemanha deixou de pagar as reparações, e a Grã-Bretanha e os países que tinham dívidas com os Estados Unidos continuaram com pagamentos reduzidos, que foram interrompidos quando o Congresso estadunidense recusou-se a aceitá-los. Com a chegada do nazismo ao poder, a Alemanha suspendeu a continuidade dos pagamentos das reparações. (N.Ed.)

9 *Entente*: palavra francesa que significa entendimento, acordo, teve, após a grande guerra, uma divulgação internacional, servindo para designar os Aliados. – N. do T.

Mas essas questões são, entretanto, questões de segundo plano. Nossa política não é determinada pelo fato de ser a Alemanha um "joguete" nas mãos da *Entente*, mas, antes de tudo, pelo fato de ser o proletariado alemão, dividido, enfraquecido e humilhado, um joguete nas mãos da burguesia alemã. "O inimigo mais perigoso está em nosso país!", ensinava outrora Karl Liebknecht. Vocês o esqueceram, caros amigos? Ou, por acaso, este ensinamento não vale mais nada? Para Thälmann, evidentemente, ele envelheceu. Liebknecht é substituído por Scheringer. Eis porque o título "Sob a bandeira do marxismo" é uma ironia amarga.

A escola do centrismo burocrático como escola de capitulações

Há alguns anos, a Oposição de Esquerda advertia que a teoria "verdadeiramente russa" do socialismo num só país acarretaria, inevitavelmente, tendências social-patrióticas nas outras seções da Internacional Comunista. Naquele tempo, isso parecia uma fantasia, uma invenção pérfida, uma "calúnia". Mas as ideias não têm apenas a sua lógica, mas também a sua força explosiva. O Partido Comunista alemão escorregou muito depressa, aos nossos olhos, para a esfera do social-patriotismo, isto é, das tendências e palavras de ordem em cujo ódio mortal se inspirou outrora a fundação da Internacional Comunista. É extraordinário? Não, está na ordem das coisas!

O método de se disfarçar com as roupas do adversário e da classe inimiga – método profundamente contrário à teoria e à psicologia do bolchevismo – decorre de maneira inteiramente orgânica da essência do centrismo, de sua ausência de princípios, de sua inconsistência, de seu vazio ideológico. Assim, a burocracia stalinista usou, durante alguns anos, de uma política termidoriana para tomar terreno aos termidorianos[10]. De medo da Oposição de

---

[10] Termidor era o nome do décimo mês do ano no calendário adotado pela Revolução Francesa. Em 9 de Termidor (equivalente a 27 de julho) de 1794, Maximilien François Marie Isidore de Robespierre (1758-1794) foi derrubado, iniciando uma guinada à direita no governo e que abriu o caminho para Napoléon Bonaparte e a destruição da Primeira República. As forças termidorianas na URSS, de acordo com a terminologia da Oposição de Esquerda antes de 1935, eram aquelas que lutavam para restaurar o capitalismo, e os stalinistas foram condenados por perseguir políticas que prepararam o terreno para um Termidor russo, ou

Esquerda, a burocracia stalinista começou a fazer contrafações com trechos da plataforma da esquerda. Para arrancar os operários ingleses do poder do *trade-unionismo*, os stalinistas substituíram a política marxista pela política *trade-unionista*. Para auxiliar os operários e os camponeses chineses a encontrarem a vida independente, os stalinistas os fizeram entrar no Kuo Min-tang burguês. Pode-se continuar essa enumeração interminável. Nas grandes questões, como nas pequenas, vemos sempre o mesmo espírito de disfarce, de contrafação contínua das ideias do adversário, de tentativa de se servir contra o inimigo, não das suas próprias armas – que infelizmente faltam – mas da arma roubada aos arsenais do adversário.

O atual regime do Partido age no mesmo sentido. Dissemos e escrevemos mais de uma vez que a autocracia do aparelho enfraqueceria inevitavelmente a vanguarda proletária diante do inimigo, desmoralizando os operários avançados, dobrando e quebrando os caracteres revolucionários. Aquele que baixa servilmente a cabeça diante de cada ucasse[11] vindo do alto é um militante revolucionário sem valor algum!

Os centristas-burocráticos eram zinovievistas sob Zinoviev, bukharinistas sob Bukharin, stalinistas e molotovistas com o advento de Stalin e de Molotov. Abaixaram a cabeça mesmo diante dos Manuilsky, dos Kuusinen e dos Losovsky. A cada etapa percorrida, repetiam as palavras, as entonações e as caretas do "chefe" do dia, renunciavam hoje, conforme a ordem recebida, ao que tinham jurado fidelidade ontem e, levando dois dedos à boca, silvavam o chefe em retirada que ontem elevavam às nuvens. Nesse regime funesto, a virilidade revolucionária se castra, a consciência teórica se esvazia, e as espinhas se tornam flexíveis. Somente burocratas que passaram pela escola zinovievo-

---

seja, a contrarrevolução capitalista. A falha da analogia foi que o Termidor francês, ao abrir um período de reação política que culminou com a tomada do poder por Bonaparte em 1799, não chegou ao ponto de restaurar o sistema feudal. Em 1935 Trotsky modificou sua teoria, dizendo que o Termidor russo, em vez de ser apenas uma ameaça, havia triunfado em 1925-1926, quando a burocracia stalinista assumiu o Estado e o Partido Bolchevique. A partir de então Trotsky usou o termo para designar um desenvolvimento reacionário que ocorreu "sobre a base social da revolução" e que, portanto, não alterou o caráter de classe do Estado. A partir de então, ele incluiu a burocracia stalinista entre os termidorianos, e não como centristas que meramente deram ajuda objetiva ao Termidor. (N.Ed.)

[11] Chamavam-se *ukasati* os éditos imperiais na Rússia czarista. A palavra ucasse, daí derivada, significa, em sentido figurado, uma decisão absolutista. – N. do T.

-stalinista poderiam, com tanta facilidade, substituir a Revolução Proletária pela revolução popular, e, depois de declararem os bolcheviques-leninistas renegados, levantar-se nos ombros nacionalistas do tipo Scheringer.

Guerra revolucionária e pacifismo

Os Scheringer e os Stenbock-Fermor consideram generosamente a causa do Partido Comunista como a continuação direta da guerra dos Hohenzollern. As vítimas da mais covarde matança imperialista continuam a ser, para eles, heróis tombados pela liberdade do povo alemão. Desejam chamar de guerra "revolucionária" à nova guerra pela Alsácia e a Lorena e pela Prússia Oriental[12]. Estão prontos a aceitar – na expectativa, em palavras – "a revolução popular", se esta puder servir de meio de mobilização dos operários para sua guerra "revolucionária". Todo o seu programa se encerra na sua ideia da desforra; se perceberem amanhã que se pode atingir esse fim por outros meios, não hesitarão em atirar nas costas dos proletários revolucionários. É preciso denunciar tudo isso, e não escondê-lo. É preciso despertar a vigilância dos operários e não adormecê-la. Ora, como age o Partido?

Na *Fanfarra* comunista de Primeiro de agosto[13], em plena agitação pelo *referendum* vermelho, publica-se, ao lado do retrato de Scheringer, uma das suas mensagens apostólicas. Eis o que aí se diz textualmente: "Quem quer que se oponha hoje à revolução popular, à guerra revolucionária libertadora, trai a causa dos mortos da guerra mundial que deram a vida por uma Alemanha livre". Não se acredita nos próprios olhos lendo-se essas revelações na imprensa que se diz comunista. E tudo isso coberto com o nome de Liebknecht e de Lenin! Que longo chicote Lenin não teria tomado para vergastar, numa polêmica,

---

12 A Alsácia e a Lorena, alemãs desde 1871, retornaram à França após o Tratado de Versalhes. (N.Ed.)

13 O dia primeiro de agosto foi uma data internacional para manifestações da Internacional Comunista realizadas entre 1929 e 1932. Foi chamado pela primeira vez como "Dia Vermelho Internacional" em 1929, para "responder" ao ataque feito pela polícia de Berlim às manifestações isoladas do Partido Comunista alemão realizadas em primeiro de maio de 1929. A retórica ultraesquerdista em torno de primeiro de agosto de 1929 fez parecer que seria o início de uma guerra civil, mas, na realidade, apenas pequenas e dispersas manifestações acabaram acontecendo na Alemanha e em todo o mundo. No entanto, o dia primeiro de agosto foi institucionalizado como um dia de manifestações comunistas. (N.Ed.)

comunismo dessa espécie! E não se contentaria com artigos polêmicos. Pediria a convocação de um Congresso extraordinário internacional para depurar implacavelmente as fileiras da vanguarda proletária da gangrena do chauvinismo...

"Não somos pacifistas", replicam orgulhosamente os nossos Thälmann, Remmele e outros. "Somos em princípio pela guerra revolucionária". Para demonstrá-lo, prontificam-se a nos fazer algumas citações de Marx e Lenin que "professores vermelhos" ignorantes escolheram, em Moscou, em sua intenção. Poder-se acreditar, na verdade, que Marx e Lenin foram promotores da guerra nacional e não da Revolução Proletária! Como se a noção da guerra revolucionária em Marx e Lenin tivesse qualquer coisa de comum com a ideologia nacionalista dos oficiais fascistas e furriéis[14] centristas. Como uma frase barata sobre a guerra revolucionária, a burocracia stalinista atrai uma dezena de aventureiros, mas repele centenas de milhares e de milhões de operários social-democratas, cristãos e sem partido.

"Vocês nos recomendam, então, que imitemos o pacifismo social-democrata?", objetar-nos-á um teórico, particularmente profundo, do curso mais recente. Não, não nos dispomos, absolutamente, a *imitar* nem mesmo os sentimentos da classe operária; mas *levá-lo em conta* – eis o que é indispensável. Só apreciando com justeza os sentimentos das largas massas proletárias é que se pode levá-los à Revolução. Mas a burocracia, que imita a fraseologia do nacionalismo pequeno-burguês, ignora os verdadeiros sentimentos dos operários que não querem a guerra, que não a podem querer e que são repelidos pela fanfarronada guerreira da nova forma: Thälmann, Scheringer, conde Stenbock-Fermor, Heinz Neumann & Cia..

O marxismo pode, bem entendido, encarar a possibilidade de uma guerra revolucionária, no caso da tomada do poder pelo proletariado. Mas, daí a transformar-se uma possibilidade histórica, que nos pode ser imposta pela marcha dos acontecimentos depois da tomada do poder, numa palavra de ordem política de combate antes da tomada do poder, há distância. A guerra revolucionária, como consequência, imposta, em certas condições, da vitória proletária, é uma coisa. A revolução "popular", como meio da guerra revolucionária, é outra coisa, é mesmo diametralmente oposta.

[14] Furriel é uma graduação militar superior a cabo e inferior a sargento. (N.Ed.)

Embora o governo soviético da Rússia tivesse reconhecido em princípio a guerra revolucionária, assinou, como se sabe, o tratado muito duro de Brest--Litovsk[15]. Por quê? Porque os camponeses e os operários, com exceção de uma pequena camada de operários avançados, não quiseram a guerra. Os mesmos camponeses e operários defenderam em seguida, heroicamente, a revolução soviética contra os seus inimigos inumeráveis. Mas, quando procuramos transformar a guerra defensiva, que nos foi imposta por Pilsudski, numa guerra ofensiva, sofremos uma derrota, e esse erro, nascido de uma má apreciação das forças, feriu duramente o desenvolvimento da Revolução mundial.

O exército vermelho já existe há 14 anos. "Não somos pacifistas". Mas por que então o governo soviético proclama a cada momento a sua política *de paz*? Por que propõe o *desarmamento* e realiza pactos de *não agressão*? Por que não se serve do Exército Vermelho como de um meio para a Revolução Proletária Mundial? É preciso convir que não basta ser, em princípio, pela guerra revolucionária. É preciso ainda, além disso, ter-se a cabeça sobre os ombros. É preciso levar-se em conta as circunstâncias, a relação de forças e os sentimentos das massas.

Se isso é obrigatório para um governo operário que possui nas mãos um poderoso aparelho de coerção, um partido revolucionário, com maior razão deve ter em conta, atentamente, os sentimentos dos operários e das massas trabalhadoras em geral, pois que só pode agir pela persuasão. A Revolução não é para nós um meio auxiliar para a guerra contra o Ocidente, mas, ao contrário, um meio para evitar todas as guerras, para torná-las impossíveis, em definitivo. Lutamos contra a social-democracia, não ridicularizando a vontade de paz que é própria a todo trabalhador, mas desmascarando o seu falso pacifismo, pois a sociedade capitalista, que a social-democracia procura salvar, diariamente, não é concebível sem guerra. "A libertação nacional" da Alemanha não reside, para nós, na guerra contra o Ocidente, mas na Revolução Proletária, que abraçaria não só a Europa central como a Europa ocidental, e ligá-la-ia à Europa orien-

---

[15] O Tratado de Brest-Litovsk foi assinado pela delegação soviética em 18 de março de 1918, encerrando as hostilidades entre a Rússia Soviética e a Alemanha. Seus termos eram excessivamente desvantajosos aos interesses nacionais russos, mas a assinatura da paz era uma preocupação primordial dos dirigentes bolcheviques. Brest-Litovsk era uma cidade situada na fronteira russo-polonesa onde as negociações foram conduzidas. (N.Ed.)

tal, sob a forma de Estados Unidos Soviéticos. Somente essa maneira de colocar a questão pode agrupar a classe operária e fazer dela o centro de atração das massas pequeno-burguesas desesperadas. Para que o proletariado possa ditar a sua vontade à sociedade contemporânea, o seu Partido não deve ter vergonha de ser um partido proletário e de falar a língua da Revolução Proletária.

Como os marxistas deveriam refletir

O *referendum* vermelho não caiu do céu; nasceu da degenerescência ideológica do Partido, que está bem avançada. Mas nem por isso deixa de ser a mais vergonhosa aventura que já se viu. O *referendum* não se tornou absolutamente um ponto de partida para a luta revolucionária pelo poder. Circunscreveu-se inteiramente nos quadros de uma manobra parlamentar auxiliar. O Partido empenhou-se em infligir a si mesmo, com auxílio do *referendum*, uma derrota combinada. Reforçando a social-democracia e, por conseguinte, o governo de Brüning, encobrindo a derrota dos fascistas, repelindo os operários social-democratas e uma parte considerável de seus próprios eleitores, o Partido se tornou, no dia seguinte ao *referendum*, consideravelmente mais fraco do que estava na véspera. Não se poderia prestar melhor serviço ao capitalismo alemão e mundial.

A sociedade capitalista se tem encontrado muitas vezes, na Alemanha, sobretudo nestes últimos quinze anos, às vésperas de seu desabamento, mas se tem salvo sempre da catástrofe. As premissas econômicas e sociais, apenas, são insuficientes para a Revolução. São necessárias, ainda, premissas políticas, isto é, uma relação de forças tal que, se não assegurar a vitória de antemão – situações destas não existem na história – a torna possível e provável. O cálculo estratégico, a audácia, o espírito de decisão fazem do possível, em seguida, uma realidade. Nenhuma estratégia, entretanto, pode transformar o impossível numa possibilidade.

Em lugar de fazer frases gerais sobre a agravação da crise e sobre a "mudança da situação", o Comitê Central deveria indicar precisamente qual é atualmente a relação das forças no proletariado alemão, nos sindicatos, nos comitês de empresa, quais são as ligações do Partido com os operários agrícolas etc. Esses dados permitiram uma verificação precisa e não deixariam nada na sombra. Se Thälmann tivesse a coragem de enumerar e de pesar os elementos da situação política, deveria chegar a esta conclusão: Apesar da crise monstruosa do sistema capitalista e apesar do crescimento importante do comunismo nestes últimos tempos, o Partido se acha ainda muito fraco para pretender forçar o desenlace revolucionário. Ao contrário, os fascistas é que marcham para esse objetivo. Todos os partidos burgueses, inclusive a social-democracia, estão prontos a ajudá-los. Todos eles temem muito mais os comunistas do que os fascistas. Com auxílio do plebiscito prussiano, os nacional-socialistas quiseram provocar a ruptura do equilíbrio estatal arqui-instável, para forçar as camadas hesitantes da burguesia a apoiá-los, na sua obra de destruição sangrenta do proletariado. Ajudar os fascistas nisso seria, de nossa parte, uma inépcia monstruosa. Eis porque somos contra o plebiscito fascista. Thälmann deveria concluir assim o seu relatório, se tivesse conservado um resto de consciência marxista.

Depois disso, dever-se-ia abrir uma discussão, a mais larga e a mais aberta possível, porque os senhores chefes, mesmo tão infalíveis como Heinz Neumann e Remmele, devem ouvir atentamente a voz das massas, em todas as reviravoltas. É preciso que se ouçam não só as palavras oficiais que o comunista às vezes diz, como também os pensamentos muito mais profundos que se escondem por trás dessas palavras. É preciso não comandar os operários, mas saber aprender com eles.

Se se tivesse aberto a discussão, alguém entre os seus participantes se manifestaria da seguinte forma: Thälmann tem razão quando demonstra que, apesar de mudanças incontestáveis da situação, não devemos, dada a relação de forças, procurar forçar o desenlace revolucionário. Mas é por isso, precisamente, que os nossos inimigos extremos mais decididos forçam, como se vê, esse desenlace. Poderemos, nesse caso, ganhar o tempo necessário para realizar uma mudança preliminar na relação das forças, isto é, arrancar o grosso da massa proletária à influência da social-democracia e obrigar assim as massas da pequena burguesia a voltar-se para o proletariado e voltar as costas ao fascismo?

Muito bem, se assim acontecer. Mas o que acontecerá se os fascistas chegarem assim mesmo, em pouco tempo, contra a nossa vontade, ao desenlace? A Revolução Proletária sofrerá de novo, então, uma dura derrota?

A isso, Thälmann, se fosse marxista, responderia mais ou menos da seguinte forma: É evidente que a escolha do momento para a luta decisiva depende não somente de nós, mas também dos nossos inimigos. Estamos todos de acordo em que a tarefa de *nossa* estratégia, atualmente, deve consistir em tornar difícil, e não fácil, aos nossos inimigos, forçar o desenlace. Se os nossos inimigos nos impõem a luta, ainda assim, nós a aceitaremos, bem entendido, porque não há e não pode haver derrota mais pesada, mais funesta, mais humilhante e mais desmoralizada do que o abandono sem combate de grandes posições históricas. Se forem os fascistas que tomarem a iniciativa do desenlace – e isso à vista das massas populares –, empurrarão para nós, nas condições atuais, largas camadas de trabalhadores. Teremos, nesse caso, tanto mais probabilidades de alcançar a vitória quanto mais demonstrarmos hoje, claramente, aos milhares de operários, que não queremos absolutamente derrubar o regime sem eles e contra eles. Eis porque devemos dizer abertamente aos operários social-democratas, cristãos e sem-partido: Os fascistas, que são uma pequena minoria, querem derrubar o atual governo para se assenhorearem do poder; nós, comunistas, consideramos o governo atual como inimigo do proletariado; mas, esse governo se apoia sobre a confiança e os votos de *vocês*; queremos derrubar esse governo por uma aliança com vocês e não por uma aliança com os fascistas contra vocês. Se os fascistas procuram fazer uma insurreição, nós, comunistas, iremos lutar contra eles até a última gota de sangue – não para defender o governo Braun-Brüning, mas para preservar do estrangulamento e da destruição a elite do proletariado, as organizações operárias, a imprensa operária, não só as nossas, as organizações comunistas, como também as de vocês, social-democratas. Estamos prontos a defender com vocês qualquer casa operária, qualquer oficina de um jornal operário, contra os ataques dos fascistas. E pedimos a vocês que se comprometam a vir em nosso auxílio, caso as nossas organizações sejam ameaçadas. Propomos a vocês a frente única da classe operária contra os fascistas. Quanto mais resolutamente e mais firmemente aplicarmos essa política, em todas as questões, tanto mais difícil será aos fascistas nos surpreender e menos probabilidades terão de nos esmagar numa luta aberta.

Assim responderia o nosso Thälmann imaginário.

Mas, nesse ponto, um orador, profundamente inspirado das altas ideias de Heinz Neumann, toma a palavra: "Uma tal política", diria, "não dará nada, por mais que se faça". Os chefes social-democratas dirão aos operários: "Não acreditem nos comunistas; eles não visam, absolutamente, defender as organizações operárias, querem simplesmente assenhorear-se do poder, consideram-nos como social-fascistas e não fazem nenhuma distinção entre nós e os nacionalistas". Eis porque a política que Thälmann propõe não fará mais do que nos ridicularizar aos olhos dos operários social-democratas.

A isso Thälmann teria podido responder assim: "Chamar os social-democratas de fascistas é evidentemente uma estupidez que, a cada momento crítico dado, nos embaraça e nos impede que encontremos o caminho que nos conduza aos operários social-democratas. Renunciar a essa estupidez é a melhor coisa que podemos fazer. Quanto à acusação de que, sob o pretexto de defesa da classe operária e de suas organizações, o que procuramos é nos assenhorear do poder, diremos a esse respeito aos operários social-democratas: "Sim, queremos conquistar o poder, mas para isso é indispensável que tenhamos a maioria da classe operária". A tentativa de nos assenhorearmos do poder apoiando-nos numa minoria seria aventurismo vergonhoso, com o qual nada temos em comum. Não podemos obrigar a maioria dos operários a nos seguir, só podemos persuadi-la. Se os fascistas esmagassem a classe operária, não se poderia mais apresentar-se a questão da conquista do poder pelos comunistas. Preservar a classe operária e suas organizações contra os fascistas significa para nós a garantia da possibilidade de convencer a classe operária e de arrastá-la até nós. Eis porque só podemos chegar ao poder defendendo, de armas na mão, se for preciso, todos os elementos da democracia operária no Estado capitalista.

A isso, Thälmann poderia, ainda, acrescentar: "Para conquistarmos a confiança sólida e inabalável da maioria dos operários, devemos, sobretudo, evitar lançar-lhes poeira nos olhos, de exagerar as nossas forças, de fechar os olhos sobre os fatos ou, pior ainda, de deformá-los. É preciso dizer o que é. Não chegaremos a enganar os nossos inimigos: eles têm mil meios de verificação. Mas enganando os operários, enganamos a nós mesmos. Tentando parecer mais fortes do que somos, só nós enfraqueceremos. Não há nisso, caro camarada, nenhuma "falta de confiança", nenhum "pessimismo". Podemos ser pessimistas, nós que temos diante de nós possibilidades gigantescas? Temos um futuro imenso. A sorte da Alemanha, a sorte da Europa, a sorte do universo todo depende de nós. Ora, é precisamente aquele que acredita firmemente no futuro revolucionário que não tem nenhuma necessidade de ilusão. O realismo marxista é a premissa do otimismo revolucionário.

Assim teria respondido Thälmann, se fosse marxista. Desgraçadamente, ele não o é.

Por que o partido se calou?

Mas, como poderia o Partido calar-se? O relatório de Thälmann, que significava uma reviravolta de 180 graus na questão do *referendum*, foi adotado sem discussão. Tal foi a proposição vinda do alto: e o que é proposto, é ordenado. Todas as informações da *Rote Fahne* testemunham que, em todas as reuniões do Partido, o *referendum* foi adotado "unanimemente". Essa unanimidade é apresentada como um marcado sinal de força do Partido. Onde e quando houve na história do movimento revolucionário semelhante "monolitismo" mudo? Os Thälmann e os Remmele juram pelo bolchevismo. Mas, toda a história do bolchevismo é a história de lutas interiores intensas, nas quais o Partido formava as suas opiniões e forjava os seus métodos. Os anais do ano de 1917, o mais importante da história do Partido, estão cheios de lutas internas intensas, assim como o período dos cinco primeiros anos que se seguiram à tomada do poder: e isso, sem cisão, sem uma só exclusão importante por motivos políticos. E, entretanto, à testa do Partido bolchevique se achavam chefes de outra envergadura, de outra têmpera e de outra autoridade que não as que Thälmann, Remmele e Neumann. De onde vem esse espantoso "monolitismo" de hoje, essa unanimidade funesta que transforma cada reviravolta de chefes desastrados numa lei absoluta para um Partido gigantesco?

"Nenhuma discussão!" E isso porque, como o explica a *Rote Fahne,* "em tal situação, são necessários atos e não palavras". Hipocrisia repugnante! O Partido deve praticar "atos" sem examiná-los preliminarmente. E de que "atos" se tratam *no caso em questão*? Trata-se de fazer uma cruzinha numa das casas de um papel oficial[16], e a soma dessas cruzinhas proletárias não pode ser feita, de forma que é mesmo impossível saber se se trata de uma cruz proletária ou de uma cruz gamada[17]. Aceite sem hesitação, sem reflexão, sem objeções, mesmo sem inquietação nos olhos, o novo salto de carneiro dos chefes designados pela Providência, senão você será um renegado e um contrarrevolucionário – eis o

---

[16] Na Alemanha, o eleitor deve assinalar com uma cruz, na cédula de voto, a casa corresponde ao partido em que deseja votar. – N. do T.

[17] *Cruz gamada ou suástica:* símbolo religioso da Índia, consistindo numa cruz formada por duas retas iguais, cujos quatro extremos são dobrados em forma de gama (terceira letra do alfabeto grego). Os fascistas alemães adotaram a cruz gamada como seu distintivo. – N. do T.

ultimato que a burocracia stalinista internacional encosta, como um revólver, à fonte de cada operário avançado.

Aparentemente, parece que a massa tolera esse regime e que tudo marcha à maravilha. Mas, não! A massa não é absolutamente uma argila mole que se pode modelar como se queira. Ela reage à sua maneira, lentamente, mas solidamente, contra os erros e as cretinices da direção. Ela se opunha à sua maneira ao "terceiro período", boicotando as inumeráveis jornadas vermelhas. Abandona os sindicatos unitários da França, desde que não pode opor-se pela via normal às experiências de Losovsky-Monmousseau. Por não terem aceitado a "ideia" do *referendum* vermelho, centenas de milhares e de milhões de operários deixaram de participar dele. Veem-se bem aí as consequências dos crimes da burocracia centrista, que imita de uma forma indigna o inimigo de classe, mas que, por outro lado, segura solidamente a garganta de seu próprio Partido.

Stalin sancionou, de fato, de antemão, o novo ziguezague? Ninguém o sabe, como ninguém conhece, igualmente, as opiniões de Stalin sobre a revolução espanhola. Stalin cala-se. Quando chefes mais modestos, a começar por Lenin, desejavam influir na política de um partido irmão, pronunciavam discursos ou escreviam artigos. Era porque tinham alguma coisa a dizer. Stalin, porém, não tem nada a dizer. Manobra com o processo histórico da mesma forma pela qual manobra com homens. Não pensa em auxiliar o proletariado alemão ou espanhol a dar um passo para a frente, mas procura garantir para si um recuo político.

A atitude de Stalin nos acontecimentos alemães de 1923 é uma amostra incomparável da sua duplicidade nas questões fundamentais da revolução mundial. Lembremos o que ele escreveu a Zinoviev e a Bukharin em agosto do mesmo ano:

> Os comunistas devem, acaso, no estágio atual, caminhar para a tomada do poder, sem a social-democracia? Já estão maduros para isso? – Eis, ao que me parece, a questão. Quando tomamos o poder, tínhamos na Rússia reservas tais como: *a*) a paz; *b*) a terra aos camponeses; *c*) o apoio da maioria enorme da classe operária; *d*) a simpatia dos camponeses. Os comunistas alemães não têm, hoje, nada disso. Bem entendido, têm na sua vizinhança o país dos Sovietes, coisa que não tínha-

mos, mas que lhes podemos dar nesse momento. Se o poder na Alemanha, hoje, tombar como que por si mesmo, e se os comunistas se assenhorearem dele, cairão com estrépito. Isso – "no melhor dos casos". E no pior dos casos, serão reduzidos a migalhas e atirados para trás... Na minha opinião, é preciso conter os alemães e não encorajá-los.

Assim, Stalin se achava à direita de Brandler, o qual, em agosto-setembro de 1923, considerava, ao contrário, que se podia tomar o poder na Alemanha sem dificuldade, mas que as dificuldades começariam no dia seguinte à tomada de poder. A opinião oficial da Internacional consiste hoje em dizer que os brandlerianos deixaram escapar em 1923 uma situação particularmente revolucionária. O acusador supremo dos brandlerianos é... Stalin. Mas ele já se explicou com a Internacional Comunista, acaso, a respeito de sua própria posição em 1923? Não, pois não tem nenhuma necessidade disso: basta-lhe proibir que as seções da Internacional Comunista levantem esta questão.

Stalin procurará, sem dúvida, fazer a mesma encenação com a questão do *referendum*. Thälmann não poderá confundi-lo, mesmo se tiver essa ousadia[18]. Stalin instigou o Comitê Central alemão, por intermédio de seus agentes, e retirou-se prudentemente para trás. No caso de êxito da nova política, todos os Manuilsky e todos os Remmele teriam declarado que a iniciativa pertencera a Stalin. Mas, em caso de fracasso, Stalin guarda toda a possibilidade de achar o culpado. É bem nisso que consiste a quintessência da sua estratégia. Nesse domínio, ele é forte.

Que diz a *Pravda*?

Mas o que diz a *Pravda*, o primeiro jornal do primeiro Partido da Internacional Comunista? A *Pravda* não publicou um único artigo sério e não fez uma única análise da situação na Alemanha. Do grande discurso programático de Thälmann, ela só cita pudicamente uma meia dúzia de frases sem consistência.

---

[18] A questão de saber se Thälmann se opôs efetivamente à última reviravolta e não fez mais do que se submeter a Remmele e a Neumann, que tiveram apoio em Moscou, não nos interessa aqui, por ser uma questão puramente pessoal e episódica: trata-se do sistema. Thälmann não ousou apelar para o Partido e, por conseguinte, arca com toda a responsabilidade.

E que pode dizer a *Pravda* de hoje, a *Pravda* servil da burocracia, essa *Pravda* sem cabeça, sem espinha, presa nas contradições?

De que pode falar a *Pravda* quando Stalin *se cala*?

A 24 de julho, a Pravda explicava da seguinte maneira a reviravolta berlinense: "Não participar do *referendum* teria significado que os comunistas são pelo atual *Landtag*[19] reacionário". Tudo se reduz aqui a um simples voto de desconfiança. Mas por que, nesse caso, os comunistas não tomaram a iniciativa do *referendum*; por que lutaram eles, durante meses, contra essa iniciativa, e por que subitamente se ajoelharam diante dele a 21 de julho? O argumento da *Pravda* não passa de um argumento tardio do cretinismo parlamentar, e nada mais.

A 11 de agosto, depois do *referendum*, a *Pravda* muda de argumentação: "O sentido da participação no *referendum* consistia, para o Partido, *na mobilização extraparlamentar das massas*". Mas foi precisamente com esse objetivo, isto é, para a mobilização extraparlamentar das massas, que se designou a jornada de Primeiro de agosto. Não nos demoraremos hoje na crítica das jornadas vermelhas do calendário. Mas, de qualquer forma, essa mobilização das massas a Primeiro de agosto se fez sob a palavra de ordem e sob a direção própria do Partido Comunista. Porque se havia de ter necessidade, oito dias depois, de uma nova mobilização, e isso em condições em que os mobilizados não se viam uns aos outros, em que ninguém pôde contá-los, em que nem mesmo eles, nem os seus amigos, nem os seus inimigos puderam diferençá-los de seus inimigos mortais?

No dia seguinte, no número de 12 de agosto, a *Pravda* declara, nem mais nem menos, que "os resultados do voto significam... o maior golpe que a classe operária já desferiu contra a social-democracia". Não citaremos os algarismos da estatística do *referendum*. Eles são conhecidos de todos (exceto dos leitores da *Pravda*), e esbofeteiam em plena face a gabolice inepta e vergonhosa da *Pravda*. Essa gente acha normal mentir aos operários e lançar-lhes poeira aos olhos.

O leninismo oficial é esmagado e espezinhado, sob os tacões da burocracia dos epígonos. Mas o leninismo não oficial está vivo. Que os funcionários desenfreados não creiam que tudo isso ficará impune. As ideias cientificamente fundadas da Revolução Proletária são mais fortes do que o aparelho, do que

[19] Os *Landtag* alemães, não se considerando algumas peculiaridades, pode-se dizer que são equivalentes às assembleias legislativas estaduais. (N.Ed.)

quaisquer fundos, do que as repressões mais cruéis. Pelo aparelho, pela caixa e pelas repressões, os nossos inimigos de classe são incomparavelmente mais fortes do que a atual burocracia stalinista. E apesar disso, nós os vencemos no território da Rússia. Demonstramos que se pode vencê-los. O proletariado revolucionário vencê-los-á por toda parte. Precisa, para isso, de uma política justa. Na luta contra o aparelho stalinista, a vanguarda proletária conquistará o seu direito de realizar a política de Marx e Lenin.

25 de agosto de 1931.

A crise austríaca e o comunismo

A crise austríaca é uma manifestação parcial da crise da democracia, forma fundamental da dominação burguesa. A tensão muito elevada da luta internacional e social provoca, com efeito, um curto-circuito de ditadura e derrete os fios condutores da democracia, uns após os outros. O processo começou pela periferia da Europa, pelos países mais retardatários, pelos anéis mais fracos da cadeia capitalista. Mas a sua marcha é irresistível. O que se chama crise do parlamentarismo é a expressão política da crise de todo o sistema da sociedade burguesa. A democracia se sustenta e declina com o capitalismo. Defendendo a democracia que sobrevive, a social-democracia empurra o processo social para o beco sem saída do fascismo.

A extrema fraqueza em que se encontrou a burguesia austríaca, após a guerra e a revolução[1] e, em ligação com essa fraqueza, a falta de independência

---

[1] No final da Primeira Guerra Mundial, nas áreas de língua alemã do Império Austro-Húngaro, instalou-se um governo provisório sob o comando do social-democrata austríaco Karl Renner, que assumiu o poder político do governo imperial em 31 de outubro de 1918. O exército imperial e real se desfez após o armistício concluído em 3 de novembro. Em 11 de novembro de 1918, o imperador Karl I (Carl Franz Joseph Ludwig Hubert Georg Otto Maria Habsburg-Lothringen, 1887-1922) renunciou em 12 de novembro e a República da Áustria Alemã foi proclamada. Um novo parlamento foi eleito em 16 de fevereiro de 1919, a Assembleia Nacional provisória foi substituída em 4 de março de 1919. No Tratado de Paz de Saint-Germain-en-Laye (10 de setembro de 1919), a jovem república teve de renunciar à união com a Alemanha e passou a se chamar de "Áustria". O desenvolvimento político na Áustria em novembro de 1918, apesar do vácuo criado pelo colapso da monarquia, não gerou uma revolução pelo conservadorismo do governo provisório e dos partidos políticos representados na assembleia nacional provisória (social-democratas, socialistas cristãos, nacionalistas alemães). Enquanto os social-democratas tentavam direcionar as correntes re-

econômica e política da Áustria, constituíram a fonte principal das forças da social-democracia austríaca. Assumindo a função de salvar e consolidar o regime burguês, a social-democracia austríaca pôde, na sua agitação, tomar as distâncias não só da burguesia nacional, como da burguesia estrangeira (inglesa e americana). No primeiro período de estabilização do regime burguês, que se seguiu à Revolução, a social-democracia foi, de modo claro, o agente direto do capital estrangeiro. Isso lhe permitiu não só lançar sobre a burguesia nacional a responsabilidade de todas as calamidades que a Áustria conheceu, como também adotar a seu respeito uma atitude crítica mais acentuada do que a que estava ao alcance da social-democracia dos outros países, inclusive a Alemanha. À medida que se consolidava o regime burguês, a social-democracia acusava a burguesia nacional, cada vez mais frequentemente, de não ser mais do que executora das ordens do capital anglo-saxão. Para os operários, tinha ela um argumento já feito em favor da inviolabilidade da propriedade privada, o qual consistia em dizer: "Evidentemente, nós poderíamos derrubar a nossa burguesia; apenas, não é dela que se trata, mas da burguesia inglesa e americana".

Os partidos burgueses da Áustria perderam tanto mais facilmente as suas particularidades quanto foram obrigados a ter os olhos fixos no patrão anglo-saxônico. Representando, em tudo o que era essencial, um papel idêntico ao desses partidos, a social-democracia é, entretanto, forçada a adotar uma atitude de oposição para com o bloco dos partidos burgueses, pois se apoia nos operários. Só essa "oposição" lhe permite salvar a burguesia. Processos e fenômenos idênticos produziram-se também na Alemanha. Contribuíram singularmente para a própria conservação da social-democracia alemã. Mas, dadas a força e a independência maiores da burguesia alemã, a social-democracia alemã teve que se adaptar muito mais aberta e claramente, fazer bloco com ela e assumir uma responsabilidade imediata diante das massas trabalhadoras.

---

volucionárias para caminhos democráticos, os socialistas cristãos e os nacionalistas alemães interpretavam os avanços sociais e a organização dos trabalhadores como instrumentos do "terror vermelho" e de um possível "golpe de esquerda". A coligação entre os social-democratas, os socialistas cristãos e os nacionalistas alemães só conseguiu se manter até 1920, chegando a realizar uma série de reformas social e politicamente relevantes (jornada de trabalho de oito horas para operários fabris, ou seja, 48 horas por semana, para mulheres e jovens apenas 44 horas por semana; regulamento de férias; lei do conselho de trabalhadores; seguro-desemprego). Em Primeiro de outubro de 1920, a Assembleia Nacional constituinte aprovou uma nova constituição federal. (N.Ed.)

Esta circunstância criou grandes possibilidades ao desenvolvimento do Partido Comunista alemão.

A Áustria lembra um pequeno corpo com uma grande cabeça. A capital está nas mãos da social-democracia, que detém no Parlamento, entretanto, menos da metade das cadeiras (43%). Esse equilíbrio instável, que só se mantém em virtude da política conservadora e conciliadora da social-democracia, facilita singularmente a posição do austromarxismo[2]. Aos olhos dos operários, aquilo que ele faz na municipalidade de Viena basta para distingui-lo dos partidos burgueses. E aquilo que não faz – isto é, o essencial – pode sempre ser imputado a esses últimos. Denunciando a burguesia nos artigos e nos discursos, o austromarxismo, como já o disse, tira proveito, muito habilmente, da dependência internacional da Áustria, a fim de impedir que os operários se levantem contra os seus inimigos de classe. "Em Viena, nós somos fortes, mas somos mais fracos no país. Além disso, acima de nós, há os senhores", tal é a ideia principal da política austromarxista. Tudo isso lhe permitiu exercer até o presente o papel de ala "esquerda" da Internacional e reforçar todas as suas posições contra o Partido Comunista, que, além do mais, acumulou erros sobre erros.

A social-democracia austríaca ajudou a *Entente* a liquidar a Revolução húngara[3], ajudou a burguesia a sair da crise de pós-guerra e preparou um

---

[2] Escola de pensamento marxista, o austromarxismo foi a principal tendência dentro da social-democracia austríaca, sendo sua época de maior influência especialmente no período anterior à Primeira Guerra Mundial. O austromarxismo existiu de fins do século XIX até 1934, quando foi destruído pelo triunfo do fascismo austríaco. Com o intuito de buscar fazer uso do marxismo para enfrentar novos problemas, os austromarxistas buscaram novas orientações teóricas nas ciências sociais (especialmente a economia marginalista) e enfrentaram problemas sociais específicos, em particular a questão nacional. No entanto, no campo político buscaram colocar-se entre (ou além) o revisionismo socialista e as posições da Internacional Comunista. Entre seus membros mais destacados estavam Max Adler, Friedrich Adler, Otto Bauer, Rudolf Hilferding e Karl Renner (1870-1950). (N.Ed.)

[3] Ao final da Primeira Guerra Mundial, no dia 28 de outubro de 1918, em Budapeste houve uma gigantesca manifestação para exigir a independência da Hungria. No dia seguinte foi proclamada a república. Em 30 de outubro explodiu em Budapeste uma insurreição de trabalhadores, soldados, marinheiros e estudantes. No entanto, instalou-se um governo burguês que se revelou incapaz de atender às demandas da população húngara. No dia 21 de março de 1919, foi proclamada a República Soviética húngara. A inexperiência do jovem Partido Comunista húngaro, de um lado, frente às questões que se colocavam no governo do país e o trabalho de sabotagem, por outro, dos social-democratas húngaros, além das pressões internacionais, acabaram por instabilizar o jovem governo soviético. Pouco mais de

refúgio democrático para a propriedade privada abalada. Foi, assim, em todo o período de pós-guerra, o principal instrumento de dominação da burguesia sobre a classe operária.

Mas esse instrumento é, ao mesmo tempo, uma organização soberana, possuindo uma burocracia numerosa e uma aristocracia operária independente, que têm os seus interesses e as suas reivindicações. Essa burocracia, que é a carne da carne da pequena burguesia, pelas suas ideias, seus hábitos e sua maneira de viver, apoia-se, entretanto, numa classe operária real e acha-se sob a ameaça contínua do descontentamento desta. Essa circunstância é a fonte principal de atritos e conflitos que se produzem entre a burguesia e a social-democracia, isto é, entre o patrão e o seu caixeiro.

Por outro lado, independentemente do que a social-democracia austríaca tenha feito para envolver a classe operária numa rede de organizações políticas, sindicais, municipais, culturais e esportivas, só os métodos pacífico-reformistas, como o mostraram muito claramente as jornadas de julho de 1927[4], não dão à burguesia todas as garantias necessárias.

---

quatro meses depois, no dia Primeiro de agosto de 1919, a revolução húngara terminou com a entrada do exército branco romeno em Budapeste. (N.Ed.)

[4] No final de janeiro de 1927 uma reunião da milícia direitista Associação Frente Austríaca de Combatentes (Österreichische Frontkämpferverband) foi dissolvida pela Liga de Proteção Republicana (*Republikanische Schutzbund*; a organização paramilitar social-democrata austríaca). A Associação Frente Austríaca de Combatentes, em minoria, finalmente se retirou sob escolta policial. No final da tarde, as colunas da Liga de Proteção Republicana marcharam de volta à cidade. Quando eles passaram diante de um local em que membros da Associação Frente Austríaca de Combatentes se reuniam, gritos ameaçadores foram ouvidos e, em resposta, pedras foram atiradas na casa. Esta resposta dos membros da Liga de Proteção Republicana foi retrucada com tiros. No confronto várias pessoas ficaram feridas, algumas delas gravemente, mas duas pessoas morreram, inclusive um estudante de 7 anos. A resposta nacional ao ato sangrento foi tremenda. Na maioria das fábricas de Viena houve manifestações de protesto e em algumas grandes empresas também ocorreram greves espontâneas. Em 2 de fevereiro de 1927, dia do enterro das duas vítimas, uma greve geral de 15 minutos ocorreu em toda a Áustria. Os assassinos da Associação Frente Austríaca de Combatentes foram levados à justiça e o julgamento terminou na noite de 14 de julho após 11 dias de julgamento com a absolvição completa dos três réus. Nas primeiras horas da manhã do dia seguinte, manifestações ocorreram em frente ao Palácio da Justiça. Depois que os manifestantes afugentaram um pequeno grupo de policiais perto do Parlamento, o chefe de polícia ordenou que a polícia montada atacasse os trabalhadores. A multidão enfurecida invadiu o Palácio da Justiça. Montanhas de arquivos foram incendiadas. Uma delegacia de polícia e o prédio do jornal social-cristão *Reichspost* também foram incendiados. Em seguida, 600 policiais armados abriram fogo contra a multidão, tendo com resultado 89 mortos, mais de

O que precede explica a função social do fascismo austríaco. Este é o segundo caixeiro da burguesia, muito diferente do primeiro, do qual é rival. As camadas inferiores da social-democracia são empurradas para a frente por um instinto falsificado, mas ainda assim pelo instinto do proletariado. As camadas inferiores do fascismo são alimentadas pela situação sem saída da pequena burguesia e dos elementos desclassificados em que a Áustria é particularmente rica. As camadas superiores da social-democracia refreiam o instinto de classe do proletariado com auxílio das palavras de ordem e instituições da democracia. As camadas superiores do fascismo fazem entrever uma saída ao desespero da pequena burguesia decadente, na perspectiva de um golpe de Estado salutar, em consequência do qual os "marxistas" não poderão mais incomodar a boa marcha da agricultura, da indústria e do comércio.

Temos, assim, na Áustria, a refutação clássica da teoria professada pelos filisteus, que afirmam que o fascismo é engendrado pelo bolchevismo revolucionário. O fascismo começa a exercer no país um papel tanto maior quanto mais nítida, mais gritante e mais insuportável se torna a contradição entre a política da social-democracia (partido de massas) e as necessidades urgentes do desenvolvimento histórico. Na Áustria, como aliás por toda a parte, o fascismo é o complemento necessário da social-democracia. Alimenta-se dela e, com o seu concurso, chega ao poder.

O fascismo é o filho legítimo da democracia formal da época da decadência. Na Áustria, os princípios da democracia são levados ao absurdo com uma nitidez muito particular. Para ter a maioria, só falta à social-democracia uma porcentagem ínfima. Pode-se dizer, entretanto – e não será um paradoxo, mas a pura verdade –, que a estabilidade política da social-democracia austríaca se apoia não sobre os 43% de votos de que dispõe, mas sobre os 7% que lhe faltam para ter a maioria. Os fundamentos do capitalismo continuariam invioláveis mesmo se a social-democracia viesse a conquistar a maioria. Mas essa conquista não é absolutamente certa. Será estúpido acreditar-se que todas as questões se resolvem pela propaganda.

---

600 pessoas gravemente feridas e mais de mil levemente feridas. Os trabalhadores protestaram contra essa chacina com uma greve geral de um dia e os ferroviários de dois dias. Os acontecimentos são entendidos como precursores da guerra civil de 1934. (N.Ed.)

Se se parte da ideia de que a vida da Áustria continuará a desenvolver-se nos quadros da democracia, não há o menor dado que faça supor que nos próximos vinte e cinco ou cinquenta anos a social-democracia obtenha forçosamente a maioria. A vida econômica de toda a Europa capitalista acha-se sob a ameaça imensa dos Estados Unidos e dos outros países de além-mar. O declínio econômico da Áustria, absolutamente inevitável, em razão mesmo da perspectiva de uma revolução pacífica, conduziria antes a social-democracia a uma diminuição do que a um aumento dos seus sufrágios. Assim, embora a dominação ulterior da burguesia condene a nação à putrefação e à degenerescência cultural, embora a massa esmagadora do proletariado, essa espinha dorsal da nação, esteja inteiramente pronta a realizar a transição para o socialismo, resulta, segundo a lógica da democracia, que essa transição é inadmissível, porque uma pequena porcentagem de eleitores, pertencentes aos elementos mais incultos, mais atrasados ou mais depravados, se conservam à margem da luta, vegetam numa ignorância completa e estão prontos a dar no momento decisivo os seus sufrágios e os seus pulsos ao fascismo.

A democracia atingiu o cúmulo do absurdo. Na época do desenvolvimento orgânico e metódico do capitalismo, ligado à diferenciação social sistemática da nação, a democracia desempenhou um grande papel histórico, inclusive o de educar o proletariado. Na Europa é que desempenhou o seu maior papel. Mas, na época do imperialismo, que é, antes de tudo, na Europa, uma época de capitalismo em putrefação, a democracia caiu num beco sem saída. Eis a razão porque, na Áustria, onde a Constituição foi fabricada pela social-democracia, onde esta ocupa um lugar excepcionalmente grande, por ser senhora da capital, e onde, por conseguinte, deveríamos observar, no sentido mais completo, as formas democráticas de transição da democracia ao socialismo, vemos na realidade que a política é regularizada, de um lado, pelos bancos de assalto fascista e, de outro lado, por destacamentos de operários social-democratas, em retirada, semiarmados, enquanto na qualidade de chefe de orquestra da democracia, rege um antigo policial da escola dos Habsburgos[5].

• • •

[5] Aqui Trotsky, ao aludir a um “antigo policial”, refere-se a Johannes Schrober. (N.Ed.)

O fascismo é o segundo titular da burguesia com direito ao poder. A exemplo da social-democracia, e mesmo numa maior medida do que esta, o fascismo tem o seu exército próprio, os seus interesses, e a sua lógica de movimento. Sabemos que na Itália o fascismo, a fim de salvar e de consolidar a sociedade burguesa, foi obrigado a entrar em antagonismo violento não apenas com a social-democracia, como também com os partidos da burguesia. Pode-se fazer a mesma observação na Polônia. Não se devem apresentar as coisas como se todos os órgãos políticos da burguesia agissem em perfeita harmonia. Felizmente, não é assim. A anarquia econômica é completada pela anarquia política. O fascismo, alimentado pela social-democracia, é obrigado a partir-lhe o crânio para chegar ao poder. A social-democracia austríaca fez o que pôde para facilitar ao fascismo essa operação cirúrgica.

É difícil imaginar uma tolice tão concentrada como a argumentação de Otto Bauer, que consiste em dizer que a violência só é inadmissível *na defesa* da democracia existente. Se se traduz essa argumentação para a linguagem das classes, isso significa: a violência é permitida para garantir os interesses da burguesia organizada em Estado, mas é inadmissível para a instituição do Estado proletário.

Dá-se a essa teoria uma fórmula jurídica. Bauer rumina as antigas fórmulas de Lassalle sobre o direito e a Revolução. Ora, Lassalle[6] falava diante de um tribunal. Os seus argumentos tinham sido talhados para isso. Mas a tentativa de transformar-se um duelo jurídico com um promotor em filosofia da evolução histórica não é mais do que um subterfúgio covarde. Segundo Bauer, a aplicação da violência só é permitida para responder-se a um golpe de Estado já acabado, quando o terreno do "direito" desapareceu, mas é inadmissível vinte e quatro horas antes, quando se tratava de prevenir esse golpe de Estado. Com essa concepção, Bauer traça a linha do divisor das águas entre o austromarxismo e o bolchevismo, como se se tratasse de duas escolas de direito criminal. Na verdade, a diferença está em que o bolchevismo tende a derrubar a dominação da burguesia e a social-democracia a eternizá-la. Não há dúvida de que, se o golpe de Estado se verificasse, Bauer declararia: Se não instigamos os operários

6 Ao falar de "velhas fórmulas" sobre o direito e a Revolução, Trotsky refere-se ao depoimento que Lassalle deu em um tribunal em defesa do direito dos trabalhadores de organizarem-se e mudar a sociedade. (N.Ed.)

a se levantarem quando tínhamos poderosas organizações, uma imprensa legal, 43% dos deputados, a municipalidade de Viena, contra os fascistas, que formavam bandos anticonstitucionais, atentando contra a ordem legal, com mais forte razão agora, quando os fascistas possuem o aparelho de Estado e se apoiam sobre um direito estatal que eles próprios estabeleceram, quando estamos privados das coisas indispensáveis à vida, postos fora da lei, sem laços legais com as massas que, além do mais, se acham manifestamente desiludidas, oprimidas e que passam em grande número ao fascismo – preconizar a insurreição em condições semelhantes só o fariam aventureiros criminosos ou os bolcheviques. Tendo dado assim à sua filosofia um giro de 180 graus, os austromarxistas continuariam, entretanto, inteiramente fiéis a si mesmos.

A palavra de ordem de *desarmamento interior* ultrapassa pela sua abjeção reacionária tudo o que ouvimos até aqui da parte da social-democracia. Esses senhores suplicam aos operários que se desarmem diante do Estado burguês em armas. Os bandos fascistas são, apenas, afinal de contas, corpos *auxiliares* da burguesia; dissolvidos hoje, podem ser chamados em qualquer instante e armados duas vezes mais do que presentemente. Quanto aos operários, ninguém lhes dará armas se a social-democracia os desarmar pela mão do Estado burguês. A social-democracia teme, certamente, as armas dos fascistas. Mas teme talvez mais as armas nas mãos dos operários. Hoje, a burguesia ainda teme a guerra civil: primeiro, porque não está segura do seu êxito; segundo, porque não quer abalos econômicos. O desarmamento dos operários livra a burguesia da guerra civil e, dessa forma, leva ao máximo as probabilidades do golpe de Estado fascista.

O desarmamento interior da Áustria é uma exigência dos países da *Entente*, da França, em primeiro lugar, da Inglaterra, em segundo lugar. O jornal oficioso francês, *Le Temps*[7], explica severamente a Schober que o desarmamento interior é necessário no interesse da propriedade privada. No seu discurso na Câmara dos Comuns, Henderson desenvolveu o mesmo tema. Defendendo a democracia austríaca, Henderson defendia os tratados de Versalhes e de Saint-Germain[8].

---

[7] *Le Temps: "O Tempo"*, órgão da alta burguesia francesa. – N. do T.

[8] Em 28 de junho de 1919 os delegados da Conferência de Paz da Primeira Guerra Mundial assinaram o Tratado de Versalhes, que selou a paz com a Alemanha. A Conferência prosseguiu seus trabalhos, com a assinatura de outros acordos, que ficaram conhecidos como os

A social-democracia austríaca não é aqui, como de uma maneira geral em todas as questões importantes, mais do que o aparelho de transmissão da burguesia dos países vencedores.

A social-democracia não é capaz de tomar o poder e não deseja tomá-lo. A burguesia acha, entretanto, que a organização disciplinada dos operários pela social-democracia lhe acarreta muitas despesas gerais. A burguesia, no seu conjunto, tem necessidade do fascismo para segurar pelas rédeas a social-democracia, e, em caso de triunfo, para lançá-la à margem. O fascismo quer tomar o poder e é capaz de assenhorear-se dele. Uma vez que o tenha tomado, colocá-lo-á à inteira disposição do capital financeiro. Mas essa via é a via dos abalos sociais; acarreta, também, grandes despesas gerais. É o que explica as hesitações da burguesia, a luta interna de suas diferentes camadas sociais, e determina a política mais provável do próximo período: por meio do fascismo, obriga-se a social-democracia a auxiliar a burguesia a rever a Constituição, de forma a se combinarem as vantagens da democracia e do fascismo – do fascismo no fundo, da democracia na forma – com a supressão das despesas gerais para as reformas democráticas e, se for possível, sem as despesas gerais de um golpe de Estado fascista.

A burguesia terá êxito com esse meio? Inteiramente, até o fim, por um longo período, esse meio não poderá servir. Em outras palavras, a burguesia não pode criar um regime que lhe permita apoiar-se, pacificamente, não só nos operários, como na pequena burguesia arruinada, sem acarretar despesas como as reformas sociais ou com os abalos da guerra civil. Os antagonismos são muito grandes, têm que vir a furo, ou num sentido ou no outro.

De uma maneira ou de outra, a "democracia" austríaca está condenada. Depois do ataque de apoplexia que sofreu, pode ainda, bem entendido, reerguer-se e vegetar algum tempo, arrastando a perna e sempre embrulhando a língua, ora mais, ora menos. Pode ser que seja necessário um novo golpe paga abatê-la. A sua sorte, entretanto, está decidida de antemão.

O austromarxismo entra totalmente num período de expiação dos seus crimes políticos. A social-democracia, que salvou a burguesia do bolchevismo,

---

tratados da periferia parisiense, em razão da localização das cidades onde foram assinados. Entre eles estava o Tratado de Saint-Germain-en-Laye, que concorreu para a paz com a Áustria, no qual foi dada a independência à Hungria, Tchecoslováquia e Iugoslávia e proibia a unificação entre a Alemanha e a Áustria. (N.Ed.)

facilita agora a salvação da burguesia da própria social-democracia. Seria um absurdo fechar os olhos sobre o fato de que a vitória do fascismo acarretaria não somente a exterminação física dos pouco numerosos comunistas, mas também o esmagamento implacável de todas as organizações e de todos os pontos de apoio da social-democracia. A este respeito, como a respeito de muitas outras coisas, a social-democracia não faz mais do que reproduzir a história do liberalismo, de que é a filha tardia. Os liberais, mais uma vez na história, auxiliaram a reação feudal a dominar as massas populares, após o que a reação os liquidou.

• • •

A história como que se impôs a tarefa especial de desmentir da forma mais nítida os prognósticos e as diretivas da Internacional Comunista, a partir de 1923. Foi assim na apreciação da situação revolucionária da Alemanha em 1923; do papel mundial da América e do antagonismo anglo-americano; foi assim ao orientar-se sobre um movimento de surto revolucionário em 1924-1925; na apreciação das forças motrizes e das perspectivas da revolução chinesa (1925-1927); do *trade-unionismo* inglês (1925-1927); da industrialização e do *kulak*[9] na URSS, e assim por diante. É assim também hoje, na apreciação do "terceiro período" e do social-fascismo. Molotov descobriu que "a França está situada na primeira fila do movimento de surto revolucionário", quando, na verdade a Áustria, entre todos os países da Europa, é o que se acha atualmente na situação mais revolucionária; a este respeito – e é o mais característico – o ponto de *partida* de um desenvolvimento revolucionário eventual é formado não pela luta do comunismo contra o "social-fascismo", mas pelo conflito entre a social-democracia e o fascismo. Em presença desse fato, o infeliz Partido Comunista austríaco é inteiramente acuado a um beco sem saída.

Sim, o conflito entre a social-democracia e o fascismo é neste momento o fato essencial da política austríaca. A social-democracia cede e recua, arrasta-se com a barriga no chão, suplica e abandona as suas posições, umas após outras. Mas o conflito, entretanto, tem um caráter muito real, a social-democracia

[9] Camponês rico. – N. do T.

joga nele a sua cabeça. A ofensiva ulterior dos fascistas pode – deve – empurrar os operários social-democratas, talvez mesmo uma parte do aparelho social--democrata, muito além do limite traçado por Seitz, Otto Bauer e caterva. Assim como, por mais de uma vez, o conflito entre o liberalismo e a monarquia provocou uma situação revolucionária, que em seguida ultrapassava os dois adversários, assim o conflito entre a social-democracia e o fascismo – dois titulares rivais da burguesia – pode desenvolver uma situação revolucionária que, em seguida, ultrapassará a ambos.

De que valeria o revolucionário proletário que, numa época de revolução burguesa, não soubesse apreciar e compreender o conflito entre os liberais e a monarquia e que, em lugar de explorar esse conflito, num sentido revolucionário, metesse os antagonistas no mesmo saco? Que vale o comunista que, colocado em face do conflito entre o *fascismo* e a *social-democracia*, o encobre muito simplesmente com esta fórmula: *social-fascismo*, vazia de qualquer conteúdo?

Uma posição dessa espécie – política gritante e esquerdismo estéril – obstrui, de antemão, ao Partido Comunista, o caminho que conduz aos operários social-democratas e dá um alimento já preparado aos elementos de direita, no campo comunista. Uma das causas do robustecimento dos elementos de direita reside em que, na sua crítica, eles tocam nas feridas evidentes e certas do comunismo oficial. Quanto mais impotente é o Partido para rasgar caminho na direção dos operários social-democratas, tanto mais a Oposição de Direita abre um na direção do aparelho social-democrata.

Ignorância ou incompreensão da natureza das crises revolucionárias, minimalismo político, perspectivas de eterna preparação – tais são os traços essenciais dos elementos de direita. Devem sentir-se particularmente sólidos quando a direção da Internacional Comunista procura criar ficticiamente uma situação revolucionária pela via administrativa. Nessas ocasiões, as críticas de direita adquirem uma aparência de razão persuasiva. Elas não têm, entretanto, nada de comum com a estratégia revolucionária. A direita apoiou uma política oportunista nos momentos mais revolucionários (Alemanha, China, Inglaterra). Criticando o espiro de aventura burocrática, ela cria para si uma reputação, a fim de poder representar de novo o seu papel de freio no instante decisivo.

A política dos centristas que tomaram o freio nos dentes não só alimenta a direita, mas leva água ao moinho do austromarxismo. Nada no próximo período pode salvar a social-democracia austríaca – nada, exceto a falsa política do comunismo oficial.

No fundo, que significa o "social-fascismo"? Os "teóricos" falhos gostam de fazer sutilezas, mas não podem dizer mais nada além disto: que a social-democracia está disposta a defender os fundamentos do regime burguês, contra os operários, por meio da força armada. Mas não é esse um traço comum a todos os partidos "democráticos" sem exceção? Já achamos ou pensamos alguma vez que a democracia é um regime de paz social? Kerensky e Tseretelli, por acaso, não massacraram os camponeses e os operários nos meses da lua de mel da revolução democrática? A história da dominação do partido republicano e do partido democrático nos Estados Unidos não é por acaso, ao mesmo tempo, a história das represálias sangrentas contra os grevistas? Se tudo isso é fascismo, então a história da sociedade dividida em classes é fascismo; há no mundo, então, tantos fascismos quantos são os partidos burgueses: liberais-fascistas, radicais-fascistas, nacionais-fascistas e assim por diante. Mas então, que sentido toma mais definição? Nenhum. Será simplesmente um sinônimo berrante da violência de classe.

Em agosto de 1914, designamos a social-democracia sob o nome de social-imperialismo. Com isto, dissemos que a social-democracia é uma forma particular do imperialismo, adaptada à classe operária. O imperialismo une a social-democracia a todos os outros partidos burgueses sem exceção. O "Socialismo" a opõe a esses partidos. Social-imperialismo a define inteiramente.

O fascismo, se não se brinca estupidamente com as palavras, não é absolutamente um traço distintivo de todos os partidos burgueses, mas constitui um partido burguês *especial*, adaptando a condições e tarefas particulares, em oposição aos partidos burgueses e, do modo mais violento, à social-democracia, precisamente.

Pode-se procurar objetar a isto que a hostilidade dos partidos burgueses entre si é muito relativa. Isto não é apenas verdadeiro, é o ABC da verdade, o que, entretanto, não nos faz avançar um passo. O fato de que todos os partidos burgueses, do fascismo à social-democracia, coloquem a defesa da dominação burguesa acima de suas divergências de programa não suprime, entretanto, nem a diferença desses partidos, nem a luta entre si, nem a nossa obrigação de tirar proveito dessa luta.

A social-democracia austríaca, mais do que outro qualquer partido da II Internacional, coincide com a classe operária. Por esta razão, ao menos, o desenvolvimento da crise revolucionária nesse país pressupõe antes de tudo uma série de crises interiores profundas na social-democracia. Na Áustria, onde a diferenciação está em atraso, a possibilidade não está excluída, particularmente da separação de um partido "independente" do partido oficial, partido que, como aconteceu na Alemanha[10], poderá dar em seguida uma base de massas ao Partido Comunista. Este caminho não é obrigatório, mas, dada a situação, é muito provável. A perspectiva de uma cisão possível da social-democracia, sob a pressão imediata da crise revolucionária, não pode, em caso nenhum, acarretar uma modificação das relações do Partido Comunista para com os futuros independentes ou candidatos a esse título, no sentido da atenuação da crítica. A necessidade de desmascarar implacavelmente os elementos de esquerda da espécie de Max Adler, ou de uma espécie mais recente, não é preciso ser demonstrada. Mas seria funesto não prever-se a inevitabilidade, no transcurso da luta contra o fascismo, de uma aproximação entre o Partido e grandes massas de operários social-democratas, que, apesar disso, continuarão a sentir-se social-democratas e a considerarem-se como tais. Criticar diante deles o caráter burguês da social-democracia, demonstrar-lhes que a política da social-democracia é uma política de capitulação diante do fascismo, é dever certo do Partido Comunista. Quanto mais a crise tornar-se aguda, tanto mais a crítica comunista será confirmada pela experiência das massas. Mas *identificar-se* a social-democracia ao fascismo, no momento em que os operários social-democratas experimentam um ódio mortal por este e em que os chefes experimentam um medo igualmente mortal, e chocar-se contra as relações políticas reais, é inculcar-se a essas massas a desconfiança no comunismo, é reforçar a aliança dessas massas com os seus chefes.

Não é difícil prever-se que o fato de serem lançados no mesmo saco a social-democracia e o fascismo engendra o perigo de idealização da social-democracia de esquerda, quando esta chegar a um conflito mais sério com o fascismo. A experiência histórica já o demonstrou. É preciso lembrar que a identificação da social-democracia com o fascismo foi proclamada, pela primeira

[10] Trotsky alude ao Partido Social-Democrata Independente da Alemanha (*Unabhängige Sozialdemokratische Partei Deutschlands* - USPD). (N.Ed.)

vez, pelo nefasto V Congresso[11] e que encontrou a sua antítese complementar na capitulação diante de Purcell, Pilsudski, Tchang Kai-chek, Raditch e Lafollette. Tudo isso é muito lógico. Aquele que identifica a extrema esquerda da sociedade burguesa com a sua extrema direita, isto é, o austromarxismo com o fascismo, prepara fatalmente a capitulação do Partido Comunista diante da social-democracia de esquerda no momento mais crítico[12].

Esta questão está intimamente ligada às palavras de ordem em perspectiva da classe operária austríaca: *sovietes e ditadura do proletariado*. De uma maneira geral, essas palavras de ordem estão estreitamente ligadas entre si. O aparecimento de sovietes só se concebe nas condições de uma situação revolucionária, de um impetuoso movimento de massas, de um papel importante e crescente do Partido Comunista, isto é, nas condições que precedem ou acompanham a tomada do poder pelo proletariado.

Mas na Áustria, mais do que nos outros países, continua a ser possível não só que a palavra de ordem de sovietes não concorde com a palavra de ordem de ditadura do proletariado, mas também que se assista justamente ao contrário, isto é, os sovietes transformados em bastiões contra a ditadura do proletariado. É tanto mais necessário compreendê-lo e prevê-lo de antemão, quanto é certo que os epígonos (Zinoviev, Stalin e outros) fizeram da palavra de ordem de sovietes um fetiche vulgar, substituindo o seu conteúdo social pela forma de organização.

Não está absolutamente excluído, se não presentemente, ao menos na etapa seguinte da luta, que a social-democracia austríaca se veja obrigada a tomar a frente da greve geral (como fez o Conselho Geral das *trade-unions*[13] em

---

[11] Referência ao V Congresso da Internacional Comunista, realizado em Moscou de 17 de junho a 8 de julho de 1924. É nele que se consagrou a chamada "bolchevização" – na qual os partidos da Internacional Comunista eram instados a tomar como inspiração o Partido russo no processo de formação final de partidos verdadeiramente bolcheviques no Ocidente, mas que, de fato, era a linha da plena lealdade à direção da Internacional Comunista –, se condenou de fato a política de frente única que vinha dos tempos de Lenin, e se adotou a formulação de "governo operário e camponês", como sucedâneo de ditadura do proletariado, o qual só seria alcançado após um levante armado. É, para muitos, o início da stalinização da Internacional Comunista. (N.Ed.)

[12] Não posso estender-me aqui a respeito, tanto mais quanto a questão é examinada, de forma bastante detalhada, em minha *Crítica ao programa da Internacional Comunista*.

[13] Sindicatos operários ingleses, dirigidos pelos trabalhistas. – N. do T.

1926), e mesmo a sancionar a criação de sovietes para ficar mais seguramente com a sua direção. Será preciso tirar da reserva Friedrich Adler e sequazes. Max Adler ou qualquer outro mais à "esquerda" demonstrará mais uma vez que os sovietes, mais a democracia, formam um Estado combinado, evitando assim a necessidade de assenhorear-se do poder e da ditadura. Não só os operários social-democratas, mas mesmo os operários comunistas, acostumados a ouvir dizer diariamente que a social-democracia e o fascismo são a mesma coisa, serão apanhados de improviso ao se apresentar uma etapa desta espécie no desenvolvimento da luta entre a social-democracia e o fascismo. Entretanto, o aparecimento dessa etapa significaria simplesmente o advento de um sistema mais complexo, mais bem combinado de traição dos interesses do proletariado pela social-democracia. Pois, sob a direção dos austromarxistas, os sovietes já não se tornariam mais órgãos de luta do proletariado pelo poder, mas um instrumento destinado a impedir que o proletariado atente contra o poder.

Na Alemanha, esta experiência, ao menos em larga escala, é agora impossível, pois o Partido Comunista constitui lá uma força muito importante. Acontece coisa diversa na Áustria. No caso de um rápido desenvolvimento dos acontecimentos, o ponto culminante da crise pode ser atingido bem antes que o Partido Comunista austríaco saia de seu isolamento e de sua impotência. Os sovietes podem encontrar-se nas mãos dos austromarxistas por meio de um mecanismo que lhes permitirá roubar ao proletariado, pela segunda vez, uma situação revolucionária e salvar assim, pela segunda vez, a sociedade burguesa, com o advento inevitável, neste caso, de um fascismo declarado. Inútil dizer-se que nesse momento, sob a bota deste último, as costelas da social-democracia serão vítimas de uma forte provação. A política não conhece a gratidão.

As palavras de ordem de sovietes e da ditadura do proletariado têm na Áustria, atualmente, um simples alcance de propaganda. Não porque a Áustria esteja longe de uma situação revolucionária, mas porque o regime burguês austríaco está munido de um sistema ainda poderoso de válvulas de segurança, do tipo da social-democracia. Apesar do que digam os fanfarrões e os fazedores de frases, a tarefa do Partido Comunista austríaco no atual período consiste não em "armar" – a quem? as massas? quais? – e lançá-las na "luta final", mas em "*explicar-lhes pacientemente*" (palavras de Lenin em 1917). O êxito desse trabalho de propaganda pode manifestar-se tanto mais rápido e poderoso, quanto mais o Partido Comunista compreender o que se passa, sob os seus olhos.

Eis porque a primeira coisa a se fazer-se é lançar à cesta a identificação estúpida, inconsistente, temerária da social-democracia com o fascismo.

É preciso rememorar-se aos comunistas austríacos a experiência de 1918-1919 e o papel da social-democracia no sistema dos sovietes.

Ao "desarmamento interior" é preciso opor a palavra de ordem de *armamento* dos operários. Esta palavra de ordem é neste momento mais aguda e mais urgente do que a de sovietes e de ditadura do proletariado. Dizer-se que Bauer é um fascista, o operário não o compreenderá. Dizer-se que Bauer quer desarmar definitivamente o operário e entregá-lo assim, sem defesa, aos fascistas – o operário o compreenderá perfeitamente porque isto corresponde à sua experiência política.

É preciso que não se pense que se pode suprir com gritos, urros, palavras de entono radical, a falta de forças próprias. É preciso que se deixe de brecar a marcha real da evolução com os esquemas baratos de Stalin e de Molotov. É preciso que se compreenda que os dois não compreendem nada. O primeiro passo a dar-se no caminho do reerguimento, deve ser chamar a Oposição de Esquerda ao Partido. Mas na Áustria, como em outros países, tem-se, ainda, visivelmente, necessidade de algumas lições suplementares de história, antes que o comunismo encontre o bom caminho. A tarefa da Oposição é preparar esta transição. Por mais fraca que seja a Oposição de Esquerda na Áustria, do ponto de vista numérico, mesmo em comparação com o Partido Comunista, a sua função é exatamente a mesma: fazer propaganda, explicar pacientemente. Só resta a desejar que a oposição comunista austríaca consiga criar em breve um órgão que apareça regularmente e que realize um trabalho de propaganda que não fique muito atrás dos acontecimentos.

A criação de um órgão dessa espécie exige uma grande tensão de forças. Mas é uma tarefa absolutamente urgente. Eis porque deve ser resolvida.

Constantinopla, 19 de novembro de 1929.

Sobre o controle operário da produção
(Carta aos camaradas)

Em resposta a vossa pergunta, quero esboçar aqui algumas apreciações preliminares, algumas considerações gerais sobre o *controle operário da produção.*

A primeira pergunta que se faz é esta: Pode-se encarar o controle operário da produção como um regime estável, não eterno, evidentemente, mas bastante prolongado? Para responder-se a esta pergunta é preciso definir mais claramente a natureza de classe de um tal regime. Os operários têm o controle. Isto quer dizer que a propriedade e o direito de mando se conservam nas mãos dos capitalistas. Este regime tem assim um caráter contraditório, caracterizando-se a seu modo como um interregno econômico.

O controle é necessário aos operários não para um fim platônico, mas para influenciar praticamente a produção e as operações comerciais das empresas. Não se pode chegar a esse resultado se o *controle* não se transforma, de um modo ou de outro, em tal ou qual limite, numa *gestão* direta. Assim, na sua forma ampliada, o controle operário significa uma espécie de *dualidade de poder* na fábrica, nos bancos, nas casas de comércio etc.

Para ser duradoura, resistente, "normal", a participação dos operários na direção da produção deveria ser baseada na colaboração de classe e não na luta de classes. Mas uma tal colaboração de classe só é possível entre os vértices dos sindicatos e as organizações capitalistas. Tais experiências foram numerosas: na

Alemanha (a democracia econômica), na Inglaterra (o mondismo) etc.[1]. Mas, em todos estes casos, trata-se não do controle operário sobre o capital, mas da domesticação da burocracia operária pelo capital. Uma tal domesticação pode, como o demonstra a experiência, durar muito tempo: isto depende da paciência do proletariado.

Quanto mais se está perto da produção, da fábrica, da oficina, tanto menos um tal regime é possível, porque se trata aí dos interesses vitais dos operários, e todo o processo se desenrola sob as vistas dos próprios operários. O controle exercido pelos comitês de empresa só é concebível na base de uma luta de classes aguda, e não da colaboração. Mas isto quer dizer que há dualidade de poder na empresa, no truste; em todos os ramos da produção, em toda a economia.

Que regime social corresponde ao controle operário da produção?

É claro que o poder ainda não está nas mãos do proletariado: neste caso teríamos não o controle operário sobre a produção, mas o controle do Estado operário sobre a produção, como introdução ao regime da produção estatal, na base da nacionalização. Tratamos aqui do controle operário sob o regime capitalista e o poder da burguesia. Ora, a burguesia, que se sente forte na sela, não permitirá jamais a dualidade do poder em suas empresas. O controle operário só é, pois, realizável com a condição de uma mudança brutal na relação das forças em detrimento da burguesia e seu Estado. O controle só pode ser imposto à burguesia, pelo proletariado, à força, estando este em vias de arrebatar-lhe o poder e, com este, a propriedade dos meios de produção. Assim, o regime do controle operário é provisório, transitório por sua própria essência, não podendo senão corresponder a um período de estremecimento do Estado burguês, de ofensiva do proletariado, de recuo da burguesia: isto é, ao período da Revolução Proletária tomado no sentido mais largo da palavra.

Se o burguês não é mais o patrão, isto é, não é mais *completamente* o senhor na sua fábrica, segue-se que já não o é tampouco no seu Estado.

---

[1] A democracia econômica refere-se à demanda dos sindicatos pela participação dos trabalhadores alemães no processo econômico, particularmente na década de 1920. Mondismo vem de Alfred Moritz Mond, primeiro Barão de Melchett (1868-1930), um industrial britânico que instituiu conversações com sindicatos sobre questões de participação dos trabalhadores na gestão. Tais diálogos culminaram em negociações com o Congresso dos Sindicatos em 1929, com Mond representando os patrões britânicos, mas delas nada resultou. (N.Ed.)

Isto quer dizer que ao regime da dualidade de poder nas empresas corresponde o regime da dualidade e poder no Estado.

Não se deve, entretanto, compreender esta relação mecanicamente, como se a dualidade de poder na oficina e no Estado nascessem no mesmo dia. O regime da dualidade de poder em sua forma desenvolvida, como uma das etapas possíveis da Revolução Proletária em cada país, pode desenvolver-se diferentemente em cada país, com elementos múltiplos e diversos.

Assim, por exemplo, em certas circunstâncias (uma crise econômica profunda, duradoura, uma organização sólida dos operários nas empresas, fraqueza relativa do partido revolucionário, força relativa do Estado, tendo em reserva um fascismo forte etc.), o controle operário da produção pode adiantar-se consideravelmente em relação à dualidade do poder político no país.

Nas condições que acabamos de esboçar em grandes traços, condições particularmente características para a Alemanha, a dualidade de poder no país pode nascer precisamente do controle operário, como de uma de suas fontes principais. É preciso parar neste ponto. Quando mais não seja, para rejeitar o fetichismo da forma soviética que os epígonos da Internacional Comunista puseram em circulação. Segundo a opinião oficial que tem curso atualmente, a Revolução Proletária pode realizar-se unicamente com auxílio dos sovietes, que só devem ser constituídos visando diretamente a insurreição armada. Todo este esquema não vale nada. Os sovietes são apenas uma forma de organização, e o problema resolve-se pelo conteúdo de classe da política e não por sua forma. Na Alemanha houve sovietes de Ebert, Scheidemann. Na Rússia, sovietes conciliadores atacavam em julho de 17 os operários e soldados. Em consequência disto, Lenin pensou um momento que a insurreição armada seria realizada não com apoio nos sovietes, mas nos comitês de empresa... Este cálculo foi rejeitado pelo curso dos acontecimentos, pois em dois meses e meio antes da insurreição tivemos tempo de conquistar os sovietes mais importantes. Mas este exemplo só mostra quanto estávamos pouco dispostos a considerar os sovietes como uma panaceia. No outono de 1923, opondo-se a Stalin e aos outros a necessidade urgente de se passar à ofensiva política, eu lutava ao mesmo tempo contra a criação, na Alemanha, de sovietes por decreto, paralelamente aos conselhos de empresa, que de fato começavam a desempenhar o papel de sovietes.

Muitos fatos permitem pensar que também no atual surto revolucionário os comitês de empresa poderão, a um certo estágio de seu desenvolvimento, desempenhar na Alemanha o papel de sovietes e substituí-los. Em que me baseio para esta suposição? Na análise das condições em que tiveram origem em fevereiro e março de 1917 os sovietes na Rússia, e em novembro de 18 na Alemanha e na Áustria. Lá, como aqui, acontecia que os principais organizadores dos sovietes eram os mencheviques, os social-democratas, constrangidos a isso pelas condições da revolução "democrática" durante a guerra. Na Rússia, os bolcheviques conseguiram arrancar os sovietes dos conciliadores. Na Alemanha isso não foi conseguido, e foi o que determinou o desaparecimento dos sovietes.

Atualmente, no ano de 1931, a palavra "soviete" soa de um modo completamente diverso do que soava em 1917-1918. Hoje, é sinônimo da ditadura bolchevique, um espantalho, pois, nas mãos da social-democracia.

Na Alemanha os social-democratas não só não retomarão pela segunda vez a iniciativa de criar sovietes, nem mesmo a de ligar-se voluntariamente a um tal empreendimento, como o impedirão por todos os meios. Aos olhos do Estado burguês e particularmente de sua guarda fascista, o fato de os comunistas se meterem a criar sovietes equivalerá a uma declaração aberta de guerra civil pelo proletariado e pode, consequentemente, ocasionar um conflito decisivo antes que o Partido o tenha considerado propício.

Todas estas considerações nos levam a duvidar que se consiga na Alemanha a criação dos sovietes englobando realmente a maioria dos operários *antes* da insurreição e da tomada do poder. Na minha opinião, é mais provável que os sovietes nasçam na Alemanha ao dia seguinte da vitória, já como órgãos imediatos do poder.

O problema dos *conselhos de empresa* se põe de modo diferente. Eles já existem. São criados pelos comunistas e pelos social-democratas. Numa certa medida, os conselhos de empresa realizam a unidade da frente da classe operária. Aprofundarão e ampliarão esta função na medida do fluxo revolucionário. O seu papel crescerá, do mesmo modo que a sua interferência na vida da empresa, da cidade, nos ramos de indústria, nas regiões e enfim no Estado. Os congressos provinciais, regionais e nacionais dos conselhos de empresa poderão servir de base aos órgãos que de fato desempenharem o papel de sovietes como órgãos da dualidade de poder. Arrastar os operários social-democratas a este regime, por meio dos conselhos de empresa, será muito mais fácil do que chamar os operários para construir sovietes em dia e hora fixos.

O centro dos comitês de empresa de uma cidade determinada pode perfeitamente desempenhar o papel de soviete da cidade. Isso já se podia observar na Alemanha em 1923. Ampliando as suas funções, atribuindo-se tarefas cada vez mais ousadas, criando os seus organismos nacionais, os conselhos de empresa podem transformar-se em sovietes, unindo estreitamente os operários social-democratas e comunistas, e servir de ponto de apoio para a insurreição. Depois da vitória, esses conselhos de empresa-sovietes deverão inevitavelmente dividir-se em conselhos de empresa propriamente ditos e em sovietes como organismos da ditadura proletária.

Não queremos dizer com isto que a criação de sovietes seja antecipadamente de todo excluída na Alemanha antes da Revolução Proletária. Não se pode absolutamente prever todas as variantes imagináveis do desenvolvimento. Se a decomposição do Estado burguês precedesse de muito a Revolução Proletária e o fascismo se esfacelasse e decompusesse antes da Revolução Proletária, então se realizariam as condições necessárias para a criação de sovietes como órgãos de luta pelo poder. É claro que neste caso os comunistas teriam em tempo estudado a situação e lançado a palavra de ordem de sovietes. Seria esta a condição mais favorável das condições possíveis para a insurreição do proletariado. Se ela se apresentar, será preciso utilizá-la até o fim. Mas não se pode absolutamente contar com isso de antemão. Na medida em que os comunistas são obrigados a contar com um aparelho estatal da burguesia suficientemente forte e com o exército de reserva do fascismo, que se esconde atrás dela, o caminho através dos conselhos de empresa parece muito mais provável do que o dos sovietes.

• • •

Os epígonos, de uma forma toda mecânica, implantaram a ideia de que o controle operário sobre a produção, assim como os sovietes, só são realizáveis em condições revolucionárias. Se os stalinistas tentassem fazer de seus preconceitos um sistema consequente, raciocinariam sem dúvida da seguinte maneira: O controle operário, como uma espécie de dualidade de poder econômico, não é concebível sem dualidade de poder no país, o qual, por sua vez, não pode apresentar-se sem opor os sovietes ao poder burguês; por conseguinte, dirão os stalinistas, a palavra de ordem de controle sobre a produção só pode ser lançada *ao mesmo tempo* em que a palavra de ordem dos sovietes. É evidente, segundo o que acaba de ser dito acima, que uma tal construção é falsa, esquemática e irreal. *Praticamente*, ela se transforma numa espécie de *ultimatum* que o Partido impõe aos operários: Eu, Partido, só lhes permito lutar pelo controle operário com a condição de que estejam de acordo em construir sovietes. Mas a questão toda reside nisto: esses processos não são obrigatoriamente paralelos e simultâneos. Sob a influência da crise, da desocupação e das combinações de rapina dos capitalistas, a classe operária pode, em sua maioria, encontrar-se pronta a combater pela abolição dos segredos comerciais, pelo controle dos bancos, do comércio e da produção, antes de chegar à convicção da necessidade da conquista revolucionária do poder.

Lançado no caminho do controle da produção, o proletariado será inevitavelmente empurrado para a tomada do poder e dos meios de produção. Os problemas do crédito, das matérias-primas, do mercado, arrastam sem demora a questão do controle para fora dos limites das empresas isoladas. Em um país altamente industrializado como a Alemanha, só os problemas da importação e da exportação são suficientes para elevar imediatamente o controle operário até as tarefas gerais do Estado e opor os organismos centrais do Estado operário aos órgãos oficiais do Estado burguês. As contradições do regime, inconciliáveis por sua própria essência com o controle operário, aguçar-se-ão inevitavelmente com o alargamento de sua base e de suas tarefas e tornar-se-ão logo insuportáveis. A saída para estas contradições pode ser encontrada ou na tomada do poder pelo proletariado (Rússia), ou na contrarrevolução fascista, instituindo uma ditadura aberta do capital (Itália).

Na Alemanha, precisamente, com a sua forte social-democracia, a luta pelo controle operário sobre a produção será, segundo todas as probabilidades, a primeira etapa da frente única revolucionária dos operários, precedendo a luta aberta pelo poder.

Pode-se, entretanto, lançar hoje mesmo a palavra de ordem do controle operário? É a "maturidade" da situação revolucionária suficiente para isso? É difícil responder de longe a essa pergunta. Não há medida que permita julgar de um só golpe e sem erro o grau da situação revolucionária. É-se forçado a medi-la na ação, na luta, com auxílio dos mais variados instrumentos. Um desses instrumentos, e pode ser um dos mais importantes na situação atual, é justamente a palavra de ordem do controle operário da produção.

A importância dessa palavra de ordem reside, antes de tudo, no fato de que na sua base é possível realizar-se a frente única dos operários comunistas, social-democratas, sem-partido, católicos etc.

A atitude dos operários social-democratas é de uma importância decisiva. A frente única dos comunistas e dos social-democratas – eis aí precisamente a condição política fundamental que falta à Alemanha para uma situação revolucionária imediata. A presença de um sólido fascismo é evidentemente um obstáculo sério à vitória. Mas o fascismo só pode conservar uma força de atração nas condições de fraqueza e dispersão das forças do proletariado, o que tira a este último a possibilidade de conduzir o povo alemão no caminho da insurreição vitoriosa. A frente única revolucionária da classe operária é já em si um golpe político mortal desfechado contra o fascismo.

Eis porque, digamo-lo de passagem, a política do Partido Comunista alemão na questão do plebiscito tem um caráter particularmente criminoso. O inimigo mais pérfido não poderia inventar um meio mais certo de opor os operários social-democratas ao Partido Comunista e entravar o desenvolvimento de frente única do proletariado.

É preciso reparar agora este erro. A palavra de ordem de controle operário pode contribuir muito para isso. Mas é preciso abordá-lo de um modo justo. Lançada sem nenhuma preparação, por uma ordem burocrática, a palavra de ordem de controle operário pode ser não só um golpe em falso, mas até comprometer ainda mais o Partido aos olhos da massa operária e minar a confiança dos operários que hoje votam por ele. Antes se lançar publicamente esta palavra de ordem de combate, de tão grande responsabilidade, é preciso tatear bem a situação e preparar o terreno.

É preciso começar por baixo, na fábrica, na oficina. É preciso verificar e experimentar os problemas do controle operário segundo o exemplo de algumas empresas industriais, bancárias e comerciais típicas. É preciso tomar por ponto de partida casos particularmente evidentes de especulação de locaute velado, de diminuição fraudulenta de lucro tendo por fim uma diminuição de salário, ou de um aumento fraudulento do preço de custo, com o mesmo objetivo etc. Nas empresas vítimas de maquinações dessa espécie, é preciso, por intermédio dos operários comunistas, tomar o pulso do estado de espírito da massa operária retardatária, e antes de tudo dos operários social-democratas, para se saber em que medida estão prontos a responder à reivindicação de abolir o segredo comercial e estabelecer o controle operário sobre a produção.

É preciso começar pondo o problema no seu plano puramente técnico, servindo-se dos exemplos particulares mais convincentes, levar a efeito uma propaganda tenaz para medir assim a força de resistência do conservantismo social-democrata. Eis aí um dos melhores meios para se julgar em que medida a situação revolucionária "amadureceu".

Esse apalpamento preliminar do terreno pressupõe ao mesmo tempo, da parte do Partido, um aprofundamento da questão, tanto do ponto de vista teórico como do ponto de vista da propaganda. O Partido deve instruir de modo sério e prático os operários avançados e, antes de tudo, os membros dos comitês de empresa, os militantes sindicais de destaque etc. Só a marcha de todo esse trabalho de preparação é que pode, na medida de seus sucessos, indicar em que momento o Partido poderá passar de uma posição puramente propagandista a uma agitação aberta e a ações práticas imediatas, sob a bandeira do controle operário.

A política da Oposição de Esquerda nesta questão, pelo menos nos seus traços fundamentais, decorre muito claramente do que foi dito acima. Trata-se, para começar, da *propaganda*, por uma justa compreensão de princípios do problema, ao mesmo tempo do *estudo* das condições concretas de luta pelo controle operário.

A Oposição deve, em escala reduzida, nos limites modestos que correspondem às suas forças, começar esse trabalho de preparação caracterizado mais acima, que é uma das tarefas imediatas do Partido. Em relação com estas tarefas, a Oposição deve procurar ligação com os comunistas que militam nos conselhos de empresa e nos sindicatos, explicar-lhes como compreendemos a situação geral e aprender, por meio deles, como aplicar a nossa justa compreensão do desenvolvimento da situação às condições concretas da empresa e da oficina.

P. S. – Desejava terminar aqui, mas me vem à ideia que os stalinistas podem nos fazer a objeção seguinte: Estais prontos a *"retirar"*, na Alemanha, a palavra de ordem dos sovietes? Entretanto, nos criticastes e nos acusastes duramente porque nós nos recusamos, na época, a lançar a palavra de ordem de sovietes para a China.

Na realidade, uma tal "objeção" não passa de um sofisma dos mais baixos, fundado no mesmo fetichismo de organização, isto é, na identificação da natureza de classe com a forma de organização. Se os stalinistas tivessem declarado em tempo que na China havia razões que impediam a instauração da forma soviética, e se tivessem proposto uma outra forma de organização da unidade de frente revolucionária da massa, mais adequada às condições chinesas, teríamos naturalmente dado a esta proposta toda a atenção necessária. Mas nos propuseram a substituição dos sovietes pelo Kuo Min-tang, ou melhor, a submissão dos operários pelos capitalistas. Na nossa discussão, tratava-se da natureza de classe da organização e de modo nenhum da sua "*técnica*" organizatória. Mas a isto é preciso acrescentar que, precisamente na China, não havia nenhum impedimento à construção de sovietes, se se tem em vista a consciência das massas e não os aliados de então dos stalinistas: Tchang Kai-chek e Wang Jing-wei. Não há nenhuma tradição social-democrata e conservadora entre os operários chineses. O entusiasmo pela União Soviética era verdadeiramente sem reservas. Mesmo o atual movimento camponês na China tende a tomar formas soviéticas. A tendência das massas para os sovietes era, assim, muito mais forte em 1925-27.

20 de agosto de 1931.

Carta ao operário comunista alemão do PCA

A Alemanha atravessa presentemente uma das suas grandes horas históricas, de que depende, por décadas, a sorte de seu povo, a sorte da Europa e, numa grande medida, a sorte da humanidade inteira. Colocando-se uma esfera no vértice de uma pirâmide, ela pode, com ligeiro impulso, ou rolar para esquerda, ou rolar para a direita. É de tal situação que a Alemanha se aproxima, de hora em hora. Há forças que querem que a esfera role para a direita e quebre as costas da classe operária. Há forças que querem que a esfera continue no vértice. É utopia. A esfera não pode ficar no vértice da pirâmide. Os comunistas querem que a esfera role para a esquerda e quebre as costas do capitalismo. Mas não é só querer, é preciso poder. Procuremos, ainda uma vez, raciocinar calmamente: é justa ou não é justa a política que o Comitê Central do Partido Comunista alemão realiza atualmente?

Que quer Hitler?

Os fascistas crescem muito depressa. Os comunistas crescem também, mas muito mais lentamente[1]. O crescimento dos polos extremos mostra que a es-

---

[1] Nas eleições de 1930 os social-democratas alemães diminuíram sua votação em 5% e tiveram 25% dos votos; o Partido Comunista alemão passou de 10,6% a 13,1%; e os nazistas passaram de 2,6% a 18,3%, elegendo 107 deputados. (N.Ed.)

fera não pode ficar no vértice da pirâmide. O crescimento mais rápido dos fascistas significa que há perigo de que a esfera role para a direita. E isto é um enorme perigo.

Hitler afirma que é contra um golpe de Estado. Para estrangular a democracia de uma vez por todas, ele pretende, ao que parece, só subir ao poder pelas vias democráticas. Pode-se acreditar nisto, seriamente?

De fato, se os fascistas pudessem contar nas próximas eleições, pelas vias pacíficas, com a maioria absoluta dos mandatos, prefeririam sem dúvida estas vias. Mas, na realidade, essas vias são impossíveis para eles. É absurdo pensar que os nazis, no transcurso de período indefinidamente longo, crescerão continuamente como crescem agora. Mais cedo ou mais tarde, devem esgotar o seu reservatório social.

O fascismo introduziu nas suas fileiras contradições por tal forma terríveis, que o momento se aproxima em que o fluxo deixará de compensar o refluxo. Este momento pode vir muito bem, antes que os fascistas recolham em torno de si mais da metade dos votos. Não poderão parar porque não terão mais nada a esperar. Serão obrigados a marchar para o golpe de Estado.

Independentemente disto, porém, as vias democráticas estão cortadas para os fascistas. O crescimento das contradições políticas no país e, antes de tudo, a agitação de puro banditismo dos fascistas fazem, inevitavelmente, com que quanto mais os fascistas se aproximem da maioria, mais a atmosfera se torne incandescente e mais largamente se desenvolvam os conflitos e as batalhas. Com esta perspectiva, a guerra civil é absolutamente inevitável. A questão da subida dos fascistas ao poder será resolvida, por conseguinte, não pelo voto, mas pela guerra civil que os fascistas preparam e provocam.

Pode-se supor, por um momento, ao menos, que Hitler e os seus conselheiros não compreendam isso e não o prevejam? Seria tomá-los por idiotas. Não há em política crime maior de que contar-se com a tolice de um inimigo forte. Se Hitler não pode deixar de compreender que as vias, para o poder, são traçadas através da mais selvagem das guerras civis, os seus discursos sobre as vias pacíficas democráticas só constituem uma dissimulação, isto é, uma manobra militar. Tanto mais que ele precisa estar em guarda.

Que é que se dissimula atrás da manobra de Hitler?

Seu cálculo é muito simples e evidente: quer adormecer o adversário, com a perspectiva mais distante de um crescimento parlamentar dos nazis, para, no momento favorável, vibrar o golpe mortal no adversário adormecido. É muito possível que a submissão de Hitler ao parlamentarismo democrático deva, além do mais, contribuir para a realização, em tempo mais próximo, de uma certa coligação em que os fascistas se apoderem dos postos mais importantes e os utilizem, por sua vez, para um golpe de Estado. É evidente que a coligação, digamos do Centro com os fascistas, seria não uma etapa para uma solução democrática da questão, mas a marcha para o golpe de Estado nas condições mais favoráveis para os fascistas.

Objetivos imediatos

Tudo isso significa que a solução, mesmo independentemente da vontade do comandante fascista, deve apresentar-se no transcurso dos próximos meses, senão das próximas semanas. Esta circunstância tem uma significação gigantesca para a elaboração de uma política justa. Se se admite que os fascistas tomarão o poder dentro de dois ou três meses, lutar contra eles no ano próximo será dez vezes mais difícil do que este ano. Qualquer espécie de plano revolucionário calculado antecipadamente para dois, três ou cinco anos, terá a significação de lamentáveis e infames bravatas, se a classe operária deixa os fascistas subirem ao poder no transcurso dos dois, três ou cinco próximos meses. Nas operações de guerra, como na política das crises revolucionárias, o cálculo do tempo é de uma importância decisiva.

Para ilustração dos nossos pensamentos, tomemos um exemplo mais afastado. Hugo Urbahns, que se tem por "comunista de esquerda", declara o Partido alemão em bancarrota, politicamente perdido, e propõe a constituição de um novo partido. Se Urbahns tivesse razão, isto significaria que a vitória dos fascistas estaria assegurada, pois a criação de um novo partido exigiria anos (e com isto não está inteiramente provado que o partido de Urbahns fosse em qualquer coisa melhor do que o partido de Thälmann; quando Urbahns se achava na direção do Partido não havia absolutamente menos erros).

Sim, se os fascistas tomassem, de fato, o poder, isto não só significaria o esmagamento físico do Partido Comunista, como a sua verdadeira bancarrota política. Os milhões de proletários da Alemanha jamais perdoariam à Internacional Comunista e à sua seção alemã uma derrota infame infligida por bandos de poeira humana. Eis porque a subida dos fascistas ao poder significaria muito provavelmente a necessidade da criação de um novo partido revolucionário, e, segundo todas as probabilidades, também de uma nova Internacional. Seria uma catástrofe histórica terrível. Mas considerar hoje que tudo isso é *inevitável*, só o podem fazer verdadeiros liquidadores, aqueles que, sob a casca de frases vazias, se preparam de fato para capitular covardemente antes do combate e sem combate. Com esse ponto de vista, nós, bolcheviques-leninistas, que os stalinistas chamam de "trotskistas", nada temos em comum.

Estamos inabalavelmente convencidos de que a vitória sobre os fascistas é possível, não depois da sua subida ao poder não depois de cinco, dez ou vinte anos de sua dominação, mas agora, nas condições atuais, nos meses e nas semanas próximas.

Thälmann crê que a vitória dos fascistas é inevitável

Para a vitória é preciso uma política justa. Isto significa, em particular, que é preciso uma política calculada para a situação atual, para o agrupamento de forças de hoje, e não para a situação que deve vir dentro de um, dois ou três anos quando a questão do poder estiver há muito tempo resolvida.

A desgraça toda está em que a política do Comitê Central do Partido Comunista alemão, um pouco conscientemente, um pouco inconscientemente, parte do reconhecimento da inevitabilidade da vitória fascista. De fato, no apelo de 29 de novembro para a unidade da frente vermelha, o Comitê Central do Partido Comunista alemão parte da ideia de que não se pode vencer o fascismo sem ter preliminarmente vencido a social-democracia. Esta mesma ideia Thälmann a repete em todos os tons no seu artigo. Esta ideia é justa? Do ponto de vista histórico, isso é absolutamente justo. Mas não significa, entretanto, que se possa com o seu auxílio, isto é, com a sua simples repetição, resolver as questões do dia. A ideia justa do ponto de vista da *estratégia* revolucionária, tomada no seu conjunto, transforma-se em mentira, e em mentira reacionária, se não é traduzida na linguagem da *tática*.

É justo que para abolir o desemprego e a miséria seja preciso primeiro abolir o capitalismo? Justo. Mas só o último dos imbecis pode tirar daí a conclusão de que não devemos lutar, já, hoje, com todas as nossas forças, contra as medidas com que o capitalismo aumenta a miséria dos trabalhadores.

Pode-se esperar que o Partido Comunista, nos próximos meses, derrube a social-democracia e o fascismo? Nenhum homem de juízo são, sabendo ler e contar, se arriscará a uma tal afirmativa. Politicamente, a questão se coloca assim: pode-se agora, no transcurso dos próximos meses, isto é, com uma social-democracia, embora enfraquecida, mas, em todo caso e infelizmente, ainda muito, forte, opor à ofensiva fascista uma resistência vitoriosa? A isto, o Comitê Central responde negativamente. Em outros termos, Thälmann tem como inevitável a vitória do fascismo.

Ainda uma vez a experiência russa

Para exprimir, o mais clara e concretamente possível, o meu pensamento, volto ainda uma vez à experiência feita com o levante de Kornilov. A 26 de agosto (velho estilo) do ano de 1917, o general Kornilov conduziu um corpo de cossacos e uma divisão selvagem[2] contra Petrogrado. No poder achava-se Kerensky, agente da burguesia, e, em três quartas partes, aliado de Kornilov. Lenin se encontrava na ilegalidade, sob a acusação de estar ao serviço dos Hohenzollern. Sob a mesma acusação, eu me achava, nessas mesmas jornadas, num cárcere incomunicável da prisão de Kresty[3]. Nessa situação, como agiram os bolcheviques? Eles tinham também o direito de dizer: "Para vencer o kornilovismo é preciso vencer o kerenskismo". Tinham dito isso mais de uma vez, pois era certo e necessário para toda a propaganda ulterior. Mas era absolutamente insuficiente para opor, em 26 de agosto e nos dias seguintes, resistência a

[2] Cossacos eram os soldados que serviam no exército do czar da Rússia, principalmente na cavalaria, tendo fundamentalmente duas proveniências étnicas: as estepes da Ucrânia e as regiões fronteiriças do Principado de Moscóvia (sediado em Moscou). A "Divisão Selvagem" criada em agosto de 1914, dirigida por oficiais czaristas, era composta por voluntários muçulmanos, oriundos da região do Cáucaso e foi extinta em 1918. (N.Ed.)

[3] Prisão russa de São Petersburgo. (N.Ed.)

Kornilov e impedir que este degolasse o proletariado de Petrogrado. Eis porque os bolcheviques não se contentaram com um apelo geral aos trabalhadores e aos soldados: romper com os conciliadores e apoiar a frente única vermelha dos bolcheviques. Não, os bolcheviques propuseram a frente única de combate aos socialistas-revolucionários e aos mencheviques e criaram com eles organizações de combate comuns. Isso era errado ou certo? Que Thälmann responda. Para mostrar mais claramente ainda em que pé as coisas se achavam com a frente única, narrarei o seguinte episódio: pessoalmente, depois de posto em liberdade, sob fiança paga pelos sindicatos, dirigi-me diretamente de meu cárcere ao Comitê de Defesa do Povo, onde, juntamente com o menchevique Dan e o socialista-revolucionário Gotz, aliados de Kerensky e que me haviam prendido, discuti e decidi sobre as questões da luta contra Kornilov. Isso estava certo ou errado? Que Remmele responda.

Brüning é o "menor mal"?

A social-democracia apoia Brüning, vota nele, toma por ele a responsabilidade junto às massas, sob o fundamento de que o governo de Brüning é o "menor mal". É esse mesmo ponto de vista que a "*Rote Fahne*" procura atribuir-me, sob o fundamento de que me pronunciei contra a estúpida e infame participação dos comunistas no plebiscito de Hitler. Mas a Oposição de Esquerda alemã e eu, em particular, pedimos por acaso que os comunistas votem em Brüning e o apoiem? Nós, marxistas, consideramos Brüning, Hitler e Braun como os diversos elementos do mesmo sistema. A pergunta: Qual deles é o menor mal? Não tem nenhum sentido, porque o sistema que combatemos tem necessidade de todos esses elementos. Mas esses elementos acham-se agora em conflito, e o partido do proletariado deve utilizar esse conflito no interesse da Revolução.

Uma escala compreende sete notas. A pergunta: Qual dessas notas é a "melhor": dó, ré ou sol? É uma pergunta desprovida de sentido. O músico, porém, deve saber quando e em que tecla bater. Compreenderam? Para uma compreensão limitada daremos ainda um exemplo: Se um inimigo me faz engolir diariamente pequenas porções de veneno, e se outro quiser, num beco, atirar contra mim, derrubarei primeiro o revólver das mãos deste segundo inimigo, porque isso me dará possibilidade de acabar com o primeiro. Isto, entretanto, não quer dizer que o veneno seja "menor mal" em comparação com o revólver.

A desgraça consiste justamente em que os dirigentes do Partido Comunista alemão se colocaram no mesmo terreno da social-democracia, apenas com o sinal contrário: a social-democracia vota em Brüning por considerá-lo o "menor mal". Os comunistas, que recusam toda confiança a Brüning e a Braun (e o fazem com justiça), saíram à rua, porém, para apoiar o plebiscito de Hitler, isto é, a tentativa dos fascistas em derrubar Brüning. Mas, por isso mesmo, reconheceram que Hitler é o menor mal, pois a vitória do plebiscito teria levado ao poder não o proletariado, mas Hitler. Na verdade, é penoso explicar-se este *ABC*. É mau, é muito mau quando músicos como Remmele, em lugar de distinguir as notas, batem no teclado com as patas.

Não se trata dos operários que deixaram a social-democracia, mas dos que continuam nela

Os milhares e milhares de Noske, Wels, Hilferding preferiram, afinal de contas, o fascismo ao comunismo. Mas, para isso, devem desfazer-se dos operários. Hoje, a social-democracia, como um todo, com todos os seus antagonismos internos, acha-se em conflito agudo com os fascistas. Nossa tarefa consiste em utilizar esse conflito e não em unir, no momento mais agudo, os adversários contra nós.

É preciso agora voltar a frente contra o fascismo. E essa frente de luta direta contra o fascismo, comum a todo o proletariado, deve-se utilizar para um combate de flanco, mas ainda mais eficaz, contra a social-democracia.

Deve-se mostrar pelos fatos que estamos prontos, inteiramente, a realizar um bloco contra os fascistas, com os social-democratas, em todos os casos em que estes aceitem o bloco. Dizer aos operários social-democratas: "Abandonai vossos chefes e aderi à nossa frente única sem-partido" é o mesmo que ajuntar mais uma frase vazia a milhares de outras. É preciso primeiro, no trabalho, saber arrancar os operários de seus chefes. E o trabalho é agora a luta contra o fascismo.

Há e haverá, certamente, operários social-democratas prontos a lutar ombro a ombro com os operários comunistas, contra os fascistas, independentemente da vontade e mesmo contra a vontade das organizações social-democratas.

Com tais elementos avançados, deve-se estabelecer a ligação mais estreita possível. Mas até aqui são pouco numerosos. O operário alemão é educado num espírito de organização e disciplina. Isto tem o seu lado forte como também o seu lado fraco. A maioria esmagadora dos operários social-democratas quer combater contra o fascismo, mas até o presente não sem a sua organização. Não se pode saltar esta etapa. Devemos auxiliar os operários social-democratas a verificar pelos fatos – na situação nova e única – o que valem as suas organizações e os seus chefes, quando se trata da vida ou morte da classe operária.

É preciso impor à social-democracia um bloco contra os fascistas

A desgraça é que no Comitê Central do Partido Comunista há muitos oportunistas aterrorizados. Ouviram dizer que o oportunismo consiste no amor pelos blocos; eis porque são contra os blocos. Não compreendem a diferença – nem sequer a mais modesta – digamos, entre uma combinação parlamentar e um acordo de combate para uma greve ou para a guarda das tipografias operárias contra os bandos fascistas.

Em regra geral, os acordos eleitorais, os arranjos parlamentares feitos entre o partido revolucionário e a social-democracia servem os interesses da social-democracia. Acordos práticos para ações de massas, para fins de combate, servem sempre a causa do partido revolucionário. O Comitê anglo-russo foi uma forma inadmissível do bloco de dois vértices sobre uma plataforma política comum indeterminada, enganadora, que não implicava em nenhuma ação. Apoiar esse bloco durante a greve geral, em que o Conselho Geral exerceu um papel de fura-greve, significava, da parte dos stalinistas, fazer uma política traidora.

Nenhuma plataforma comum com a social-democracia ou com os chefes dos sindicatos alemães, nenhuma edição, nenhuma bandeira, nenhum cartaz comum: marchar separadamente, lutar juntos. Combinação apenas nisto: como combater, quem combater e quando combater? Nisto, pode-se entrar em acordo com o próprio diabo, com a sua avó e mesmo com Noske e Grzesinski. Com uma condição: conservar as mãos livres.

É preciso, enfim, elaborar imediatamente um sistema prático de medidas, não com o fim de "desmascarar" simplesmente a social-democracia (perante os comunistas), mas visando a uma luta verdadeira contra o fascismo. As questões de defesa das fábricas, da liberdade de atividade dos conselhos de fábrica, a inviolabilidade das organizações operárias, a questão dos depósitos de armas de que os fascistas podem apoderar-se, a questão das medidas em caso de perigo, isto é, a coordenação das ações de combate de destacamentos comunistas e social-democratas etc., devem entrar nesse programa.

Na luta contra o fascismo, um grande lugar cabe aos conselhos de fábrica. É preciso, aqui, um programa de ação estudado muito particularmente. Cada fábrica deve constituir uma fortaleza antifascista, com o seu comandante e seus quadros de combate. É preciso que se tenha o plano dos quartéis fascistas e de outros focos fascistas em cada cidade, em cada distrito. Os fascistas procuram envolver os núcleos revolucionários. É preciso envolver os que os envolverem. Neste terreno, o acordo com as organizações social-democratas e os sindicatos não é somente admissível, mas obrigatório. Renunciar a ele por considerações de "princípios" (na verdade por tolice burocrática ou, pior ainda, por covardia) é o mesmo que auxiliar direta e imediatamente o fascismo.

O programa prático de acordo com os operários social-democratas, nós o propusemos em setembro de 1930, quer dizer, há mais de um ano. Que foi feito nesse sentido? Quase nada. O Comitê Central do Partido Comunista alemão ocupava-se de tudo, menos do que constituía a sua tarefa direta. Que tempo precioso, que não volta mais, perdido! Na verdade, não nos sobra mais muito tempo. O programa de ação deve ser estritamente prático, estritamente positivo, sem nenhuma "interpelação" artificial, sem nenhuma segunda intenção, a fim de que cada operário social-democrata pense consigo: O que os comunistas propõem é inteiramente necessário para a luta contra o fascismo. Nesta base, é preciso, por meio do exemplo, arrastar consigo, para a frente, os operários social-democratas e criticar os seus chefes, que irão detê-los e oporem-se a isso tudo, inevitavelmente. É só por este meio que a vitória é possível.

Uma boa citação de Lenin

Os epígonos de hoje, isto é, os falsos discípulos de Lenin, gostam de, a propósito de qualquer coisa, tapar os seus buracos com citações quase sempre inteiramente sem propósito. Para o marxista, uma questão é resolvida não por uma citação, mas por um método justo. Guiando-se, porém, por um método justo, não é difícil achar-se uma citação oportuna. Ao traçar mais acima uma analogia com o levante de Kornilov, pensei comigo: Seguramente, pode-se encontrar em Lenin o esclarecimento teórico de nosso bloco com os conciliadores, na nossa luta contra Kornilov, e, de fato, na segunda parte do 14º tomo da edição russa, encontro as linhas seguintes de uma carta de Lenin ao Comitê Central, no começo de setembro de 1917:

> *Mesmo agora*, não devemos sustentar o governo Kerensky. Seria faltar aos princípios. Mas, perguntar-nos-ão, não é preciso combater Kornilov? Certamente, é preciso combatê-lo. Mas, não é uma só e mesma coisa: há um limite entre ambos e este limite alguns bolcheviques o ultrapassam, caindo no "conciliacionismo", deixando-se *arrastar* pela corrente dos acontecimentos.
> Fazemos e continuaremos a fazer a guerra contra Kornilov, *como as tropas* de Kerensky, mas não sustentamos Kerensky: pelo contrário, desvendamos sua fraqueza. Há aí uma diferença muito sutil, mas arquiessencial, que não se pode esquecer.
> Em que consiste, pois, a nossa mudança de tática, após o motim de Kornilov?
> Em modificarmos a *forma* de nossa luta com Kerensky sem baixar de um só grau a nossa hostilidade para com ele, sem retirar uma só palavra que tenhamos pronunciado contra ele, sem renunciar a derrubá-lo, nós declaramos que é preciso ter *em conta* o momento; que não nos preocuparemos, na hora presente, em derrubar Kerensky; que o combatemos, agora, de uma outra maneira, patenteando ao povo (que combate Kornilov) a *fraqueza* e as *hesitações* de Kerensky.[4]

Não propomos outra coisa: independência completa da organização e da imprensa comunistas, liberdade completa da crítica comunista, também para com a social-democracia e os sindicatos. Admitir que se trave a liberdade do Partido Comunista, por meio da entrada no Kuo Min-tang, por exemplo, só o podem fazer os comunistas mais desprezíveis. Não pertencemos ao seu número.

Nada de atenuar nossa crítica à social-democracia, nada de esquecer do passado. Toda a conta histórica, nela compreendida a conta de Karl Liebkne-

---

[4] N. Lenin, *No Caminho da Insurreição*,: p. 8 – Edições Unitas – N. do T.

cht e Rosa Luxemburgo, será apresentada oportunamente, como nós, bolcheviques russos, apresentamos, no fim de tudo, uma conta geral aos mencheviques e socialistas-revolucionários, pela expulsão, calúnia, prisões e assassínios de operários, soldados e camponeses.

Mas só apresentamos a nossa conta geral, dois meses depois de nos termos utilizado dos ajustes de contas parciais entre Kerensky e Kornilov, entre os "democratas" e os fascistas, a fim de mais seguramente repelir o fascismo. Foi unicamente graças a isto que vencemos.

• • •

Se o Comitê Central do Partido Comunista alemão adotar a posição, expressa na citação de Lenin transcrita mais acima, toda a maneira de aproximar-se da massa social-democrata e das organizações sindicais se modificará num instante. Em lugar de artigos e discursos convincentes apenas para os que já estão convencidos, os agitadores irão falar uma nova língua, comum à língua de novas centenas de milhares e milhões de operários. A diferenciação na social-democracia se fará a um ritmo acelerado. Os fascistas sentirão logo que a tarefa não consiste absolutamente em enganar Brüning, Braun e Wels, mas em aceitar o combate aberto com toda a classe operária. No fascismo, começará, inevitavelmente, neste terreno, uma diferenciação profunda. A vitória é possível unicamente por este meio. Mas é preciso querer esta vitória.

Entretanto, entre os funcionários comunistas, existem, desgraçadamente, muitos carreiristas covardes e bonzos que se agarram aos seus lugarezinhos e à sua paróquia, e ainda mais à sua pele. Essa gente é muito inclinada a se enfeitar com frases ultrarradicais, sob as quais se dissimula um fatalismo lamentável e desprezível. "Sem a vitória sobre a social-democracia, não se pode lutar contra o fascismo!", diz certo terrível revolucionário, e, a propósito, arranja o seu passaporte para o estrangeiro.

Operários comunistas, sois centenas de milhares e milhões, não podereis seguir para parte alguma; para vós não haverá passaportes para o estrangeiro que bastem. No caso em que o fascismo suba ao poder, como um tanque terrível, ele passará sobre os vossos crânios e as vossas espinhas dorsais. Só há salvação na luta implacável. E a vitória só pode ser alcançada por uma aproximação, no combate, com os operários social-democratas. Apressai-vos, operários comunistas, porque pouco tempo vos resta!

8 de dezembro de 1931

E agora?
A Revolução Alemã e a burocracia stalinista

Prefácio

O capitalismo russo, em consequência do seu atraso extremo, mostrou-se como o elo mais fraco da cadeia imperialista. Por uma razão oposta, o capitalismo alemão mostra-se na crise atual como o elo mais fraco. É, nas condições de beco sem saída da situação europeia, o capitalismo mais adiantado. Quanto maior é a força dinâmica interna das forças de produção da Alemanha, tanto mais a estrangula o sistema dos Estados da Europa, que se parece com o "sistema" de jaulas de um acanhado circo de província. Cada mudança de conjuntura coloca o capitalismo alemão diante destas tarefas, que já tentara resolver por meio da guerra. Sob o regime dos Hohenzollern a burguesia alemã se preparava "para organizar a Europa". Como o governo Brüning-Curtius, empreende a tentativa... de união aduaneira com a Áustria. Que queda espantosa de tarefas, de possibilidades, de perspectivas! Mas foi preciso renunciar mesmo a esta união. O sistema europeu inteiro repousa sobre pés de galinha. A grande, a salutar hegemonia da França poderia desmoronar-se se alguns milhões de austríacos se juntassem à Alemanha.

Para a Europa, e antes de tudo para a Alemanha, não há, na vida do capitalismo, marcha para a frente. Vencer a crise presente, através dela, pelo jogo automático das forças do próprio capitalismo – sobre os ossos dos operários – significaria o restabelecimento de todas as contradições na próxima etapa, apenas sob uma forma ainda mais concentrada.

O peso específico da Europa na economia mundial só pode decrescer. Da fachada da Europa já não saem mais os letreiros americanos; plano Dawes, plano Young, moratória Hoover[1]. A Europa está profundamente reduzida à ração americana.

A degenerescência do capitalismo significa uma putrefação social e cultural. Está trancado o caminho para uma diferenciação metódica da nação, para o crescimento do proletariado à custa do enfraquecimento das classes médias. A manutenção ulterior da crise não pode significar senão pauperização da pequena-burguesia e degenerescência de camadas cada vez maiores da classe operária para o lumpemproletariado[2]. Mais acerado do que qualquer outro, este perigo aperta a garganta da Alemanha adiantada.

---

[1] Ao final da Primeira Guerra Mundial, no chamado Tratado de Versalhes, os vencedores do conflito determinaram o pagamento de reparações de guerra por parte da Alemanha, por eles considerada causadora do conflito. Tais reparações foram estimadas em 132 bilhões de marcos-ouro, dos quais 50 bilhões deveriam ser pagos em moeda. No início de 1923 a Alemanha parou de pagar as reparações, bem como os produtores de carvão suspenderam suas exportações aos produtores franceses de aço, o que levou a que a França e a Bélgica enviassem tropas militares para ocupar o vale do Ruhr como forma de forçar o restabelecimento do pagamento das reparações bem como a exportação do carvão. Em 1924 foi apresentado o chamado Plano Dawes, elaborado por um comitê composto de dez membros indicados pela Bélgica, Estados Unidos, Inglaterra e Itália e presidido pelo banqueiro estadunidense Charles Gates Dawes. Tal plano, aceito pela Alemanha e implementado a partir de setembro de 1924, estabelecia, entre outras cláusulas, a retirada das forças militares do Ruhr, a retomada dos pagamentos das indenizações de forma progressiva, o recebimento pela Alemanha de empréstimos oriundos de títulos emitidos na Bolsa de Valores de Nova Iorque, impostos sobre transportes, impostos sobre mercadorias e taxas alfandegárias também seriam incluídos como fonte de recursos para as reparações. Em 1928 os alemães reclamaram a necessidade de um novo plano para concluir o que julgavam ser uma solução inicial e temporária, ou seja, o Plano Dawes (ver nota 30). Com a crise de 1929 o presidente dos Estados Unidos Herbert Hoover propôs em 1931 uma moratória de um ano no pagamento das indenizações, mas que não produziu nenhum resultado com a recusa do Congresso estadunidense em sancioná-la e que deixou de ser paga com a ascensão dos nazistas ao poder (ver nota 51). Elas foram retomadas pela Alemanha somente depois da Segunda Guerra Mundial, em 1953, sendo quitadas integralmente em 2010. (N.Ed.)

[2] O termo lumpemproletarido, traduzido literalmente como "proletariado esfarrapado", abrange os párias, os marginalizados, como mendigos, prostitutas, gângsteres, pequenos criminosos, os cronicamente desempregados, os idosos abandonados, encontrados em todas as cidades modernas. As fileiras desses pobres não produtores são aumentadas pelos desempregados em tempos de crise social. Demagogos reacionários e fascistas encontram parte de sua base de massa no lumpemproletariado, cuja condição atomizada opera contra a adoção de atitudes proletárias conscientes de classe. (N.Ed.)

A parte mais podre da Europa capitalista e constituída pela burocracia social-democrata. Ela entrou no caminho da história sob a bandeira de Marx e de Engels. Tinha como fim a destruição da dominação burguesa. Poderoso surto do capitalismo apoderou-se dela e acorrentou-a à sua cauda. Primeiramente nos fatos e, em seguida, também nas palavras, renunciou à revolução em nome das reformas. Na verdade, Kautsky continuou ainda muito tempo com a fraseologia da Revolução, adaptando-as às necessidades do reformismo[3]. Em compensação, Bernstein exigiu a renúncia à revolução: o capitalismo representava a época da revolução pacifica, sem crises e sem guerra. Um modelo de profecia! Poderia parecer que entre Kautsky e Bernstein existia uma contradição irreconciliável. Na realidade, completavam-se simetricamente um com o outro, como a bota esquerda e a bota direita do reformismo.

A guerra arrebentou. A social-democracia apoiou a guerra em nome da prosperidade futura. Em lugar da prosperidade veio o declínio. Agora, a tarefa não consiste mais em deduzir da insuficiência do capitalismo a necessidade da Revolução, nem tampouco em conciliar os trabalhadores com o capitalismo por meio das reformas. A nova política da social-democracia passou a consistir em salvar a sociedade burguesa à custa da renúncia às reformas.

Mas também isto não foi a última etapa da decadência. A crise presente do capitalismo agonizante forçou a social-democracia a renunciar aos frutos da longa luta econômica e política e reconduzir os operários alemães ao nível de vida de seus pais, de seus avós, de seus tetravós. Não existe espetáculo histórico mais trágico e ao mesmo tempo mais repugnante do que a decomposição nauseabunda do reformismo em meio das ruínas de todas as suas conquistas e de todas as suas esperanças. O teatro vive atrás do modernismo. Que leve à cena mais frequentemente "Os tecelões", de Hauptmann[4]: a mais atual de todas as

---

3 O reformismo, dentro do movimento socialista, é a visão de que mudanças graduais através das instituições existentes podem levar a mudanças nos sistemas políticos e econômicos de uma sociedade, mantendo, no entanto, intacta a estrutura de classes e defendendo a colaboração de classes. Surgiu no final do século XIX e se difundiu principalmente entre os partidos social-democratas. (N.Ed.)

4 *Os Tecelões* (*Die Weber* em alemão) foi uma peça escrita e encenada pelo dramaturgo alemão Gerhart Hauptmann em 1892. A peça, que se passa em 1844, retrata um grupo de tecelões da Silésia que se revolta devido às suas condições de trabalho em meio à Revolução Industrial. (N.Ed.)

peças. O diretor andará bem não esquecendo de reservar as primeiras filas aos dirigentes da social-democracia.

Aliás, os seus pensamentos não se voltam para os espetáculos, pois estão acuados ao último limite da capacidade de adaptação. Existe um nível abaixo do qual a classe operária da Alemanha não pode deixar-se conduzir voluntariamente e por muito tempo. Mas o regime burguês, que luta pela própria existência, não quer reconhecer este nível. Os decretos-leis de Brüning são apenas um ensaio para se apalpar o terreno. O regime e Brüning se sustentam graças ao apoio covarde e pérfido da burocracia social-democrata, que, por sua vez, se mantém graças à semiconfiança fastidiosa de uma parte do proletariado. O sistema dos decretos burocráticos é incerto, instável, pouco viável. O capital tem necessidade de outra política mais decisiva, e o apoio da social-democracia, que tem de se voltar para os seus próprios operários, é não apenas insuficiente para os seus fins, como já principia a incomodá-lo. O período das meias medidas passou. Para tentar uma nova saída, a burguesia precisa desembaraçar-se completamente da pressão das organizações operárias, afastá-las, destruí-las e dispersá-las.

Aqui começa a função histórica do fascismo. Ele põe de pé as classes que se levantam imediatamente acima do proletariado e temem ser precipitadas nas suas fileiras, organiza-as, militarizando-as com os meios do capital financeiro, sob a capa do Estado oficial, e as orienta para a destruição das organizações proletárias, desde as mais revolucionárias até as mais moderadas.

O fascismo não é simplesmente um sistema de repressão, de atos de força e de terror policial. O fascismo é um sistema de Estado particular, baseado na exterminação de todos os elementos da democracia proletária na sociedade burguesa. A tarefa do fascismo não consiste somente em destruir a vanguarda proletária, mas também em manter toda a classe num estado de fragmentação forçada. Para isto, a exterminação física da camada operária mais revolucionária é insuficiente. É preciso destruir todas as organizações independentes e livres, aniquilar todos os pontos de apoio do proletariado e exterminar os resultados do trabalho de três quartos de século da social-democracia e dos sindicatos. Porque, neste trabalho, se apoia, também, em última instância, o Partido Comunista.

A social-democracia preparou todas as condições para a vitória do fascismo. Mas preparou também as condições de sua própria liquidação política.

Lançar-se sobre a social-democracia a responsabilidade do sistema de decretos-leis de Brüning e da barbaria fascista ameaçadora é inteiramente justo. Identificar-se a social-democracia com o fascismo é inteiramente insensato.

Pela sua política durante a Revolução de 1848, a burguesia liberal preparou a vitória da contrarrevolução, que então, condenou o liberalismo à impotência. Marx e Engels fustigaram a burguesia liberal alemã com não menos mordacidade do que Lassalle e mais profundamente do que ele. Mas enquanto os lassalianos lançavam a contrarrevolução e a burguesia liberal numa "massa reacionária", Marx e Engels se levantavam do modo mais justificado contra esse falso ultrarradicalismo. A posição falsa dos lassalianos fez deles acidentalmente cúmplices involuntários da monarquia, apesar do caráter geral progressivo de seu trabalho, extremamente mais sério e mais importante do que o do liberalismo.

A teoria do "social-fascismo" reproduz o erro essencial do lassalianismo em novas bases históricas. Ao mesmo tempo em que lança nacional-socialistas e social-democratas numa massa fascista, a burocracia stalinista pratica ações como o apoio do plebiscito hitleriano: isto não é de modo nenhum melhor do que as combinações lassalianas com Bismarck.

Na sua luta contra a social-democracia, o comunismo alemão deve apoiar-se, na etapa atual, em duas bases inseparáveis: a) a responsabilidade política da social-democracia pela força do fascismo; b) a irreconciliabilidade absoluta entre o fascismo e as organizações operárias, nas quais a social-democracia se apoia.

As contradições do capitalismo alemão chegaram atualmente a esta tensão, à qual se seguirá a explosão, inevitavelmente. A capacidade de adaptação da social-democracia atingiu o limite em que já se produz a autodestruição. Os erros da burocracia stalinista atingiram o ponto após o qual vem a catástrofe. É esta a fórmula, sob três aspectos, que caracteriza a situação na Alemanha. Tudo está se apoiando sobre o gume da faca.

Quando se acompanha a vida da Alemanha pelos jornais, que chegam pelo correio com o atraso de uma semana, quando os manuscritos precisam de uma outra semana para vencer a distância entre Constantinopla e Berlim, após o que passam semanas ainda antes que a brochura chegue ao leitor, fica-se a pensar involuntariamente: Não será tarde demais? E todas as vezes respondemos: Não, os exércitos, conduzidos em linha, são poderosos demais para que uma decisão única, fulminante, seja de se temer. As forças do proletariado alemão não estão esgotadas. Ainda nem mesmo entraram em movimento. A lógica dos fatos cada dia falará mais amargamente. É isto que justifica a tentativa do autor de, com suas palavras, dar a sua contribuição, mesmo com atraso de algumas semanas, isto é, de toda uma época histórica.

A burocracia stalinista pensou que prosseguiria no seu trabalho mais tranquilamente se mantivesse o autor destas linhas em Prinkipo[5]. Do governo do social-democrata Hermann Müller conseguiu a negação do visto para o... "menchevique": a frente única foi, neste caso, realizada sem desvio nem atraso. Hoje, os stalinistas anunciam, nas publicações soviéticas oficiais, que eu "defendo" o governo Brüning de acordo com a social-democracia, que se esforça para conseguir-me o direito de entrada na Alemanha. Em vez de nos indignarmos com esta baixeza, rimo-nos da tolice. Mas o nosso riso será ligeiro, pois o tempo urge.

Que os acontecimentos me darão razão, não pode haver a menor dúvida. Mas por que caminhos a história fará a sua demonstração: pela catástrofe da fração stalinista, ou pela vitória da política marxista?

Toda a questão reside nisto. É a questão da sorte do povo alemão, e não somente da sua sorte.

• • •

As questões tratadas nesta brochura não nasceram ontem. Há nove anos que a direção da Internacional Comunista procede à revisão dos valores e desorganiza a vanguarda proletária internacional à custa de convulsões táticas que, na sua soma global, têm o nome de "linha geral". A Oposição de Esquerda russa (bolchevique-leninista) formou-se não somente na base dos problemas russos, mas também dos problemas internacionais. O problema do desenvolvimento revolucionário na Alemanha não ocupava aí o último lugar. Em 1923, divergências agudas nasceram neste domínio. O autor destas linhas, por mais de uma vez durante esses anos, pronunciou-se sobre as questões litigiosas. Uma parte importante de seus trabalhos críticos apareceu também em língua francesa. A brochura de agora tem o seu lugar, por via de sucessão, no

[5] Referência à ilha onde Trotsky ficou exilado na Turquia após ser expulso da União Soviética e nela residiu até 1933, quando migrou para a França. (N.Ed.)

trabalho teórico e político da Oposição de Esquerda. Muito do que é notado de passagem foi submetido a tempo a uma investigação detalhada. Só me resta recomendar ao leitor, particularmente, os meus livros: *A Internacional Comunista depois de Lenin* e *A Revolução Permanente*. Hoje, quando as divergências se erguem diante de todos sob o aspecto de um grande problema histórico, é que melhor e mais profundamente se podem apreciar as suas fontes. Para um revolucionário sério, para um verdadeiro marxista, isto é absolutamente indispensável. Os ecléticos vivem de ideias episódicas, de improvisações que surgem sob a pressão dos acontecimentos. Os quadros marxistas capazes de dirigir a Revolução Proletária só se educam por uma investigação constante e um entrelaçamento sucessivo das tarefas e das divergências.

L. T.

Prinkipo, 27 de janeiro de 1932.

I
A Social-Democracia

A *Frente de Ferro*[1] é, na sua base, um bloco dos sindicatos social-democratas poderosos e dos grupos "republicanos" burgueses impotentes, que perderam todo o apoio do povo e toda a confiança em si mesmos. Se os cadáveres não são bons para a luta, são bastante bons para impedir os vivos de lutar. Os aliados burgueses servem aos chefes social-democratas para deter as organizações operárias. Lutar, lutar... Meras palavras. No fim das contas, tudo se passará sem combate, se o bom Deus nos ajudar. Será possível que os fascistas se decidam mesmo a passar das palavras aos fatos? Nós, social-democratas, nunca nos decidimos a isso e, entretanto, não somos piores do que todo o mundo. No caso de um perigo real, a social-democracia põe suas esperanças não na "frente de ferro", mas na polícia prussiana. Cálculo enganador! O fato de os agentes de polícia terem sido recrutados em grande parte entre os social-democratas não quer dizer absolutamente nada. Aqui também a existência determina a consciência. O operário que se torna policial a serviço do Estado

---

[1] A "Frente de Ferro" (*Eiserne Front*) foi criada em dezembro de 1931 pela social-democracia alemã, reunindo a *Reichsbanner* (Bandeira do Reich) – organização paramilitar e militante criada para a defesa da República de Weimar –, as centrais sindicais ADGB (*Allgemeiner Deutscher Gewerkschaftsbund* – Confederação Geral Sindical Alemã) e AfA-Bund (*Allgemeine Freie Angestellter Bund* – Confederação Geral dos Trabalhadores Autônomos), sindicatos e organizações juvenis e esportivas social-democratas, para lutar contra os nazistas. (N.Ed.)

capitalista é um policial burguês e não operário. Durante estes últimos anos, estes policiais tiveram que lutar muito mais contra os operários revolucionários do que contra os estudantes nacional-socialistas. E uma tal escola que não fica sem deixar traços. O mais importante, porém, é que todo policial sabe que os governos mudam, mas a polícia fica.

No artigo de Ano Novo do órgão de discussão da social-democracia *Das Freie Wort*[2] (que lamentável carapetão!) vem explicado o sentido profundo da política de "tolerância". Parece que contra a polícia e a *Reichswehr*[3], Hitler nunca poderá chegar ao poder. Ora, a *Reichswehr* é, segundo a Constituição, subordinada ao presidente da Republica. Por conseguinte, até o momento em que, à frente do Estado, se encontre um presidente fiel à Constituição, o fascismo não é perigoso. É preciso sustentar o governo Brüning até as eleições presidenciais para fazer com que seja eleito, pela aliança com a burguesia parlamentar, um presidente constitucional e cortar-se assim a Hitler, ainda por sete anos, o acesso ao poder. Expomos muito exatamente o conteúdo do artigo[4]. Um partido de massas, que arrasta atrás de si milhões de homens (para o socialismo!) crê que a questão de se saber que classe subirá ao poder na Alemanha atual, profundamente abalada, não depende nem da força combativa do proletariado alemão, nem das colunas de assalto do fascismo, nem mesmo da composição da *Reichswehr*, mas da pureza do espírito da Constituição de Weimar (com uma quantidade necessária de cânfora e de naftalina), que será instalada no palácio presidencial. E que acontecerá se o espírito de Weimar pensar, numa situação dada, como Bettmann Hollweg – que "a necessidade não conhece leis"? E que acontecerá se a matéria perecível que envolve o espírito de Weimar cair desfeita em pó, apesar da naftalina e da cânfora, num momento menos propício? E que acontecerá... Mas perguntas como estas podem ser feitas interminavelmente.

---

[2] *Das Freie Wort*: "*A Palavra Livre*", um dos órgãos da social-democracia alemã. – N. do T.

[3] Designa, em alemão, as Forças Armadas do país. (N.Ed.)

[4] O artigo é assinado modestamente pelas iniciais E. H., que devem ser gravadas na memória das gerações. As gerações operárias dos diferentes países não trabalham em vão. Grandes pensadores e lutadores revolucionários não viveram sobre a terra sem deixar traços. E. H. existe, vela e mostra o caminho do proletariado alemão. As más línguas afirmam que E. H. é parente de E. Heilmann, que se distinguiu durante a guerra por um nacionalismo particularmente imundo. É inacreditável. Uma cabeça lúcida?...

Os políticos do reformismo, negocistas hábeis, esses intrigantes e arrivistas empedernidos, esses manobristas parlamentares e ministeriais experimentados, assim que a marcha das coisas os expulsa de sua esfera habitual e os coloca diante de grandes acontecimentos, tornam-se – é difícil encontrar-se um qualificativo mais brando – imbecis acabados.

A esperança que têm no presidente é a esperança de encontrar salvação no "Estado". Diante do choque que se aproxima entre o proletariado e a pequena-burguesia fascista – estes dois campos constituem juntos a maioria esmagadora da nação alemã – os marxistas do *Vorwärts* chamam em socorro o guarda noturno. "Estado, intervém!" (*Staat, greif zu!*). Isto significa: "Brüning não nos obriga a defender-nos por meio das organizações operárias, pois isto viria despertar todo o proletariado, e então o movimento passaria por cima dos crânios calvos da direção do Partido. Iniciado como antifascista, o movimento acabaria como comunista".

A isto Brüning, se não tivesse preferido calar-se, teria respondido: "Vencer o fascismo por meio das forças policiais, eu não o poderia, mesmo que o quisesse; mas não o quero, mesmo que tivesse essa possibilidade. Movimentar a *Reichswehr* contra o fascismo significa cindir a *Reichswehr*, se não significasse empurrá-la inteiramente contra mim; mas o essencial é que voltar-se o aparelho burocrático contra o fascismo é soltar as mãos dos operários, dando-lhes plena liberdade de ação: as consequências seriam as mesmas que vós, social-democratas, temeis, e que eu também tenho razões para temer duplamente".

Os apelos da social-democracia produzem sobre o aparelho do Estado, os juízes, a *Reichswehr*, a polícia, um efeito contrário ao com que contavam os seus autores. O funcionário mais "leal", o mais "neutro", o menos ligado aos nacional-socialistas, reflete mais ou menos assim: "Atrás dos social-democratas encontram-se milhões de homens; possuem meios enormes; a imprensa, o Parlamento, as municipalidades; está em jogo a própria pele deles; na luta contra os fascistas o apoio dos comunistas lhes é assegurado; e, apesar disso, estes senhores todo-poderosos se dirigem a mim, funcionário, para que eu os salve contra o ataque de um partido que agrupa milhões de membros e cujos chefes podem amanhã tornar-se meus superiores: então é que os negócios desses senhores, os social-democratas, andam mal; e mesmo muito mal... Já é tempo que eu, funcionário, pense também na minha pele". Afinal das contas, o funcionário "leal" e "neutro", que até ontem hesitava ainda, se garante duplamente, isto é, entrará em ligações com os nacional-socialistas para garantir o dia de amanhã. Assim, os reformistas, que sobreviveram, trabalham, mesmo na linha burocrática, para os fascistas.

O parasita da burguesia, a social-democracia, é condenado a um parasitismo ideológico. Ora se apodera de uma ideia dos economistas burgueses, ora procura servir-se de destroços do marxismo. Depois de ter citado, segundo minha brochura, as minhas reflexões contra a participação do Partido Comunista no *referendum* hitleriano, Hilferding conclui: "Não há verdadeiramente nada a acrescentar a estas linhas para explicar a tática da social-democracia para com o governo Brüning". Depois dele, levantam-se Remmele e Thalheimer, dizendo: "Estais vendo, Hilferding se apoia em Trotsky". Vem em seguida uma folha bulevardina fascista: "Para este negócio, Trotsky foi pago com uma promessa de visto". E o jornalista stalinista telegrafa esta notícia da folha fascista a Moscou. A redação das *Izvestia*[5] onde pontifica o desventurado Radek, publica esse telegrama. Essa coisa merece ser assinalada e posta de lado.

Volvamo-nos a questões mais sérias. Hitler pode dar-se ao luxo de lutar contra Brüning unicamente porque o regime burguês no seu conjunto se apoia nas costas de metade da classe operária, dirigida por Hilferding & Cia. Se a social-democracia não tivesse realizado uma política de traição de classe, Hitler, que, neste caso, jamais teria atingido a sua força atual, se teria agarrado ao governo Brüning como a uma tábua de salvação. Se os comunistas tivessem derrubado Brüning, com o auxílio da social-democracia, isto seria um fato de uma importância enorme. As consequências submergiriam de qualquer maneira os chefes da social-democracia. Hilferding procura uma desculpa para sua traição na nossa crítica, que exige que os comunistas contem com a traição de Hilferding como um fato.

Embora Hilferding "nada tenha a acrescentar" às palavras de Trotsky, ele acrescenta, assim mesmo, alguma coisa: a relação de forças, diz ele, é tal que mesmo admitindo-se a ação coordenada dos operários social-democratas e comunistas, não seria possível, "forçando a luta, derrubar o inimigo e tomar o poder". Nesta nota, lançada de passagem, sem provas em apoio, está o centro

[5] *Izvestia: "Notícias"*, órgão do governo soviético. – N. do T.

de gravidade da questão. Segundo Hilferding, na Alemanha contemporânea, em que o proletariado constitui a maioria da população e a força produtiva decisiva da sociedade, a luta comum da social-democracia e do Partido Comunista não poderia entregar o poder ao proletariado! Quando então poderá ele passar às mãos do proletariado? Até antes da guerra ainda havia uma perspectiva do crescimento automático do capitalismo e do proletariado, e do crescimento paralelo da social-democracia. A guerra interrompeu este processo, e nenhuma força no mundo é capaz de restabelecê-lo. A putrefação do capitalismo significa que a questão do poder tem de resolver-se na base das forças produtivas atuais. Prolongando a agonia do regime capitalista, a social-democracia só tem como resultado a decadência contínua da cultura econômica, o fracionamento do proletariado, a gangrena social. Não tem nenhuma outra perspectiva diante de si: amanhã será pior do que hoje; depois de amanhã, pior do que amanhã. Mas os chefes da social-democracia não ousam mais perscrutar o futuro. Já possuem todos os vícios da classe dirigente votada à ruína: uma leviandade, uma paralisia da vontade, uma inclinação a fechar os olhos aos acontecimentos e esperar milagres. Na verdade, as investigações econômicas de Tarnow preenchem hoje a mesma "função" que as revelações consoladoras de um qualquer Rasputin...

Os social-democratas com os comunistas não poderiam tomar o poder. Eis aí o pequeno burguês ilustrado, presunçoso e profundamente medroso e penetrado, da cabeça aos pés, da desconfiança e do desprezo pelas massas. A social-democracia e o Partido Comunista têm juntos perto de 40% dos votos, se bem que as traições da social-democracia e os erros do Partido Comunista joguem milhões no campo do indiferentismo e até no do nacional-socialismo. Bastava o simples fato de ações comuns desses dois partidos, ações que abrem às massas novas perspectivas, para que a força política do proletariado aumentasse incomensuravelmente. Mas tomemos por ponto de partida os 40%. Brüning ou Hitler têm mais? E, entretanto, só estes três grupos podem governar a Alemanha: o proletariado, o Partido do Centro ou os fascistas. Mas o pequeno-burguês ilustrado assimilou até a medula dos ossos esta verdade: ao representante do capital não é preciso mais do que 20% dos votos para governar, não tem a burguesia os bancos, os trustes, os sindicatos, as estradas de ferro? É verdade que o nosso pequeno-burguês ilustrado queria há 12 anos "socializar" tudo isto. Mas, afinal de contas, programa de socialização – sim, expropriar os expropriadores – isto não, isto já é bolchevismo.

Tomamos mais acima a relação de força sob o seu aspecto parlamentar. Mas isso é apenas um espelho curvo. A representação parlamentar de uma classe oprimida diminui consideravelmente a sua força real, e, inversamente: a representação da burguesia, mesmo na véspera do seu desmoronamento, é sempre mascarada de sua força imaginária. Só a luta revolucionária põe a nu a relação real de forças. Na luta direta e imediata pelo poder, o proletariado, se não estiver paralisado pela sabotagem interna, pelo austromarxismo e as outras formas de traição, desenvolve uma força que ultrapassa de muito sua expressão parlamentar. Lembremos ainda uma vez a lição inapreciável da história: mesmo depois que se assenhorearam do poder, e de modo seguro, os bolcheviques com os socialistas-revolucionários de esquerda tinham na assembleia constituinte menos do terço dos votos – menos de 40%. E apesar da desordem econômica pavorosa, apesar da guerra, da traição da social-democracia europeia, e, antes de tudo, da social-democracia alemã, apesar da reação de fadiga de após-guerra, apesar do crescimento do estado de espírito termidoriano, o primeiro Estado operário continua de pé, há 14 anos. Que se deve dizer então da Alemanha? No momento em que o operário social-democrata e o operário comunista se levantarem juntos para tomar o poder, a tarefa estará resolvida nos seus nove décimos.

Entretanto, diz Hilferding, se a social-democracia tivesse votado contra o governo Brüning e o tivesse derrubado, isto teria tido como consequência a subida dos fascistas ao poder. No plano parlamentar, a coisa talvez pareça assim; mas tudo está colocado fora do quadro parlamentar. Renunciar a apoiar Brüning, a social-democracia só o poderia fazer no caso em que tivesse decidido colocar-se no terreno da luta revolucionária. Ou apoiar Brüning, ou lutar pela ditadura do proletariado. Não há um terceiro caminho. O voto da social-democracia contra Brüning teria mudado imediatamente a relação das forças – não no tabuleiro do parlamento, cujas figuras poderiam passar subitamente para baixo da mesa, mas na arena da luta revolucionária das classes. As forças da classe operária numa tal reviravolta não só teriam dobrado, mas decuplicado, pois o fator moral não ocupa o último lugar na luta de classe, sobretudo nos grandes momentos históricos. Uma corrente moral de alta tensão passaria através de todas as camadas do povo. O proletariado diria a si mesmo com segurança que só ele é chamado a dar hoje outra direção mais elevada a esta grande nação. O desmoronamento e a decomposição do exército de Hitler teriam começado muito antes das lutas decisivas. Bem entendido, a luta seria impossível de evitar-se; mas com a firme vontade de vencer e por um ataque ousado, a vitória seria obtida muito mais facilmente do que o imagina hoje o mais extremado dos otimistas revolucionários.

Para isto, falta pouca coisa: uma reviravolta da social-democracia para o caminho da revolução. Contar com uma reviravolta espontânea dos chefes, depois da experiência dos anos 1914-1932, seria a mais ridícula das ilusões. Outra coisa é a maioria dos operários social-democratas: estes podem fazer uma reviravolta, e o farão – basta que sejam ajudados. Mas será uma reviravolta não só contra o Estado burguês como também contra o vértice do seu próprio partido.

Aqui, o nosso austromarxista, que "nada tem a acrescentar" às nossas palavras, tentará novamente nos objetar com citações dos nossos próprios trabalhos: não escrevemos com efeito que a política da burocracia stalinista representa uma cadeia de erros, não estigmatizamos a participação do Partido Comunista no *referendum* de Hitler? Sim, escrevemos; sim, estigmatizamos. Mas, se lutamos contra a direção stalinista da Internacional Comunista, é justamente porque ela é incapaz de destruir a social-democracia, de arrancar as massas da sua influência e de livrar a locomotiva da história de um freio enferrujado. Por suas oscilações, por seus erros, por seu ultimatismo burocrático, a burocracia stalinista conserva a social-democracia, permitindo-lhe cair sempre sobre as suas próprias patas.

O Partido Comunista é um partido proletário e antiburguês, embora falsamente dirigido. A social-democracia, apesar de sua composição operária, é inteiramente um partido burguês que, em condições "normais", é dirigido habilmente do ponto de vista dos objetivos burgueses, mas que não vale mais nada nas condições de crise social. Os chefes social-democratas são forçados a reconhecer, contra a própria vontade, o caráter burguês da social-democracia. Falando da crise e da desocupação, Tarnow repete as velhas frases sobre "a vergonha da civilização capitalista", como um pastor protestante fala do pecado e da riqueza; do socialismo. Tarnow fala exatamente como um padre fala da recompensa no outro mundo; mas se exprime de modo muito diferente a respeito das questões concretas: "Se a 14 de setembro[6], este espectro (a desocupação) não estivesse diante das urnas eleitorais, este dia teria tido uma outra fisionomia na história da Alemanha" (relatório ao Congresso de Leipzig). A social-democracia perdeu os eleitores e os mandatos porque o capitalismo, através da crise, revelou a sua face autêntica. A crise não reforçou o partido do "socialismo", mas, ao contrário, o enfraqueceu, como enfraqueceu as cifras do comércio, as cifras dos bancos, a suficiência de Hoover e de Ford e os rendimentos do príncipe de Mônaco[7]. As apreciações mais otimistas da conjuntura devem ser procuradas hoje não nos jornais burgueses, mas nos jornais social-democratas. Pode haver provas mais irrefutáveis do caráter burguês deste partido? Se a doença do capitalismo significa a doença da social-democracia, a aproximação da morte do capitalismo não pode deixar de significar a morte iminente da social-democracia. O partido que se apoia nos operários, mas que serve à burguesia, não pode, num período de acentuação extrema da luta de classes, deixar de sentir o sopro da morte.

[6] De 1930 (N.Ed.)

[7] Leon Trotsky refere-se ao príncipe soberano de Mônaco Luís II. (N.Ed.)

II

Democracia e fascismo

O XI Pleno do Comitê Executivo da Internacional Comunista[1] julgou indispensável acabar com as concepções falsas que se baseiam na "construção liberal da contradição entre o fascismo e a democracia burguesa, assim como entre as formas parlamentares da ditadura burguesa e as formas abertamente fascistas". O sentido dessa filosofia stalinista é muito simples: da negação marxista da contradição *absoluta*, ela deduz a negação de *toda e qualquer* contradição, mesmo relativa. É o erro típico do radicalismo vulgar. Mas se entre democracia e fascismo não existe *nenhuma* contradição, mesmo no domínio das *formas* de dominação da burguesia, esses dois regimes deveriam simplesmente coincidir. Daí a conclusão: social-democracia = fascismo. Chama-se, entretanto, a social-democracia de *social*-fascismo. Que significa nesta ligação a palavra "social"? Ninguém no-lo explicou até agora[2].

---

[1] O XI Pleno do Comitê Executivo da Internacional Comunista, realizado em Moscou entre 26 de março e 11 de abril de 1931, teve nele apresentados dois relatórios para discussão: "Os partidos comunistas e a crise do capitalismo", de autoria de Manuilsky, Thälmann, Lenski e Tchemodanov; e "O perigo da guerra e da intervenção contra a União Soviética", de Cachin. (N.Ed.)

[2] Entre os metafísicos (gente que pensa antidialeticamente) uma mesma abstração tem duas, três ou mais funções e, muitas vezes, até funções diretamente opostas. A "democracia", em geral, e o "fascismo" em geral, não se diferenciam em nada, como nos dizem. Em compen-

Entretanto, a natureza das coisas não muda a golpes decisões dos plenos do Comitê Executivo da Internacional Comunista. Entre a democracia e o fascismo há uma contradição. Esta contradição não é de forma alguma "absoluta" ou, para falar-se como marxista, não significa de forma alguma a dominação de duas classes irredutíveis. Mas significa sistemas diferentes de dominação de uma única e mesma classe. Esses dois sistemas, o sistema parlamentar-democrático e o sistema fascista, apoiam-se em diferentes combinações das classes oprimidas e exploradas e se chocam, inevitavelmente e de forma aguda, um contra o outro.

A social-democracia que, hoje, é o representante principal do regime parlamentar burguês, apoia-se nos operários. O fascismo, porém, apoia-se na pequena burguesia. A social-democracia não pode ter influência, sem as organizações operárias de massa. O fascismo, porém, não pode consolidar o seu poder de outra forma senão destruindo as organizações operárias. A arena principal da social-democracia é o parlamento. O sistema do fascismo é baseado na destruição do parlamentarismo. Para a burguesia monopolista, o regime parlamentar e o regime fascista não representam senão diferentes instrumentos de sua dominação: recorre a um ou a outro, segundo as condições históricas. Mas, para a social-democracia, como para o fascismo, a escolha de um ou do outro instrumento tem uma importância própria; ainda mais, é para eles uma questão de vida ou de morte política.

A hora do regime fascista chega no momento em que os meios militares-policiais "normais" da ditadura burguesa, com a sua capa parlamentar, se tornam insuficientes para manter a sociedade em equilíbrio. Por meio da agência fascista, a burguesia põe em movimento as massas da pequena-burguesia enfurecida, os bandos de desclassificados, os lumpemproletários desmoralizados, todas essas inumeráveis existências humanas que o próprio capital financeiro levou ao desespero e à fúria.

---

sação, existe no mundo uma "ditadura de operários e camponeses" (para a China, a índia, a Espanha). Uma ditadura proletária? Não! Uma ditadura capitalista? Não! Qual então? Uma ditadura democrática! Parece que existe no mundo uma democracia pura, fora das classes. Mas o XI Pleno explicou que a democracia não difere do fascismo. Neste caso, difere a "ditadura democrática" da... ditadura fascista? Só gente muito ingênua pode esperar dos stalinistas uma resposta séria a esta questão de princípios: algumas injúrias a mais, é tudo o que se pode esperar. E, no entanto, a esta questão está ligada a sorte da Revolução no Oriente.

A burguesia exige ao fascismo um trabalho "limpo": desde que admite os métodos de guerra civil, ela quer ter paz durante uma série de anos. E, agência fascista, servindo-se da pequena-burguesia como de um aríete, e aniquilando tudo à sua passagem, prossegue no seu trabalho até o fim. A vitória do fascismo coroa-se pelo açambarcamento, direto e imediato, de todos os órgãos e instituições de domínio, de direção e de educação, pelo capital financeiro: o aparelho do Estado e o exercito, as municipalidades, as universidades, as escolas, a imprensa, os sindicatos, as cooperativas. A fascistização do Estado significa não apenas mussolinizar as formas e os processos de direção – neste domínio as mudanças desempenham, no fim de contas, um papel secundário –, mas, antes de tudo e, sobretudo, destruir as organizações operárias, reduzir o proletariado a um estado amorfo, criar um sistema de organismos que penetre profundamente nas massas e destinado a impedir a cristalização independente do proletariado. É precisamente nisto que consiste a essência do regime fascista.

O que acaba de ser dito não contradiz o fato de que, entre o sistema democrático e o sistema fascista, se estabeleça, num período dado, um regime transitório, contendo traços de um e de outro sistema; tal é, em geral, a lei da mudança de dois regimes sociais, mesmo de regimes irredutivelmente hostis. Há momentos em que a burguesia se apoia tanto na social-democracia como no fascismo, isto é, quando ela se serve simultaneamente de sua agência conciliadora e de sua agência terrorista. Tal foi, em um certo sentido, o governo Kerensky durante os últimos meses de sua existência: ele se apoiava, pela metade, nos sovietes e, ao mesmo tempo, contava com Kornilov. Tal é o governo Brüning, que dança numa corda estendida entre os dois campos irreconciliáveis, com os decretos-leis nas mãos como fiel. Mas essa situação do Estado e do governo tem um caráter provisório. Exprime um período transitório, no qual a social-democracia já está próxima do fim de sua missão, enquanto nem o comunismo, nem o fascismo, se acham ainda em condições de tomar o poder.

Os comunistas italianos, obrigados, há muito tempo, a se ocupar da questão do fascismo, têm protestado muitas vezes contra o abuso muito frequente do uso da noção de fascismo. Por ocasião do VI Congresso da Internacional Comunista, Ercoli[3] desenvolvia ainda pontos de vista sobre o fascismo que,

---

[3] Ercoli era o pseudônimo, na Internacional Comunista, do militante italiano Palmiro Togliatti. (N.Ed.)

agora, são considerados como pontos de vista "trotskistas". Definindo o fascismo como um sistema de reação consequente e completo, Ercoli explicava:

> Esta afirmação se apoia, não em atos de terror selvagem ou no número elevado de operários e de camponeses mortos, ou na atrocidade de diferentes espécies de suplícios que se aplicavam largamente, ou na severidade das condenações; esta afirmação é baseada na destruição sistemática de todas as formas de organização independente das massas.

Ercoli tem aqui toda a razão: a essência e a função do fascismo consistem em abolir completamente as organizações operárias e em impedir o seu restabelecimento. Numa sociedade capitalista desenvolvida, esse objetivo não pode ser atingido pelos meios policiais, unicamente. A única via para isso é opor ao ataque do proletariado – no momento de seu enfraquecimento – o ataque das massas pequeno-burguesas enraivecidas. É precisamente esse sistema particular de reação capitalista que entrou na história sob o nome de fascismo.

> A questão das relações existentes entre o fascismo e a social-democracia, escreveu Ercoli, faz parte do mesmo domínio (a irreconciliabilidade do fascismo com as organizações operárias). A este respeito, o fascismo difere nitidamente de todos os outros regimes reacionários que se fortificaram até hoje no mundo capitalista contemporâneo. Ele rejeita todo e qualquer compromisso com a social-democracia, persegue-a ferozmente, priva-a de toda possibilidade de existência legal, obriga-a a emigrar.

Assim se exprimia o artigo publicado no órgão dirigente da Internacional Comunista! Depois disso, Manuilsky "soprou" a Molotov a grande ideia do "terceiro período". Foi decretado que a França, a Alemanha e a Polônia se achavam "na primeira fila do assalto revolucionário". Foi declarada como tarefa imediata a tomada do poder. E como, diante da insurreição proletária, todos os partidos, com exceção do Partido Comunista, são contrarrevolucionários, não havia necessidade de se distinguir entre o fascismo e a social-democracia. A teoria do social-fascismo foi sancionada. Os funcionários da Internacional Comunista se rearmaram. Ercoli se apressou em demonstrar que a verdade lhe é cara, mas que Molotov lhe é mais caro ainda, e... escreveu um relatório defendendo a teoria do social-fascismo. "A social-democracia italiana", declarou ele, em fevereiro de 1930, "se fascistiza com uma extrema facilidade". Ai! com maior facilidade ainda se servilizam os funcionários do comunismo oficial.

A nossa crítica da teoria e da prática do "terceiro período" foi declarada, bem entendido, contrarrevolucionária. A experiência nefasta, que custou muito caro à vanguarda proletária, forçou, entretanto, a realização de uma reviravolta também neste domínio O "terceiro período" foi revisto, sendo Molotov despedido da Internacional Comunista. Mas a teoria do social-fascismo ficou como o único fruto maduro do terceiro período. Mas aqui as mudanças são impossíveis: ao terceiro período, somente Molotov ficou preso; no social-fascismo, o próprio Stalin se envolveu.

Como epígrafe às suas pesquisas sobre o social-fascismo, a *Rote Fahne* escolheu as palavras de Stalin: "O fascismo é a organização de combate da burguesia que se apoia no auxílio ativo da social-democracia. A social-democracia é objetivamente a ala moderada do fascismo".

Como acontece com Stalin, quando ele procura generalizar, a primeira frase está em contradição com a segunda. Que a burguesia se apoie na social-democracia e que o fascismo seja uma organização de combate da burguesia, isto é de todo incontestável e conhecido há muito tempo. Mas daí decorre, unicamente, que a social-democracia, assim como o fascismo, são instrumentos da grande burguesia. De que modo a social-democracia se torna, ainda por cima, e ao mesmo tempo, "a ala" do fascismo, isto é mais difícil de compreender. Não menos profunda é outra definição do mesmo autor: "O fascismo e a social-democracia são, não inimigos, mas gêmeos". Os gêmeos podem ser os piores inimigos; por outro lado, os aliados não nascem, necessariamente, no mesmo dia e da mesma mãe. Na construção de Stalin falta não apenas a dialética, mas mesmo a lógica formal. A força desta construção consiste em que ninguém ousa contradizê-la.

Entre a democracia e o fascismo não há diferença "quanto ao conteúdo de classe", nos ensina, depois de Stalin, Werner Hirsch (*Die Internationale*[4] janeiro de 1932). A passagem da democracia ao fascismo pode ter um caráter de "processo orgânico", isto é, pode produzir-se "gradualmente e por via fria". Este raciocínio seria impressionante, se os epígonos não nos tivessem tirado o hábito de nos espantar.

4 *Die Internationale*: "*A Internacional*", órgão da Internacional Comunista. – N. do T.

Entre a democracia e o fascismo, não há "diferença de classe". Isto deve significar, evidentemente, que a democracia tem um caráter burguês, assim como o fascismo. Não o púnhamos em dúvida, mesmo antes de janeiro de 1932. Mas a classe dominante não vive no vácuo. Ela entretém certas relações com as outras classes. No regime "democrático" da sociedade capitalista desenvolvida, a burguesia apoia-se, antes de tudo, na classe operária domesticada pelos reformistas. Esse sistema é expresso de forma mais acabada na Inglaterra, sob o governo trabalhista, como sob o governo conservador. No regime fascista, ao menos no seu primeiro estágio, o capital apoia-se na pequena-burguesia, que destrói as organizações do proletariado. Tal é o exemplo da Itália! Há diferença no "conteúdo de classe" desses dois regimes? Se só se coloca a questão da classe *dominante*, não há nenhuma diferença. Mas, consideradas a situação e as relações entre *todas* as classes, do ponto de vista do proletariado, a diferença se revela bastante grande.

Durante muitas décadas, no interior da democracia burguesa, servindo-se dela e lutando contra ela, os operários edificaram as suas fortificações, as suas bases, os seus núcleos de *democracia proletária*: sindicatos, partidos, clubes de educação, organizações esportivas, cooperativas etc. O proletariado pode chegar ao poder, não nos quadros formais da democracia burguesa, mas somente por via revolucionária. Isto é demonstrado ao mesmo tempo pela teoria e pela experiência. Mas é, precisamente, para a via revolucionária que o proletariado tem necessidade das bases de apoio da democracia operária no interior do Estado burguês. Foi na criação de tais bases que se manifestou o trabalho da II Internacional, na época em que ela realizava ainda um trabalho historicamente progressivo.

O fascismo tem como função essencial e única a destruição, até os alicerces, de todas as instituições da democracia proletária. Esse fato tem ou não para o proletariado "uma importância de classe"? Que os nossos grandes teóricos reflitam nisto um pouco. Dando ao regime o nome de burguês – o que é incontestável – Hirsch e os seus senhores esqueceram um detalhe: o lugar do proletariado nesse regime. Substituem o processo histórico por uma abstração sociológica vazia. Mas a luta de classes se desenrola no terreno da história e não na estratosfera da sociologia. O ponto de partida da luta contra o fascismo não é a abstração do Estado democrático, mas as organizações vivas do próprio proletariado, nas quais está concentrada toda a sua experiência e que preparam o seu futuro.

A tese de que a passagem da democracia ao fascismo pode ter um caráter "orgânico" e "gradual" não significa, então, com toda a evidência, outra coisa senão isto: podem retomar ao proletariado, não só todas as suas conquistas materiais – um certo nível de vida, a legislação social, os direitos civis e políticos – mas também o instrumento essencial de suas conquistas, isto é, as suas organizações, e isso sem abalos e sem combates. A passagem ao fascismo, "por via fria", supõe, assim, a mais terrível das capitulações políticas do proletariado que se possa imaginar.

Os raciocínios teóricos de Werner Hirsch não são fruto do acaso: seguindo o desenvolvimento das sentenças teóricas de Stalin, generalizam, ao mesmo tempo, toda a agitação atual do Partido Comunista. Os seus esforços principais são dirigidos no sentido de se demonstrar que, entre o regime de Brüning e o regime de Hitler, não há diferença. É nisso que Thälmann e Remmele vêm hoje a quinta essência da política bolchevique.

A questão não se limita à Alemanha. A ideia de que a vitória dos fascistas não acarretará nada de novo, é propagada hoje, com zelo, em todas as seções da Internacional Comunista. No número de janeiro da revista francesa *Les Cahiers du Bolchévisme*, lemos: "Os trotskistas, agindo na prática como Breitscheid, retomam a famosa teoria do 'menor mal', segundo a qual Brüning é menos mal do que Hitler e infinitamente preferível a gente ser fuzilada por Groener do que por Frick". Esta citação não é mais estúpida, embora seja preciso fazer-lhe esta justiça: ela o é suficientemente. Mas, infelizmente, exprime toda a essência da filosofia política dos chefes da Internacional Comunista.

Os stalinistas comparam dois regimes, sob o ângulo da democracia vulgar. Com efeito, se se examinar o regime de Brüning com o critério da "democracia" formal, a conclusão será incontestável: da orgulhosa constituição de Weimar só restam destroços. Mas, para nós, este fato ainda não resolve a questão. É preciso abordar a questão do ponto de vista da democracia *proletária*. É, também, o único critério seguro, no que concerne à questão de se saber onde e quando a reação policial "normal" do capitalismo apodrecido será substituída pelo regime fascista.

Brüning é "melhor" do que Hitler (mais simpático, ou o quê?): esta pergunta nos interessa, a dizer a verdade, muito pouco. Mas é bastante lançar-se um golpe de vista no mapa das organizações operárias para concluir: na Alemanha, o fascismo ainda não venceu. Obstáculos e forças gigantescas continuam, ainda, no seu caminho para a ditadura.

O regime atual de Brüning é um regime de ditadura burocrática, ou mais exatamente: de ditadura da burguesia exercida pelos meios militares policiais. A pequena burguesia fascista e as organizações proletárias parecem manter um equilíbrio recíproco. Se as organizações operárias estivessem agrupadas nos Sovietes, se os Comitês de fábrica estivessem lutando pelo controle da produção, poder-se-ia falar de *dualidade de poder*. Em consequência da dispersão das forças operárias e da impotência tática da vanguarda proletária, ainda não chegamos a isso. Mas o próprio fato da existência de organizações operárias poderosas, que, em *certas condições*, são capazes de opor uma resistência decisiva ao fascismo, não permite a Hitler o acesso ao poder e empresta ao aparelho burocrático uma certa "independência".

A ditadura de Brüning é uma caricatura do bonapartismo[5]. Esta ditadura não é estável, é pouco segura de si mesma e pouco durável. Ela não significa o começo de um novo equilíbrio social, mas é o prelúdio do desmoronamento próximo do antigo equilíbrio. Apoiado apenas, de forma imediata, numa pequena minoria burguesa, tolerado pela social-democracia contra a vontade dos operários, ameaçado pelo fascismo, Brüning só é capaz dos raios dos decretos-leis e não de raios verdadeiros. Dissolver o parlamento com o consentimento deste, baixar alguns decretos contra os operários, declarar a trégua de Natal para arranjar alguns negócios escusos, dispersar, sob esta capa, uma centena de reuniões, suspender uma dezena de jornais, trocar com Hitler uma correspondência digna de um boticário de província: eis tudo para que serve Brüning. Para qualquer coisa mais, seus braços são muito curtos.

Brüning é obrigado a tolerar a existência das organizações operárias na medida em que não se decide ainda, hoje, a entregar o poder a Hitler e não tem forças próprias para a liquidação daquelas. Brüning é obrigado a tolerar

[5] O bonapartismo foi um conceito central nos escritos de Trotsky durante os anos 1930. Ele usou o termo para descrever uma ditadura, ou um regime com certas características de uma ditadura, que parece estar "acima dos partidos" e "acima das classes", durante um período em que o domínio de classe não é claro nem firme. O bonapartismo sustenta-se na burocracia militar, policial ou estatal, e não em partidos parlamentares ou em um movimento de massa. Trotsky caracterizou os governos alemães de 1930 até a vitória de Hitler em 1933 como bonapartistas, enquanto os stalinistas os definiam como fascistas. (N.Ed.)

os fascistas e a protegê-los, na medida em que teme mortalmente a vitória dos operários. O regime de Brüning é um regime transitório, um regime de curta duração, que precede a catástrofe. O governo atual só se sustenta porque os campos principais ainda não mediram suas forças. A verdadeira batalha ainda não começou. Ainda está diante de nós. A pausa de antes da batalha, esta pausa que precede o encontro decisivo das forças opostas, é preenchida pela ditadura da impotência burocrática.

Os sábios que se vangloriam de não reconhecer diferença "entre Brüning e Hitler" dizem na realidade isto: que as nossas organizações existam ainda ou que já estejam destruídas, não tem importância. Sob esta fraseologia pseudorradical esconde-se a passividade mais covarde: não podemos evitar a derrota, por mais que se faça! Releia-se atentamente a citação do jornal dos stalinistas franceses: todo o problema se reduz a isto: sob quem é melhor passar fome, sob Brüning ou sob Hitler? Quanto a nós, colocamos o problema assim: não em que condições se morre melhor, mas como lutar e vencer.

A nossa conclusão é a seguinte: é preciso desencadear a batalha geral antes que a ditadura burocrática de Brüning seja substituída pelo regime fascista, isto é, antes que sejam esmagadas as organizações operárias.

É preciso preparar-se para a batalha geral pelo desenvolvimento, extensão e exasperação das batalhas parciais. Mas, para isso, é preciso que se tenha uma perspectiva justa e, antes de tudo, não declarar vencedor o inimigo que ainda se acha longe da vitória.

Aí é que está o nó da questão, a chave estratégica da situação, a posição de partida para a luta. Todo operário que raciocina, e, em primeiro lugar, o operário comunista, deve perceber tudo o que há de vazio, de miserável e de podre nas palavras da burocracia stalinista, segundo as quais Brüning e Hitler são a mesma coisa. Vocês se perdem na confusão! respondemos-lhes nós. Vocês caem nessa confusão vergonhosa por temor das dificuldades, por medo de tarefas imensas; capitulam diante da luta, declaram que já sofremos a derrota. Mentem! A classe operária está cindida, enfraquecida pelos reformistas, desorientada pelas hesitações de sua própria vanguarda, mas ainda não está esmagada; as suas forças não estão esgotadas. Não, o proletariado da Alemanha é poderoso. Os cálculos mais otimistas serão ultrapassados consideravelmente se a sua energia revolucionária franquear o caminho para a arena da ação.

O regime de Brüning é um regime preparatório. Para quê? Ou para a vitória do fascismo ou para a vitória do proletariado. Este regime é preparatório porque os dois campos não fazem mais do que se preparar para a luta decisiva. Identificar Brüning a Hitler é o mesmo que identificar a situação de antes da batalha com a situação ulterior à derrota; é o mesmo que reconhecer, de antemão, a derrota como inevitável; é o mesmo que apelar para a capitulação sem combate.

A maioria esmagadora dos operários, sobretudo dos comunistas, não deseja isso. A burocracia stalinista, bem entendido, não o deseja tampouco. Mas é preciso contar não com boas intenções, com as quais Hitler calçará o seu inferno, mas com o sentido objetivo da política, de sua direção e de suas tendências. É preciso denunciar até o fim o caráter passivo, medrosamente expectante, capitulador e declamatório da política de Stalin-Manuilsky-Thälmann-Remmele. É preciso que os operários revolucionários compreendam: a chave da posição está nas mãos do Partido, mas a burocracia stalinista procura fechar com esta, as portas à ação revolucionária.

III
O ultimatismo burocrático

Quando os jornais do novo Partido Socialista Operário (SAP) escrevem contra "os egoísmos de partido" da social-democracia e do Partido Comunista; quando Seydewitz jura que para ele "o interesse de classe está acima do interesse de partido", caem no sentimentalismo político ou, ainda pior, procuram, com frases sentimentais, encobrir os interesses de seu próprio partido. Este é um meio que não vale nada. Quando a reação exige que os interesses da "nação" sejam colocados acima dos interesses de classe, nós, os marxistas, dizemos que, sob a forma do interesse "geral", a reação defende os interesses de classe dos exploradores. Não se podem formular os interesses da nação de outro modo que sob o ângulo da classe dominante ou da classe que pretende dominar. Não se podem formular os interesses de classe de outro modo que sob a forma de programa; não se pode defender o programa de outro modo que com a criação de um partido.

A classe tomada em si não é senão matéria de exploração. O papel próprio do proletariado começa no momento em que, de uma classe social *em si*, se torna uma classe política *para si*. Isto só se pode produzir por intermédio do Partido. O Partido é o órgão histórico com o auxílio do qual a classe operária adquire a sua consciência. Dizer-se: "A classe está acima do Partido" é o mesmo que afirmar-se: a classe em estado bruto está acima da classe em vias de adquirir a sua consciência. Não só isto é falso, como é reacionário. Para justificar a necessidade da frente única, não há nenhuma necessidade de recorrer-se a esta teoria vulgar.

O desenvolvimento da classe, em sua consciência, isto é, a edificação de um partido revolucionário que arraste atrás de si o proletariado, é um processo complicado e contraditório. A classe não é homogênea. Suas diferentes partes adquirem consciência por caminhos diferentes e em épocas diferentes. A burguesia toma uma parte ativa neste processo. Cria os seus órgãos na classe operária, utiliza os existentes, opondo certas camadas de operários a outras. No seio do proletariado agem simultaneamente diferentes partidos. Eis porque ele vive politicamente cindido durante a maior parte de seu caminho histórico. Daí decorrer – com uma acuidade excepcional em certos períodos – o problema da frente única.

O Partido Comunista – com uma política justa – exprime os interesses históricos do proletariado. Sua tarefa consiste em conquistar a maioria do proletariado: só assim a Revolução socialista é possível. O Partido Comunista só pode desempenhar a sua missão guardando sua plena independência política e de organização, sem reservas, em relação a todos os partidos e organizações dentro da classe operária e fora dela. A transgressão desta regra fundamental da política marxista é o mais grave crime contra os interesses do proletariado como classe. A Revolução chinesa de 1925-1927 foi esmagada precisamente por ter a Internacional Comunista, dirigida por Stalin e Bukharin, obrigado o Partido Comunista chinês a entrar no Kuo Min-tang, partido da burguesia chinesa, e a submeter-se à disciplina deste último. A experiência da política stalinista para com o Kuo Min-tang entrará para sempre na história como exemplo de sabotagem funesta da Revolução feita por seus dirigentes. A teoria stalinista dos "partidos bi-partidos operários e camponeses" para o Oriente não é mais do que a generalização e a canonização da experiência feita com o Kuo Min-tang; a aplicação desta teoria ao Japão, à Índia, à Indonésia, à Coreia, minou a autoridade do comunismo e retardou o desenvolvimento revolucionário do proletariado por uma série de anos. A mesma política pérfida foi efetivamente conduzida, apesar de com menos cinismo, nos Estados Unidos, na Inglaterra e em todos os países da Europa, até 1928.

A luta da Oposição de Esquerda pela independência completa e sem reservas do Partido Comunista e de sua política, em todas as condições históricas e em todos os graus de desenvolvimento do proletariado, provocou um aguçamento extremo das relações entre a Oposição e a fração de Stalin durante o período de seu bloco com Tchang Kai-chek e Wang Jing-wei, Purcell, Raditch, Lafollette etc. É inútil lembrar que Brandler e Thalheimer, nesta luta, estiveram, assim como Thälmann e Remmele, do lado de Stalin, contra os bolcheviques-leninistas. Não nos cabe, pois, tomar com Stalin e Thälmann lições de independência da política do Partido Comunista!

Mas o proletariado marcha para a aquisição de sua consciência, não pelos graus da escola, mas pela luta de classes, que não sofre interrupções. Para a sua luta, o proletariado necessita da unidade de suas fileiras. Isto vale tanto para os conflitos econômicos parciais, nos limites de uma empresa, como para as lutas políticas "nacionais", tais como a defesa contra o fascismo. A tática da frente única é, por conseguinte, não qualquer coisa de ocasional e artificial, não uma manobra manhosa qualquer – não; ela decorre inteiramente das condições objetivas do desenvolvimento do proletariado. As palavras do *Manifesto Comunista*, afirmando que os comunistas não se opõem ao proletariado, que não têm outros objetivos e outras tarefas senão os do proletariado[1], exprimem o pensamento de que a luta do Partido pela maioria da classe não deve, em caso nenhum, entrar em contradição com a necessidade que têm os operários da unidade das suas fileiras de combate.

A *Rote Fahne* condena, com inteira razão, o palavrório sobre "os interesses de classe acima dos interesses do Partido". Na realidade, os interesses de classe, bem compreendidos, e as tarefas do Partido, bem formuladas, coincidem. Enquanto a coisa se limita a esta afirmação histórico-filosófica, a posição da *Rote Fahne* é invulnerável. Mas as conclusões políticas que tira daí constituem um embaralhamento direto do marxismo

A identidade em princípio dos interesses do proletariado e das tarefas do Partido Comunista não significa nem que o proletariado em seu conjunto tenha desde já consciência dos seus interesses, nem que o Partido os formule, em todas as circunstâncias, de um modo *justo*. A própria necessidade do Partido decorre, precisamente, do fato de que o proletariado não nasce com a compreensão já feita dos seus interesses históricos. A tarefa do Partido consiste, na

[1] K. Marx, *Manifesto Comunista*,: p. 32 – Edições Unitas – N. do E.

experiência da luta, em aprender a demonstrar ao proletariado o seu direito a dirigi-lo. Entretanto, a burocracia stalinista considera que se pode, muito simplesmente, exigir do proletariado a subordinação, baseada no passaporte do Partido, selado com o carimbo da Internacional Comunista.

Toda frente única que não for posta antecipadamente sob a direção do Partido Comunista, repete a *Rote Fahne*, é dirigida contra os interesses do proletariado. Todo aquele não reconhece a direção do Partido Comunista é, por mesmo, um "contrarrevolucionário". O operário é obrigado a dar, de antemão, a sua confiança ao Partido Comunista sob palavra de honra. Da identidade de princípios da tarefa do Partido e da classe, o funcionário deduz o direito de mandar na classe. A tarefa histórica que o Partido Comunista deve ainda resolver: a unificação, sob a sua bandeira, da maioria esmagadora dos operários – o burocrata transforma-a em ultimato, em revólver apontado contra a fronte da classe operária. O pensamento dialético é substituído pelo pensamento formalista, administrativo, burocrático.

A tarefa histórica que é preciso resolver já é considerada como resolvida. A confiança que é preciso conquistar já é considerada como conquistada. Isto é, como se vê, muito simples. Mas nem por isso as coisas adiantam muito. Em política é preciso partir do que existe e não do que é desejável ou do que o será. Levada até o fim, a posição da burocracia stalinista é na realidade a negação do Partido: em que consiste todo o seu trabalho histórico, se o proletariado deve reconhecer de antemão a direção de Thälmann e de Remmele?

Ao operário que quer entrar nas fileiras comunistas, o Partido tem o direito de dizer: Precisas reconhecer o nosso programa, os nossos estatutos e a direção dos nossos organismos eleitos. Mas é insensato e criminoso impor-se esta mesma condição *a priori*, ou mesmo uma parte desta, às massas operárias ou às organizações operárias, quando se trata de ações comuns em nome de tarefas de combate determinadas. Isto é o mesmo que minar o próprio fundamento do Partido, que só pode preencher a sua função tendo relações recíprocas com a classe. Em lugar de lançar-se um ultimato unilateral que irrita e humilha os operários, é preciso propor um programa determinado de ações comuns: é o caminho mais certo para conquistar-se a direção efetiva.

O *ultimatismo* é uma tentativa para violentar a classe operária quando não se consegue persuadi-la: Se vós, operários, não reconheceis a direção Thälmann-Remmele-Neumann, não vos permitiremos organizar a frente única. O pior inimigo não teria podido inventar uma situação menos cômoda do que a em que os próprios chefes do Partido Comunista se colocam. É o caminho mais certo para a ruína.

A direção do Partido Comunista alemão não faz senão acentuar mais claramente o seu ultimatismo quando em seus apelos faz estas reservas casuísticas: "Não vos pedimos que reconheçais antecipadamente as nossas concepções comunistas". Isto soa como uma desculpa para uma política que não tem nenhuma desculpa. Quando o Partido declara que se recusa a entrar em qualquer negociação com outras organizações, mas permite aos operários social-democratas romper com a sua organização e, sem se chamarem comunistas, colocarem-se sob a direção do Partido Comunista, isto, precisamente, não passa do mais puro ultimatismo. A reserva quanto às "concepções comunistas" é completamente ridícula: o operário que está pronto desde já a romper com o seu Partido para tomar parte na luta sob a direção comunista não hesitará em tomar o nome de comunista. Os subterfúgios diplomáticos e o jogo de rótulos são estranhos ao operário. Este vê, na política e na organização, o que estas encerram de essencial. Continua na social- democracia enquanto não tiver confiança na direção comunista. Pode-se dizer com certeza que a maioria dos operários social-democratas fica no seu partido não porque tenha confiança na direção reformista, mas unicamente porque ainda não tem confiança na direção comunista. Mas quer lutar desde já contra o fascismo. Se lhe for indicada a etapa mais próxima da luta comum, exigirá que a sua organização se coloque neste caminho. Se a organização se obstinar em não aceitá-lo, poderá ir até a ruptura com aquela.

Em lugar de auxiliar os operários social-democratas a encontrar o seu caminho, pela experiência, o Comitê Central do Partido Comunista auxilia os chefes social-democratas contra os operários. A sua aversão e o seu medo da luta, sua incapacidade de combate, os Wels e os Hilferding os mascaram hoje com êxito, apoiando-se na recusa do Partido Comunista em participar na luta comum. A recusa obstinada, estúpida e insensata do Partido Comunista em aceitar a política da frente única tornou-se, nas condições atuais, o mais importante recurso político da social-democracia. E é por isto que a social-democracia, com o parasitismo que lhe é próprio, se agarra tanto à nossa crítica à política ultimatista de Stalin-Thälmann.

Os dirigentes oficiais da Internacional Comunista peroram agora, com o ar muito sério, sobre a elevação do teórico do Partido e sobre o estudo da "história do bolchevismo". Na realidade, o "nível" baixa cada vez mais, as lições do bolchevismo são esquecidas, deformadas, espezinhadas. Entretanto, não é difícil encontrar-se na história do Partido russo o precursor da política atual do Comitê Central alemão: é o defunto Bogdanov, o criador do ultimatismo (ou otzovismo). Ainda em 1905, considera impossível a participação dos bolcheviques no Soviete de Petrogrado se os Sovietes não reconhecessem, preliminarmente, a direção social-democrata. Sob a influência de Bogdanov, a secretaria peterburguesa do Comitê Central bolchevique adotou em outubro de 1905 esta decisão: propor ao Soviete de Petrogrado o pedido de reconhecimento da direção do Partido; em caso contrário, seria decidido abandonar-se o Soviete. O jovem advogado Krassikov, membro do Comitê Central bolchevique nessa época, lançou este ultimato à assembleia plena do Soviete. Os deputados operários, inclusive os bolcheviques, se entreolharam com espanto e passaram à ordem do dia. Ninguém deixou o Soviete. Pouco depois, Lenin chegou do estrangeiro e passou um sabão tremendo nos ultimatistas: Não se pode, ensinava ele, com auxílio de ultimatos, obrigar a massa a saltar por cima das fases indispensáveis de seu próprio desenvolvimento político.

Bogdanov, entretanto, não renunciara à sua metodologia e criou, depois disso, toda uma fração de "ultimatistas" ou de "otzovistas": esta última designação lhes foi dada porque eram inclinados a retirar[2] os bolcheviques de todas as organizações que se negavam a aceitar o ultimato enviado de cima: "Reconheça primeiro a nossa direção". Os ultimatistas procuravam aplicar sua política não só nos Sovietes, como também no domínio do parlamentarismo e do movimento sindical e em geral em todas as organizações legais e semilegais da classe operária.

A luta de Lenin contra o ultimatismo foi uma luta pelas relações justas entre o partido e a classe. Os ultimatistas no velho Partido bolchevique nunca se elevaram a um papel de qualquer importância: do contrário, a vitória do bolchevismo teria sido impossível. As relações atentas e sensíveis com a classe constituíram a força do bolchevismo. Lenin continuou a luta contra o

[2] *Otzovistas*: do verbo russo *otzyvat*, que significa chamar, retirar. – N. do T.

ultimatismo mesmo quando estava no poder, particularmente e sobretudo no domínio dos sindicatos.

> Se tivéssemos imposto agora na Rússia, escrevia ele, após dois meses e meio de vitórias incríveis sobre a burguesia da Rússia e da *Entente*, como condição de admissão aos sindicatos o "reconhecimento da ditadura", teríamos feito uma asneira, teríamos prejudicado a nossa influência sobre as massas, teríamos auxiliado os mencheviques. Toda a tarefa dos comunistas reside na capacidade de persuadir os retardatários, na capacidade de trabalhar entre eles, e não de se separar deles pela invenção de palavras de ordem puerilmente "esquerdistas". (*O esquerdismo, moléstia infantil do comunismo*).

E isto é ainda mais obrigatório para os partidos comunistas do Ocidente, que não representam senão a minoria da classe operária.

A situação, entretanto, mudou radicalmente na URSS durante o último período. O Partido Comunista, armado do poder, já representa uma outra relação entre a vanguarda e a classe: nesta relação existe um elemento de *coação*. A luta de Lenin contra o burocratismo do Partido e dos Sovietes significava, no fundo, uma luta não contra o mau funcionamento das secretarias, a inércia, a sujeira etc., mas contra a submissão da classe ao aparelho, contra a transformação da burocracia numa nova camada "dirigente". O conselho dado por Lenin antes de sua morte, de criar-se uma Comissão de Controle operária independente do Comitê Central e de retirar-se Stalin e sua fração do aparelho do Partido, foi dirigido contra a degenerescência burocrática do Partido. Por uma série de razões, sobre as quais não podemos nos deter aqui, o Partido deixou de lado esse conselho. A degenerescência burocrática do Partido atingiu o auge nestes últimos anos. O aparelho stalinista não sabe fazer outra coisa senão mandar. A linguagem do comando é a linguagem do ultimatismo. Todo operário tem de reconhecer antecipadamente que todas as decisões precedentes, atuais e futuras do Comitê Central são infalíveis. As pretensões de infalibilidade aumentam à medida que a política se vai tornando cada vez mais falsa.

Após ter concentrado em suas mãos o aparelho da Internacional Comunista, a fração stalinista, muito naturalmente, trouxe os seus métodos para as seções estrangeiras, isto é, para os partidos comunistas dos países capitalistas. A política da direção alemã é o reflexo da direção de Moscou. Thälmann vê como comanda a burocracia stalinista, que declara contrarrevolucionário todo aquele que não reconhece a sua infalibilidade. Em que é Thälmann pior que Stalin? Se a classe operária não se coloca obedientemente ao seu comando, é porque a classe operária é contrarrevolucionária. Duplamente contrarrevolucionários são os que mostram a Thälmann os perigos funestos do ultimatismo. Um dos livros mais contrarrevolucionários é a coletânea das *Obras Completas* de Lenin. Não é à toa que Stalin as submete a uma censura tão severa, sobretudo nas edições em língua estrangeira.

Funesto em qualquer circunstância, significando na URSS o desperdício do capital moral do Partido, o ultimatismo é duplamente insolvível nos partidos do Ocidente, que ainda apenas estão acumulando um capital moral. Na União Soviética, a Revolução vitoriosa criou pelo menos as premissas materiais para o ultimatismo burocrático sob a forma de aparelho de coerção. Nos países capitalistas, inclusive a Alemanha, o ultimatismo se transforma numa caricatura impotente e entrava a marcha do Partido Comunista para o poder. O ultimatismo de Thälmann-Remmele é antes de tudo ridículo. E o ridículo mata, sobretudo quando se trata do partido da Revolução.

Transportai um instante este problema para a arena da Inglaterra, onde o Partido Comunista (em consequência dos erros funestos da burocracia stalinista) continua a não passar de uma parte ínfima do proletariado. Se se admite que toda forma de frente única, exceto a forma comunista, é "contrarrevolucionária", o proletariado britânico fará, por força, recuar a luta revolucionária até o momento em que o Partido Comunista se puser à sua frente. Mas o Partido Comunista só poderá colocar-se à frente da classe na base de sua própria experiência revolucionária. Entretanto, a experiência só pode tomar um caráter revolucionário por meio da atração de milhões de homens à luta. Ora, só se pode arrastar à luta as massas não comunistas, e sobretudo as massas organizadas, na base da política de frente única. Caímos num círculo vicioso, do qual não há saída no caminho do ultimatismo burocrático. Mas a dialética revolucionária mostrou há muito tempo essa saída; demonstrou sua eficácia numa quantidade inumerável de exemplos e nos domínios mais diversos: combinação da luta pelo poder com a luta pelas reformas; independência completa do Partido com a salvaguarda da unidade dos sindicatos; luta contra o regime burguês com a utilização de suas instituições; crítica irredutível do parlamentarismo do alto da tribuna parlamentar; luta implacável contra o reformismo com os acordos políticos com os reformistas nas tarefas parciais.

Na Inglaterra, a inconsistência do ultimatismo salta aos olhos devido à fraqueza extrema do Partido Comunista. Na Alemanha, os efeitos funestos do ultimatismo são em parte mascarados pela força numérica considerável do Partido e pelo seu crescimento. Mas o Partido alemão cresce graças à pressão das circunstâncias e não graças à política da direção; não graças ao ultimatismo, mas apesar dele. Além do mais, não é o crescimento do Partido que decide: o que decide é a relação política recíproca entre o Partido e a classe. Nesta linha fundamental, a situação não melhora porque o Partido põe entre ele e a classe uma cerca de arame farpado de ultimatismo.

IV
Os ziguezagues dos stalinistas na questão da Frente Única

A antiga social-democrata Torhorst (Düsseldorf), que passou para o Partido Comunista, declarou no seu relatório oficial ao Partido, em meados de janeiro, em Frankfurt: "Os chefes social-democratas já estão suficientemente desmascarados, e não é senão desperdício de energia manobrar nesse sentido por meio da unidade pelo vértice". Fazemos nossa citação segundo o jornal comunista de Frankfurt, que elogiou muito esse relatório. "Os chefes social-democratas já estão suficientemente desmascarados" – suficientemente para a autora do relatório, que passou da social-democracia ao comunismo (o que, bem entendido, só a honra), mas insuficientemente para esses milhões de operários que votam com a social-democracia e suportam nas suas costas a burocracia reformista dos sindicatos.

Não há necessidade, porém, de fazer referência a um relatório isolado. No apelo da *Rote Fahne* (28 de janeiro), o último que me chegou às mãos, demonstra-se ainda uma vez que só se pode fazer a frente única contra os chefes social-democratas e sem eles. Por quê? Porque "ninguém, entre aqueles que viveram a experiência dos dezoito últimos anos e que viram esses 'chefes' do trabalho, acreditará neles". E o que acontecerá, perguntamos nós, àqueles que estão na política há menos de dezoito anos e mesmo há menos de dezoito meses? Desde o começo da guerra, muitas gerações políticas que se formaram devem fazer a experiência da velha geração, ao menos numa escala reduzida. "Trata-se precisamente" – ensinava Lenin aos ultraesquerdistas – "de não tomar a experiência vivida por nós pela que foi vivida pela classe, pelas massas".[1]

Mas mesmo a velha geração social-democrata, aquela que fez a experiência dos dezoito anos, absolutamente não rompeu com os chefes. Pelo contrário, é precisamente a social-democracia que conserva muitos "velhos", ligados ao Partido por fortes tradições. É lamentável, bem entendido, que as massas aprendam tão lentamente. Mas cabe aí uma boa parte de responsabilidade aos "pedagogos" comunistas, que não souberam desvendar com nitidez a natureza criminosa do reformismo. É preciso, ao menos, utilizar a nova situação, em que a atenção das massas está extremamente tensa pelo perigo mortal, para submeter os reformistas a uma nova prova, que será, talvez, desta vez, verdadeiramente decisiva.

Sem nada esconder ou atenuar da nossa opinião sobre os chefes social-democratas, podemos e devemos dizer aos operários social-democratas: "Já que vocês aceitam, de uma parte, a luta em comum conosco, e que, de outra parte, vocês não querem romper com os seus chefes, nós lhes propomos; tratem de obrigá-los a iniciar uma luta comum conosco, por tais e tais objetivos práticos, por tais ou tais roteiros; quanto a nós, comunistas, estamos prontos". Que pode haver de mais simples, de mais claro, de mais convincente!

Foi precisamente neste sentido que escrevi – com a intenção premeditada de provocar sincero terror ou indignação fingida aos imbecis e aos charlatões – que, na luta contra o fascismo, estamos prontos a fazer acordos práticos de luta com o diabo, com a sua avó e mesmo com Noske e Zörgiebel[2].

O próprio oficial viola, a cada passo, a sua posição não viável. Nos apelos pela "frente única vermelha" (consigo mesmo) apresenta regularmente a reivin-

---

[1] O N. Lenin: *O esquerdismo, moléstia infantil do comunismo*, cuja edição está sendo preparada pela Gráfico-Editora Unitas. – N. do E.
Apesar dessa informação da UNITAS, este livro de Lenin, que chegou a ser anunciado em 1934 como fazendo parte da coleção da "Biblioteca Socialista" da Unitas, acabou não sendo publicado por esta casa editorial. (N.Ed.)

[2] A revista francesa *Les Cahiers du Bolchévisme*, o órgão mais inepto e mais ignorante de todas as edições da burocracia stalinista, agarrou-se avidamente a essa alusão à avó do diabo, sem se aperceber, bem entendido, que ela tem na imprensa marxista um passado muito antigo. Esperamos que os operários revolucionários não tardarão a enviar a essa mesma avó, para completar a sua educação, todos esses professores ignorantes e de má fé.

dicação de "liberdade ilimitada de demonstrações, de reuniões, de coalizões e de imprensa *proletárias*". É uma palavra de ordem perfeitamente justa. Mas, na medida em que o Partido Comunista fala de jornais, de reuniões etc., *proletários* e não apenas comunistas, ele lança na realidade a palavra de ordem de frente única com essa mesma social-democracia que edita jornais operários, organiza reuniões etc. Lançar palavras de ordem política que contêm em si mesmas a ideia de frente única com a social-democracia, e renunciar aos acordos práticos para a luta por essas palavras de ordem, é o cúmulo da incoerência.

Münzenberg, em que a linha geral e o bom-senso de um homem de negócios se chocam, escreveu em novembro, em *Der Rote Aufbau*:

> É verdade que o nacional-socialismo é a ala mais reacionária, mais chauvinista e mais feroz do movimento fascista na Alemanha e que todos os círculos realmente esquerdistas (!) têm um interesse enorme em impedir o robustecimento da influência e da força dessa ala do fascismo alemão.

Se o Partido de Hitler é a ala "*mais* reacionária, *mais* feroz", daí resulta que quanto ao governo de Brüning, o menos que se pode dizer é que é *menos* feroz e *menos* reacionário. Münzenberg chega aqui, furtivamente, à teoria do "menor mal". Para salvar as aparências de ortodoxia, Münzenberg distingue diferentes qualidades de fascismo: o fascismo ligeiro, médio e forte, como se se tratasse de fumo turco. Mas, se todos os círculos "esquerdistas" (e como são eles chamados pelos seus nomes?) estão interessados na vitória contra o fascismo, não é preciso submeter esses círculos esquerdistas à prova da ação?

Não é claro que se devia aproveitar imediatamente, com ambas as mãos, a proposta diplomática e equívoca de Breitscheid[3], apresentando, por sua vez, um programa prático, concreto e bem estudado de luta contra o fascismo e pedindo uma sessão comum das direções dos dois partidos, com a participação da direção dos sindicatos livres? Seria preciso, ao mesmo tempo, fazer penetrar energicamente na base esse programa, em todas as seções dos dois partidos, e nas massas. As negociações deveriam ser feitas aos olhos de todo o mundo: a

[3] Em novembro de 1931, o deputado social-democrata Rudolf Breitscheid propôs no parlamento alemão, caso os nazistas continuassem a se fortalecer, a necessidade de uma aliança entre comunistas e social-democratas para combater o inimigo comum. Os comunistas recusaram a proposta, classificando-a como uma "manobra social-fascista". (N.Ed.)

imprensa deveria publicar informações quotidianas sobre elas, sem exageros e sem invenções fantasistas. Sobre os operários, uma tal agitação positiva, visando diretamente o seu objetivo, agiria de um modo muito mais eficaz do que os urros contínuos sobre o "social-fascismo". Com uma tal maneira de se colocar o problema, a social-democracia não poderia, nem por um só instante, esconder-se atrás da decoração de papelão da "frente de ferro".

Releiam *A Moléstia Infantil do Comunismo*; é hoje o livro mais atual. É precisamente a respeito de situações semelhantes à da Alemanha de hoje que Lenin fala – citamos literalmente – da

> necessidade absoluta para a vanguarda do proletariado, para a sua parte consciente, para o Partido Comunista, de negociar, de recorrer a acordos, a compromissos com os diversos agrupamentos proletários, os diversos partidos operários e de pequenos patrões... O essencial é saber aplicar esta tática de maneira a *elevar-se* e não a rebaixar-se o nível *geral* de consciência do espírito revolucionário, de capacidade de luta e de vitória do proletariado.

E como age o Partido Comunista? Diariamente ele afirma nos jornais que só admite uma "frente única que seja dirigida contra Brüning, Severing, Leipart, Hitler e seus comparsas". É incontestável que, diante da insurreição proletária, não haverá diferença entre Brüning, Severing, Leipart e Hitler. Contra a insurreição de outubro dos bolcheviques, os socialistas-revolucionários e os mencheviques se aliaram aos democratas-constitucionais e aos kornilovistas; Kerensky dirigiu o general cossaco cem negros Krasnov contra Petrogrado, os mencheviques apoiaram Kerensky e Krasnov, os socialistas-revolucionários organizaram a insurreição dos cadetes sob a direção de oficiais monarquistas.

Mas isto não significa absolutamente que Brüning, Severing, Leipart e Hitler pertençam *todos* e *em todas as circunstâncias* ao mesmo campo. Hoje, os seus interesses divergem. Para a social-democracia, a questão, no momento *presente*, não é tanto a defesa das bases da sociedade capitalista contra a Revolução Proletária como a defesa do sistema semiparlamentar burguês contra o fascismo. Renunciar à utilização deste antagonismo seria uma asneira enorme.

> Fazer a guerra para o derrubamento da burguesia internacional... – escrevia Lenin na *Moléstia Infantil* – e proibir de antemão qualquer bordejamento, qualquer utilização

das contradições (embora momentâneas) reinantes entre os nossos inimigos, renunciar a qualquer acordo e a qualquer compromisso com possíveis aliados (embora aliados *provisórios, pouco seguros, cambaleantes, condicionais*), é de um ridículo sem limite.

Citamos sempre literalmente: As palavras grifadas nos parênteses o foram por Lenin.

E mais longe:

> Não se pode triunfar sobre um adversário superior senão à custa de uma extrema tensão de forças e com a condição obrigatória de se tirar partido, com a maior atenção, minúcia e prudência, das menores divergências entre os nossos inimigos.

Ora, que fazem os Thälmann e os Remmele dirigidos por Manuilsky? Aplicam todas as suas forças em calafetar a brecha entre a social-democracia e o fascismo – e que brecha! – pela teoria do social-fascismo e pela prática da sabotagem da frente única.

Lenin exigia que se utilizasse cada

> possibilidade de se conseguir um aliado de massa, embora aliado temporário, vacilante, pouco sólido, pouco seguro, reservado. Quem não tiver compreendido isto – diz ele – não compreendeu nada do marxismo nem em geral do socialismo científico contemporâneo.

Vocês ouviram, profetas da nova escola stalinista: ele diz, claramente, e com precisão, que vocês nada entendem de marxismo. É Lenin quem diz isto de vocês: acusem o recebimento desse elogio.

Mas, sem a vitória sobre a social-democracia, replicam os stalinistas, a vitória sobre os fascistas é impossível. Isto é verdade? Num *certo* sentido, sim. Mas o teorema inverso é também verdadeiro; sem a vitória sobre o fascismo italiano, a vitória sobre a social-democracia italiana é impossível. O fascismo e a social-democracia são instrumentos da burguesia. Enquanto o capital for senhor, a social-democracia e o fascismo existirão em combinações diferentes. Todas as questões se reduzem assim a um só denominador: o proletariado deve derrubar o regime burguês.

Mas é precisamente agora, quando este regime vacila na Alemanha, que o fascismo vem em socorro. Para repelir esse defensor, é preciso, dizem-nos, liquidar-se preliminarmente a social-democracia. Assim, esse esquematismo inanimado nos conduz a um círculo vicioso. Não se pode sair dele senão pelo terreno da ação. O caráter da ação é determinado não pelo jogo de categorias abstratas, mas pela relação real das forças históricas vivas.

Não, reiteram os burocratas, "primeiro" liquidamos a social-democracia. Mas por que meio? É muito simples: dando-se ordem às organizações do Partido de recrutar, numa data determinada, cem mil membros novos. A propaganda abstrata em lugar da luta política, o plano burocrático em lugar de estratégia dialética. E se o desenvolvimento efetivo da luta de classes impõe já, agora, diante da classe operária, a questão do fascismo com uma questão de vida ou de morte? Então é preciso desviar a classe operária dessa tarefa, é preciso adormecê-la, é preciso persuadi-la de que a tarefa da luta contra o fascismo é uma tarefa secundária, que esta não tem urgência, que se resolve por si mesma, que afinal de contas o fascismo já domina, que Hitler não trará nada de novo, que não se deve temer Hitler, que Hitler não fará senão franquear caminho aos comunistas.

Isto estará exagerado? Não, é a ideia diretriz autêntica dos chefes do Partido Comunista. Eles não a levam sempre até o fim. No contato com as massas, eles mesmos recuam diante das conclusões finais, confundindo diferentes posições, atrapalhando-se e atrapalhando os operários; mas, em todas as ocasiões em que procuram juntar as duas pontas, partem do ponto de vista de inevitabilidade da vitória do fascismo.

A 14 de outubro do ano passado, Remmele, um dos três chefes oficiais do Partido Comunista, dizia no *Reichstag*: "Foi o sr. Brüning que o disse muito claramente: quando eles (os fascistas) estiverem no poder, a unidade de frente do proletariado será realizada e varrerá tudo (*Tempestade de aplausos dos comunistas*)". Que Brüning faça medo à burguesia e à social-democracia com uma tal perspectiva, é compreensível: ele defende o seu poder. Que Remmele console os operários com uma tal perspectiva, é uma vergonha: ele prepara o poder para Hitler, porque toda essa perspectiva é profundamente falsa e testemunha a incompreensão total da psicologia das massas e da dialética revolucionária. Se o proletariado na Alemanha, diante do qual se desenvolvem agora abertamente todos os acontecimentos, deixar os fascistas tomarem o poder, isto é, se der prova de uma cegueira e de uma passividade criminosas, não há absolutamente nenhuma razão para se esperar que, *depois* da ascensão dos fascistas ao poder, esse mesmo proletariado sacuda, com um único golpe, a sua passividade e "varra tudo": pelo menos na Itália isto não aconteceu. Remmele argumenta inteiramente com os fazedores de frases pequeno-burgueses franceses do século XIX, que deram provas de uma incapacidade total de conduzir as massas, mas que, em compensação, estavam firmemente persuadidos de que, quando Luís Bonaparte cavalgasse a República, o povo se levantaria incontinente em sua defesa e "varreria tudo". Entretanto, o povo, que deixou o aventureiro Luís Bonaparte chegar ao poder, se mostrou, é claro, incapaz de varrê-lo em seguida. Foram precisos, para isto, novos acontecimentos importantes, abalos históricos, inclusive a guerra.

A frente única do proletariado não é realizável, para Remmele, como o vimos, senão depois da ascensão de Hitler ao poder. Pode haver uma confissão mais lamentável de sua própria falência? Como nós, Remmele & Cia., somos incapazes de unir o proletariado, encarregamos Hitler disto. Quando ele nos tiver unificado o proletariado, então nos mostraremos em toda a nossa grandeza. Tudo isto é seguido de uma declaração fanfarronesca:

> Somos os vencedores de amanhã, e a questão de saber quem será esmagado não se apresenta mais. Esta questão já está resolvida (*Aplausos dos comunistas*). Só resta a questão de se saber em que momento esmagaremos a burguesia.

É precisamente isto! Isto, em russo, se chama tocar o céu com o dedo. Nós somos os vencedores de *amanhã*. Para isto, só nos falta hoje a frente única. Hitler no-la dará amanhã quando chegar ao poder. Daí resulta, pois, que o vencedor de amanhã será, apesar de tudo, Hitler e não Remmele. Mas, então, tenham o cuidado de gravar isso na cabeça: o momento da vitória dos comunistas não chegará tão cedo.

O próprio Remmele sente que o seu otimismo manca da perna esquerda, e procura então consolidá-lo. "Os senhores fascistas não nos metem medo. Eles se desmoralizarão muito mais depressa do que qualquer outro governo". ("*Muito certo*", nos bancos dos comunistas). E como prova: os fascistas querem a inflação, o papel moeda, o que é a ruína das massas populares; tudo se arranjará, pois, da melhor forma possível. Assim, a inflação oratória de Remmele desvia os operários alemães do seu próprio caminho.

Temos aí um discurso programático de um chefe oficial o Partido, editado numa enorme quantidade de exemplares e que serve para os fins do recrutamento comunista: o discurso é seguido de um boletim de adesão ao Partido. E esse discurso programático é todo construído sobre a capitulação diante do fascismo. "Nós não tememos" a ascensão de Hitler ao poder. Mas isto é precisamente uma fórmula disfarçada da covardia. "Nós" não nos consideramos capazes de impedir Hitler de tomar o poder; pior ainda: nós, burocratas, estamos de tal forma apodrecidos que não ousamos pensar seriamente na luta contra Hitler. Eis porque "não tememos". Vocês não temem o quê: a luta contra Hitler? Não, eles não temem... a vitória de Hitler. Não têm medo de evitar o combate. Não têm medo de confessar a própria covardia. Vergonha, mil vezes vergonha!

Numa das minhas brochuras precedentes, escrevi que a burocracia stalinista quer armar uma armadilha a Hitler... sob a forma de poder de Estado. Os escrevinhadores que coaxam, desde Münzenberg até Ullstein e de Mosse a Münzenberg[4], declararam imediatamente: "Trotsky calunia o Partido Comunista". Não é claro que, por ódio ao comunismo, por aversão ao proletariado alemão, pelo desejo apaixonado de salvar o capitalismo alemão, Trotsky atribui à burocracia stalinista um plano de capitulação? Na realidade, não fiz mais do que formular, brevemente, o discurso programático de Remmele e o artigo teórico de Thälmann. Onde está, pois, a calúnia?

Thälmann, assim como Remmele, continuam, entretanto, inteiramente fiéis ao evangelho de Stalin. Lembremos ainda uma vez o que Stalin pensava, no outono de 1923, quando, na Alemanha, tudo se apoiava, como hoje, no gume da faca:

> Devem os comunistas tender (no estágio atual) – escrevia Stalin a Zinoviev e a Bukharin – para a tomada do poder, sem a social-democracia? Eles já estão maduros

---

[4] Referência aos grandes conglomerados de comunicação da Alemanha. De um lado, o dos comunistas, representado na figura de Willi Münzenberg, quem fundou uma enorme série de empresas de propaganda com dinheiro da Internacional Comunista, incluindo jornais diários, periódicos, uma empresa de cinema, uma editora e várias outras organizações, empregando muitos intelectuais de esquerda na Alemanha. De outro lado, os conservadores e liberais, com dois grandes conglomerados editoriais, publicando jornais e livros: a Casa de Ullstein, fundada por Leopold Ullstein em 1877 em Berlim, e a Mosse Verlag, criada pelo editor judeu Rudolf Mosse em 1870 e destruída pelos nazistas depois de 1933. (N.Ed.)

para isto? É aqui que reside, na minha opinião, o problema... Se hoje na Alemanha o poder, por assim dizer, caísse, e os comunistas o apanhassem, desabariam estrepitosamente. Isto no "melhor" dos casos. E no pior dos casos – seriam pulverizados e atirados para trás... Bem entendido, os fascistas não dormem, mas temos interesse em que ataquem em primeiro lugar: isto agrupará toda a classe operária em torno dos comunistas... Na minha opinião, é *preciso* reter os alemães e não encorajá-los.

Na sua brochura sobre *A greve de massas*, Langner escreve: "A afirmação (de Brandler) de que a luta, em outubro (1923), teria resultado em uma derrota decisiva, não é mais do que uma tentativa de disfarçar os erros oportunistas e a capitulação oportunista sem combate" (p. 101). Muito justo. Mas quem foi, então, o iniciador da "capitulação sem combate"? Quem "retinha" em lugar de "encorajar"? Em 1931, Stalin não faz mais do que desenvolver a sua fórmula de 1923: se os fascistas tomarem o poder, não farão mais do que nos franquear o caminho. Bem entendido, é menos perigoso inculpar Brandler do que Stalin; os Langner o sabem muito bem...

É verdade que, nestes dois últimos meses – não sem uma influência decisiva dos protestos vindos da esquerda – produziu-se uma certa mudança: o Partido Comunista não diz mais que Hitler deve chegar ao poder para ser desmoralizado mais depressa; agora acentua mais o lado oposto da questão: não se deve mais adiar a luta contra o fascismo para quando Hitler chegar ao poder; é preciso travar a luta desde agora, levantando os operários contra os decretos de Brüning, alargando e aprofundando a luta no terreno econômico e político. É perfeitamente justo. Tudo o que é dito, nesses limites, pelos dirigentes do Partido Comunista, é incontestável. Aqui, não há divergências entre nós. Mas continua de pé, entretanto, a questão principal: como passar das palavras aos atos?

A maioria esmagadora dos membros do Partido e uma parte importante do aparelho – nós não o duvidamos absolutamente – desejam sinceramente a luta. Mas é preciso olhar a realidade bem de frente: esta luta não existe, ninguém a vê chegar. Os decretos de Brüning passaram impunemente. A trégua de Natal não foi violada. A política das greves parciais improvisadas não deu, segundo os relatórios da própria imprensa comunista, resultados sérios. Os operários o veem. Não se pode convencê-los com vociferações.

O Partido Comunista lança a responsabilidade da passividade das massas sobre a social-democracia. Historicamente, isso é incontestável. Mas nós não somos historiadores, e sim militantes revolucionários. Não se trata de investigações históricas, mas da procura de uma saída.

O SAP, que, no início de sua existência, colocava a questão da luta contra o fascismo (sobretudo nos artigos de Rosenfeld e de Seydewitz) de uma maneira formal, fazendo coincidir o contra-ataque com o momento da ascensão de Hitler ao poder, deu um certo passo para a frente. A sua imprensa pede agora que se comece a resistência ao fascismo imediatamente, levantando os operários contra a miséria e o jugo policial. Reconhecemos de bom grado que a mudança na posição do SAP se produziu por influência da crítica comunista: uma das tarefas do comunismo consiste precisamente em empurrar para a frente o centrismo, pela crítica das hesitações deste último. Mas esta crítica, apenas, é insuficiente: é preciso que se utilizem politicamente os frutos desta crítica, propondo ao SAP que passe das palavras aos atos. É preciso submeter o SAP a uma prova prática, pública e precisa: não por comentários de citações isoladas – é insuficiente –, mas pela proposta de acordo quanto aos meios ráticos determinados para a resistência. Se o SAP revelar a sua falência, a autoridade do Partido Comunista será realçada na mesma proporção, e o partido intermediário será tanto mais depressa liquidado. Que há, pois, a temer?

É, entretanto, errôneo afirmar-se que o SAP não quer lutar seriamente. Há no seu seio diferentes tendências. Hoje, na medida em que tudo se reduz à propaganda abstrata da frente única, as contradições internas são recalcadas. Por ocasião da passagem à luta, elas subirão à superfície. Só o Partido Comunista poderá tirar proveito disso.

Mas, resta, ainda, a questão principal, a do Partido Social-Democrata. Se este repele as propostas práticas aceitas pelo SAP, isto cria uma nova situação. Os centristas, que desejariam ficar entre o Partido Comunista e a social-democracia, queixando-se de um e de outro, e reforçar-se, à custa de ambos (uma tal filosofia é desenvolvida por Urbahns), ficariam logo suspensos no ar, porque demonstraria logo que a luta revolucionária é sabotada precisamente pela social-democracia. Não seria isto uma séria vantagem? Os operários do SAP se voltariam, a partir desse momento, e de forma decisiva, para o Partido Comunista.

Mas a recusa de Wels & Cia. de aceitarem o programa de ação adotado pelo SAP também não passaria impunemente para a social-democracia. O *Vorwärts* seria logo privado da possibilidade de se queixar da passividade do Partido Comunista. A atração dos operários social-democratas pela frente única aumentaria logo; e isto equivaleria à atração pelo Partido Comunista. Não é claro?

Em cada uma destas etapas e destas reviravoltas, o Partido Comunista encontraria novas possibilidades. Em lugar de repetir, de modo monótono, as únicas e mesmas fórmulas já feitas diante de um auditório que é sempre o mesmo, o Partido Comunista teria a possibilidade de arrastar ao movimento novas camadas, de instruí-las na base de uma experiência viva, de temperá-las e de consolidar a sua hegemonia na classe operária.

Ao mesmo tempo, o Partido Comunista não deve, já se vê, renunciar à direção independente das greves, das demonstrações, das campanhas políticas. Ele conserva toda a sua liberdade de ação. Não espera por ninguém. Mas, na base de sua ação, realiza uma política ativa de manobras em relação às outras organizações operárias, destrói os compartimentos conservadores entre os operários, põe a nu as contradições do reformismo e do centrismo e faz avançar a cristalização revolucionária no seio do proletariado.

V

Golpe de vista histórico sobre a Frente Única

As razões concernentes à política da frente única decorrem de necessidades tão fundamentais e irrefutáveis da luta, *classe contra classe* (no sentido marxista e não burocrático destas palavras), que é impossível ler, sem corar de vergonha e de indignação, as objeções da burocracia stalinista. Podemos explicar, quotidianamente, as ideias mais simples às massas operárias e camponesas mais atrasadas e mais obscuras, sem experimentar o menor cansaço: é que se trata, neste caso, de despertar camadas inteiramente novas. Mas, ai de nós, se tivermos de demonstrar e explicar pensamentos elementares a indivíduos cujo cérebro está achatado pela imprensa burocrática! Que fazer com "chefes" que não dispõem de argumentos lógicos, mas que, em compensação, possuem à mão um manual de injúrias internacionais? As teses fundamentais do marxismo são combatidas com uma única palavra; "contrarrevolução!" Esta palavra está terrivelmente desmoralizada na boca dos que até agora, entretanto, não demonstraram ainda em nada a sua capacidade de realizar a Revolução. Mas, que se deve fazer, entretanto, com as decisões dos quatro primeiros congressos da Internacional Comunista? Reconhece-os ou não a burocracia stalinista?

Os documentos existem e até hoje conservam toda a sua importância. Do grande número desses documentos, escolhi as teses elaboradas por mim, entre o terceiro e o quarto congressos, para o Partido Comunista francês, teses aprovadas pelo Bureau Político[5] do Partido Comunista russo e pelo Comitê Executivo da Internacional Comunista, e publicadas então nos órgãos comunistas de diferentes línguas. Reproduzimos textualmente a parte das teses consagrada à definição e à defesa da política da frente única:

> Mas é de todo evidente que a luta de classe do proletariado não cessa neste período de preparação da Revolução. Os conflitos entre a classe operária e os patrões, a burguesia ou o Estado, surgem e se desenvolvem, sem cessar, pela iniciativa de uma ou de outra das partes.
>
> Nestes conflitos, na medida em que abarcam os interesses vitais de toda a classe operária ou da sua maioria ou ainda de uma parte qualquer desta classe, as massas operárias sentem a necessidade da unidade de ação, da unidade na defensiva contra o adversário. O partido que contraria mecanicamente essas aspirações da classe operária à unidade de ação está irrevogavelmente condenado pela consciência operaria.
>
> O problema da frente única surgiu da necessidade de assegurar à classe operária a possibilidade de uma frente única na luta contra o capital, apesar da divisão inevitável, na época presente, das organizações políticas que têm o apoio da classe operária. Para os que não o compreendem, o Partido não é mais do que uma associação de propaganda e não uma organização de ação de massa.
>
> Se o Partido Comunista não tivesse realizado a ruptura radical e decisiva com os social-democratas, não se teria tornado jamais o Partido da Revolução Proletária. Se o Partido Comunista não procurasse descobrir as vias de organização capazes de tornar possíveis, em cada momento dado, ações comuns, do conjunto, entre as massas operárias comunistas e não comunistas, (inclusive social-democratas), provaria, por isto mesmo, a sua incapacidade cm conquistar a maioria da classe operária para ações de massa.
>
> Não basta que os comunistas sejam separados dos reformistas e ligados pela disciplina da organização, é necessário que a organização aprenda a dirigir todas as ações coletivas do proletariado, em todas as circunstâncias de sua luta vital. Tal é a segunda letra do alfabeto comunista.

[5] O Bureau Político era o corpo diretivo dos partidos comunistas autorizado para atuar entre as reuniões do Comitê Central. (N.Ed.)

A unidade da frente se estende unicamente às massas operarias ou compreende também os chefes oportunistas? Esta pergunta não é mais do que o fruto de um mal-entendido. Se tivéssemos podido unir as massas operárias em torno da nossa bandeira ou sob as nossas palavras de ordem correntes, desprezando as organizações reformistas, partidos ou sindicatos, isso seria certamente a melhor das coisas. Mas, então, a questão da frente única não se apresentaria nem mesmo na sua forma atual.

Estamos, ao contrário, interessados, fora de toda e qualquer consideração, em fazer sair os reformistas de seus abrigos e em situá-los, ao nosso lado, na frente das massas em luta. Com uma boa tática, isto só pode ser favorável a nós. O comunista que o duvidar ou que tiver medo disto, se assemelha a um nadador, que tivesse aprovado as teses sobre o melhor modo de nadar, mas que não se arriscasse a se lançar n'água.

Entrando em acordo com outras organizações, nós nos sujeitamos sem dúvida a uma certa disciplina de ação. Mas esta disciplina não pode ter um caráter absoluto. Se os reformistas sabotam a luta e se contrapõem às disposições das massas, nós nos reservamos o direito de sustentar a ação até o fim, sem os nossos semialiados temporários, a título de organização independente.

Ver nesta política uma aproximação com os reformistas, é adotar o ponto de vista do jornalista que acredita afastar-se do reformista quando o critica, sem sair da sua sala de redação e que tem medo de o enfrentar diante das massas operárias, medo de dar a estas a possibilidade de comparar o comunista e o reformista nas condições iguais da ação das massas. De fato, sob o temor, que se pretende seja revolucionário, da "aproximação", se dissimula, no fundo, uma passividade política que tende a conservar um estado de coisas no qual os comunistas, como os reformistas, têm, cada qual, o seu círculo de influência, os seus auditórios, a sua imprensa, e no qual isto basta para dar, a uns e a outros, a ilusão de uma luta política séria. [6]

Na luta contra a frente-única, vemos uma tendência passiva e indecisa da intransigência verbal mascarada. Salta aos olhos, desde o primeiro instante, o paradoxo seguinte: os elementos direitistas do Partido, com as suas tendências centristas e

[6] Os trechos até aqui reproduzidos foram extraídos do texto "Sobre a frente única (Material para um informe sobre o comunismo francês)", de 02/03/1922, teses escritas para o I Pleno do Comitê Executivo da Internacional Comunista (CEIC), que se reuniu em Moscou entre 21 de fevereiro e 4 de março de 1922. (N.Ed.)

> pacifistas... são os adversários mais irreconciliáveis da frente única, cobrindo-se com a bandeira da intransigência revolucionária. E, ao contrário, os elementos... que, nos momentos mais difíceis, continuaram inteiramente no terreno da III Internacional, são os partidários da tática da frente única. Na realidade, sob a máscara da intransigência pseudorrevolucionária, agem agora os partidários da tática da espera passiva.[7] (Trotsky, *Cinco Anos de Internacional Comunista*,: p. 347/378 da edição russa).

Não lhes parece que estas linhas foram escritas hoje contra Stalin, Manuilsky, Thälmann, Remmele, Neumann? Na realidade, foram escritas há dez anos contra Frossard, Cachin, Charles Rappoport, Daniel Renoult e os outros oportunistas franceses que se escondiam por trás de frases ultraesquerdistas. As teses citadas mais acima eram – fazemos positivamente esta pergunta à burocracia stalinista – "contrarrevolucionárias", já no momento em que exprimiam a posição do Bureau Político russo, com Lenin à frente, e determinavam a política da Internacional Comunista? Que não se procure responder que, com o período decorrido, as condições mudaram: trata-se não de questões de conjuntura, mas, como foi dito no próprio texto, do "*abc* do marxismo".

Assim, há dez anos, a Internacional Comunista explicava o fundo da política da frente única, no sentido de que o Partido Comunista mostra às massas e às suas organizações a sua vontade real de entrar na luta, com elas, ao menos para os objetivos mais modestos, desde que esses objetivos se achem no caminho do desenvolvimento histórico do proletariado; o Partido Comunista conta, nesta luta, com o estado real da classe operária em cada momento dado; dirige-se não apenas às massas, mas também às organizações cuja direção é reconhecida pelas massas; confronta, aos olhos das massas, as organizações reformistas com as tarefas reais da luta de classes. Revelando efetivamente que não é o sectarismo do Partido Comunista, mas a sabotagem consciente da social-democracia que solapa o trabalho comum, a política da frente única acelera o desenvolvimento revolucionário da classe. É evidente que essas ideias não podem envelhecer em nenhum caso.

Como explicar então a renúncia da Internacional Comunista à política da frente única? Pelos insucessos e fracassos dessa política no passado. Se estes

---

[7] Este último parágrafo foi extraído de "Carta do CEIC ao Comitê Central do Partido Comunista francês", de 12/05/1922. (N.Ed.)

insucessos, cujas razões residem não na política, mas nos homens políticos, tivessem sido descobertos, analisados, estudados em tempo, o Partido Comunista alemão estaria admiravelmente bem armado, estratégica e taticamente, para a situação atual. Mas a burocracia stalinista agiu como o macaco míope da fábula: depois de ter posto os óculos na cauda e de tê-los lambido sem resultado, concluiu que eles nada valiam, e quebrou-os. Digam o que quiserem: mas a culpa não era dos óculos.

Os erros na política da frente única foram de duas espécies. Na maior parte dos casos aconteceu que os órgãos dirigentes do Partido Comunista se dirigiram aos reformistas; com propostas de lutarem, em comum, por palavras de ordem radicais, que não decorriam da situação e não correspondiam à consciência das massas. As propostas tinham um caráter de tiros de pólvora seca. As massas continuaram impassíveis, os chefes reformistas explicaram as propostas dos comunistas como uma intriga tendo por objetivo a destruição da social-democracia. Tratava-se de uma aplicação puramente formal, decorativa, da política de frente única, quando, por sua própria natureza, ela só pode ser fecunda na base da apreciação realista da situação e do estado de espírito das massas. Por um uso frequente e mau, a arma das "cartas-abertas" ficou cega, e foi preciso abandoná-la.

A outra espécie de deformação da política da frente única teve um caráter muito mais fatal. A política da frente única tornou-se, para a direção stalinista, uma caçada aos aliados, conquistados à custa da independência do Partido Comunista. Tendo o apoio de Moscou e julgando-se todo-poderosos, os burocratas da Internacional Comunista pensaram seriamente que podiam comandar as classes, indicar-lhes os itinerários, retardar os movimentos agrários e grevistas na China, comprar a união com Tchang Kai-chek pelo preço da renúncia à política independente do Partido Comunista, reeducar a burocracia das *trade-unions*, o apoio principal do imperialismo britânico, por ocasião de um banquete em Londres ou numa estação de águas do Cáucaso, transformar burgueses croatas do tipo de Raditch em comunistas etc. As intenções eram, bem entendido, as melhores: acelerar o desenvolvimento, fazendo, no lugar das massas, o que estas ainda não tinham compreendido. Não é inútil lembrar que, numa série de países, particularmente na Áustria, os funcionários da Internacional Comunista tentaram, no período decorrido, criar, de modo artificial, por cima, uma social-democracia de "esquerda" que servisse de ponte para o comunismo. Desta mascarada também só saíram fracassos. Os resultados destas experiências e destas aventuras foram, invariavelmente, catastróficos. O movimento revolucionário mundial foi, por uma série de anos, jogado para trás.

Então Manuilsky decidiu quebrar os óculos, e Kuusinen, para nunca mais se enganar, qualificou todo o mundo, salvo a si e aos seus amigos, de fascista. Agora, tudo se tornou mais simples e mais claro, e não pode haver mais erros. Que frente única pode haver com os "social-fascistas" contra os nacional--fascistas, ou com os "social-fascistas de esquerda" contra os da direita? Assim, depois de ter operado sobre as nossas cabeças uma curva de 180 graus, a burocracia stalinista viu-se obrigada a declarar contrarrevolucionárias as decisões dos quatro primeiros Congressos.

VI
As lições da experiência russa

Num de nossos escritos anteriores, referimo-nos à experiência bolchevique na luta contra Kornilov; os chefes oficiais nos responderam com grunhidos de desaprovação. Recordemos ainda uma vez os fatos essenciais para demonstrar, com maior precisão e mais detalhadamente, de que modo a escola stalinista tira as lições do passado.

Durante o período de julho a agosto de 1917, o chefe do governo, Kerensky, aplicava efetivamente o programa do comandante-chefe Kornilov: restabeleceu, na frente, os tribunais marciais e a pena de morte para os soldados, privou os sovietes conciliadores de sua influência nas questões de Estado, reprimiu os camponeses, dobrou o preço do pão (tendo o monopólio de Estado do comércio do trigo), preparou a evacuação de Petrogrado revolucionária, trouxe para a capital, de combinação com Kornilov, os exércitos contrarrevolucionários, prometeu aos aliados uma nova ofensiva na frente etc. Tal era a situação política geral.

A 26 de agosto, Kornilov rompeu com Kerensky por causa das hesitações deste último e atirou seu exército contra Petrogrado. O Partido bolchevique estava numa situação semi-ilegal. Seus chefes, começando por Lenin, estavam na ilegalidade ou na prisão, acusados de ligação com o estado-maior dos Hohenzollern. Confiscavam-se os jornais bolcheviques. Estas perseguições partiam do governo Kerensky, sustentado, à esquerda, pelos conciliadores, os socialistas-revolucionários e os mencheviques.

Como agiu o Partido bolchevique? Não hesitou um só instante em fazer um acordo prático com os seus carcereiros – Kerensky, Tseretelli, Dan e outros – para a luta contra Kornilov. Por toda a parte foram criados comitês de defesa revolucionária, em que os bolcheviques estavam em minoria. Isto não impediu que os bolcheviques desempenhassem um papel dirigente: nos acordos feitos para as ações revolucionárias das massas, é sempre o partido revolucionário mais consequente e mais audacioso que toma a frente. Os bolcheviques estavam nas primeiras fileiras e quebraram as divisões que os separavam dos operários mencheviques e principalmente dos soldados socialistas-revolucionários, arrastando-os atrás de si.

Talvez os bolcheviques tenham agido assim por terem sido apanhados de improviso? Não, nos meses precedentes os bolcheviques exigiram centenas de vezes dos mencheviques que aceitassem a luta em comum contra a contrarrevolução que se estava mobilizando. Ainda a 27 de maio, quando Tseretelli pediu que fossem feitas represálias contra os marinheiros bolcheviques, Trotsky declarou na sessão do Soviete de Petrogrado: "Quando o general contrarrevolucionário tentar atirar o laço à Revolução, os cadetes passarão sabão na corda, mas os marinheiros de Kronstadt virão lutar e morrer conosco". Isto foi literalmente confirmado. Durante as jornadas da marcha de Kornilov, Kerensky dirigiu-se aos marinheiros do cruzador "Aurora", pedindo-lhes que se encarregassem da defesa do Palácio de Inverno. Seus representantes foram à prisão de Kresty para ver Trotsky, que ali se achava preso, e lhe perguntaram: "E se prendêssemos Kerensky?" Mas esta pergunta tinha um caráter semijocoso: os marinheiros compreendiam que era preciso antes esmagar Kornilov para, em seguida, ajustar as contas com Kerensky. Os marinheiros do "Aurora", graças à direção política justa, compreendiam mais do que o Comitê Central de Thälmann.

Nosso golpe de vista histórico, a *Rote Fahne* o qualifica de "falso". Por quê? Pergunta inútil. É possível esperar objeções inteligentes por parte daqueles indivíduos? Foi-lhes mandada de Moscou a ordem de latir assim que se pronunciasse o nome de Trotsky, sob pena de serem despedidos. Executam essa ordem como podem. Trotsky fez, dizem, uma comparação falsa entre a luta dos bolcheviques, durante a insurreição reacionária de Kornilov, no começo de setembro de 1917 – quando os bolcheviques lutavam contra os mencheviques pela maioria no seio dos Sovietes, imediatamente antes da situação revolucionária aguda, quando os bolcheviques, armados na luta contra Kornilov, atacavam simultaneamente Kerensky "no flanco" – com a "luta" atual de Brüning "contra" Hitler. Trotsky apresenta assim o apoio de Brüning e do governo da Prússia como o menor mal. (*Rote Fahne*, 22 de dezembro).

É difícil refutar esse amontoado de frases. A luta dos bolcheviques contra Kornilov, eu a comparo, ao que parece, com a luta de Brüning contra Hitler. Não superestimo as capacidades mentais da redação do *Rote Fahne*, mas não é possível que aquela gente não tenha compreendido a minha ideia: a luta de Brüning contra Hitler comparo-a com a luta de Kerensky contra Kornilov; a luta dos bolcheviques contra Kornilov, comparo-a à luta do Partido Comunista alemão contra Hitler. Por que, pois, é "falsa" esta comparação? Os bolcheviques, diz a *Rote Fahne*, lutaram naquela ocasião contra os mencheviques pela maioria nos Sovietes. Mas o Partido Comunista alemão luta, do mesmo modo, contra a social-democracia pela maioria na classe operária. Na Rússia, estava-se "diante de uma situação revolucionária aguda". Muito certo! Contudo, se os bolcheviques tivessem, em agosto, adotado a posição de Thälmann, em vez da situação revolucionária, poder-se-ia ter pela frente uma situação contrarrevolucionária.

Nos últimos dias de agosto, Kornilov foi esmagado, na verdade, não pelas forças armadas, mas somente pela unanimidade das massas. Imediatamente depois, a 3 de setembro, Lenin propôs na imprensa um compromisso aos mencheviques e aos socialistas-revolucionários; constituí a maioria nos Sovietes – dizia-lhes –, tomai o poder, nós vos ajudaremos contra a burguesia; garanti-nos ampla liberdade de agitação, e nós vos asseguramos a luta pacífica pela maioria nos Sovietes. Eis que oportunista foi Lenin! Os mencheviques e os socialistas-revolucionários rejeitaram esse compromisso, isto é, a nova proposta de frente única contra a burguesia. Esta recusa tornou-se a arma mais poderosa nas mãos dos bolcheviques para a preparação da insurreição armada, que, sete semanas mais tarde, varreu os mencheviques e os socialistas-revolucionários.

Só houve, até agora, uma única revolução proletária vitoriosa no mundo. Não pretendo afirmar, de modo algum, que não tenhamos cometido erro algum no caminho da vitória; mas creio, todavia, que nossa experiência tem, para o Partido Comunista alemão, uma certa importância. Fiz a mais próxima e mais adequada analogia histórica. Ora, como respondem a isso os chefes do Partido Comunista alemão? Com injúrias.

Somente o grupo ultraesquerdista de *Roter Kämpfer* tentou replicar "seriamente", armado de toda a sua ciência, a nossa comparação. Julga que os bolcheviques agiram bem em agosto

> porque Kornilov foi o chefe da contrarrevolução czarista. Isto significa que a sua luta foi a da reação feudal contra a revolução burguesa. Nessas condições o compromisso tático dos operários com a burguesia e o seu apêndice menchevique-socialista-revolucionário não somente foi justo, mas também necessário e inevitável, porque os interesses das duas classes coincidiam na luta contra a contrarrevolução feudal.

E, como Hitler representa a contrarrevolução burguesa e não feudal, a social-democracia que sustenta a burguesia não pode ir contra Hitler. Eis porque a frente única na Alemanha não existe e eis porque a comparação de Trotsky está errada.

Tudo isso parece muito sólido. Na verdade, não há nisso uma palavra exata. A burguesia russa absolutamente não se opôs, em agosto de 1917, à reação feudal: todos os fidalgos apoiavam o partido cadete que lutava contra a expropriação dos fidalgos. Kornilov se dizia republicano, "filho de camponês", partidário da reforma agrária e da Assembleia Constituinte. *Toda a burguesia sustentava Kornilov.* O acordo dos bolcheviques com os socialistas-revolucionários e os mencheviques só foi possível porque os conciliadores haviam rompido temporariamente com a burguesia: foram levados a isso de medo de Kornilov. Os conciliadores compreenderam que com a vitória de Kornilov a burguesia não teria mais necessidade deles e permitiria que Kornilov os esmagasse. Nesses limites, como se vê, a analogia nas relações entre a social-democracia e o fascismo é completa.

A diferença absolutamente não começa onde a veem os teóricos do *Roter Kämpfer*. Na Rússia, as massas da pequena-burguesia e antes de tudo o campesinato, inclinavam-se para a esquerda e não para a direita. Kornilov não tinha por apoio a pequena burguesia. Foi precisamente por esse motivo que o seu movimento não teve um caráter fascista. Foi uma contrarrevolução burguesa – e não "feudal" – de general conspirador. Estava nisso a sua fraqueza. Kornilov tinha por apoio a simpatia de toda a burguesia e o auxílio militar dos oficiais, dos *junkers*[1], isto é, da geração nova da própria burguesia. Tudo isso mostrou ser insuficiente. Mas, com uma política falsa dos bolcheviques, a vitória de Kornilov não podia absolutamente ser excluída.

Como vemos, as objeções do *Roter Kämpfer* contra a frente única na Alemanha se baseiam no fato de não compreenderem esses teóricos nem a situação russa, nem a situação alemã[2].

Sentindo-se pouco segura no espelho da história russa, a *Rote Fahne* tenta abordar a questão por um outro lado. Para Trotsky, somente os nacional-socialistas seriam fascistas. "O estado de exceção, a baixa ditatorial dos salários, a interdição efetiva das greves... tudo isso", segundo Trotsky, "'não é fascista. Tudo isso, nosso Partido deve tolerar". Essa gente nos desarma pela impotência de sua maldade. Onde e quando propus que se "tolerasse" o governo Brüning? Que significa esse "tolerar"? Se se trata do apoio parlamentar ou extraparlamentar ao governo de Brüning, então, é geralmente vergonhoso falar-se nisso entre comunistas. Mas num outro sentido, historicamente muito mais largo, os senhores, srs. gritadores, são forçados, apesar de tudo, a "tolerar" o governo Brüning, porque lhes falta a força para derrubá-lo.

Todos os argumentos que a *Rote Fahne* dirige contra mim, com relação à questão alemã, poderiam, com razão, ser dirigidos contra os bolcheviques em 1917. Poder-se-ia dizer: "Para os bolcheviques, a korniloviada começa com Kornilov. Mas Kerensky não é kornilovista? A sua política não visa o esmagamento da Revolução? Ele não reprime os camponeses, por meio de expedições punitivas? Não organiza locautes? Lenin não está na ilegalidade? E tudo isso, devemos tolerá-lo?"

---

1 Nome dado à aristocracia militar e rural da Prússia. (N.Ed.)

2 Todas as outras concepções desse grupo estão no mesmo nível e só constituem uma repetição dos erros mais grosseiros da burocracia stalinista, acompanhados de caretas ainda mais ultraesquerdistas: O fascismo já reina, o perigo hitleriano propriamente dito não existe, e os operários não querem lutar. Se a situação fosse realmente tal que ainda tivéssemos bastante tempo diante de nós, deveríamos aconselhar aos teóricos do *Roter Kämpfer* que empregassem as suas horas vagas na leitura de bons livros, em vez de escreverem maus artigos. Há muito tempo que Marx explicou a Weitling que a ignorância nunca conduz a bom termo.

Que eu me recorde, não houve um só bolchevique que ousasse argumentar de tal modo. Mas, se houvesse um, ter-lhe-íamos respondido mais ou menos o seguinte: "Acusamos Kerensky porque ele prepara e facilita a ascensão de Kornilov ao poder. Mas isso pode livrar-nos da obrigação de nos lançarmos ao ataque contra Kornilov? Acusamos o porteiro de ter entreaberto a porta diante do ladrão. Mas isso significa que devamos voltar as costas a essa porta?". Como, graças à tolerância da social-democracia, o governo Brüning já enterrou o proletariado até os joelhos na capitulação diante do fascismo, concluí: Até os joelhos, até a cintura ou até acima da cabeça, não é a mesma coisa? Não, não é a mesma coisa. Aquele que está enterrado até os joelhos num atoleiro pode ainda sair dele. Aquele que o esta até a cabeça nunca sairá de lá.

Lenin escrevia a respeito dos ultraesquerdistas: "Falam muito bem de nós, bolcheviques. Muitas vezes, tem-se vontade de dizer: elogiem-nos um pouco menos, mas penetrem um pouco mais a tática dos bolcheviques, estudem-na melhor!"

VII
A experiência italiana

O fascismo italiano nasceu, de um modo imediato, da insurreição do proletariado italiano, traída pelos reformistas. Desde o fim da guerra, o movimento revolucionário na Itália ia sempre crescendo e resultara, em setembro de 1920, na ocupação das usinas e das fábricas pelos operários. A ditadura do proletariado tornava-se um fato e só restava organizá-la e tirar todas as suas consequências. A social-democracia teve medo e recuou. Depois de esforços audaciosos e heroicos, o proletariado se viu diante do vácuo. O esboroamento do movimento revolucionário foi a premissa mais importante para o crescimento do fascismo. Em setembro, a ofensiva revolucionária do proletariado foi interrompida; já em novembro se verificara a primeira manifestação importante dos fascistas (a tomada de Bolonha).

O proletariado foi capaz, é verdade, de lutas defensivas mesmo depois da catástrofe de setembro. Mas a social-democracia só se preocupava com uma coisa: retirar da linha de fogo os operários, a preço de concessões ininterruptas. Os social-democratas esperavam que a atitude dócil dos operários erguesse "a opinião pública" da burguesia contra os fascistas. Mais ainda, os reformistas contavam mesmo com o auxílio de Vitor Manuel. Até o último minuto, refrearam com todas as suas forças os operários na luta contra os bandos de Mussolini. Mas em vão. Depois das altas esferas da burguesia, a coroa se colocou do lado do fascismo. Convencidos, no último momento, de que não se pode combater o fascismo pela docilidade, os social-democratas chamaram os operários para uma greve geral. Mas o seu apelo foi um fiasco. Os reformistas tinham molhado por tanto tempo a pólvora, temendo que explodisse, que quando enfim lhe aproximaram o fósforo com mão trêmula, ela não pegou fogo.

Dois anos após o seu nascimento, o fascismo chegou ao poder. Consolidou suas posições graças ao fato de ter o primeiro período de seu domínio coincidido com a conjuntura econômica favorável que sucedeu à depressão dos anos 1921-1922. Os fascistas esmagaram o proletariado em retirada, por meio da força ofensiva da pequena burguesia. Mas isso não se deu de uma vez. Já no poder, Mussolini avançava no seu caminho com uma certa prudência: ainda não tinha o modelo feito. Durante os dois primeiros anos, a Constituição nem mesmo foi modificada. O governo fascista tinha um caráter de coligação. Os bandos fascistas trabalhavam, nesse interregno, com *manganelli*[1], facas e revólveres. O Estado fascista, que equivale à sufocação completa de todas as organizações independentes de massas, foi criado pouco a pouco.

Mussolini conseguiu isso à custa da burocratização do próprio partido fascista. Depois de se ter utilizado da força ofensiva da pequena burguesia, o fascismo estrangulou-a nas malhas do Estado burguês. Não podia agir de outra maneira, porque a desilusão das massas por ele reunidas se transformava em um dos perigos mais imediatos para ele. O fascismo burocratizado se aproximou enormemente das outras formas de ditadura militar-policial. Não tem mais o seu apoio social precedente. A principal reserva do fascismo – a pequena burguesia – esgotou-se. Só a inércia histórica permite ao Estado fascista manter o proletariado num estado de dispersão e de impotência. A relação das forças muda automaticamente a favor do proletariado. Esta mudança deve levá-lo à Revolução. A derrocada do fascismo será um dos acontecimentos mais catastróficos na história europeia. Mas todos esses processos, como os fatos o mostram, exigem tempo. O Estado fascista existe já há uma dezena de anos. Quanto tempo durará ainda? Sem arriscar-se na previsão dos prazos, pode-se dizer com segurança: a vitória de Hitler na Alemanha significará uma nova e longa possibilidade para Mussolini. A derrota de Hitler será o começo do fim para Mussolini.

---

[1] Em italiano, cassetetes. (N.Ed.)

Na sua política contra Hitler, a social-democracia alemã não inventou uma única palavra: não faz mais do que repetir de um modo mais pesado o que realizaram, no seu tempo, com muito mais temperamento, os reformistas italianos. Estes últimos explicavam o fascismo como uma psicose de após-guerra; a social-democracia alemã vê no fascismo a psicose de "Versalhes" ou a psicose da crise. Em ambos os casos, os reformistas fecham os olhos ao caráter orgânico do fascismo como movimento de massa, oriundo da decadência do capitalismo.

Temendo a mobilização revolucionária dos operários, os reformistas italianos colocaram toda a sua esperança no "Estado". Sua palavra de ordem era: "Vitor Manuel, age!". A social-democracia alemã não tem um recurso tão democrático como um monarca fiel à Constituição. Pois bem, contentam-se com um presidente: "Hindenburg, age!".

Na luta contra Mussolini, isto é, no recuo diante dele, Turati lançou a sua fórmula genial: "É preciso ter a coragem de ser covarde". Os reformistas alemães são menos frívolos nas suas palavras de ordem. Exigem "coragem para suportar a impopularidade" (*Mut zur Unpopularität*). É a mesma coisa. Não se deve temer a impopularidade devida à adaptação covarde ao inimigo.

As mesmas causas provocam as mesmas consequências. Se a marcha dos acontecimentos só dependesse da direção do Partido Social-Democrata, a carreira de Hitler estaria garantida.

É preciso reconhecer, todavia, que o Partido Comunista alemão não aprendeu muito, também, com a experiência italiana.

O Partido Comunista da Itália nasceu quase ao mesmo tempo em que o fascismo. Mas, as mesmas condições de refluxo revolucionário que faziam o fascismo subir ao poder, entravavam o desenvolvimento do Partido Comunista. O Partido Comunista não tinha uma noção exata da extensão do perigo fascista, embalava-se com ilusões revolucionárias, foi irremediavelmente hostil à política de frente única, foi atingido, em suma, por todas as doenças infantis. Não há nisso nada de surpreendente; tinha só dois anos. Só via no fascismo uma "reação capitalista". O Partido Comunista não discernia os traços *particulares* do fascismo, que a mobilização da pequena burguesia contra o proletariado lhe apresentava. Segundo as informações dos amigos italianos, exceto Gramsci, o Partido Comunista nem mesmo admitia a possibilidade da tomada do poder pelos fascistas. Uma vez que a Revolução Proletária tinha sofrido uma derrota, que o capitalismo tinha sabido resistir e a contrarrevolução triunfar, como poderia advir ainda um golpe de Estado contrarrevolucionário? É, em qualquer caso, impossível que a burguesia se insurja contra si mesma. Foi esta a essência da orientação política do Partido Comunista Italiano. Não se deve esquecer, contudo, que o fascismo italiano foi então um fenômeno novo que estava ainda em vias de se formar: seria difícil, mesmo a um partido mais experiente, definir os seus traços específicos.

A direção do Partido Comunista alemão repete hoje quase literalmente a posição inicial do comunismo italiano: o fascismo não é mais do que uma reação capitalista; a distinção entre as diferentes formas de reação capitalista não tem importância do ponto de vista proletário. Este radicalismo vulgar é tanto menos perdoável quanto o Partido alemão é muito mais velho do que era o Partido italiano na época correspondente e, além disso, o marxismo está hoje enriquecido da experiência trágica da Itália. Afirmar-se que o fascismo já está no poder ou negar-se a própria possibilidade de sua chegada ao poder, é politicamente a mesma coisa. A ignorância da natureza específica do fascismo paralisa inevitavelmente a vontade de luta contra ele.

A maior culpa, bem entendido, cabe à direção da Internacional Comunista. Os comunistas italianos, mais do que todos os outros, deveriam levantar a voz para prevenir esses erros. Mas Stalin e Manuilsky os obrigam a renegar as mais importantes lições de seu próprio esmagamento. Já vimos com que solicitude servil Ercoli adotou as posições do "social-fascismo", quer dizer, as posições de espera passiva da vitória fascista na Alemanha.

A social-democracia internacional consolou-se durante muito tempo dizendo que o bolchevismo só é concebível em países atrasados. A mesma afirmação foi aplicada por ela, em seguida, com relação ao fascismo. A social-democracia alemã é agora forçada a convencer-se à custa própria da falsidade desse consolo: os seus companheiros de jornada pequeno-burgueses passaram e continuam a passar para o campo do fascismo, ao passo que os operários a abandonam para aproximar-se do Partido Comunista. Só esses dois agrupamentos crescem na Alemanha: o fascismo e o bolchevismo. Embora a Rússia, de um lado, e a Itália, do outro, sejam países muito mais atrasados do que a Alemanha, uma e outra serviram, contudo, de arena do desenvolvimento dos movimentos políticos peculiares ao capitalismo imperialista. A Alemanha adiantada é forçada a reproduzir os processos que atingiram o seu desenvolvimento completo na Rússia e na Itália. O problema fundamental do desenvolvimento alemão pode ser agora formulado assim: ou o caminho da Rússia ou o da Itália.

Bem entendido, isso não quer dizer que a alta estrutura social da Alemanha não tenha importância do ponto de vista do desenvolvimento dos destinos do bolchevismo e do fascismo. A Itália é, muito mais do que a Alemanha, um país pequeno-burguês e camponês. Basta lembrar que para 9,8 milhões de homens empregados na economia agrícola e florestal, há na Alemanha 18,5 milhões de homens empregados na indústria e no comércio, isto é, quase o dobro. Na Itália, para 10,3 milhões empregados na economia agrícola e florestal, há 6,4 milhões empregados na indústria e no comércio. Esses algarismos abstratos estão longe ainda de dar uma ideia do peso específico considerável do proletariado na vida da nação alemã. Mesmo a cifra gigantesca dos sem-trabalho é uma prova negativa da força social do proletariado alemão. Tudo consiste em traduzir essa força na língua da política revolucionária.

A última derrota importante do proletariado alemão, que pode ser colocada na mesma escala histórica das jornadas de setembro na Itália[2], foi a do ano de 1923. No período de oito anos que decorreu, muitas feridas se cicatrizaram, ergueu-se uma nova geração. O Partido Comunista alemão representa uma força incomparavelmente maior do que a dos comunistas italianos em 1922. O peso específico do proletariado, o intervalo considerável que o separa da última derrota, a força considerável do Partido Comunista – são três vantagens de enorme importância na apreciação geral da situação e da perspectiva.

Mas, para utilizar essas vantagens, é preciso compreendê-las. E é o que não acontece. A posição de Thälmann em 1932 reproduz a de Bordiga em 1922. Nesse ponto, o perigo toma um caráter particularmente agudo. Mas, aqui também, há uma vantagem complementar que não existia há dez anos. Nas fileiras revolucionárias da Alemanha encontra-se uma oposição marxista que se apoia na experiência da década decorrida. Esta oposição é fraca numericamente, mas os acontecimentos dão à sua voz uma força excepcional. Em certas

---

[2] Referência ao chamado *Biennio Rosso* (biênio vermelho) na Itália, ocorrido entre 1919 e 1920, e que se caracterizou por uma enorme série de mobilizações operárias e camponesas que atingiram seu auge com a ocupação de fábricas em setembro de 1920. (N.Ed.)

condições, um leve abalo pode produzir toda uma avalanche. O abalo crítico da Oposição de Esquerda pode ajudar em tempo a mudança da política da vanguarda proletária. É nisto que consiste a tarefa!

VIII
Pela Frente Única nos sovietes como órgãos supremos de frente única

A admiração verbal pelos sovietes espalhou-se nos círculos de "esquerda" ao mesmo tempo em que a incompreensão de sua função histórica. Em geral, definem-se os sovietes como órgãos de luta pelo poder, como órgãos de insurreição e, enfim, como órgãos da ditadura. Estas definições estão certas formalmente. Mas absolutamente não encerram toda a função histórica dos sovietes. Antes de tudo, não explicam porque são precisamente os sovietes que são necessários na luta pelo poder. A resposta a esta questão é a seguinte: assim como o sindicato é a forma elementar de frente única na luta econômica, do mesmo modo *o soviete é a forma mais elevada da frente única* nas condições em que o proletariado entra na fase da luta pelo poder.

O soviete, por si mesmo, não possui nenhuma força milagrosa. É apenas a representação de classe do proletariado, com todos os lados fortes e todos os lados fracos deste último. Mas é precisamente por isso, e exclusivamente por isso, que o soviete cria a possibilidade organizatória dos operários de diferentes tendências políticas, de um nível de desenvolvimento diferente, unirem os seus esforços na luta revolucionária pelo poder. Na situação pré-revolucionária de hoje, os operários alemães devem compenetrar-se com especial clareza da função histórica dos sovietes como órgãos de frente única.

Se o Partido Comunista tivesse conseguido eliminar completamente das fileiras operárias, durante o período preparatório, todos os outros partidos, depois de ter reunido sob sua bandeira, política e organizatoriamente, a maioria esmagadora desses operários, não seria necessária a existência dos sovietes. Mas, como o demonstra a experiência histórica, não há razão alguma para crer que em qualquer país – nos de antiga cultura capitalista ainda menos que nos atrasados – o Partido Comunista chegue, principalmente antes da insurreição proletária, a ocupar uma situação tão indiscutível e incondicionalmente dominante nas fileiras operárias.

É precisamente a Alemanha de hoje que nos mostra que a tarefa da luta direta e imediata pelo poder se apresenta ao proletariado muito antes dele estar inteiramente reunido sob a bandeira do Partido Comunista. Uma situação revolucionária no plano político consiste precisamente em que todos os agrupamentos e todas as camadas do proletariado, ou pelo menos a sua maioria esmagadora, estejam tomadas do desejo de unificar os seus esforços, visando a mudança do regime existente. Isto, contudo, não quer dizer que todos compreendam como fazê-lo e, ainda menos, que estejam todos prontos, já hoje, para romper com os seus partidos e passar para as fileiras do comunismo. Não, a consciência política da classe não chega à sua maturação de acordo com um plano tão rigoroso e de uma maneira tão metódica; continuam a existir profundas divergências internas, mesmo durante a época revolucionária, quando todos os processos se desenvolvem por saltos. Mas, ao mesmo tempo, a necessidade de uma organização acima dos partidos, compreendendo toda a classe, adquire uma acuidade especial. Dar uma forma a esta necessidade – é este o destino histórico dos sovietes. É esta a sua imensa função. Nas condições da situação revolucionária, exprimem a suprema organização da unidade proletária. Quem não tiver compreendido isso nada compreendeu do problema dos sovietes. Thälmann, Neumann, Remmele, podem pronunciar à vontade os seus discursos e escrever artigos sobre "a Alemanha Soviética" futura. Pela sua política atual, sabotam a criação dos sovietes na Alemanha.

Longe dos acontecimentos, sem ter impressões imediatas provenientes das massas, sem a possibilidade de tomar o pulso da classe operaria, é-me difícil prever as formas transitórias que levarão à criação de sovietes na Alemanha. Em outro escrito, formulei a suposição de que os sovietes alemães podem vir a ser uma forma ampliada dos comitês de empresa; baseava-me então, principalmente, na experiência de 1923. Mas não é este, bem entendido, o único meio. Sob a pressão do desemprego e da miséria, por um lado, e diante da ofensiva fascista, por outro lado, a necessidade de unidade revolucionária pode vir à tona subitamente sob a forma de sovietes, pondo-se de lado os comitês de empresa. Mas, independentemente do meio pelo qual devam surgir, os sovietes não podem vir a ser outra coisa senão a expressão organizatória dos lados fortes e dos lados fracos do proletariado, de suas divergências internas e de sua ânsia geral para dominá-las; em suma: órgãos de frente única da classe.

A social-democracia e o Partido Comunista dividem entre si, na Alemanha, a influência sobre a maioria da classe operária. A direção social-democrata faz o que pode para afastar de si os operários. A direção do Partido Comunista entrava com toda a sua força o afluxo dos operários. Em consequência disso, surgiu um terceiro partido, acompanhado de uma mudança relativamente lenta das relações de forças a favor dos comunistas. Mas, mesmo com a política mais justa por parte do Partido Comunista, a necessidade que têm os operários da unificação revolucionária da classe cresceria muito mais depressa do que a preponderância do Partido Comunista em seu seio. A necessidade da criação dos sovietes conservaria, portanto, toda a sua importância.

A criação dos sovietes pressupõe um acordo entre os diversos partidos e organizações da classe operária, a começar pela fábrica, tanto no que concerne à própria necessidade dos sovietes, como quanto à hora e aos meios de sua criação. Isto quer dizer que se os sovietes representam a forma suprema de frente única numa fase revolucionária, sua criação deve ser precedida de uma política de frente única na fase preparatória.

Será preciso lembrar ainda uma vez que durante seis meses de 1917 os sovietes na Rússia tinham uma maioria de conciliadores? O Partido bolchevique, sem renunciar um só momento à sua independência revolucionária, como Partido, submetia-se, ao mesmo tempo, nos limites de atividade dos sovietes, a uma disciplina de organização com relação à maioria. Pode-se afirmar sem temor que na Alemanha o Partido Comunista, no próprio dia da criação dos sovietes, teria nestes um lugar muito mais importante do que o que ocupavam os bolcheviques nos sovietes de março de 1917. Não se exclui absolutamente a probabilidade dos comunistas adquirirem muito depressa a maioria nos sovietes. Isto não tirará em nada aos sovietes a significação de instrumentos de frente única, porque a minoria – os social-democratas, os sem-partido, os operários católicos etc. – terá, a princípio, apesar de tudo, alguns milhões e, na tentativa de um salto por cima de uma, tal minoria, pode-se bem, na situação mais revolucionária, quebrar a cabeça. Mas tudo isso é uma cantiga para o futuro. Hoje, é o Partido Comunista que está em minoria. É daí que precisamos partir.

Bem entendido, tudo o que acima ficou dito não quer dizer que a criação de sovietes só seja possível por um acordo com Wels, Hilferding, Breitscheid etc. Se em 1918 Hilferding meditava como incluir os sovietes na Constituição de Weimar sem prejuízo para esta última, hoje o seu pensamento trabalha, sem dúvida, sobre o problema de saber-se como incluir na Constituição de Weimar as casernas fascistas sem prejuízo para a social-democracia... É preciso abordar a criação dos sovietes no momento em que o estado geral do proletariado permita a realização destes, mesmo contra a vontade dos chefes da social-democracia. Mas, para isso, é preciso apartar a base social-democrata de seu vértice, e isto não pode ser feito se se tomarem ares de que já foi realizado. É precisamente para se separarem os milhões de operários social-democratas de seus chefes reacionários que é preciso mostrar a esses operários que estamos dispostos a entrar para os sovietes mesmo com os seus "chefes".

Contudo, não se deve crer que esteja excluído de antemão que também a camada superior da social-democracia seja forçada a colocar-se na placa vermelha dos sovietes e tentar repetir a manobra de Ebert, de Scheidemann, de Haase e outros, em 1918-19: tudo dependerá, não tanto da má vontade desses senhores como da medida e das condições nas quais a história os apertar nas suas tenazes.

O nascimento do primeiro soviete local importante em que estivessem representados os operários comunistas e social-democratas, não como pessoas privadas, mas como organizações, produziria um efeito enorme sobre toda a classe operária alemã. Não só os operários social-democratas e sem-partido, mas também os operários católicos e liberais, não poderão resistir a esta força centrípeta. Todas as partes do proletariado alemão, o mais apto e o mais inclinado à organização, serão atraídas pelos sovietes como a limalha pelo ímã. Nos sovietes, o Partido Comunista encontrará uma arena nova e especialmente favorável à luta pelo papel dirigente na Revolução proletária. Pode-se afirmar sem medo que a maioria esmagadora dos operários social-democratas e mesmo uma parte considerável do aparelho social-democrata já teriam sido arrastados para os quadros dos sovietes se a direção do Partido Comunista não tivesse, com tanto zelo, auxiliado os chefes social-democratas a paralisar a pressão das massas.

Se o Partido Comunista acha inadmissível um acordo com os comitês de empresa, com as organizações social-democratas, com os organismos sindicais etc., na base de um programa de tarefas práticas determinadas, isto quer dizer que acha inadmissível a criação de sovietes em comum com os social-democratas. E, como os sovietes exclusivamente comunistas são impossíveis e, aliás, como tais sovietes não serviriam de nada, *a renúncia do Partido Comunista aos acordos e às ações comuns com os outros partidos da classe operária significa nada menos do que a renúncia à criação dos sovietes.*

A *Rote Fahne* responderá a esta reflexão, certamente, com uma salva de injúrias, e demonstrará, como dois e dois são quatro, que sou um agente eleitoral de Brüning, um conselheiro secreto de Wels etc. Estou pronto para arcar com a responsabilidade de todos esses capítulos, mas com uma condição: que a *Rote Fahne*, por seu lado, explique aos operários alemães como, quando e de que forma podem ser criados na Alemanha os sovietes, sem uma política de frente única com as outras organizações operárias.

Para esclarecer o problema dos sovietes como órgãos de frente única, convém citar as considerações muito instrutivas enunciadas sobre o assunto por um jornal comunista de província, o *Klassenkampf* (Halle-Mersenburgo).

> Todas as organizações operárias – diz ironicamente o jornal – tais como são hoje, com todos os seus defeitos e todas as suas fraquezas, devem ser ligadas por grandes uniões de defesa antifascista. Que quer dizer isto? Podemos dispensar explicações históricas demoradas, a própria história foi, a este respeito, a rude professora da classe operária alemã: a frente única amorfa, a mistura de todas as organizações operárias, a classe operária alemã as pagou com o esmagamento da Revolução dos anos de 1918-1919.

Eis aí, realmente, um modelo incomparável de palavrório superficial!

A frente única em 1918-19 realizou-se principalmente pelos sovietes. Os espartaquistas[1] deviam ou não fazer parte dos sovietes? Segundo o espírito

[1] Membros da Liga Spartacus (*Spartakusbund*) organizada por Rosa Luxemburgo, Karl Liebknecht e a ala antiguerreira da social-democracia alemã e que precedeu o Partido Comunista alemão. O nome deriva de Spartacus, o líder da revolta de escravos ocorrida no fim da República Romana, que foi esmagada pelo grupo de Júlio César. (N.Ed.)

exato do trecho acima citado, deveriam permanecer fora dos sovietes. Ora, como os espartaquistas representavam uma pequena minoria da classe operária e não poderiam de modo algum substituir os sovietes social-democratas por sovietes seus, isolar-se dos sovietes teria significado, para eles, simplesmente, isolar-se da Revolução. Se a frente única foi "amorfa" e teve o aspecto de "mistura de todas as organizações", a culpa não foi dos sovietes como órgãos de frente única, mas do estado político da própria classe operária; da fraqueza da *Spartakusbund* e da força extraordinária da social-democracia. A frente única, em geral não pode substituir o partido revolucionário forte: só pode servir para ajudá-lo a se fortalecer. Isto se aplica inteiramente aos sovietes. O medo que tinha a fraca *Spartakusbund* de deixar passar uma situação excepcional o levava a dar passos ultraesquerdistas e a empreender ações prematuras. Se os espartaquistas se tivessem colocado fora da frente única, isto é, fora dos sovietes, estes traços negativos se teriam certamente manifestado de modo ainda muito mais agudo.

Será possível que esses indivíduos nada tenham aprendido da experiência da Revolução alemã de 1918-1919? Terão lido a *Moléstia Infantil do Comunismo*? O regime stalinista praticou, verdadeiramente, horríveis devastações nos cérebros! Depois de ter burocratizado os Sovietes na URSS, os epígonos os tratam agora como instrumentos técnicos nas mãos do aparelho do Partido. Esqueceram-se que os sovietes se formaram como parlamentos operários e que atraíam as massas porque criavam a possibilidade de colocar ombro a ombro todas as partes da classe operária, independentemente das divergências de partido; esqueceram-se de que foi precisamente nisto que consistiu a força educadora e revolucionária dos sovietes. Tudo está esquecido, tudo está embaralhado, tudo está deformado. Oh, época de epígonos mil vezes maldita!

A questão das relações entre o Partido e os sovietes tem, para a política revolucionária, uma importância decisiva. Se o curso atual do Partido Comunista é efetivamente dirigido no sentido da substituição dos sovietes pelo Partido, Hugo Urbahns, que não perde nenhuma oportunidade para fazer confusão, prepara-se para substituir o Partido pelos sovietes. Segundo nos informa o *SAZ*[2] Urbahns, opondo-se às pretensões do Partido Comunista de

[2] Órgão do SAP (Partido Socialista Operário). – N. do T.

dirigir a classe operária, dizia na reunião de Berlim, em janeiro: "A direção se encontrará nas mãos dos sovietes eleitos pela própria massa, não pela vontade e pelo bel-prazer de um só e único partido (*Aplausos entusiásticos*)". É muito fácil de compreender pelo seu ultimatismo o Partido Comunista irrita os operários, que se dispõem a aplaudir todos os protestos contra a fanfarronada burocrática. Mas isto não impede que a posição de Urbahns, também nesta questão, nada tenha de comum com o marxismo. Que os "próprios" operários elegerão os seus delegados aos sovietes, é indiscutível. Mas toda a questão está em se saber a quem eles elegerão. Devemos ir aos sovietes com todas as outras organizações, sejam quais forem, "com todos os seus erros e todas as suas fraquezas". Mas pensar que os sovietes podem dirigir "por si mesmos" a luta do proletariado pelo poder, é semear o mais grosseiro fetichismo sovietista. Tudo depende do partido que dirigir os sovietes. É por isso que os bolcheviques-leninistas, contrariamente a Urbahns, não negam de modo algum ao Partido Comunista o direito de os dirigir; dizem, pelo contrário, que somente na base da frente única, somente por meio das organizações de massas poderá o Partido Comunista conquistar o papel dirigente nos sovietes futuros e arrastar o proletariado à conquista do poder.

IX
O SAP[1]

Qualificar o SAP de "partido social-fascista" ou "contrarrevolucionário" só é possível a funcionários furiosos que pensam que tudo lhes é permitido, ou então a papagaios estúpidos que repetem as injúrias sem compreender o sentido. Mas seria de uma leviandade imperdoável e de um otimismo barato depositar, antecipadamente, confiança numa organização que, tendo rompido com a social-democracia, se encontra ainda, todavia, no caminho entre o reformismo e o comunismo, e sob uma direção que está mais perto do reformismo do que do comunismo. Mesmo nesta questão, a Oposição de Esquerda não se responsabiliza absolutamente pela política de Urbahns.

O SAP não tem programa. Não se trata de um documento formal: um programa só é forte no caso em que seu texto esteja ligado à experiência de um partido, aos ensinamentos das lutas, impregnando até a carne e o sangue dos seus quadros. Nada disso no SAP. A Revolução russa; algumas de suas etapas; a luta das frações; a crise alemã de 1923; a guerra civil na Bulgária[2]; os

[1] Partido Socialista Operário, constituído pela ala esquerda do Partido Social-Democrata, do qual se separou em fins de 1931. – N. do T.

[2] O Partido Comunista da Bulgária permaneceu neutro em junho de 1923, quando o reacionário Alexander Tsankov (1879-1959) derrubou o governo "camponês" de Alexander Stambulisky (1879-1923). Em seguida, o Partido Comunista búlgaro, repreendido pela

acontecimentos da Revolução Chinesa; a luta do proletariado inglês (1926); a crise revolucionária espanhola – todos esses acontecimentos que devem viver na consciência do revolucionário como marcos luminosos no caminho político, não são, para os quadros do SAP, mais dos que recordações confusas de jornais, e não uma experiência revolucionária vivida.

Que o Partido Operário seja forçado a fazer uma política de frente única é indiscutível. Mas a política de frente única tem os seus perigos próprios. Só um partido revolucionário temperado na luta pode conduzir uma tal política. Em todo caso, a política de frente única não pode servir de programa a um partido revolucionário. Contudo, é nessa base que o SAP constrói hoje toda a sua atividade. Consequentemente, a política de frente única é transferida para o interior do partido, isto é, serve para apagar as contradições entre as diversas tendências. E é bem esta a função fundamental do centrismo.

O jornal diário do SAP está impregnado de um espírito de hesitação. Apesar da saída de Stroebel, o jornal continua semipacifista e não marxista. Alguns artigos revolucionários não lhe mudam a fisionomia, pelo contrário, tornam-na ainda mais evidente. O jornal se enche de entusiasmo pela carta de Küster a Brüning a respeito do militarismo, carta insípida de um espírito profundamente pequeno-burguês. Aplaude o "socialista" dinamarquês, antigo ministro de seu rei, pela sua recusa em tomar parte na delegação governamental em condições excessivamente humilhantes. O centrismo se contenta com pouca coisa. Mas a Revolução exige muito. A Revolução exige tudo, integralmente.

O SAP critica a política sindical do Partido Comunista alemão: cisão dos sindicatos e criação da Oposição Sindical Revolucionária (RGO). Sem dúvida, também no terreno sindical, a política do Partido Comunista alemão está profundamente errada; a direção de Losovsky está saindo muito cara à vanguarda proletária internacional. Mas a crítica do SAP não está menos errada. Não se trata absolutamente do fato do Partido "cindir" as fileiras do proletariado e "enfraquecer" os sindicatos social-democratas. Não é este um critério revolucionário, porque, sob a atual direção, os sindicatos não servem aos operários, mas aos capitalistas. O crime do Partido Comunista não está no fato de "enfraquecer" a organização de Leipart, mas no fato de enfraquecer

---

Internacional Comunista por sua passividade, organizou precariamente em setembro um *putsch* contra Tsankov e acabou esmagado. (N.Ed.)

a si mesmo. A participação dos comunistas nos sindicatos reacionários não é ditada por um princípio abstrato de unidade, mas pela necessidade da luta pela eliminação da organização dos agentes do capital. No SAP, este elemento ativo, revolucionário, agressivo da política recua diante do princípio abstrato da unidade das organizações dirigidas pelos agentes do capital.

O SAP acusa o Partido Comunista de tendências "*putschistas*". Esta acusação também encontra apoio em certos fatos e certos métodos; mas, antes de se arrogar o direito de fazer esta acusação, o SAP deve formular, com precisão, e indicar, com fatos, a maneira pela qual se comporta em face dos problemas fundamentais da Revolução Proletária. Os mencheviques acusaram sempre os bolcheviques de blanquismo[3] e de aventurismo, isto é, de *putschismo*. A estratégia leninista pelo contrário, estava tão longe do *putschismo* quanto o céu da terra. Mas Lenin compreendeu, e soube fazer compreender aos outros, a importância da "arte da insurreição" na luta proletária[4].

A crítica do SAP a este respeito toma um caráter tanto mais suspeito quanto se apoia em Paul Levi, que ficou aterrorizado com a doença infantil do Partido Comunista e preferiu a esta o marasmo senil da social-democracia. Em deliberações íntimas, a respeito dos acontecimentos de março, na Alemanha (1921), Lenin disse, a propósito de Levi: "Esse homem positivamente perdeu a cabeça". É verdade que Lenin acrescentou, então, com malícia: "Tinha, pelo menos, alguma coisa a perder, não se pode dizer o mesmo dos outros". Com a expressão "dos outros", Lenin fazia alusão a Bela Kun, a Thalheimer etc. Que Paul Levi tenha tido uma cabeça sobre os ombros, não se pode negá-lo. Mas um homem que perdeu a cabeça e que, nestas condições, dá um pulo das fileiras do comunismo às do reformismo, não vale nada como mestre para um partido proletário. O fim trágico de Levi, pulando de uma janela em estado de delírio, é como que o símbolo de sua órbita política.

Se, para a massa, o centrismo não é mais do que a transição de uma etapa a outra, para certos políticos o centrismo pode vir a ser uma segunda natureza.

---

[3] Referência a Louis-August Blanqui (1805-1881), designa a insurreição armada de pequenos grupos de conspiradores selecionados e treinados, o que se opunha ao conceito marxista de ações de massa. Blanqui participou de todas as rebeliões francesas desde 1830 até a Comuna de Paris, e passou, cerca de 33 dos seus 76 anos de vida preso. (N.Ed.)

[4] Ver o livro de Lenin, *No caminho da Insurreição*,: p. 101 – Edições Unitas – N. do E.

À frente do SAP encontra-se um grupo de funcionários, de advogados, de jornalistas, social-democratas assustados, indivíduos que já chegaram à idade em que a educação política deve ser considerada como terminada. Um social-democrata assustado ainda não é um revolucionário.

Um representante desse tipo – o melhor de seus representantes – é Georg Ledebour. Justamente, não há muito tempo que me aconteceu ler as peças de seu processo em 1919. E, lendo-o, mais de uma vez aplaudi comigo mesmo o velho combatente, sua sinceridade, seu temperamento, a nobreza de sua natureza. Mas Ledebour, contudo, não saiu dos limites do centrismo. Quando se trata de ações de massas, das formas superiores da luta de classes, de sua preparação, da responsabilidade do partido que assume abertamente a direção dos combates de massas – aí, Ledebour é apenas o melhor representante do centrismo. Foi isto que o afastou de Liebknecht e de Rosa Luxemburgo. É isto que o afasta hoje de nós.

Indignado com a acusação, formulada por Stalin, contra a ala radical da velha social-democracia alemã, a propósito de sua atitude passiva na luta das nações oprimidas, Ledebour se refere ao fato de ter sempre dado provas de uma grande iniciativa, precisamente na questão nacional. É absolutamente incontestável. Ledebour, pessoalmente, se levantou, com muita paixão, contra as notas de chauvinismo no seio da velha social-democracia alemã, embora absolutamente não escondesse o sentimento nacional alemão fortemente desenvolvido nele. Ledebour foi sempre o melhor amigo dos russos, dos poloneses e de outros emigrados revolucionários, e muitos destes últimos guardaram sempre uma viva recordação do velho revolucionário, que era chamado, entre os burocratas da social-democracia num ar de condescendência irônico, ora "Ledeburov", ora "Ledebursky".

Contudo, Stalin, que nada sabe nem dos fatos nem da literatura daquele tempo, tem razão nesta questão, na medida, todavia, em que repete a apreciação geral de Lenin. Tentando replicar, Ledebour apenas confirmou esta apreciação. Refere-se ao fato de ter mais de uma vez, em seus artigos, exprimido a sua indignação contra os partidos da II Internacional, que, em perfeita tranquilidade, observavam o trabalho de seu colega Ramsay MacDonald, resolvendo o problema nacional hindu com auxílio de bombardeios aéreos. Nesta indignação e neste protesto existe, incontestavelmente, uma diferença honrosa entre a pessoa de Ledebour e um Otto Bauer qualquer, para não falar em Hilferding e Wels: para que estes senhores possam fazer bombardeios democráticos, só lhes falta a índia.

Contudo, a posição de Ledebour, também nesta questão, não sai dos limites do centrismo. Ledebour exige a luta contra a opressão colonial; no Parlamento, ele se pronunciará contra os créditos coloniais; tomará a peito a defesa audaciosa das vítimas da insurreição colonial esmagada. Mas Ledebour não tomara parte na preparação da insurreição colonial. Considera isso como *putschismo*, aventurismo, bolchevismo. E aí está todo o fundo da questão.

O que caracteriza o bolchevismo na questão nacional é que ele considera as nacionalidades oprimidas, mesmo as mais atrasadas, não somente como um elemento objetivo, mas como um elemento subjetivo da política. O bolchevismo penetra no meio das nacionalidades oprimidas, levanta-as contra o opressor, liga sua luta à do proletariado dos países capitalistas, ensina aos chineses oprimidos, aos hindus ou aos árabes a arte da insurreição e assume a completa responsabilidade deste trabalho em face dos carrascos civilizados. É só aí que começa o bolchevismo, quer dizer, o marxismo revolucionário em ação. Tudo o que não atingir esses limites continua a ser centrismo.

• • •

Nunca se pode julgar, exatamente, a política do Partido do proletariado, à base unicamente de critérios nacionais. Para o marxista, isto é um axioma. Quais são, pois, os laços internacionais e as simpatias do SAP? Os centristas noruegueses, suecos, holandeses, as organizações, os grupos e as personalidades isolados, aos quais o próprio caráter passivo e provincial permite que se conservem entre o reformismo e o comunismo – tais são os seus amigos mais próximos. Angélica Balabanova é a figura simbólica dos laços internacionais do SAP: ela procura ainda hoje ligar o novo partido aos destroços da Internacional II ½![5]

Leon Blum, o defensor das reparações, o compadre socialista do banqueiro Oustric, é tratado como "camarada" nas páginas dos jornais de Seydewitz. Será polidez? Não, é uma falta de princípios, de caráter, de firmeza. "Chicanas",

---

[5] Cognome dado por membros da Internacional Comunista à União Internacional dos Partidos Socialistas, que existiu de 1921 a 1923. (N.Ed.)

dirá qualquer sábio de gabinete. Não, nessas chicanas, o fundo político se manifesta com muito mais verdade e clareza do que no reconhecimento abstrato dos sovietes, não escorado pela experiência revolucionária. É inútil chamar-se Blum de "fascista", tornando-se assim ridículo. Mas aquele que não sente desprezo e ódio por esta espécie de políticos, não é um revolucionário.

O SAP se distingue do "camarada" Otto Bauer na mesma proporção em que o faz Max Adler. Para Rosenfeld e Seydewitz, Bauer não é mais do que um adversário ideológico, talvez apenas temporário, enquanto para nós, é um inimigo irreconciliável que conduziu o proletariado austríaco a um terrível pântano.

Mas Adler é um barômetro muito sensível do centrismo. Não se pode negar a utilidade de um tal aparelho, mas é preciso saber que, registrando as mudanças do tempo, ele é incapaz de influenciá-lo. Sob a pressão da situação sem saída do capitalismo, Max Adler está agora novamente disposto a aceitar – não sem lástima filosófica – a inevitabilidade da Revolução. Mas que espécie de aceitação! Quantas reservas e quantos suspiros! Seria bem melhor que a II e a III Internacional se unissem. Mas, infelizmente, esse meio é evidentemente irrealizável. Verifica-se que não só nos países bárbaros, mas também nos civilizados, a classe operária será obrigada a fazer, desgraçadamente, duas vezes a sua revolução. Mas mesmo esta aceitação melancólica da Revolução não é mais do que um ato literário. Ainda não houve e não haverá nunca, na história, condições tais que possam levar Max Adler a dizer: "A hora soou!". Indivíduos da espécie de Adler são capazes de justificar a revolução no passado, de admitir a sua inevitabilidade no futuro, mas nunca podem apelar para ela no presente. De todo esse grupo de antigos social-democratas de esquerda, que nem a guerra imperialista nem a Revolução russa modificou, nada há a esperar. Como aparelhos barométricos, ainda passam. Como guias revolucionários, não!

• • •

Em fins de dezembro, o SAP se dirigiu a todas as organizações operárias, convidando-as a organizar, em todo o país, reuniões em que os oradores de todas as tendências dispusessem dum tempo igual de palavra. É evidente que por este caminho, nada se pode esperar. Com efeito, que sentido haveria para o Partido

Comunista ou para o Partido Social-Democrata partilhar, em pé de igualdade, a tribuna com Brandler, Urbahns e outros representantes de organizações e grupos insignificantes demais para pretenderem um lugar particular no movimento? Frente única quer dizer unidade das massas trabalhadoras comunistas e social-democratas, e não uma transação de grupos políticos desprovidos de massa. Dir-nos-ão: o bloco de Rosenfeld-Brandler-Urbahns não é mais do que o bloco de *propaganda* da frente única. Mas precisamente no domínio da propaganda, a frente única é inadmissível. A propaganda deve apoiar-se em princípios claros, num programa definido. Marchar separadamente, lutar juntos. O bloco é unicamente para ações práticas de massa. Os compromissos pelo alto, sem base de princípios, não trazem outra coisa senão confusão.

A ideia de se propor o candidato à presidência pela frente única operária é uma ideia radicalmente errônea. Só se pode propor um candidato na base de um programa definido. O Partido não tem o direito de furtar-se, durante a eleição, a mobilizar os seus aderentes e ao recenseamento de suas próprias forças. A candidatura do Partido, oposta a todas as outras candidaturas, não poderia impedir, em nenhum caso, o acordo com as outras organizações para os fins imediatos da luta. Os comunistas, façam ou não façam parte do Partido oficial, apoiarão com todas as suas forças a candidatura Thälmann[6]. Não se trata de Thälmann, mas da bandeira do comunismo. Defendê-lo-emos contra todos os outros partidos. Destruindo as prevenções inoculadas pela burocracia stalinista nas fileiras comunistas, a Oposição de Esquerda abre para si o caminho da consciência destas[7].

• • •

Qual foi a política dos bolcheviques com relação às organizações operárias e aos partidos que se desenvolveram à esquerda, do reformismo ou do centrismo, para o comunismo?

---

[6] Os stalinistas não se cansam, apesar disso, de acusar Trotsky de ter preconizado o apoio a Hindenburg. A verdade, felizmente, é ainda mais forte do que a calúnia. – N. do T.

[7] Infelizmente, na *Permanente Revolution* apareceu um artigo, não da redação, é verdade, em favor de um candidato operário único. Não pode haver dúvida de que os bolcheviques-leninistas alemães condenarão essa posição.

Em Petrogrado, em 1917, existia uma organização interdistrital[8] que agrupava cerca de quatro mil operários. A organização bolchevique compreendia, em Petrogrado, dezenas de milhares de operários. Entretanto, o Comitê bolchevique de Petrogrado entrava em acordos, em todas as questões, com a organização interdistrital; prevenia-a de todos os seus planos e facilitou assim a fusão completa.

Pode-se objetar que os interdistritais se achavam politicamente próximos dos bolcheviques. Mas o caso não ficou só nos interdistritais. Assim que os mencheviques-internacionalistas (grupo Martov) se opuseram aos social-patriotas, os bolcheviques fizeram tudo o que puderam para chegar à ação comum com os martovistas e se, na maioria dos casos, não o conseguiram, não foi absolutamente por culpa dos bolcheviques. É preciso acrescentar que os mencheviques-internacionalistas continuavam, formalmente, nos quadros do mesmo Partido dos Tseretelli e Dan.

Esta mesma tática, mas numa escala incomparavelmente mais larga, foi renovada para com os socialistas-revolucionários de esquerda. Os bolcheviques atraíram uma parte dos socialistas-revolucionários de esquerda até mesmo para o Comitê militar revolucionário, isto é, o órgão da insurreição, embora, nesse tempo, os socialistas-revolucionários de esquerda pertencessem ainda ao mesmo Partido que Kerensky, contra o qual era diretamente dirigida a insurreição. De certo, isto não era muito lógico da parte dos socialistas-revolucionários de esquerda e mostrava que nem tudo estava em ordem na sua cabeça. Mas se se for esperar a hora em que tudo esteja em ordem na cabeça não se terá nunca uma revolução vitoriosa. Os bolcheviques fizeram em seguida um bloco governamental com o partido dos socialistas-revolucionários de esquerda ("kornilovistas" ou "fascistas" de esquerda, segundo a terminologia atual), bloco que durou alguns meses e só acabou por ocasião do levante dos socialistas-revolucionários de esquerda.

Eis como Lenin resumiu a experiência dos bolcheviques com os centristas orientados para a esquerda:

---

[8] Referência à "Organização Interdistrital dos Social-Democratas Unidos de Petersburgo (Comissão Interdistrital)", criada em 1913, à qual Trotsky pertencia, e que aderiu ao Partido Operário Social-Democrata Russo (Bolcheviques) quando, entre 26 de julho e 03 de agosto (pelo calendário Russo) de 1917, se reuniu o VI Congresso dos bolcheviques. (N.Ed.)

> A justa tática dos comunistas deve consistir em *utilizar* essas oscilações e de forma alguma ignorá-las; esta utilização exige *concessões* aos elementos que se orientam para o proletariado, só no caso e na medida precisa em que se volvem para o proletariado, e a luta contra aqueles que se orientavam para a burguesia... Com a decisão demasiado fogosa: "Nenhum compromisso, nenhum bordejamento", só se faz entravar o crescimento do proletariado revolucionário e o aumento de suas forças...

A tática dos bolcheviques, nesta questão também, nada tinha de comum com o ultimatismo burocrático!

Os próprios Thälmann e Remmele pertenciam, não faz muito tempo, ao Partido Independente[9]. Se quiserem fazer um esforço de memória, poderão talvez restabelecer o seu estado de espírito político nos anos em que, tendo rompido com a social-democracia, entraram para o Partido Independente e o levaram para a esquerda. Que teriam feito se alguém lhes tivesse dito, naquela época, que não representavam mais do que "a ala esquerda da contrarrevolução monarquista"? Provavelmente teriam julgado que o seu acusador estava bêbedo ou louco. Entretanto, é esta a definição que, presentemente, eles mesmos dão ao SAP!

Lembremo-nos das conclusões que Lenin tirou do nascimento do Partido Independente:

> Por que, na Alemanha, um mesmo movimento de operários à esquerda, absolutamente idêntico ao da Rússia em 1917, levou não à consolidação imediata dos comunistas, mas antes à do Partido intermediário dos "independentes"?... Uma das causas foi, com toda a evidência, a tática errônea dos comunistas alemães, que devem lealmente e sem temor reconhecer o seu erro e aprender a corrigi-lo... O erro consistiu nas manifestações numerosas dessa moléstia infantil de "esquerda", que enfim acabou irrompendo e que, por isso mesmo, será melhor e mais depressa curada, com maior vantagem para o organismo.

Isto até parece escrito para hoje!

O Partido Comunista alemão de hoje é muito mais forte do que a Liga Spartacus de então. Mas se, presentemente, surge uma segunda edição do Par-

---

[9] Trata-se do Partido Social-Democrata Independente da Alemanha (*Unabhängige Sozialdemokratische Partei Deutschlands* - USPD). (N.Ed.)

tido Independente, em parte sob a mesma direção, a culpa do Partido Comunista é muito mais grave.

O nascimento do SAP é um fato contraditório. Seria certamente melhor que os trabalhadores entrassem diretamente para o Partido Comunista. Mas, para isto, o Partido Comunista deveria ter tido uma outra política, uma outra direção. Para julgar-se o SAP é preciso partir-se não de um Partido Comunista ideal, mas do Partido tal qual é na realidade.

Na medida em que o Partido Comunista, continuando nas posições do ultimatismo burocrático, se opunha às forças centrífugas no seio da social-democracia, o nascimento do SAP se tornava um fato inevitável e progressivo.

A progressividade deste fato, entretanto, é extraordinariamente enfraquecida pela direção centrista. Se ela se reforça, causará a perda do SAP. Tolerar o centrismo do SAP, por causa de seu papel progressivo geral, significaria liquidar, com isto, o seu papel progressivo.

Os elementos conciliadores, que se encontram à frente do Partido e que são manobristas experimentados, procurarão desfazer, por todos os meios, as contradições e retardar a crise. Mas esses meios podem bastar apenas até a primeira pressão séria dos acontecimentos. A crise, no seio do Partido, pode desenvolver-se em plena crise revolucionária e paralisar os seus elementos proletários.

A tarefa dos comunistas é ajudar, em tempo, os operários do SAP a depurar as suas fileiras do centrismo e a livrar-se da direção dos chefes centristas. Para isto, é preciso não silenciar, não tomar as boas intenções por atos e chamar todas as coisas pelo seu nome. Mas pelos seus nomes, de fato, e não por nomes inventados. Criticar, não caluniar. Procurar aproximações, não repelir brutalmente.

A respeito da ala esquerda do Partido Independente, Lenin escreveu:

> Temer um "compromisso" com esta ala do Partido é simplesmente ridículo. Ao contrário, os comunistas são obrigados a procurar e a encontrar uma forma conveniente de compromisso com ela, um compromisso tal que, de uma parte, possa facilitar e apressar a indispensável fusão completa com esta ala, e que, de outra parte, não dificulte em nada os comunistas na sua luta ideológica, política, contra os oportunistas da ala direita, os "independentes".

Mesmo hoje, não se poderia acrescentar quase nada a esta diretiva tática.

Digamos aos elementos de esquerda do SAP: "Os revolucionários se temperam, não apenas nas greves e nos combates de rua, mas antes de tudo na luta pela política justa de seu próprio Partido. Tomai as "vinte e uma condições" elaboradas, em seu tempo, para acolher os novos partidos na Internacional Comunista. Tomai os trabalhos da Oposição de Esquerda, em que as "vinte e uma condições" são aplicadas ao desenvolvimento político destes oito últimos anos. À luz dessas "condições", desenvolvei uma ofensiva metódica contra o centrismo, nas vossas próprias fileiras, e levai as coisas até o fim. De outro modo só vos restará o papel pouco honroso de cobertura de esquerda do centrismo".

E depois? Depois é preciso voltar as vistas para o Partido Comunista alemão. Os revolucionários não permanecem absolutamente entre a social-democracia e o Partido Comunista, como desejariam Rosenfeld e Seydewitz. Não, os chefes social-democratas representam a agência do inimigo de classe no proletariado. Os chefes comunistas são revolucionários confusos, maus, desastrados, desorientados. Não é a mesma coisa. A social-democracia deve ser destruída. O Partido Comunista deve ser corrigido. Dizeis que é impossível? Mas procurastes abordar a questão seriamente?

É precisamente agora, quando os acontecimentos fazem pressão sobre o Partido Comunista, que é preciso ajudar os acontecimentos pela pressão de nossa crítica. Os operários comunistas nos escutarão tanto mais atentamente quanto mais depressa se convencerem, realmente, de que não desejamos um "terceiro partido", mas que nos esforçamos, sinceramente, em auxiliá-los a transformar o Partido Comunista existente num guia autêntico da classe operária.

– E se isto não for possível?

– Se isto não for possível, significará quase seguramente, na situação histórica dada, a vitória do fascismo. Mas na véspera de grandes combates, o revolucionário não pergunta o que acontecerá se não se vencer; ele pergunta o que fazer para vencer. É possível, é realizável; pois, então, deve ser feito.

X
O centrismo "em geral" e o centrismo da burocracia stalinista

Os erros da direção da Internacional Comunista e, consequentemente, do Partido Comunista alemão se reduzem, segundo a terminologia familiar de Lenin, a uma série de "tolices ultraesquerdistas". Mesmo as pessoas inteligentes podem fazer tolices, sobretudo na sua juventude. Mas desse direito, como já aconselhava Heine, não se deve abusar. Se as tolices políticas de um tipo determinado se repetem sistematicamente no curso de um período prolongado, e isto no domínio dos problemas mais importantes, então cessam de ser simplesmente tolices e se tornam uma *tendência*. Qual é esta tendência? A que exigências históricas atende? Quais são as suas raízes sociais?

O ultraesquerdismo possui, nos diferentes países e em épocas diferentes, uma base social diferente. As expressões mais determinadas do ultraesquerdismo foram o anarquismo, o blanquismo e as suas diversas combinações, inclusive a mais recente: o anarcossindicalismo.

A base social dessas correntes, que se desenvolveram principalmente nos países latinos, foi a velha e clássica pequena indústria parisiense. Sua estabilidade deu uma incontestável significação aos diversos aspectos do ultrarradicalismo francês e lhe permitiu, até um certo ponto, influenciar ideologicamente o movimento operário dos outros países. O desenvolvimento de uma grande indústria na França, a guerra e a Revolução russa quebraram a espinha dorsal do anarcossindicalismo. Lançado para trás, ele se transformou num oportunismo de mau aspecto. Em todos os seus estágios, o sindicalismo francês foi dirigido por esse mesmo Jouhaux: os tempos mudam e nós com eles.

O anarcossindicalismo espanhol só conservou o seu revolucionarismo aparente num ambiente de estagnação política. Colocando positivamente todos os problemas, a Revolução forçou os chefes anarcossindicalistas a se desembaraçar do ultrarradicalismo e a revelar a sua natureza oportunista. Pode-se contar com firmeza que a Revolução espanhola expulsará de seus últimos abrigos latinos os preconceitos sindicalistas.

Elementos anarquistas e blanquistas fazem igualmente parte de outras espécies de correntes e agrupamentos ultraesquerdistas. À periferia de um grande movimento revolucionário, observam-se sempre fenômenos de *putschismo* e de aventurismo, cujos protagonistas são ora de camadas operárias atrasadas, frequentemente semiartesãos, ora companheiros de jornada intelectuais. Mas este gênero de ultraesquerdismo não se eleva de ordinário até uma importância histórica independente; conserva, na maioria das vezes, um caráter episódico.

Nos países historicamente retardatários que têm de fazer a sua revolução burguesa no ambiente de um movimento operário mundial desenvolvido, os intelectuais de esquerda levam às vezes ao movimento semiespontâneo das massas, especialmente das massas pequeno-burguesas, as fórmulas e os métodos mais extremos. Tal é a natureza de partidos pequeno-burgueses, do tipo dos "socialistas-revolucionários" russos, com a sua tendência ao *putschismo*, ao terror individual etc. Graças à presença de partidos comunistas no Oriente, é pouco provável que, lá, os agrupamentos aventuristas independentes cheguem a adquirir a importância dos socialistas-revolucionários russos. Mas, em compensação, os jovens partidos comunistas do Oriente podem encerrar no seu próprio seio elementos do aventurismo. No que concerne aos socialistas-revolucionários russos, estes, sob a influência da evolução da sociedade burguesa, se transformaram num partido imperialista da pequena burguesia e tomaram, para com a Revolução de outubro, uma posição contrarrevolucionária.

É perfeitamente evidente que o ultraesquerdismo da atual Internacional Comunista não corresponde a nenhum dos tipos históricos caracterizados mais acima. O Partido mais importante da Internacional Comunista, o Partido Comunista russo, apoia-se notoriamente no proletariado industrial, e, bem ou mal, parte das tradições revolucionárias do bolchevismo. A maioria das outras seções da Internacional Comunista é de organizações proletárias. Não basta a própria diferença das condições dos diversos países, nos quais medra, da mesma maneira e simultaneamente, a política ultraesquerdista do comunismo oficial, para demonstrar que essa corrente não pode ter raízes sociais comuns? Não vemos o curso ultraesquerdista, com o único e mesmo caráter de "princípio", aplicado na China e na Inglaterra? Mas, se assim é, onde procurar, então, a origem do novo ultraesquerdismo?

O problema se complica ainda, mas ao mesmo tempo se esclarece, por uma circunstância extremamente importante: o ultraesquerdismo não é absolutamente o traço invariável e fundamental da atual direção da Internacional Comunista. O mesmo aparelho, renovado na sua composição, realizou até 1928 uma política abertamente oportunista, passando inteiramente, em muitas questões da mais alta importância, para os trilhos do menchevismo. No curso de 1924-27, não somente os acordos com os reformistas foram julgados obrigatórios, como se admitia, ao mesmo tempo, a renúncia à independência do Partido, à sua liberdade de crítica e mesmo à sua base proletária de classe[1].

Não se trata, pois, absolutamente, de uma corrente ultraesquerdista particular, mas de prolongados ziguezagues ultraesquerdistas de uma corrente que, no passado, demonstrou ser igualmente capaz de ziguezagues ultradireitistas acentuados. Bastam estes sinais exteriores para mostrar que se trata do *centrismo*.

Para falar de uma maneira formal e descritiva, o centrismo é formado de todas essas correntes, no proletariado e à sua periferia, que se colocam entre o reformismo e o marxismo, representando na maioria das vezes etapas diferentes da evolução do reformismo ao marxismo e vice-versa. O marxismo também, assim como o reformismo, tem sob si uma sólida base social. O marxismo exprime os interesses históricos do proletariado. O reformismo corresponde à posição privilegiada da burocracia e da aristocracia proletárias no Estado capitalista. O centrismo, tal como o conhecemos no passado, não tinha e não podia ter bases sociais independentes. As diferentes camadas do proletariado se desenvolvem na direção revolucionária por vias diferentes e em

[1] Ver a análise detalhada desse capítulo oportunista da Internacional Comunista que durou alguns anos, em nossos trabalhos: *A Internacional Comunista depois de Lenin, A Revolução Permanente* etc.

ritmos diferentes. Nos períodos de surto industrial prolongado, ou nos períodos de refluxo político, depois da derrota, as diferentes camadas do proletariado se deslocam politicamente da esquerda para a direita, encontrando-se com outras camadas que começam apenas a caminhar para a esquerda. Os grupos diferentes param em certas etapas de sua evolução, encontram os seus chefes temporários, criam os seus programas e as suas organizações. Não é difícil compreender-se que variedade de correntes a noção de "centrismo" abarca. Segundo a sua origem, a sua composição social e a tendência de sua evolução, os diversos agrupamentos podem encontrar-se em estado de luta encarniçada, sem deixar por isso de ser espécies diferentes do centrismo.

Se o centrismo, em geral, exerce habitualmente a função de uma capa de esquerda para o reformismo, a questão de se saber a qual dos campos fundamentais, do reformismo ou do marxismo, pertence uma tendência centrista *dada*, não encontra solução determinada de uma vez por todas. Aqui, mais do que nunca, é preciso sempre analisar o conteúdo concreto do processo e as tendências interiores de seu desenvolvimento. Assim, certos erros políticos de Rosa Luxemburgo podem, com justiça, do ponto de vista teórico, ser caracterizados como erros centristas de esquerda. Pode-se ir mais longe e dizer que a maior parte das divergências entre Rosa Luxemburgo e Lenin representavam uma inclinação mais ou menos grande para o lado do centrismo. Mas só indivíduos sem vergonha e ignorantes e os charlatães da burocracia da Internacional Comunista podem classificar o luxemburguismo, como corrente histórica, no centrismo. Que os "chefes" atuais da Internacional, a começar por Stalin, não chegam, política e moralmente, aos pés da grande revolucionária, é inútil dizer.

Os críticos que não estudam a fundo o problema, acusaram, mais de uma vez, nestes últimos tempos, o autor destas linhas de ter abusado da palavra "centrismo", agrupando sob este nome correntes e grupos muito diferentes no seio do movimento operário. Na realidade, a diversidade dos tipos do centrismo decorre, como já se disse, da própria essência do fenômeno e não do abuso das terminologias. Lembremo-nos quantas vezes os marxistas foram acusados de atribuir os mesmos fenômenos multiformes e contraditórios à pequena burguesia. E efetivamente, sob a categoria "pequena burguesia", é preciso que se inscrevam fatos, ideias e tendências que, à primeira vista, são incompatíveis. Possuem um caráter pequeno-burguês o movimento camponês e o movimento radical na reforma comunal; os jacobinos pequeno-burgueses franceses e os populistas (*narodniki*) russos; os proudhonianos[2] pequeno-burgueses, mas também os blanquistas; a atual social-democracia, mas também o fascismo, são pequeno-burgueses; os anarcossindicalistas franceses, o "exército de salvação", o movimento de Gandhi nas Índias etc. etc. Um quadro ainda mais variado se apresenta se passamos para o domínio da filosofia e da arte. Isto quer dizer que o marxismo brinque com a terminologia? Não, isto quer dizer apenas que a pequena-burguesia é caracterizada por uma extraordinária heterogeneidade em sua natureza social. Embaixo, ela se confunde com o proletariado e passa para o lumpemproletariado; no alto, ela se estende à burguesia capitalista. Pode apoiar-se nas antigas formas produtivas, mas pode depressa desenvolver-se também na base da indústria mais moderna (novas classes médias). Não é de admirar que se enfeite ideologicamente com todas as cores do arco-íris.

O centrismo no seio do movimento operário representa, num certo sentido, o mesmo papel que a ideologia pequeno-burguesa de qualquer espécie em relação à sociedade burguesa no seu conjunto. O centrismo reflete os processos da evolução do proletariado, o seu desenvolvimento político, assim como a sua decadência revolucionária, ligada à opressão exercida sobre o proletariado por todas as outras classes da sociedade. Não é de admirar que a palheta do centrismo se distinga por uma tal variedade de cores! Decorre daí, todavia, não que seja preciso renunciar à noção do centrismo, mas apenas que, em cada caso determinado, é indispensável descobrir-se, por meio de uma análise social histórica concreta, a natureza real do centrismo da espécie em questão.

A fração dominante da Internacional Comunista não representa um centrismo "em geral", mas uma formação histórica perfeitamente determinada,

---

2 Os jacobinos eram membros do Clube Jacobino, a fração política mais radical da revolução francesa, que governou desde a derrubada da Gironda até o Termidor. Os populistas russos atuaram nos meios intelectuais russos na década de 1860 e ganharam força quando levaram a cabo atividades entre o campesinato de 1876 a 1879, quando se dividiram em dois partidos: um de caráter anarquista, Vontade do Povo, que foi esmagado depois do assassinato do czar Alexandre II em 1881; e outro grupo, Redivisão Negra, dirigido por George Valentinovitch Plekhanov (1856-1918), o qual acabou se cindindo mais uma vez: o grupo de Plekhanov, o Grupo Emancipação do Trabalho, se aproximou do marxismo, ao passo que a outra ala se converteu no Partido Socialista-Revolucionário. Os proudhonianos eram os partidários de Pierre-Joseph Proudhon (1809-1865), um dos primeiros teóricos do anarquismo. (N.Ed.)

com poderosas raízes sociais, embora ainda muito recentes. Trata-se, antes de tudo, da *burocracia soviética*. Nos escritos teóricos de Stalin esta camada social absolutamente não existe. Fala-se aí unicamente de "leninismo", de direção imaterial, de tradição ideológica, de espírito do bolchevismo, de "linha geral" imponderável; mas, sobre o fato de que o burocrata em carne e osso maneja esta linha geral como um bombeiro a sua lança, não se ouve dizer palavra.

Entretanto, esse burocrata não se parece absolutamente com um espírito imaterial. Come, bebe, reproduz-se e arredonda o ventre. Comanda com voz autoritária, escolhe embaixo os seus fiéis, conserva fidelidade aos superiores, não admite que o critiquem e vê nisto a própria essência da linha geral. Há muitos milhões desses burocratas – muitos milhões! – mais do que houve operários industriais no período da Revolução de Outubro. A maior parte desses burocratas nunca participou da luta de classes, que exige sacrifícios e comporta perigos. Na sua massa predominante, essa gente nasceu, politicamente, já na qualidade de camada dirigente. Atrás dela se encontra o poder de Estado. Este assegura a sua existência, eleva-a consideravelmente acima do resto da massa. Ela não conhece o perigo do desemprego, contanto que se conserve perfilada, as mãos na costura das calças. Os erros mais grosseiros lhe são perdoados, desde que consinta em desempenhar, no momento necessário, o papel de bode expiatório e salvar a responsabilidade de seus superiores imediatos. E então, uma tal camada dirigente, de muitos milhões, tem um peso social qualquer e uma influência política na vida do país? Sim ou não?

Que a burocracia operária e a aristocracia operária constituem a base social do oportunismo, isto é conhecido nos velhos livros. Na Rússia, o fenômeno tomou novas formas. À base da ditadura do proletariado – num país atrasado, com uma circunvizinhança capitalista – criou-se, pela primeira vez, nas camadas superiores dos trabalhadores, um poderoso aparelho burocrático elevado acima da massa, dando-lhe ordens, gozando de enormes privilégios, ligado por uma solidariedade coletiva interna e imprimindo à política do Estado operário os seus interesses particulares, os seus métodos e os seus processos.

Nós não somos anarquistas. Compreendemos a necessidade do Estado operário e, por conseguinte, a inevitabilidade histórica da burocracia no período transitório. Mas compreendemos também os perigos que comporta esse fato, sobretudo para um país atrasado e isolado. A idealização da burocracia soviética é o erro mais vergonhoso que pode cometer um marxista. Lenin procurou com todas as suas forças fazer com que o Partido, como vanguarda autônoma da classe operária, se elevasse acima do aparelho estatal, o controlasse, o fiscalizasse, o dirigisse e o depurasse, colocando os interesses históricos do proletariado – internacional, não apenas nacional – acima dos interesses da burocracia dirigente. Como primeira condição para o controle do Partido sobre o Estado, Lenin indicou o controle da massa do Partido sobre o aparelho do Partido. Releiam com atenção os seus artigos, os seus discursos e as suas cartas do período soviético, especialmente as dos dois últimos anos de sua vida, e verão com que angústia o seu espírito sempre volvia a esta questão candente.

Ora, que se passa no período pós-leninista? Toda a camada dirigente do Partido e do Estado, que fizera a Revolução e a guerra civil, foi destituída, afastada, destruída. Foi o burocrata sem personalidade que tomou o seu lugar. Ao mesmo tempo, a luta contra o burocratismo, que teve um caráter tão agudo em vida de Lenin, quando a burocracia estava ainda nos seus cueiros, cessou completamente, agora que o aparelho cresceu em proporções monstruosas.

E quem poderia conduzir esta luta? Presentemente, o Partido, como vanguarda autônoma do proletariado, não existe mais. O aparelho do Partido se confunde com o do Estado. A GPU apresenta-se como o instrumento mais importante da linha geral, no interior do Partido. A burocracia não só não permite a crítica de baixo para cima, como impede mesmo aos seus teóricos de falar nisso, de lhe prestar atenção. O ódio encarniçado contra a Oposição de Esquerda é provocado, antes de tudo, porque a Oposição fala abertamente da burocracia, de seu papel particular, de seus interesses, desvendando o segredo de que a linha geral é inseparável da carne e do sangue da nova camada dirigente nacional, que não se identifica absolutamente com o proletariado. A burocracia estatal faz deduzir a sua virgindade do caráter operário do Estado: Como pode ela degenerar, se é a burocracia de um Estado *operário*? O Estado e a burocracia são tomados, assim, não como processos históricos, mas como categorias eternas: Como a Santa Igreja e os seus padres inspirados por Deus podem pecar? Mas, se a burocracia operária, elevada acima do proletariado em luta na sociedade capitalista, pôde degenerar no partido de Noske, Scheidemann, Ebert e Wels, por que não pode ela degenerar, elevando-se acima ao proletariado vitorioso?

A situação dominante e sem controle da burocracia soviética cultiva uma psicologia que contradiz muito a psicologia do proletário revolucionário. A burocracia faz os seus cálculos e as suas combinações de política interior, assim como exterior, acima das tarefas de educação revolucionária das massas e fora de toda ligação com as tarefas da Revolução internacional. No curso de toda uma série de anos, a fração stalinista demonstrou que os interesses e a psicologia do "camponês forte", do engenheiro, do administrador, do intelectual burguês chinês, do funcionário das *trade-unions* inglesas lhe eram mais próximos e mais compreensíveis do que a psicologia e as necessidades da base, do camponês pobre, das massas populares chinesas insurrectas, dos grevistas ingleses etc.

Mas, então, por que a fração stalinista não levou até o fim a sua linha de oportunismo nacional? Porque é a burocracia do Estado *operário*. Se a social-democracia internacional defende os fundamentos da dominação burguesa, a burocracia soviética, sem proceder ao derrubamento do Estado, é obrigada a adaptar-se às bases sociais lançadas pela Revolução de Outubro. Daí o caráter duplo da psicologia e da política da burocracia stalinista. O *centrismo*, mas o centrismo que se apoia nos fundamentos do Estado *operário*, é a única expressão possível desta duplicidade.

Se os agrupamentos centristas nos países capitalistas têm mais frequentemente um caráter temporário, transitório, refletindo a evolução de certas camadas, operárias, à direita ou à esquerda, o centrismo, nas condições da República Soviética, recebeu uma base bem mais sólida e bem mais organizada na pessoa da numerosa burocracia. Representando o meio natural das tendências oportunistas e nacionalistas, ela é forçada, entretanto, a defender as bases de sua denominação na luta contra o *kulak*, e a se preocupar, ao mesmo tempo, com o seu prestígio "bolchevique" no movimento operário internacional. Depois de ter procurado a amizade do Kuo Min-tang e da burocracia de Amsterdã[3], cujo espírito lhe é muito próximo, a burocracia soviética entrou em conflito constante e agudo com a social-democracia, que, por sua vez, reflete a hostilidade da burguesia mundial para com o Estado soviético. Tais são as fontes do atual ziguezague de esquerda.

---

[3] Referência à Federação Sindical Internacional ou FSI, também conhecida como Internacional de Amsterdã. (N.Ed.)

A particularidade da situação consiste não em que a burocracia soviética possua uma imunidade particular contra o oportunismo e o nacionalismo, mas no fato de que, não tendo a possibilidade de tomar uma posição nacional-reformista acabada, é forçada a descrever ziguezagues entre o marxismo e o nacional-reformismo. As oscilações do *centrismo burocrático*, segundo a sua força, os seus recursos e as contradições de sua situação, tiveram uma extensão inteiramente inaudita; da aventura ultraesquerdista na Bulgária e na Estônia[4] à aliança com Tchang Kai-chek, Raditch e Purcell; da vergonhosa fraternização com os furadores de greves britânicos, até a renúncia completa da política de frente única com os sindicatos de massa.

A burocracia stalinista transporta os seus métodos e ziguezagues para os outros países na medida em que, através do aparelho do Partido, não somente dirige a Internacional Comunista, como lhe dita ordens. Thälmann foi pelo Kuo Min-tang, quando Stalin era pelo Kuo Min-tang. No VII Pleno do Comitê Executivo da Internacional Comunista[5], outono de 1926, o delegado do Kuo Min-tang, embaixador de Tchang Kai-chek, que se chamava Shao Li-tsi, manifestou-se de pleno acordo com Thälmann, Sémard e outros Remmele, contra o "trotskismo".

O "camarada" Shao Li-tsi dizia: "Estamos todos convencidos de que, sob a direção da Internacional Comunista, o Kuo Min-tang realizará a sua tarefa histórica". (*Atas russas,* Primeiro volume,: p. 459). Tal é o fato histórico!

Tomai a *Rote Fahne* do ano de 1926 e encontrareis nela uma quantidade de artigos sobre o tema de que Trotsky, exigindo a ruptura com o Conselho Geral dos furadores de greves, demonstrava, com isto mesmo, o seu... menchevismo!

---

[4] A insurreição estoniana de 1924 foi um *putsch* – uma aventura conspiratória nas costas das massas – no sentido mais amplo do termo. No início da manhã de primeiro de dezembro de 1924, cerca de 400 comunistas armados assaltaram vários prédios governamentais e pontos estratégicos. Eles foram esmagados em menos de quatro horas. (N.Ed.)

[5] O VII Pleno do Comitê Executivo da Internacional Comunista (CEIC), ocorrido em Moscou de 22 a 26 de dezembro de 1926, foi aberto por Bukharin apresentando o relatório do CEIC. O pleno retirou Zinoviev da presidência da Internacional Comunista e de suas atribuições no CEIC. O VII Pleno realizou uma reorganização administrativa de suas instâncias. A partir de dezembro de 1926 Stalin tornou-se de fato (nos bastidores) o dirigente da Internacional Comunista. O VII Pleno tratou principalmente da situação no Partido Comunista da União Soviética e discutiu também a situação na Grã-Bretanha e na China, bem como nos partidos comunistas holandês e alemão. (N.Ed.)

E hoje o "menchevismo" consiste, já, na reivindicação da frente única com as organizações de massa, isto é, em seguir a política que formularam, sob a direção de Lenin, os III e IV Congressos da Internacional Comunista contra todos os Thälmann, Thalheimer, Bela Kun, Frossard etc.

Todos esses ziguezagues dolorosos não teriam sido possíveis se, em todas as seções comunistas, não tivessem formado uma camada autônoma de burocratas, isto é, independente do Partido. Reside aí a raiz do mal!

A força de um partido revolucionário consiste na independência da vanguarda que verifica e seleciona os seus quadros e, tendo educado os seus chefes, os eleva gradualmente pela sua confiança. Isto cria um laço indissolúvel dos quadros com as massas, dos chefes com os quadros e comunica a toda a direção a confiança em si mesma. Nada de tudo isto existe nos Partidos comunistas atuais! Os chefes são designados. Eles mesmos escolhem os seus auxiliares. A base é obrigada a aceitar os chefes designados, em torno dos quais se cria uma atmosfera artificial de publicidade. Os quadros dependem do vértice, não da base. Procuram, na sua maioria, as fontes de sua influência, assim como as de sua existência, fora das massas. Não tiram as suas palavras de ordem políticas da experiência da luta, mas as recebem pelo telégrafo. Durante esse tempo, no arquivo de Stalin se acumulam, para os casos de necessidade, documentos acusadores. Cada um dos chefes sabe que se pode a qualquer momento fazê-lo voar como uma penugem.

Assim se forma na Internacional Comunista uma camada burocrata fechada, representando um campo de cultura no qual se nutre o bacilo do centrismo. Muito estável e resistente organicamente, porque se apoia na burocracia do Estado soviético, o centrismo de Thälmann, Remmele & Cia. se distingue pelas titubeações extraordinárias no domínio político. Privado da segurança que só se adquire pela ligação orgânica com as massas, o CC infalível é capaz dos mais monstruosos ziguezagues. Quanto menos preparado para a luta ideológica séria, tanto mais pródigo de injúrias, insinuações, calúnias. A imagem de Stalin "brutal e desleal", segundo a definição de Lenin é a própria personificação desta camada.

A característica dada aqui ao centrismo burocrático determina as relações da Oposição de Esquerda com a burocracia stalinista: apoio total e ilimitado, na medida em que a burocracia defende as fronteiras da República Soviética e as fases da Revolução de Outubro; crítica aberta, na medida em que a burocracia torna difícil, pelos seus ziguezagues administrativos, a defesa da Revolução e da construção socialista; oposição irreconciliável, na medida em que, pelo seu despotismo burocrático, ela desorganiza a luta do proletariado mundial.

XI
A contradição entre os sucessos econômicos da URSS e a burocratização do regime

Não se pode elaborar as bases de uma política revolucionária "em um só país". O problema da Revolução alemã está, agora, indissoluvelmente ligado ao problema da direção política na URSS. Esta ligação precisa ser compreendida a fundo.

A ditadura do proletariado é a resposta à resistência das classes privilegiadas. A limitação da liberdade deriva do regime de guerra da Revolução, isto é, das condições da guerra de classe. Deste ponto de vista, é perfeitamente evidente que a consolidação interior da República dos Sovietes, o seu desenvolvimento econômico, o enfraquecimento da resistência da burguesia, sobretudo os sucessos da "liquidação" da última classe capitalista, dos *kulaks*, deveriam trazer o florescimento da democracia no Partido, nos sindicatos e nos Sovietes.

Os stalinistas não se cansam de repetir que "já entramos no socialismo", que a atual coletivização significa, por si mesma, a liquidação dos *kulaks* como classe e que já o próximo plano quinquenal deve ultimar estes processos. Se é assim, por que esse mesmo processo acarreta a completa asfixia do Partido, das organizações sindicais e dos Sovietes pelo aparelho burocrático, o qual, por sua vez, tomou o caráter do bonapartismo plebiscitário? Por que, durante o período da fome e da guerra civil, o Partido transbordava de vida, a ninguém vinha a ideia de perguntar: Pode-se ou não criticar Lenin ou o CC todo, ao passo que agora a menor divergência com Stalin acarreta a exclusão do Partido e as represálias administrativas?

A ameaça de guerra por parte dos Estados capitalistas não pode, de modo algum, explicar e, ainda menos, justificar o crescimento da autocracia dos burocratas. Se na sociedade socialista-nacional as classes são menos ou mais liquidadas, isto significaria o começo da atrofia do Estado. A sociedade socialista pode opor uma resistência vitoriosa ao inimigo exterior, precisamente na qualidade de sociedade socialista, e não como Estado da ditadura proletária, ainda menos como Estado burocratizado. Não falamos da atrofia da ditadura: é cedo demais, ainda não "entramos no socialismo". Falamos de outra coisa. Perguntamos: Como se explica a degenerescência burocrática da ditadura? Qual é a fonte da iníqua, monstruosa, aterradora contradição entre os sucessos da construção socialista e o regime da ditadura pessoal, que se apoia num aparelho impessoal, que segura pela garganta a classe dominante do país? Como explicar o fato de que a economia e a política se desenvolvem em direções diretamente opostas?

Os sucessos econômicos são muito grandes. Do ponto de vista econômico, a Revolução de Outubro justifica-se completamente desde já. Os coeficientes elevados do crescimento econômico exprimem irrefutavelmente que os métodos socialistas possuem vantagens enormes, mesmo para a solução dos problemas da produção que, no Ocidente, foram resolvidos por meio dos métodos capitalistas. Que grandiosas serão as vantagens da economia socialista nos países adiantados!

Entretanto, o problema posto pela insurreição de outubro ainda não está resolvido, mesmo de forma esboçada.

A burocracia stalinista qualifica a economia de "socialista", segundo suas premissas e suas tendências. Isto é insuficiente. Os sucessos econômicos da União Soviética se desenvolvem sempre na base de um nível econômico pouco elevado. A indústria nacionalizada passa pelos estágios por que passaram, há muito tempo já, as nações capitalistas adiantadas. A operária, que faz fila, possui o *seu* próprio critério do socialismo, e este critério "consumidor", segundo a expressão de desprezo do burocrata, é decisivo nesta questão. No conflito entre os pontos de vista da operária e os do burocrata, nós, Oposição de Esquerda, estamos do lado da operária contra o burocrata, que exagera os sucessos, mascara as contradições acumuladas e agarra a operária pela garganta para que ela não possa criticar.

O ano último, uma brusca reviravolta foi feita do salário igual para o salário diferença (trabalho por tarefa). É absolutamente incontestável que em presença de um baixo nível das forças produtivas e, por conseguinte, da cultura geral, a igualdade dos salários é irrealizável. Mas isto significa também que o problema do socialismo não se resolve somente por meio das formas sociais da propriedade, mas pressupõe uma certa potência técnica da sociedade. Entretanto, o crescimento da potência técnica faz transbordar automaticamente as forças produtivas das fronteiras nacionais.

Restabelecendo o salário diferença, que fora prematuramente abolido, a burocracia qualificou o salário igual de princípio "*kulakista*". É uma insensatez evidente, que demonstra a que grau de hipocrisia e falsidade chegaram os stalinistas. Com efeito, teria sido preciso dizer: "Tínhamos ido muito longe com os métodos igualitários de salário; estamos ainda longe do socialismo; como somos ainda muito pobres, precisamos voltar atrás, a métodos de salários semicapitalistas ou *kulakistas*". Nós o repetimos: Não há aqui contradição com os fins socialistas. Há somente uma contradição irreconciliável com as falsificações burocráticas da realidade.

O recuo ao salário por tarefas foi o resultado da resistência de uma economia atrasada. Destes passos atrás ainda haverá muitos, sobretudo no domínio da economia agrária, onde foi efetuado um salto administrativo para a frente grande demais.

A industrialização e a coletivização se efetuam com os métodos de comando burocrático unilateral e sem controle das massas trabalhadoras. Os sindicatos estão completamente privados da possibilidade de agir sobre as relações entre o consumo e a acumulação. A diferenciação do campesinato é no momento liquidada, não tanto economicamente como administrativamente. As medidas sociais da burocracia para a liquidação das classes adiantam-se extraordinariamente em relação ao processo fundamental, ao desenvolvimento das forças produtivas. Isto acarreta a alta do preço do custo na indústria, a baixa da qualidade da produção, a alta dos preços, a falta de objetos de consumo e oferece como perspectiva a ameaça de um novo desemprego.

A tensão extrema da atmosfera política do país é o resultado das contradições entre o crescimento da economia soviética e a política econômica da burocracia que, ou se retarda monstruosamente quanto às necessidades da economia (1923-1928) ou, aterrorizada por seu próprio atraso, se lança para a frente, a fim de recuperar o tempo perdido, por meio de medidas puramente administrativas (1928-1932). Também aí o ziguezague de direita é seguido do ziguezague de esquerda. Nos dois ziguezagues, a burocracia entra em contradição com as realidades da economia e, por conseguinte, com o estado de espírito dos trabalhadores. Ela não pode permitir-lhes que a critiquem – nem quando retarda, nem quando se lança demais para a frente.

Sua pressão sobre os operários e os camponeses, a burocracia só pode exercê-la privando os trabalhadores da participação na solução dos problemas de seu próprio trabalho e de seu próprio futuro. É aí que reside o maior perigo! Em política, o medo contínuo da resistência das massas pode produzir um "curto-circuito" da ditadura burocrática e pessoal.

Isto significa que seja preciso reduzir os ritmos da industrialização e da coletivização? Por certo período – sem nenhuma dúvida. Mas pode ser que este período seja de duração muito curta. A participação dos próprios trabalhadores na direção do país, de sua política e de sua economia, o controle efetivo sobre a burocracia, o crescimento do sentimento da responsabilidade dos dirigentes para com os dirigidos, tudo isto produzirá um efeito incontestavelmente favorável à própria produção, diminuirá os atritos interiores, reduzirá ao mínimo os ziguezagues econômicos tão onerosos, assegurará uma distribuição mais sã das forças e dos meios, e, em última análise, aumentará o coeficiente geral do desenvolvimento. A democracia soviética é, antes de tudo, uma necessidade vital da própria economia. Ao contrário, o burocratismo encerra em si surpresas econômicas trágicas. Observando no seu conjunto a história do período dos epígonos no desenvolvimento da URSS, não é difícil chegar-se à conclusão de que a premissa política fundamental da burocratização do regime foi o cansaço das massas, depois dos abalos da Revolução e da guerra civil. Reinavam no país a fome e as epidemias, as questões da política foram relegadas ao último plano. Todos os pensamentos se dirigiam para o pedaço de pão. Na época do comunismo de guerra, todo mundo tinha uma igual ração de fome. A passagem à NEP trouxe as primeiras vantagens econômicas[1].

[1] Comunismo de Guerra foi o nome dado às severas políticas adotadas pelos bolcheviques durante a guerra civil. Essas medidas deram lugar à Nova Política Econômica (NEP, no acrônimo russo) em 1921. A NEP foi a política econômica adotada na União Soviética entre

A ração tornou-se mais abundante, mas nem todos dela se beneficiavam. A instauração da economia de mercadorias trouxe o cálculo do preço de custo, a racionalização elementar, o licenciamento dos operários em demasia das usinas. Os sucessos econômicos marcharam muito tempo no mesmo passo que o crescimento do *desemprego*.

É preciso não esquecer um só instante: o robustecimento da força do aparelho se apoiou no desemprego. Depois dos anos de fome, o exército de reserva amedrontava todo o proletariado no seu trabalho. O afastamento dos operários independentes e de espírito crítico das oficinas, as listas negras dos oposicionistas tornaram-se em um dos instrumentos mais importantes e mais eficazes nas mãos da burocracia stalinista. Sem esta condição, ela jamais teria conseguido asfixiar o Partido leninista.

Os sucessos econômicos ulteriores trouxeram gradualmente a liquidação do exército de reserva dos operários industriais (a superpopulação agrária mascarada pela coletivização conserva, ainda, toda a sua amplitude). Hoje o operário industrial já não tem mais medo de ser lançado à rua. Segundo a sua experiência cotidiana, sabe que a falta de previdência e o arbítrio da burocracia lhe tornaram difícil a solução dos problemas. A imprensa soviética denuncia as diferentes empresas que não oferecem campo suficiente à iniciativa operária, ao espírito de invenção etc., como se se pudesse trancar a iniciativa do proletariado nas oficinas, como se as oficinas fossem oásis de democracia na produção, num ambiente de asfixia completa do proletariado no Partido, nos Sovietes e nos sindicatos!

1921 e 1928, ou seja, entre o "comunismo de guerra" e o primeiro plano quinquenal e a coletivização e a renacionalização forçada dos meios de produção, embora Stalin afirmasse até 1930 que a NEP continuava em vigor. A NEP foi adotada para aliviar a tensão entre o campesinato e as cidades, existente durante a guerra civil pela requisição e confisco de grãos e alimentos. Fundamentalmente, a economia passou por uma espécie de privatização controlada pelo Estado das pequenas explorações agrícolas, industriais e comerciais, admitindo o apoio de financiamentos estrangeiros, tentando, com isso, impulsionar a nascente União Soviética a superar da grave crise em que se encontrava. A NEP, desse modo, permitiu certo grau de livre comércio para encorajar a industrialização e a reconstrução econômica. A política foi conduzida de modo a evitar o perigo inerente da restauração capitalista. No entanto, muitos dos homens da NEP, os *nepman* – como eram conhecidos os beneficiários da política –, estiveram frequentemente envolvidos em especulações e negócios obscuros além dos limites da política, e se tornariam uma camada conservadora dentro da sociedade russa. (N.Ed.)

A consciência geral do proletariado não é absolutamente a mesma de 1922-1923. O proletariado cresceu numérica e culturalmente. Tendo realizado o trabalho gigantesco do renascimento e do reerguimento da economia, os operários sentem o renascimento e o reerguimento da confiança em si mesmos. Esta confiança interior crescente começa a se transformar em descontentamento contra o regime burocrático.

A asfixia do Partido, o triunfo do regime e do arbítrio pessoais podem à primeira vista dar a impressão de enfraquecimento do sistema soviético. Mas não há nada disso. O sistema soviético está extremamente consolidado; mas, ao mesmo tempo, a contradição entre este sistema e seus invólucros burocráticos aguçou-se extremamente. O aparelho stalinista vê com estupefação que *os sucessos econômicos não reforçam as suas posições, mas as solapam*. Na luta por suas posições, ele é forçado a torcer ainda mais o parafuso, proibindo qualquer outra forma de "autocrítica" que não sejam os elogios bizantinos aos chefes.

Não é a primeira vez na história que o desenvolvimento entra em contradição com as condições econômicas em cujo quadro se realiza. Mas é preciso compreender claramente quais são precisamente as condições que provocam o descontentamento. A vaga oposicionista crescente não é absolutamente dirigida contra as tarefas socialistas, as formas soviéticas ou o Partido Comunista. O descontentamento é dirigido contra o aparelho e a sua personificação: Stalin. Daí a nova etapa da luta encarniçada contra o chamado "contrabando trotskista".

O adversário ameaça tornar-se imponderável; está por toda parte e em parte alguma. Surge nas oficinas, nas escolas, penetra nos jornais históricos, em todos os manuais. Isso quer dizer: os fatos e os documentos acusam a burocracia, descobrem as suas hesitações e os seus erros. Não se pode mais recordar o passado tranquila e objetivamente, é preciso refazer o passado, é preciso tapar todas as fendas através das quais pode penetrar a dúvida na infalibilidade do aparelho e de seu chefe. Estamos em presença de todos os traços de uma camada dirigente que perdeu a cabeça. Yaroslavsky, o próprio Yaroslavsky, se tornou suspeito![2] Não são episódios ocasionais, chicanas, choques pessoais; o fundo do problema reside no fato de que os sucessos econômicos que, no começo, robusteceram a burocracia, se revelaram hoje, pela dialética de seu

---

2 Sabe-se que Yaroslavsky foi asperamente advertido por Stalin, por se ter referido ao "trotskismo" como a uma das tendências do comunismo. – N. do T.

desenvolvimento, opostos à burocracia. Eis porque por ocasião da última conferência do Partido, isto é, do Congresso do aparelho stalinista, o "trotskismo" foi três e quatro vezes liquidado e sepultado, foi declarado "a vanguarda da contrarrevolução burguesa". Esta decisão tola e politicamente inofensiva abre a cortina sobre alguns planos bastante "práticos" de Stalin no domínio das vinganças pessoais. Não foi em vão que Lenin preveniu contra a designação de Stalin para secretário-geral: "Este cozinheiro só fará pratos apimentados". O cozinheiro ainda não esgotou até o fim a sua ciência culinária. Apesar de todos os apertos dos parafusos teóricos e administrativos, a ditadura pessoal de Stalin manifestamente se aproxima do fim. O aparelho está cheio de fendas. A fenda chamada Yaroslavsky não é mais do que uma das centenas de fendas que hoje ainda não têm nome. O fato de a nova crise política preparar--se na base de sucessos evidentes e incontestáveis da economia soviética, do crescimento numérico do proletariado e do desenvolvimento dos primeiros sucessos da coletivização agrária serve para garantir suficientemente que a liquidação da autocracia burocrática coincide não com o desmoronamento do sistema soviético – como se teria podido temer há três ou quatro anos –, mas, ao contrário, com a sua libertação, o seu surto e o seu pleno desenvolvimento.

Mas é precisamente neste último período de sua vida que a burocracia stalinista é capaz de causar muito mal. A questão do prestígio se tornou agora para ela o problema central da política. Se se excluem do Partido os historiadores apolíticos pela única razão de que não souberam celebrar as façanhas de Stalin em 1917, o regime plebiscitário poderá admitir o reconhecimento de seus erros, cometidos em 1931-1932? Pode-se renunciar à teoria do social-fascismo? Pode-se desmoronar Stalin, que formulou o problema alemão da maneira seguinte: Que os fascistas cheguem primeiro; em seguida virá a nossa vez?

As condições objetivas na Alemanha são em si tão imperiosas que, se a direção do Partido Comunista alemão dispusesse da liberdade de ação necessária, se teria certamente orientado desde já para o nosso lado. Mas não é livre. Ao passo que a Oposição de Esquerda apresenta as ideias e as palavras de ordem do bolchevismo, experimentadas pela vitória de 1917, a camarilha stalinista, visando uma diversão, ordena telegraficamente o desencadeamento de uma campanha internacional contra o "trotskismo". A campanha é conduzida, não à base dos problemas da Revolução alemã, isto é, da vida ou da morte do proletariado mundial, mas à base do artigo miserável e mentiroso de Stalin sobre as questões da história do bolchevismo. É difícil imaginar-se uma desproporção maior entre as tarefas da época, de uma parte, e os miseráveis recursos ideológicos da direção oficial, de outra parte. Tal é a situação humilhante, indigna e ao mesmo tempo profundamente trágica da Internacional Comunista.

Os problemas do regime stalinista e o da Revolução alemã estão ligados por um nó indissolúvel. Os acontecimentos próximos desatarão ou cortarão esse nó, tanto no interesse da Revolução russa como da Revolução alemã.

XII

Os brandlerianos (KPDO) e a burocracia stalinista

Não há e não pode haver contradição entre os interesses do Estado soviético e os do proletariado internacional. Mas é fundamentalmente errado aplicar-se esta regra à burocracia stalinista. O regime desta entra cada vez mais em contradição tanto com os interesses da União Soviética, como com os interesses da Revolução mundial.

Por causa da burocracia soviética, Hugo Urbahns não vê as bases sociais do Estado proletário. Assim como Otto Bauer, Urbahns constrói a noção de um Estado fora das classes, mas diferentemente de Otto Bauer, vê este espécime na atual República dos Sovietes e não na Áustria.

De outra parte, Thalheimer afirma que "a posição trotskista para com a União Soviética, posição que põe em dúvida o caráter proletário do Estado soviético e o caráter socialista da construção econômica" (10 de janeiro), tem um caráter "centrista". Assim, Thalheimer não faz mais do que demonstrar como foi longe a *identificação do Estado operário com a burocracia soviética.* Quer que se olhe a União Soviética não com os olhos do proletariado internacional, mas unicamente através dos óculos da fração stalinista. Em outros termos, raciocina não como teórico da Revolução Proletária, mas como um lacaio da burocracia stalinista. Um lacaio descontente, fora das graças, mas sempre um lacaio, e que espera de novo voltar às graças. Eis porque, mesmo na "oposição", não ousa falar na burocracia em voz alta: como Jeová, a burocracia não o perdoaria: "Não invoques o meu nome em vão".

Tais são os dois polos dos agrupamentos comunistas: um não vê a floresta atrás das árvores, ao passo que, para o outro, a floresta impede que se distingam as árvores. Não há, entretanto, absolutamente nada de inesperado em que Thalheimer e Urbahns tenham achado entre si um parentesco tocante e hajam feito bloco contra a apreciação marxista do Estado soviético.

"O apoio" vago, e que não obriga a nada, da "experiência russa", tornou-se nestes últimos anos uma mercadoria muito espalhada e muito barata. Há, em todas as partes do mundo, homens de letras, radicais, semirradicais, humanitários, pacifistas e "socialistas" que manifestam para com a URSS e para com Stalin a mesma aprovação sem reservas dos brandlerianos. Bernard Shaw, que outrora criticou ferozmente Lenin e o autor destas linhas, aprova inteiramente a política de Stalin. Máximo Gorki, que esteve em oposição ao Partido Comunista durante o período de Lenin, é agora inteiramente por Stalin. Barbusse, que marcha mão a mão com os social-democratas franceses, sustenta Stalin. O semanário americano *The New Masses*, edição de pequenos burgueses radicais de segunda ordem, defende Stalin contra Rakovsky. Na Alemanha, Ossietzky, que citou com simpatia o meu artigo sobre o fascismo, julgou necessário notar que sou injusto na minha crítica a Stalin. O velho Ledebour disse: "No que concerne à questão litigiosa principal entre Stalin e Trotsky, de saber se se pode empreender a socialização em um só país e levá-la até o fim com sucesso, estou inteiramente do lado de Stalin". O número destes exemplos pode ser multiplicado ao infinito. Todos estes "amigos" da URSS abordam os problemas do Estado soviético do exterior, como observadores, como simpatizantes, às vezes como veranistas. Bem entendido, é mais digno ser-se amigo do plano quinquenal soviético do que da Bolsa de Nova York. Mas, entretanto, a simpatia passiva pequeno-burguesa de esquerda está longe de ser bolchevismo. Bastará o primeiro insucesso importante de Moscou para dispersar a maioria dessa gente como poeira ao vento.

Em que a posição dos brandlerianos para com o Estado soviético difere da posição de todos esses "amigos"? Talvez, simplesmente, por menos sinceridade. Um tal apoio não chove nem molha para a República dos Sovietes. E quando Thalheimer nos ensina, a nós Oposição de Esquerda, bolcheviques-

-leninistas russos, como é preciso comportar-se para com a União Soviética, só nos pode provocar um sentimento de nojo.

Rakovsky dirigiu em pessoa a defesa das fronteiras da República Soviética. Ajudou a economia soviética a dar os primeiros passos, participou na elaboração da política para com o campesinato, foi o iniciador dos comitês de camponeses pobres na Ucrânia, dirigiu a aplicação da NEP nas condições particulares da Ucrânia, conhece todos os escaninhos dessa política, segue-a ainda agora em Barnaul, diariamente, com uma atenção apaixonada, previne contra os erros, sugere os caminhos certos. Kote Zinzadzé, o velho combatente morto na deportação; Muralov, Karl Grünstein, os Eltsin, pai e filho; Kasparova, Chumskaia, Dingelstedt, Solntsev, Stopalov, Posnanski, Sermuks, Blumkin, fuzilado por Stalin; Butov, que Stalin fez morrer na prisão; as dezenas, as centenas, os milhares de outros dispersos nas prisões e nos lugares de deportação, são todos combatentes da insurreição de Outubro, da guerra civil, que participaram da construção socialista, que nenhuma dificuldade aterrorizará e que, ao primeiro sinal de pânico, estarão prontos a ocupar os postos de combate. Será a eles que cabe aprender com Thalheimer a fidelidade para com o Estado operário?

Tudo o que é progressivo na política de Stalin foi formulado pela Oposição da Esquerda e condenado pela burocracia. Por ter tomado a iniciativa da economia planificada dos ritmos elevados, da luta contra os *kulaks*, de uma coletivização mais ampla, a Oposição de Esquerda pagou, e ainda está pagando com anos de prisão e de deportação. Que trouxeram, então, à política econômica da URSS todos esses partidários incondicionais, todos esses simpatizantes e amigos, inclusive os brandlerianos? Nada! Atrás de seu apoio, vago e sem crítica, a tudo o que se faz na URSS, não se esconde nenhum entusiasmo internacionalista, mas apenas uma pálida simpatia: é que se trata de coisas que se passam fora da fronteira de sua própria pátria. Brandler e Thalheimer pensam e o dizem às vezes: "O regime de Stalin, bem entendido, não nos conviria, a nós, alemães; mas para os russos ainda é muito bom!".

O reformista vê na situação internacional a soma das situações nacionais. O marxista considera a política nacional como função da política internacional. Nesta questão fundamental, o grupo do KPDO (brandlerianos) ocupa uma posição nacional reformista, isto é, nega, de fato, senão em palavras, os princípios internacionalistas e os critérios da política nacional.

O partidário e colaborador mais próximo de Thalheimer foi Roy, cujo programa político para a Índia, assim como para a China, se origina inteiramente da ideia stalinista dos partidos "operários e camponeses" para o Oriente. Durante uma série de anos, Roy fez propaganda por um partido nacional-democrata na Índia. Em outros termos, agia como democrata nacional pequeno-burguês e não como revolucionário proletário. Isto não impediu de nenhum modo a sua participação ativa no estado-maior dos brandlerianos[1].

Entretanto, o oportunismo nacional dos brandlerianos se manifesta da forma mais grosseira para com a União Soviética. A crer-se nos brandlerianos, a burocracia stalinista age, ali, infalivelmente. Mas a direção desta mesma fração stalinista se revela, não se sabe por que, nefasta na Alemanha. Por que, pois? Não se trata de erros isolados de Stalin causados pelo desconhecimento dos outros países, mas de um determinado *curso* de erros, de toda uma tendência. Thälmann e Remmele conhecem a Alemanha, como Stalin a Rússia, como Cachin, Sémard ou Thorez a França. Todos juntos, formam uma fração internacional e elaboram a sua política para os diversos países. Mas verifica-se que esta política, irrepreensível para a Rússia, causa a perda da Revolução nos outros países.

A posição de Brandler torna-se infeliz, sobretudo quando é transportada para o interior da URSS, onde um brandleriano é obrigado a apoiar Stalin sem reserva. Radek, que, de fato, sempre esteve mais próximo de Brandler do que da Oposição de Esquerda, capitulou diante de Stalin. Brandler só aprovou este ato. Mas o capitulador Radek foi logo obrigado por Stalin a tratar Brandler e Thalheimer de "social-fascistas". Os berlinenses que suspiram platonicamente pelo regime stalinista não procuram mesmo sair dessas contradições humilhantes. O seu objetivo prático é claro, entretanto, mesmo sem comentários: "Se me pões à frente do Partido na Alemanha", diz Brandler a Stalin, "eu me comprometo a reconhecer a tua infalibilidade nos negócios russos, com a condição de que me permitas aplicar a minha política nos negócios alemães". Pode-se ter estima por tais "revolucionários"?

---

[1] Roy foi agora condenado, por longos anos, pelo governo MacDonald. A imprensa da Internacional Comunista não se vê obrigada a protestar contra isto: pode-se fazer um bloco íntimo com Tchang Kai-chek, mas não se deve defender o brandleriano hindu Roy contra os carrascos imperialistas.

Mas mesmo a política internacional da burocracia é criticada pelos brandlerianos de forma excessivamente unilateral, e com má-fé, do ponto de vista da teoria. O único vício desta política é, parece, o "ultraesquerdismo". Ora, pode-se acusar o bloco de Stalin com Tchang Kai-chek, bloco que durou quatro anos, de ultraesquerdismo? A criação da Internacional Camponesa foi ultraesquerdismo? Pode-se qualificar de *putschismo* o bloco com o Conselho Geral de furadores de greve? Ou a criação de partidos operários e camponeses na Ásia e do partido de operários e lavradores nos Estados Unidos?[2]

E, além disso, qual é a natureza social do ultraesquerdismo stalinista? Que é? Um estado de alma provisório? Um estado doentio? Procurareis em vão a resposta a esta pergunta no teórico Thalheimer.

Entretanto, o enigma foi resolvido há muito tempo pela Oposição de Esquerda: trata-se de um ziguezague ultraesquerdista do centrismo. Mas é precisamente esta definição, confirmada pelo desenvolvimento dos nove últimos anos, que os brandlerianos não podem admitir, pois que ela os mata. Participaram, com a fração stalinista, de todos os ziguezagues de *direita*, mas se insurgiram contra os ziguezagues de *esquerda*; com isto, demonstraram que compõem a ala direita do centrismo. O fato de que se tenha destacado como um ramo morto do tronco está perfeitamente na ordem das coisas: nas reviravoltas bruscas, o centrismo perde inevitavelmente os agrupamentos e as correntes de direita e de esquerda.

O que está dito mais acima não significa que os brandlerianos se tenham enganado *em tudo*. Não, contra Thälmann-Remmele, têm tido e continuam a ter, frequentemente, razão. Não há nisto nada de extraordinário, os oportunistas podem encontrar-se numa posição justa na luta contra o aventurismo. Ao contrário, a corrente ultraesquerdista pode apreender, de maneira justa, o momento da passagem da luta pelas massas para a luta pelo poder. Na sua

---

2 O partido de operários e camponeses estadunidenses ao qual Trotsky se refere é o Partido Camponês Operário (Farmer-Labor Party), uma formação de curta duração iniciada pelo Partido Comunista estadunidense em 1923 como uma manobra oportunista para capturar o movimento reformista em torno de Robert LaFollette. LaFollette recusou-se a isso e o Partido Camponês Operário apresentou uma chapa liderada por outro candidato. Menos de um mês após a formação do Partido Camponês Operário, a Internacional Comunista (a pedido de Trotsky) ordenou ao Partido Comunista estadunidense que retrocedesse. O Partido Comunista estadunidense retirou os candidatos do Partido Camponês Operário e anunciou que faria uma campanha em seu próprio nome com seus próprios candidatos. O Partido Camponês Operário então se desintegrou e deixou de existir em 1924. (N.Ed.)

crítica contra Brandler, os ultraesquerdistas apresentaram, em fins de 1923, muitas ideias justas, o que não os impediu de cometer em 1924-25 os erros mais grosseiros. O fato de que, na crítica das contorções do "terceiro período", os brandlerianos tenham repetido uma série de considerações pouco novas, mas justas, não testemunha, absolutamente, a justeza de sua posição geral. A política de cada agrupamento deve ser analisada nas diversas etapas: nos combates defensivos e ofensivos, nos períodos de fluxo e de refluxo, nas condições de luta para as massas e na situação de luta direta pelo poder.

Não existe direção marxista especializada nas questões de defensiva ou de ofensiva, de frente única ou de greve geral. A aplicação justa de todos esses métodos só é possível se se for capaz de apreciar sistematicamente a situação do seu conjunto, se souberem analisar as forças motrizes, determinar as etapas e as reviravoltas e basear nesta análise o sistema de ação que corresponde à situação presente e que prepara a etapa seguinte.

Brandler e Thalheimer se julgam quase que especialistas diplomados da "luta pelas massas". Com o ar mais sério do mundo, esses homens afirmam que os argumentos da Oposição de Esquerda em favor da política de frente única representam... um plágio das posições brandlerianas. Não se pode negar a ninguém o direito a uma ambição! Suponham que no mesmo momento em que vocês explicam a Heinz Neumann um erro de multiplicação, qualquer valente professor de aritmética vem declarar-lhes que vocês o plagiam, pois que explica da mesma maneira, há anos, o mistério do cálculo.

As pretensões dos brandlerianos me proporcionaram, em todo o caso, um minuto de alegria nesta triste situação. O conhecimento estratégico desses senhores data do III Congresso da Internacional Comunista. Eu aí defendi o ABC da luta pelas massas contra a ala "esquerda" de então. No meu livro *Nova Etapa*, destinado a popularizar a política de frente única e editado na época pela Internacional Comunista, em diversas línguas, é acentuado, várias vezes, o caráter elementar das ideias que nele são defendidas. "Tudo isto" – lemos, por exemplo, à página 70 da edição alemã – "representa uma *verdade elementar* do ponto de vista da experiência revolucionária séria. Mas certos elementos de 'esquerda' do Congresso viram nesta tática uma escorregadela para a direita". Entre esses certos, ao lado de Zinoviev, de Bukharin, de Radek, de Maslow, de Thälmann, achava-se também Thalheimer.

A acusação de plagio não é a única. Roubando a propriedade espiritual de Thalheimer, a Oposição lhe dá, ao que parece, uma interpretação oportunista. Esta esquisitice merece a nossa atenção na medida em que nos permite, de passagem, esclarecer melhor a questão da política do fascismo.

Apresentei num dos meus trabalhos precedentes a ideia de que Hitler não tem possibilidade de chegar ao poder pela via do parlamentarismo: admitindo-se mesmo que ele possa ganhar os seus 51% de votos, o crescimento das contradições econômicas e políticas deverá provocar a explosão aberta bem antes da vinda desse momento. A propósito, os brandlerianos me atribuem o pensamento de que os nacional-socialistas seriam liquidados "sem que haja necessidade de ação de massa extraparlamentar dos operários". Em que isto vale mais do que as invenções da *Rote Fahne*?

Da impossibilidade para os nacional-socialistas de chegarem "pacificamente" ao poder, eu deduzia a inevitabilidade de outras vias para a sua ascensão ao poder; ou pela via de um golpe de Estado aberto, ou pela via de uma etapa de coligação seguida de um golpe de Estado inevitável. A liquidação sem dor do fascismo não seria possível senão num só e único caso: se Hitler aplicasse, em 1932, a mesma política que Brandler aplicava em 1923. Sem superestimar absolutamente os estrategistas nacional-socialistas, acho, entretanto, que veem mais longe e que são mais sólidos do que Brandler & Cia.

Ainda mais profunda é a segunda objeção de Thalheimer: a questão de se saber se Hitler pode chegar ao poder pela via parlamentar ou por uma outra via não teria nenhuma importância, pois que não muda a "essência" do fascismo, o qual, de todas as formas, só pode consolidar a sua dominação sobre os destroços das organizações operárias. "Os operários podem deixar tranquilamente aos redatores do *Vorwärts* as investigações concernentes à diferença entre a chegada constitucional ou anticonstitucional de Hitler ao poder" (*Arbeiter Politik*, 10 de janeiro). Se os operários avançados escutassem Thalheimer, Hitler os degolaria seguramente. O que importa ao nosso sábio mestre-escola é "a essência" do fascismo; quanto a saber como essa essência se realizaria, deixa o cuidado de resolvê-lo aos redatores do *Vorwärts*. Mas a "essência" pogromista do fascismo só se pode realizar inteiramente depois de sua chegada ao poder. Ora, a tarefa consiste precisamente em não se deixar que ele chegue ao poder. Para isso, é preciso que se compreenda a estratégia do inimigo e se saiba explicá-la aos operários. Hitler faz esforços extraordinários para, na aparência, canalizar o movimento no leito da Constituição. Só um pedante que se presuma "materialista" pode pensar que tais processos fiquem sem influenciar a consciência política das massas. O constitucionalismo de Hitler serve não só para reservar-se a si uma porta aberta para o bloco com o Centro, como ainda para enganar a social-democracia, ou, antes, para facilitar aos chefes social-democratas a traição das massas. Se Hitler jura que não chegará ao poder senão pela via constitucional, resulta disso que o perigo do fascismo, hoje, não é assim tão grande. Em todo caso, ter-se-á ainda tempo de verificar, várias vezes, a relação de forças em toda a sorte de eleições. Sob a capa da perspectiva constitucionalista, que adormece os adversários, Hitler quer conservar a possibilidade de dar o golpe no momento propício. Esta artimanha militar, por mais simples que seja, encerra em si uma força enorme, pois se apoia não só na psicologia dos partidos intermediários que queiram resolver a questão pacífica e legalmente, mas, o que é muito mais perigoso, na credulidade das massas populares.

É preciso acrescentar ainda que a manobra de Hitler é uma manobra de dois gumes: engana não só os adversários, como também os seus partidários. Ora, para a luta, sobretudo para a luta ofensiva, é preciso espírito combativo. Só é possível mantê-lo educando-se o próprio exército na compreensão da inevitabilidade da luta aberta. Esta consideração faz também supor que Hitler não poderá, para não desmoralizar as suas próprias fileiras, prolongar ainda por muito tempo o seu doce romance com a Constituição de Weimar. Terá que puxar em tempo a sua faca.

Não basta compreender somente a "essência" do fascismo. É preciso saber apreciá-la como fenômeno político vivo, na qualidade de adversário consciente e pérfido. O nosso mestre-escola é demasiadamente "sociólogo" para ser um revolucionário. Não é claro, com efeito, que os exercícios profundos de Thalheimer entram também como elementos positivos nos cálculos de Hitler, pois que pôr no mesmo saco a difusão pelo *Vorwärts* das ilusões constitucionais e a denúncia da artimanha militar do inimigo, artimanha baseada nestas ilusões, é o mesmo que prestar serviço ao inimigo?

• • •

A organização pode ser importante, seja pelas massas que encerra, seja pelo conteúdo das ideias que é capaz de levar ao movimento operário. Umas e outras faltam aos brandlerianos. Entretanto, com que desprezo esplêndido Brandler e Thalheimer falam do pântano centrista do SAP! Na realidade, comparadas estas duas organizações – o SAP e o KPDO – todas as vantagens estão do lado do primeiro. O SAP não é um pântano, mas uma corrente viva. Sua tendência é orientada da direita para a esquerda, na direção do comunismo. A corrente não se purificou, contém muitos detritos e muita vasa, mas não é um pântano. O nome de pântano se adapta muito melhor à organização de Brandler-Thalheimer, que se caracteriza pela estagnação ideológica.

No interior do grupo do KPDO existia há muito tempo uma oposição descontente, sobretudo porque os dirigentes procuravam adaptar sua política antes aos sentimentos do estado-maior de Moscou do que às circunstâncias objetivas.

O fato da oposição de Walcher- Frölich e outros ter tolerado durante anos a política de Brandler-Thalheimer, a qual, sobretudo em relação à URSS, tinha não só um caráter errôneo, mas conscientemente hipócrita e politicamente desonesto, ninguém, bem entendido, levará ao ativo do grupo que se destacou. Mas o fato é que o grupo Walcher- Frölich reconheceu enfim a inutilidade total de uma organização cujos chefes se orientam segundo a vontade dos superiores. A minoria acha que é necessário ter uma política independente e ativa, dirigida não contra o infeliz Remmele, mas contra o curso e o regime da burocracia stalinista na URSS e na Internacional Comunista. Interpretando justamente, na base de materiais ainda muito insuficientes, a posição de Walcher- Frölich, ela representa nesta questão um passo à frente. Mas, depois de ter rompido com um grupo manifestamente morto, diante da minoria se apresenta agora a tarefa de encontrar uma orientação *nova*, nacional e sobretudo internacional. Na medida em que posso fazer uma apreciação, a minoria que se destacou vê, como tarefa principal, no período mais próximo, a aproximação com a ala esquerda do SAP para, depois de ter conquistado o novo partido para o comunismo, esmagar em seguida, com o seu auxílio, o conservantismo burocrático do Partido Comunista alemão. É impossível opinar-se sobre este plano, sob esta forma geral e vaga, desde que as bases de princípio, nas quais se coloca a própria minoria, e os métodos que pretende aplicar na luta por seus princípios, continuam obscuros. É preciso uma plataforma! Pensamos não num documento que reproduza os lugares-comuns do catecismo comunista, mas em respostas claras e concretas aos problemas das lutas da Revolução Proletária, que cindiram as fileiras comunistas durante os nove últimos anos e que conservam ainda hoje toda a sua candente importância. Sem isto, só se conseguirá a dissolução no SAP e retardar o seu desenvolvimento para o comunismo, em lugar de esclarecê-lo.

A Oposição de Esquerda seguirá atentamente e sem nenhuma prevenção a evolução da minoria. A cisão de uma organização não viável deu mais de uma vez na história impulso ao desenvolvimento progressivo de sua parte viável. Seremos muito felizes se esta regra se confirmar desta vez ainda, com relação à sorte da minoria. Mas só o futuro poderá responder.

XIII
A estratégia das greves

No domínio sindical o Partido foi definitivamente embaraçado pela direção comunista. O curso geral do "terceiro período" se orientava para os sindicatos paralelos. Supunha-se que o movimento de massa sobrepujasse as velhas organizações e que as organizações da Oposição Sindical Revolucionária (RGO) se tornassem os comitês de iniciativa da luta econômica. Para realizar-se este plano só faltava uma pequena coisa: o movimento das massas. Por ocasião das torrentes da primavera, a água arrasta as comportas à sua passagem. Tentemos tirar as comportas – decidiu Losovsky –, talvez as águas primaveris subam!

Os sindicatos reformistas resistiram. O Partido Comunista conseguiu ser posto fora das empresas. Começou-se então a fazer retificações parciais na política sindical. O Partido Comunista nega-se a chamar os operários inorganizados para os sindicatos reformistas. Mas pronuncia-se igualmente contra o abandono dos sindicatos. Criando embora organizações paralelas, ressuscita a palavra de ordem da luta pela influência no interior dos sindicatos reformistas. Toda esta mecânica representa, em conjunto, uma autossabotagem ideal.

A *Rote Fahne* queixa-se de que muitos comunistas consideram inútil a participação nos sindicatos reformistas. "Para que reanimar esta geringonça?", dizem eles. Com efeito, para quê? Se se luta seriamente pela conquista dos velhos sindicatos, é preciso chamar os inorganizados para eles: são precisamente as camadas novas que são suscetíveis de formar o apoio da ala esquerda. Mas então não se devem criar sindicatos paralelos, isto é, criar agências de concorrência do recrutamento dos operários.

A política a efetuar-se no interior dos sindicatos reformistas, preconizada de cima, está perfeitamente à altura da confusão que reina nas outras questões. A 28 de janeiro a *Rote Fahne* fazia observações aos comunistas membros do sindicato dos metalúrgicos de Düsseldorf, por ter lançado a palavra de ordem de "luta impiedosa contra a participação dos chefes sindicais" no apoio prestado ao governo de Brüning. Estas reivindicações "oportunistas" são inadmissíveis porque pressupõem que os reformistas são capazes de renunciar a apoiar Brüning e as suas leis de exceção. Isto parece, de fato, uma brincadeira de mau gosto! A *Rote Fahne* considera que basta injuriar os chefes, mas que é inadmissível submetê-los à experiência política das massas.

E, entretanto, é justamente nos sindicatos reformistas que se apresenta agora um terreno particularmente favorável à ação. Se o Partido social-Democrata ainda tem uma possibilidade de enganar os operários com a sua politicalha, para os sindicatos a crise do capitalismo, porém, equivale a um muro intransponível. Os duzentos ou trezentos mil operários organizados hoje nos sindicatos independentes podem tornar-se um fermento inapreciável no seio das reuniões reformistas.

Em fins de janeiro realizou-se em Berlim a conferência comunista dos comitês de fábrica de todo o país. A *Rote Fahne* relata: "Os comitês de fábrica forjam a frente vermelha proletária" (2 de fevereiro). Mas em vão procuram-se informações sobre a composição da Conferência, o número de empresas e de operários representados. Contrariamente ao bolchevismo, que marcava minuciosa e abertamente todas as mudanças das relações de força no seio da classe operária, os stalinistas da Alemanha, seguindo os da Rússia, brincam de esconde-esconde. Não querem confessar que os comitês de fábricas comunistas formam menos de 4%, contra 84% de comitês de fábrica social-democratas. É nesta proporção que se traduz o balanço da política do "terceiro período". Mas adiantará mesmo de uma polegada chamar-se o isolamento dos comunistas nas empresas de "frente única vermelha"?

A crise persistente do capitalismo traça no seio do proletariado a linha de demarcação mais dolorosa e mais perigosa: a que existe entre os operários ocupados e os desocupados. O fato de dominarem os reformistas nas empresas e os comunistas entre os desocupados paralisa as duas partes do proletariado. Os operários ocupados podem esperar mais tempo, os desempregados, porém, são mais impacientes. Hoje, a sua impaciência tem um caráter revolucionário. Mas se o Partido Comunista não souber encontrar as formas e as palavras de ordem de luta que possam unir os operários ocupados com os desempregados e abrir a perspectiva da saída revolucionária, a impaciência dos desempregados se dirigirá inevitavelmente contra o Partido Comunista.

Em 1917, apesar da política justa do Partido bolchevique e do desenvolvimento rápido da Revolução, as camadas do proletariado menos favorecidas e mais impacientes, mesmo em Petrogrado, começaram, já em setembro-outubro, a afastar-se dos bolcheviques para aproximar-se dos sindicalistas e dos anarquistas. Se a insurreição de outubro não tivesse estalado em tempo, a desmoralização do proletariado teria tomado um caráter agudo e teria acarretado a decomposição da Revolução. Na Alemanha, não há necessidade dos anarquistas: eles podem ser substituídos pelos nacional-socialistas, que aliam a demagogia anarquista aos objetivos conscientemente reacionários.

Os operários não estão de modo algum garantidos de uma vez por todas contra a influência dos fascistas. O proletariado e a pequena burguesia representam vasos comunicantes, sobretudo nas condições atuais, em que o exército de reserva dos operários não pode deixar de fornecer pequenos comerciantes, ambulantes etc., e a pequena burguesia dos proletários e dos lumpemproletários.

Os empregados, o pessoal técnico e administrativo, certas camadas de funcionários, constituíam no passado um dos apoios importantes da social-democracia. Hoje, estes elementos passam aos nacional-socialistas. Podem arrastar atrás de si, se já não o fizeram, a camada da aristocracia operária. Nesta linha, o nacional-socialismo invade o proletariado, *por cima*.

Muito mais perigoso é a sua invasão possível *por baixo*, através dos desempregados. Nenhuma classe pode viver muito tempo sem perspectivas e sem esperanças. Os desempregados não são uma classe, mas são uma camada social demasiado compacta e sólida, que tenta em vão sair de sua situação insuportável. De um modo geral, é verdade que só a Revolução Proletária pode salvar a Alemanha da decomposição e da ruína, e isto é, antes de tudo, verdadeiro em relação aos milhões de desempregados.

Com a fraqueza do Partido Comunista nas fábricas e nos sindicatos, o seu crescimento numérico nada resolve. Em uma nação devorada pela crise e pelas contradições, o Partido da extrema-esquerda pode encontrar dezenas de milhares de novos partidários, especialmente quando o seu aparelho é orientado para o recrutamento individual dos membros, pela via da "emulação". Tudo reside nas relações entre o Partido e a classe. Um só operário comunista eleito para o comitê de fábrica ou para a direção de um sindicato, tem uma importância muito maior do que mil novos membros conseguidos aqui e acolá, entrados hoje no Partido, para abandoná-lo amanhã.

Mas o afluxo individual dos membros do Partido não durará também indefinidamente. Se o Partido Comunista continuar a retardar a luta até o momento em que tiver eliminado definitivamente os reformistas, perceberá que, a partir de um certo momento, a social-democracia cessará de perder sua influência em proveito dos comunistas e que os fascistas começarão a desmoralizar os desempregados, que são a base principal do Partido Comunista. O fato de não utilizar suas forças para as tarefas que decorrem de toda a situação nunca se produz impunemente para um partido político.

Para abrir caminho à luta de massa, o Partido Comunista tenta a realização de greves parciais. Os sucessos neste domínio não são grandes. Como sempre, os stalinistas fazem autocrítica: "Ainda não sabemos organizar"; "Ainda não sabemos arrastar"; e quando se diz "nós", isto sempre significa "vós". Ressuscita-se a famosa teoria da jornada de março de 1921: "Eletrizar" o proletariado com ações ofensivas da minoria. Mas os operários não precisam ser "eletrizados". Querem que se lhes dê uma perspectiva clara e ser auxiliados na criação de premissas de um movimento de massa.

Na sua estratégia das greves, o Partido Comunista se dirige visivelmente de acordo com citações fragmentárias de Lenin, interpretadas por Manuilsky ou Losovsky. Com efeito, houve um tempo em que os mencheviques lutaram contra a "grevicultura" e os bolcheviques, ao contrário, se colocaram à frente de cada nova greve, arrastando massas cada vez maiores ao movimento. Isto correspondia ao período do despertar de novas camadas da classe. Assim foi a tática dos bolcheviques em 1905, durante o surto industrial dos anos de antes da guerra e durante os primeiros meses da Revolução de fevereiro.

Mas no período anterior a outubro, a partir das jornadas de julho de 1917, a tática dos bolcheviques teve um caráter diferente: não instigavam as greves, freavam-nas, porque toda greve importante tendia a transformar-se em combate decisivo, quando as premissas políticas ainda não estavam maduras para isso. Todavia, os bolcheviques continuavam, mesmo nesses meses, a colocar-se à frente de todas as greves que explodiam, apesar dos seus avisos, sobretudo nos ramos atrasados da indústria (têxtil, couros e peles etc.).

Se em certas condições os bolcheviques dirigiam audazmente as greves no interesse da Revolução, em outras, evitavam que os operários entrassem em greve pelos mesmos interesses da Revolução. Neste domínio, como nos outros, não existe receita de antemão preparada. Mas a estratégia das greves dos bolcheviques sempre fazia parte, em cada período dado, da estratégia geral, e os operários avançados viam claramente o laço que unia a parte ao todo.

A esse respeito, em que pé andam as coisas atualmente na Alemanha? Os operários que trabalham não se opõem às reduções dos salários porque temem os desempregados. Nada há nisto de espantoso: com a presença de alguns milhões de desempregados, a luta grevista sindicalmente organizada de sempre é manifestamente desesperada. É duplamente desesperada com o antagonismo entre os operários que trabalham e os desempregados. Isto não exclui a possibilidade de greves parciais, sobretudo nos ramos de indústria mais atrasados e menos centralizados. Mas são precisamente os operários dos ramos de indústria mais importantes que, numa tal situação, são inclinados a escutar os chefes reformistas. As tentativas do Partido Comunista de resolver a luta grevista sem mudar a situação geral no seio do proletariado só levam a pequenas operações de partidários e que, mesmo em caso de sucesso, não encontram eco.

Segundo relatam operários comunistas (basta ler *Der Rote Aufbau*) é comum dizer-se nas empresas que as greves parciais não têm nenhum sentido e que só a greve geral poderia arrancar os operários de sua miséria. "A greve geral" quer dizer aqui perspectiva de luta. Os operários são tanto menos entusiastas das greves isoladas quanto têm a tratar com o poder de Estado: o capital monopolizador fala aos operários na linguagem das leis de exceção de Brüning[1].

---

[1] Certos ultraesquerdistas (o grupo italiano dos bordiguistas) consideram que a frente única só é admissível na luta econômica. A tentativa de separar a luta econômica da luta política é, na nossa época, menos realizável do que nunca. O exemplo da Alemanha, onde os con-

No começo do movimento operário, a fim de arrastar os operários à greve, os agitadores deixavam, muitas vezes, de desenvolver as perspectivas revolucionárias e socialistas para não afastar os operários. Hoje a situação tem um caráter diametralmente oposto. As camadas dirigentes dos operários alemães só podem decidir-se a entrar na luta econômica defensiva no caso em que vejam claramente as perspectivas gerais das lutas ulteriores. Estas perspectivas, as camadas dirigentes dos operários alemães não as encontram na direção comunista.

A respeito da tática das jornadas de março de 1921, na Alemanha, ("eletrizar" a minoria do proletariado, em lugar de conquistar a sua maioria), o autor destas linhas dizia no III Congresso:

> Quando a maioria esmagadora da classe operária não compreende o movimento, não simpatiza com ele ou duvida de seus sucessos, e quando a minoria ao mesmo tempo se lança na frente e tenta, por processos mecânicos, jogar os operários na greve, então esta minoria impaciente, personificada no Partido, pode chocar-se com a classe operária e quebrar o pescoço!

Deve-se, então, renunciar à luta grevista? Não, não renunciar, mas criar para esta luta as premissas políticas e organizatórias indispensáveis. Uma destas premissas é o restabelecimento da unidade das *organizações sindicais*. A burocracia sindical, bem entendido, não a quer. A cisão, até agora, assegurava do melhor modo a sua situação, mas a ameaça direta do fascismo muda a situação nos sindicatos em detrimento da burocracia. A aspiração à unidade cresce. Se a camarilha de Leipart procurar, nas condições atuais, recusar o restabelecimento da unidade, isto duplicará ou triplicará de um só golpe a influência comunista no seio dos sindicatos. Se a unidade se faz, tanto melhor: diante dos comunistas se apresenta um largo terreno de atividade. Não é de meias medidas que se precisa, mas de uma reviravolta audaciosa!

Sem uma larga campanha contra a vida cara, pela redução da semana de trabalho, contra a diminuição dos salários; sem se ter arrastado a esta luta os

---

tratos coletivos são anulados e os salários diminuídos por meio de decretos governamentais, deveria fazer compreender esta verdade até as crianças. Lembremos de passagem que, no seu estágio atual, os stalinistas fazem renascer preconceitos originais do bordiguismo. Não é de admirar que o grupo "Prometeo", que nada aprende e não avança um passo, se encontre hoje no período de ziguezague ultraesquerdista da Internacional Comunista, muito mais perto dos stalinistas do que nós.

desempregados de mãos dadas aos operários que trabalham; sem a aplicação, coroada de sucesso, da política de frente única, as pequenas greves improvisadas não farão o movimento desaguar na grande via.

• • •

Os social-democratas de esquerda falam, "caso os fascistas cheguem ao poder", da necessidade de se recorrer à greve geral. O próprio Leipart faz, sem dúvida, ameaças como essa no seu gabinete de trabalho. A esse respeito, a *Rote Fahne* fala de luxemburguismo. É uma calúnia contra a grande revolucionária. Se Rosa Luxemburgo superestimou efetivamente a importância *própria* da greve geral para a questão do poder, compreendeu muito bem que não se pode provocar arbitrariamente a greve geral, que esta deve ser preparada por toda a marcha anterior do movimento operário, pela política do Partido e dos sindicatos. Mas, na boca dos social-democratas de esquerda, a greve das massas serve antes como mito consolador que domina a triste realidade.

Os social-democratas franceses prometeram, durante vários anos, recorrer à greve geral em caso de guerra. O Congresso de Basileia, em 1912[2], prometeu recorrer à insurreição revolucionária. Mas a ameaça de greve geral, do mesmo modo que a ameaça de insurreição, tinha no caso o caráter de raios teatrais. Não se trata aí, absolutamente, da oposição entre a greve e a insurreição, mas da atitude abstrata, formal, verbal para com a greve e a insurreição. O reformista se arma da abstração da Revolução – tal foi em geral o tipo do social-democrata à Bebel e antes da guerra. O reformista de após- guerra, que brande a ameaça da greve geral, não passa de uma caricatura animada.

A direção comunista se comporta para com a greve geral naturalmente com muito mais honestidade, mas falta-lhe clareza nesta questão. Ora, a clareza é uma necessidade. A greve geral é um meio de luta muito importante, mas não é um meio universal. Há casos em que a greve geral pode enfraquecer os operá-

---

[2] O Congresso de Basileia foi um congresso extraordinário da Internacional Socialista, realizado em novembro de 1912, o qual marcou o ponto culminante do desenvolvimento da Internacional. Sua resolução de perseguir e prosseguir nas situações revolucionárias resultantes da guerra mundial que se aproximava foi completamente traída dois anos depois, quando os principais partidos social-democratas apoiaram seus respectivos governos na guerra. (N.Ed.)

rios mais do que o seu inimigo direto. A greve deve ser um elemento importante do cálculo estratégico e não um impulso no qual toda a estratégia é diluída.

Comumente, a greve geral é um instrumento de luta do mais fraco contra o mais forte ou, para precisar melhor, daquele que no começo da luta pensa ser mais fraco contra aquele que pensa ser mais forte. Se não posso servir-me de um instrumento importante, procurarei impedir meu adversário de servir-se dele; não posso detonar o canhão, mas procurarei retirar-lhe, ao menos, o percussor. Tal é a "ideia" da greve geral.

A greve geral foi sempre um instrumento de luta contra o poder de Estado estabelecido, que dispõe das estradas de ferro, do telégrafo, das forças militares e policiais etc. Paralisando o aparelho de Estado, a greve geral "faria medo" às autoridades, ou então criaria premissas para a solução revolucionária da questão do poder.

A greve geral revela-se um meio de luta particularmente eficaz onde as massas trabalhadoras só são movidas pela cólera revolucionária, mas estão privadas de organizações e de estado-maior de combate e não podem nem calcular de antemão a relação das forças, nem elaborar um plano de operações. Assim, pode-se esperar que a Revolução antifascista na Itália, começada por tais ou quais encontros isolados, passe inevitavelmente pelo estágio da greve geral. Só por este caminho é que o proletariado disperso da Itália atual se sentirá unido de novo em classe e medirá a força de resistência do inimigo que terá de derrubar.

Só se teria a lutar contra o fascismo na Alemanha pela greve geral no caso em que o fascismo estivesse já no poder e se tivesse assenhoreado solidamente do aparelho de Estado. Mas trata-se da tentativa de impedir que os fascistas tomem o poder. A palavra de ordem da greve geral torna-se assim, de antemão, um lugar-comum.

Durante a marcha de Kornilov sobre Petrogrado, nem os bolcheviques, nem os Sovietes em conjunto pensaram em declarar a greve geral. Nas estradas de ferro, tratava-se, para os operários e os empregados, de transportar os exércitos revolucionários e de bloquear as tropas kornilovistas. As fábricas só paravam na medida em que os operários tinham que partir para a frente. As empresas que serviam a frente revolucionária trabalhavam com energia redobrada.

Durante a insurreição de outubro não se tratou, tampouco, de greve geral. As fábricas e os regimentos foram, em sua maioria, já na véspera da insurreição, submetidos à direção bolcheviques dos Sovietes. Concitar as fábricas à greve teria significado nestas condições enfraquecer-se a si mesmo e não ao adversário. Nas estradas de ferro, os operários se esforçavam por ajudar a insurreição; os empregados, sob a capa da neutralidade, auxiliavam a contrarrevolução. A greve geral das estradas de ferro teria sido sem sentido: a questão foi resolvida pela preponderância dos operários sobre os empregados.

Se na Alemanha a luta surge dos encontros parciais causados pela provocação fascista, é muito duvidoso que o apelo à greve geral corresponda à situação. A greve geral significaria, antes de tudo: cortar uma cidade da outra, um quarteirão do outro, e até uma fábrica da outra. É mais difícil encontrar e reunir os operários que não trabalham. Nestas condições, os fascistas, a que não faltam estados-maiores, podem ter, graças à direção centralizada, uma certa vantagem. É verdade que as suas massas são de tal modo dispersas, que mesmo nestas condições a conspiração dos fascistas pode ser derrotada. Mas isto é o outro lado do problema.

A questão das vias de comunicação, por exemplo, deve ser encarada não do ponto de vista do "prestígio" da greve geral, que exige que todos cessem o trabalho, mas do ponto de vista da necessidade de combate: a quem e contra quem as vias de comunicação servirão durante o conflito?

É preciso preparar-se, por conseguinte, não para a greve geral, mas para repelir os fascistas. Isto significa: criar por toda a parte as bases de apoio, as brigadas de choques, as reservas, os estados-maiores locais, os centros de direção, uma boa direção entre eles, os planos elementares de mobilização.

O que as organizações locais, no canto provinciano de Bruchsal ou de Klingental fizeram, onde os comunistas com o SAP e os sindicatos, boicotados pelo vértice reformista, criaram uma organização de defesa, é, malgrado as suas dimensões modestas, um exemplo para todo o país. Ó chefes venerados, ó sábios estrategistas, dá vontade de gritar-lhes daqui: aprendei com os operários de Klingental, imitai-os, ampliai o seu exemplo, precisai suas formas, aprendei com os operários de Bruchsal e de Klingental!

A classe operária alemã dispõe de poderosas organizações políticas, econômicas e esportivas. É justamente nisto que consiste a diferença entre o "regime de Brüning" e o "regime de Hitler". Brüning não tem por isso nenhum mérito: a franqueza burocrática não é mérito. Mas é preciso ver o que é. O fato principal, o fato fundamental, o fato capital consiste em que a classe operária da Alemanha ainda está armada de todas as suas organizações. Se é fraca é porque a sua força organizada está mal aplicada. Mas basta estender-se a todo o país a experiência de Klingental e a Alemanha terá um outro aspecto. Contra os fascistas, a classe operária poderá, nestas condições, empregar meios de luta muito mais eficazes e mais diretos do que a greve geral. Mas se, por força de um concurso de circunstâncias, resultasse que o recurso à greve geral fosse indispensável (uma tal necessidade poderia ser provocada por relações determinadas entre os fascistas e os órgãos de Estado), o sistema dos comitês de defesa na base da frente única poderia provocar uma greve geral com o sucesso garantido de antemão.

A luta não ficaria nesta etapa. Que é no fundo a organização de defesa de Bruchsal e Klingental? É preciso saber discernir o que há de grande nos pequenos fatos: é um soviete local de deputados operários. Ele não se apresenta com este nome e tal não se considera porque se trata de um pequeno canto de província. Aqui também a quantidade determina a qualidade. Transportai esta experiência a Berlim e tereis o soviete berlinense dos deputados operários!

XIV
O controle operário e a colaboração com a URSS

Quando falamos de palavras de ordem do período revolucionário, não se deve compreender isto muito estreitamente. Não se pode criar o soviete senão num período revolucionário. Mas quando começa este? Não se pode encontrá-lo num calendário. Só se pode percebê-lo pela ação. Os sovietes devem ser criados no momento em que *podem sê-lo*[1].

A palavra de ordem de controle operário da produção se relaciona em seu todo ao mesmo período da criação dos sovietes. Mas isto também não deve ser compreendido mecanicamente. As condições particulares podem conduzir as massas ao controle da produção muito antes delas estarem prontas a começar a edificar os sovietes.

Brandler e a sua sombra esquerda – Urbahns – lançavam a palavra de ordem do controle da produção independentemente da situação política. Nada resultou disso, a não ser o descrédito da própria palavra de ordem. Mas seria falso renunciar-se a esta palavra de ordem agora, nas condições de crise política aguda, só pela razão de que ainda não há ofensiva das massas. Para a própria ofensiva são precisas palavras de ordem que determinem a perspectiva do mo-

[1] Lembremos que na China os stalinistas se opunham à criação dos sovietes num período de surto revolucionário, e quando se decidiu organizar em Cantão a insurreição, já na vaga de refluxo, as massas foram convocadas para a criação dos sovietes no mesmo dia da insurreição!

vimento. A fase de propaganda deve preceder inevitavelmente a penetração da palavra de ordem no seio das massas.

A campanha em favor do controle operário pode, segundo as circunstâncias, começar não sob o ângulo da produção, mas sob o do consumo. A redução do preço das mercadorias, prometida pelo governo Brüning, não se realizou. Esta questão não pode deixar de interessar vivamente às camadas mais atrasadas do proletariado que, hoje, ainda estão muito longe de pensar na tomada do poder. O controle operário sobre as despesas da produção e sobre os benefícios comerciais é a única forma real de luta pela redução dos preços. Nas condições do descontentamento geral, as comissões operárias, com a participação das operárias mães de família, para controlar as causas da alta da margarina, podem tornar-se um começo real do controle operário da produção. Bem entendido, isto é apenas um dos meios possíveis, apresentado como exemplo. Ainda não se trata da direção da produção: a operária não quererá saber disso, esse pensamento está longe dela. Mas do controle do consumo ser-lhe-á mais fácil passar para o controle da produção, e daí à direção imediata, segundo o desenvolvimento geral da Revolução.

O controle da produção na Alemanha contemporânea, nas condições da crise atual, significa não somente o controle das empresas que funcionam, como também das empresas que funcionam pela metade ou que estão completamente paradas. Isto pressupõe a associação, no controle, dos operários que trabalhavam nestas empresas antes de serem despedidos. A tarefa deve ser a seguinte: fazer funcionar as empresas mortas sob a direção dos comitês de fábrica e na base de um plano econômico. Isto faz surgir imediatamente a questão da gestão estatal da produção, isto é, da expropriação dos capitalistas pelo Estado operário. O controle operário não é, pois, um estado duradouro, "normal", como o são os contratos coletivos ou os seguros sociais. O controle é uma medida transitória, nas condições de tensão extrema da luta de classe, e só é concebível como uma ponte para a nacionalização revolucionária da produção.

Os brandlerianos acusam a Oposição de Esquerda de lhes ter furtado a palavra de ordem do controle da produção, depois de ter caçoado desta palavra de ordem durante anos. Esta acusação é lançada de um modo bastante inesperado! A palavra de ordem do controle da produção foi pela primeira vez lançada em larga escala pelo Partido bolchevique em 1917. Em Petrogrado, a direção de toda a campanha neste domínio, como em todos os outros, estava nas mãos do Soviete. Tendo observado de perto este trabalho, e tendo participado dele, declaro: Nós não tínhamos necessidade de solicitar a iniciativa de Thalheimer-Brandler, ou de utilizar suas indicações teóricas. A acusação de "plágio" é formulada com uma certa imprudência.

Mas o mal não está nisto. A segunda parte da acusação é muito mais grave: até agora os "trotskistas" se opunham à campanha pela palavra de ordem do controle da produção, e agora são por ela. Os brandlerianos veem nisso a nossa inconsequência! Na realidade, só fazem revelar sua incompreensão completa da dialética revolucionária, de que é impregnada a palavra de ordem do controle operário, que os brandlerianos reduzem ao valor de uma receita técnica para a mobilização das massas". Com isto, só se condenam a si mesmos, quando se vangloriam de ter repetido, durante vários anos, uma palavra de ordem que só é aplicável num período revolucionário. O pica-pau que durante toda a vida bate com o bico na casca do castanheiro, também pensa, sem dúvida, no seu foro interior que o lenhador que abateu a árvore a golpes de machado não fez senão plagiá-lo criminosamente.

Assim, para nós, a palavra de ordem de controle está ligada ao período de dualidade do poder na produção, que corresponde à passagem do regime burguês ao regime proletário. Não, replica Thalheimer: a dualidade de poder deveria significar "a igualdade de direitos com os patrões"; mas os operários lutam pela direção total nas empresas. Eles, os brandlerianos, não permitem que se "castre" – está dito assim mesmo! – a palavra de ordem revolucionária. Para eles "o controle da produção significa a direção da produção pelos operários" (17 de janeiro). Mas por que, então, chamar-se a *direção de controle*? Na língua universal, chama-se controle o trabalho de fiscalização e de verificação, por uma instituição, do trabalho de uma outra instituição. O controle pode ser muito ativo, autoritário e geral. Mas continua sempre controle. A própria ideia desta palavra de ordem nasceu do regime transitório nas empresas onde o capitalista e seu administrador já não podem dar um passo sem o consentimento dos operários; mas onde também, por outro lado, os operários ainda não criaram premissas políticas para a nacionalização, ainda não adquiriram a técnica da direção, ainda não criaram os órgãos para tanto necessários. Não esqueçamos que não se trata somente da direção das oficinas, mas também do escoamento da produção, do abastecimento da fábrica em matérias-primas, em materiais de construção, créditos etc.

A relação de forças na fábrica é determinada pelo poder da pressão geral exercida pelo proletariado sobre a sociedade burguesa. Em geral, o controle só é concebível com uma preponderância sempre ativa das forças políticas do proletariado sobre as do capital. Mas é falso pensar-se que na Revolução todas as questões se resolvam pela violência: é possível tomar as fábricas com auxílio dos guardas-vermelhos; para dirigir estas fábricas, são precisas premissas jurídicas e administrativas novas, são precisos, em seguida, conhecimentos, a experiência e os organismos apropriados. É preciso um certo período de aprendizagem. O proletariado tem interesse em que, durante este período, a direção continue nas mãos da administração experimentada, mas obriga-a a abrir todos os livros e estabelece uma fiscalização vigilante sobre todas as suas ligações e toda a sua atividade.

O controle operário começa em uma empresa isolada. O órgão de controle é o comitê de fábrica. Estes órgãos de controle das fábricas estabelecem ligação entre si, segundo os laços econômicos existentes entre as empresas. Neste estágio ainda não há plano econômico geral. A prática do controle operário não faz senão preparar os elementos desse plano.

Quanto à gestão operária da produção, vem, pelo contrário, de cima, mesmo nos seus começos, e de modo muito mais nítido, porque está diretamente ligado ao poder e ao plano econômico geral. Não são mais os comitês de fábrica que assumem o papel de órgão de direção, mas os *sovietes* centralizados. O papel dos comitês de fábrica continua a ser, bem entendido, muito importante, mas no domínio da direção da produção já não tem mais um papel dirigente, mas secundário.

Na Rússia, onde o alto pessoal técnico estava persuadido, como a burguesia, de que os bolcheviques não se sustentariam mais do que algumas semanas, e empregou em consequência todas as formas de sabotagem, recusando qualquer acordo que fosse, a etapa do controle operário não se desenvolveu. Nesse interregno, a guerra civil arruinou a economia, transformando os operários em soldados. Eis porque a experiência da Rússia é muito pouco instrutiva no que concerne ao controle operário como regime particular da produção. Mas esta experiência é tanto mais preciosa de um outro ponto de vista: demonstra que, mesmo num país atrasado, apesar da sabotagem geral, não só da parte dos patrões, como da parte do pessoal administrativo e técnico, o jovem proletariado inexperiente, envolvido num círculo de inimigos, soube, bem ou mal, organizar a direção da produção. Que não poderia realizar então a classe operária alemã!

O proletariado, como já dissemos, tem interesse em que a passagem da produção capitalista-privada para a produção capitalista-estatal o socialista se faça com o mínimo de abalos econômicos possível, com o mínimo de desperdício do bem público. Eis porque, embora se aproximando do poder, e até dele se apoderando pela luta mais audaciosa e mais decisiva, o proletariado mostrará que está inteiramente pronto a criar o regime transitório nas fábricas, nas usinas e nos bancos.

As relações na produção serão, durante a Revolução, diferentes na Alemanha do que o foram na Rússia? Não é fácil responder-se a esta pergunta, sobretudo de longe. A marcha real da luta de classes pode não deixar lugar para o controle operário como etapa particular. Com a tensão e o desenvolvimento extremo da luta, com o crescimento da pressão dos operários, por um lado, e a sabotagem dos patrões e da administração, por outro, é possível que não haja mais lugar para os acordos, mesmo provisórios. Neste caso, a classe operária terá que tomar, ao mesmo tempo em que o poder, a gestão completa das empresas nas próprias mãos. O estado atual da indústria, paralisada pela metade, e a presença de um exército enorme de desocupados, torna uma tal "abreviação" bastante provável.

Mas de outro lado, a presença de organizações poderosas na classe operária, a educação dos operários alemães no sentido de ações sistemáticas e não de improvisações, a lentidão da movimentação revolucionária das massas, são outras tantas condições que concorrem para a primeira via. Eis porque seria inadmissível renunciar-se de antemão à palavra de ordem do controle da produção.

Todavia, é evidente que para a Alemanha, ainda mais do que para a Rússia, a palavra de ordem do controle operário tem um sentido diferente do da direção operária. Como várias outras palavras de ordem transitórias, conserva uma importância enorme, independentemente da questão de se saber em que medida será realizada e se o será em geral.

Pela vontade de criar formas transitórias de controle operário, a vanguarda proletária ganha para o seu lado as camadas menos progressivas do proletariado, neutraliza certos agrupamentos da pequena burguesia, especialmente os empregados de serviços técnicos, da administração, do comércio, dos bancos. Se os capitalistas, e toda a camada superior da administração, desenvolverem a resistência, recorrerem aos métodos de sabotagem econômica, a responsabilidade das medidas de rigor que daí decorrem cairá, aos olhos do povo, sobre as classes inimigas e não sobre os operários. Tal é o sentido político complementar da palavra de ordem do controle operário, além do seu sentido econômico e administrativo indicado mais acima.

Em todos os casos, o fato de haver quem, lançando a palavra de ordem do controle na situação não revolucionária e lhe imprimindo assim um caráter reformista, nos acuse de hesitação centrista porque nos negamos a identificar o controle e a direção da produção – este fato é por si só o cúmulo do cinismo político.

Os operários que se erguerem até a compreensão dos problemas da direção da produção, não quererão e não se deixarão embriagar com frases. Estão habituados nas fábricas a manejar um material muito menos flexível do que as frases e compreenderão o nosso pensamento muito melhor do que os burocratas: o verdadeiro espírito revolucionário consiste não em empregar a violência por toda a parte e sempre, e ainda menos em gargarejar com frases sobre a violência. Onde a violência for necessária, será preciso empregá-la audazmente, decisivamente, até o fim. Mas é preciso conhecer os limites da violência, é preciso saber quando a violência deve ser combinada com a manobra, o golpe com o acordo. Por ocasião das jornadas comemorativas de Lenin, a burocracia stalinista repete as frases aprendidas sobre o "realismo revolucionário" para, com tanto mais liberdade, espezinhá-lo nos outros 364 dias do ano.

• • •

Os teóricos prostituídos do reformismo tentam descobrir a aurora do socialismo nos decretos de exceção contra os operários. Do "socialismo de guerra" dos Hohenzollern ao socialismo policial de Brüning!

Os ideólogos burgueses de esquerda sonham com uma economia capitalista planificada. Mas o capitalismo conseguiu demonstrar que, segundo um plano preestabelecido, ele só é capaz de esgotar as forças produtivas no interesse da guerra. Além disso, como quereis regularizar a independência da Alemanha do mercado mundial com as suas cifras enormes de importação e exportação?

De nossa parte, propomos começar-se pelo setor das relações germano-soviéticas, isto é, pela elaboração do um largo plano de cooperação das economias soviética e alemã, com vistas ao segundo plano quinquenal e a fim de completá-lo. Dezenas e centenas de fábricas importantes poderiam ser postas em marcha total. A desocupação na Alemanha poderia ser liquidada inteiramente – sem que para isso fossem necessários mais de dois ou três anos – na base de um plano econômico que abrangeria todos os ramos destes dois países somente.

Os dirigentes da indústria capitalista da Alemanha não podem, bem entendido, elaborar um tal plano porque este significa a sua autodeposicão social. Mas o governo soviético, com a colaboração das organizações operárias alemãs, e antes de tudo, dos sindicatos e dos representantes progressivos da técnica alemã, pode e deve elaborar um plano perfeitamente real, capaz de abrir verdadeiramente grandiosas perspectivas. Que desprezíveis parecerão todos esses "problemas" de reparações e de *pfennigs*[2] adicionais de alfândega ao lado das possibilidades que oferece a combinação dos recursos e das matérias-primas, dos recursos técnicos e de organização das economias soviética e alemã!

Os comunistas alemães fazem uma grande propaganda em favor da construção soviética: é um trabalho indispensável. Caem, fazendo isto, em exageros e embelezamentos suaves: isto é perfeitamente inútil. Mas o pior é que não sabem ligar os sucessos e as dificuldades da economia soviética aos interesses imediatos do proletariado alemão, ao desemprego, à redução dos salários e à situação econômica geral sem saída da Alemanha. Não sabem e não querem pôr a questão da colaboração germânico-soviética numa base rigorosamente realista e ao mesmo tempo profundamente revolucionária.

Logo no começo da crise – já vai para dois anos – levantamos esta questão na imprensa. Os stalinistas exclamaram imediatamente que acreditavam na coexistência pacífica do socialismo e do capitalismo, que queríamos salvar o capitalismo etc. Não previram e não compreenderam nada. E que fator pode-

[2] Em alemão, centavos. (N.Ed.)

roso da Revolução socialista pode tornar-se o plano econômico concreto de colaboração, se dele se fizer objeto de discussão nos sindicatos, nas reuniões de fábrica, entre os operários não só das empresas em atividade como das empresas fechadas, se for ligado à palavra de ordem do controle operário da produção e em seguida à palavra de ordem da tomada do poder! A realização de uma colaboração internacional efetiva, segundo um plano, só é possível com o monopólio do comércio exterior na Alemanha, com a nacionalização dos meios de produção, em outros termos, com a ditadura do proletariado. Por este caminho, poder-se-iam conduzir à luta pelo poder novos milhões de operários sem partido, social-democratas e católicos.

Os Tarnow amedrontam os operários dizendo que a desorganização da indústria, em consequência da Revolução, criaria um caos pavoroso, a fome etc. Não esqueçamos que esta mesma gente apoiava a guerra imperialista, que outra coisa não podia trazer ao proletariado senão sofrimentos, desastres e humilhações. Jogar sobre os ombros do proletariado os sofrimentos da guerra, sob a bandeira dos Hohenzollern? Sim. Contribuir com sacrifícios para a Revolução sob a bandeira do socialismo? Isto, nunca!

As frases sobre os "nossos operários alemães", que não aceitarão nunca "tais sacrifícios", são ao mesmo tempo uma bajulação e uma calúnia contra os operários alemães. Desgraçadamente, os operários são pacientes demais. A Revolução socialista não exigirá do proletariado alemão nem mesmo a centésima parte dos sacrifícios que a guerra dos Hohenzollern-Leipart-Wels exigiu.

De que caos falam os Tarnow? A metade do proletariado é lançada à rua. Mesmo que a crise fosse atenuada em um ou dois anos, voltaria dentro de cinco sob uma forma ainda mais pavorosa, sem falar-se que as convulsões da agonia do capitalismo não podem deixar de provocar uma nova guerra. Com que caos os Hilferding querem fazer medo? Se a revolução socialista surgisse de uma indústria capitalista próspera – o que, de modo geral, é impossível – então, nos primeiros meses e nos primeiros anos, a mudança dos regimes econômicos, a ruptura das antigas proporções e a instabilidade das proporções novas, poderiam verdadeiramente trazer um descenso *provisório* da economia. Mas o socialismo na Alemanha atual terá a ver-se com uma economia cujas forças produtivas só trabalham pela metade. A regularização da economia teria assim, desde o começo, *50% de reservas*. Isto basta amplamente para compensar as perdas provenientes das apalpadelas do começo, para amortecer os choques bruscos do novo sistema e para garanti-lo mesmo contra o descenso provisório das forças produtivas. Na linguagem convencional das cifras, isto significa que, se de uma economia capitalista a 100% a Revolução socialista tivesse no começo de descer talvez a um nível de 75% e mesmo de 50%, a revolução do proletariado, que parte de uma economia a 50%, não pode senão elevar-se ao nível de 75% e de 100%. Para ter em seguida um surto incomparável em relação a tudo o que já se conheceu no passado.

XV
A situação é desesperada?

Mobilizar de um golpe a maioria da classe operária para a ofensiva é uma tarefa difícil. Depois das derrotas dos anos de 1919, 1921 e 1923, depois das aventuras do "terceiro período", os operários alemães, que já estão bastante peados por suas poderosas organizações conservadoras, assistiram ao desenvolvimento, no seio destas, de centros de retenção. Mas, por outro lado, a solidariedade organizatória dos operários alemães, que até agora quase não tem permitido ao fascismo penetrar nas suas fileiras, oferece as mais largas possibilidades aos combates *defensivos*.

É preciso não esquecer que a política de frente única é, em geral, muito mais eficaz na defensiva do que na ofensiva. As camadas conservadoras ou atrasadas do proletariado são mais facilmente arrastadas à luta pela defesa daquilo que já possuem do que pela conquista de novas aquisições.

Os decretos de exceção de Brüning e as ameaças de Hitler são, neste sentido, um sinal de alarme "ideal" para a política de frente única. Trata-se da defensiva no sentido mais elementar e mais evidente da palavra. A frente única pode arrastar, nessas condições, as massas mais largas da classe operária. Ainda mais: os objetivos da luta não podem deixar de provocar a simpatia de camadas inferiores da pequena burguesia, inclusive os vendeiros dos bairros e distritos operários.

Apesar de todas as suas dificuldades e de todos os seus perigos, a situação na Alemanha encerra em si vantagens enormes para o Partido revolucionário – ela dita imperiosamente um plano estratégico claro: da defensiva à ofensiva. Sem renunciar, um único instante, ao seu objetivo principal, a tomada do poder, o Partido Comunista adota, para as ações imediatas, uma posição de defensiva. "Classe contra classe" – é preciso restituir a esta fórmula a sua significação efetiva!

A resistência dos operários contra a ofensiva do capital e do Estado provocará inevitavelmente uma ofensiva mais enérgica do fascismo. Por modestos que sejam os primeiros passos defensivos, a reação, por parte do adversário, cerrará imediatamente as fileiras da frente única, alargará as tarefas, forçará o emprego de métodos mais decisivos, repelirá da frente única as camadas reacionárias da burocracia, alargará a influência do comunismo, provocando a queda dos compartimentos que dividem os operários e preparando, assim, a passagem da defensiva à ofensiva. Se nos combates defensivos o Partido Comunista conquista a hegemonia – com uma política justa isto lhe é garantido – então, na passagem à ofensiva, não terá absolutamente que pedir a opinião dos vértices reformistas e centristas. São as massas que decidem: a partir do momento em que as massas se separam da direção reformista, os acordos com esta última perdem todo o sentido. Perpetuar a frente única significaria não compreender a dialética da luta revolucionária e transformar a frente única de trampolim em barreira.

As situações políticas mais difíceis são, num certo sentido, as mais fáceis de resolver: só permitem uma solução. Designar claramente a tarefa, pelo seu nome, já significa, em princípio, achar a solução: a frente única, em nome da defensiva, para a conquista do poder sob a bandeira do comunismo.

Isto será conseguido? A situação é difícil. O ultimatismo ultraesquerdista apoia o reformismo. O reformismo sustenta a ditadura burocrática da burguesia. A ditadura burocrática de Brüning prolonga a agonia econômica do país e nutre o fascismo.

A situação é muito difícil, muito perigosa, mas de modo nenhum desesperada. Por mais forte que seja o aparelho stalinista, mesmo armado da autoridade usurpada e dos recursos materiais da Revolução de Outubro, não é todo-poderoso. A dialética da luta de classes é mais forte. Basta ajudá-la em tempo. Hoje, muita gente de "esquerda" afeta pessimismo no que concerne à sorte da Alemanha. Em 23, dizem eles, quando o fascismo ainda era muito fraco e o Partido Comunista exercia uma séria influência nos sindicatos e nos comitês de fábrica, o proletariado não conquistou a vitória – como se pode, então, esperar agora uma vitória, quando o Partido está mais fraco e o fascismo incomparavelmente mais forte?

Por mais impressionante que seja à primeira vista, este argumento é falso. Em 1923 as coisas não foram levadas até a luta: o Partido evitou o combate diante do fantasma do fascismo. Sem luta não pode haver vitória. É precisamente a força do fascismo e sua pressão que excluem desta vez a possibilidade de se renunciar à luta. Não se evitará a luta. E se a classe operária entra na luta, pode vencer. Deve vencer.

Ainda ontem, os grandes chefes diziam: "Que os fascistas subam ao poder, nada tememos. Logo se aniquilarão etc.". Este pensamento dominou os vértices do Partido durante vários meses. Se se tivesse enraizado definitivamente, isto teria significado que o Partido Comunista adormeceria o proletariado com clorofórmio, antes que Hitler lhe cortasse a cabeça. Nisso é que residia todo o perigo. Hoje ninguém o repete mais. Adquirimos com isso uma primeira posição. O pensamento de que se deve esmagar o fascismo antes de sua chegada ao poder foi lançado nas massas operárias. Isto é uma aquisição muito preciosa. É preciso apoiar-se nela para toda a agitação ulterior.

A opinião das massas operárias está muito atormentada. Estão atormentadas pelo desemprego, pela miséria. Mas o que as inquieta mais é a confusão da direção, sua incoerência. Os operários compreendem que não se deve deixar Hitler chegar ao poder. Mas, como? Ninguém o sabe. A direção atrapalha em lugar de auxiliar. Mas os operários querem a luta.

Eis aqui um fato notável que, a julgar-se de longe, não foi suficientemente apreciado: os mineiros de Hirsch-Dunker declararam que o regime capitalista precisa ser substituído pelo regime socialista! Mas isto quer dizer que, amanhã, concordarão em criar sovietes, como órgãos de toda a classe. É bem possível que já o consintam hoje; basta saber-se pedir-lhes! Este sintoma só é mil vezes mais importante e mais convincente do que todas as apreciações impressionistas dos literatos e dos oradores que se queixam desdenhosamente das massas.

Observa-se, de fato, nas fileiras do Partido Comunista uma certa passividade, apesar dos urros do aparelho. Mas por quê? Os militares da base vêm cada vez mais raramente às reuniões de células, onde só são nutridos de palha seca. As ideias que lhes são levadas pelo alto, não têm aplicação, nem na fábrica, nem na rua. O operário sente a contradição inconciliável que existe entre o que lhe é preciso, quando se encontra diante das massas, e aquilo que lhe servem nas reuniões oficiais do Partido. A atmosfera artificial, criada pelo aparelho barulhento, fanfarrão e não suportando qualquer objeção, torna-se insuportável para os membros da base do Partido. Daí o vácuo e a frieza que reinam nas reuniões do Partido. Não é a ausência do desejo de lutar, mas uma perturbação política e, ao mesmo tempo, um surdo protesto contra a direção todo-poderosa, mas sem cérebro.

A perturbação que existe nas fileiras do proletariado encoraja os fascistas. A sua ofensiva continua. O perigo aumenta. Mas é, precisamente, a aproximação do perigo fascista que aguçará consideravelmente o ouvido e as vistas dos operários avançados e criará uma atmosfera favorável às propostas claras e simples que conduzem à ação.

Referindo-se ao exemplo de Braunschweig, Münzenberg escreveu, em novembro último: "Não pode haver mais dúvidas hoje de que essa frente única surge de um golpe, espontaneamente, sob a pressão do terror e dos ataques fascistas agravados". Münzenberg não nos explica porque o Comitê Central, de que faz parte, não fez do acontecimento de Braunschweig o ponto de partida de uma política audaciosa de frente única. Pouco importa: sem parar de expor a sua própria incoerência, Münzenberg faz, entretanto, um prognóstico justo. A aproximação do perigo fascista não pode deixar de provocar a radicalização dos operários social-democratas e mesmo de camadas consideráveis do aparelho reformista. A ala revolucionária do SAP dará certamente um passo para a frente. Muito mais inevitável é, nessas condições, a reviravolta do aparelho comunista, embora à custa de fendas internas e cisões. A orientação deve ser unicamente por unir tal tendência do desenvolvimento.

A reviravolta dos stalinistas é inevitável. Certos sintomas, que dão a medida da pressão vinda de baixo, já se manifestam hoje: certos argumentos são substituídos por outros, a fraseologia se torna mais embrulhada, as palavras de ordem mais ambíguas; ao mesmo tempo, são excluídos do Partido todos aqueles que foram bastante imprudentes para compreender as tarefas antes do Comitê Central. Tudo isto são sintomas seguros de que a reviravolta está próxima, e não somente os sintomas.

Já vimos mais de uma vez no passado que a burocracia stalinista, depois de desperdiçar centenas de toneladas de papel em polêmicas contra o "trotskismo" contrarrevolucionário, realizava, em seguida, uma reviravolta brusca e procurava pôr em prática o programa da Oposição de Esquerda – às vezes, é verdade, com um atraso desesperado.

Na China, a reviravolta foi realizada muito tarde e sob uma forma tal que não fez mais do que liquidar a Revolução (insurreição de Cantão!). Na Inglaterra, a "reviravolta" foi realizada pelo adversário, isto é, pelo Conselho Geral, que rompeu com os stalinistas quando não teve mais necessidade deles. Mas, na URSS, a reviravolta de 1928 chegou ainda a tempo de salvar a ditadura da catástrofe que se avizinhava. Não é difícil encontrarem-se as causas das divergências entre esses três grandes exemplos. Na China, o jovem Partido Comunista inexperiente acreditava cegamente na direção moscovita; a voz da Oposição russa não teve nem tempo de chegar à China. Coisa mais ou menos idêntica ocorreu na Inglaterra. Na URSS, a Oposição de Esquerda estava no seu lugar e conduziu uma campanha ininterrupta contra a política do *kulak*. Na China e na Inglaterra, Stalin & Cia. arriscavam-se à distância; na URSS, estava em jogo a sua própria cabeça.

A vantagem política da classe operária alemã consiste, já, em que todas as questões são postas publicamente e a tempo; a autoridade e a direção da Internacional Comunista estão muito enfraquecidas; a oposição marxista atua diretamente na própria Alemanha; no seio da vanguarda proletária, encontram-se milhares de elementos experimentados, com senso crítico e capazes de elevar a voz. Essas vozes comunistas começam a se fazer ouvir.

Numericamente, a Oposição de Esquerda na Alemanha é fraca. Mas a sua influência política pode, nessa reviravolta histórica brusca, tornar-se decisiva. Como o guarda-chaves, manejando a tempo a alavanca, desloca um trem pesado de carga para uma outra linha, assim também uma pequena oposição pode, manejando com firmeza e segurança a alavanca ideológica, obrigar o trem do Partido Comunista alemão e aquele, mais pesado ainda, do proletariado alemão, a tomar uma outra direção.

A justeza de nossa posição se manifestará cada dia mais claramente pelos fatos. Quando o teto começa a se incendiar por sobre as cabeças, os burocratas mais obstinados se esquecem do prestígio. Mesmo os conselheiros privados, nessas condições, saltam pela janela em trajes menores. A pedagogia dos fatos ajudará a nossa crítica.

O Partido Comunista alemão conseguirá, entretanto, fazer a reviravolta em tempo? Hoje, a questão do tempo só pode ser encarada condicionalmente. Sem o frenesi do "terceiro período", o proletariado alemão estaria hoje no poder. Se, depois das últimas eleições ao *Reichstag*, o Partido Comunista tivesse adotado o programa de ação proposto pela Oposição de Esquerda, a vitória seria certa. Falar hoje de uma vitória *certa* é impossível. Uma reviravolta realizada em tempo seria, hoje, uma reviravolta tal que permitiria aos operários alemães empenharem-se na luta antes que o fascismo se apoderasse do aparelho do Estado.

Para conseguir essa reviravolta, é preciso uma tensão extrema de forças. É preciso que os elementos avançados do comunismo, no interior e fora do Partido, não tenham medo de agir. É preciso lutar abertamente contra o ultimatismo estúpido da burocracia, tanto no interior do Partido como diante das massas operárias.

"Mas é uma infração da disciplina!", dirá o comunista hesitante. Seguramente, é uma infração da disciplina stalinista. Nenhum revolucionário sério violará a disciplina, mesmo formal, se não houver razões imperiosas para isto. Mas aquele que tolera a política cujas más consequências lhe são evidentes, abrigando-se por trás da disciplina, não é um revolucionário, é um farrapo, um covarde desprovido de vontade.

Seria criminoso da parte dos comunistas oposicionistas dirigirem-se, como Urbahns & Cia., para o caminho da criação de um novo Partido Comunista, antes que esforços mais ou menos sérios tenham sido feitos para a mudança do curso do antigo Partido. Criar uma pequena organização independente não é difícil. Criar um novo Partido Comunista é uma tarefa gigantesca. Há quadros para realizar-se uma tarefa tal? Se existem, por que nada fizeram a fim de agir sobre dezenas de milhares de operários que se encontram no Partido Social-Democrata? Se esses quadros se julgam capazes de explicar aos operários a necessidade do um novo Partido, devem, antes de tudo, verificar a sua própria força no trabalho de regeneração do Partido existente.

Colocar hoje a questão de um terceiro Partido significa opor-se, na véspera de uma importante decisão histórica, aos milhões de operários comunistas, que se acham descontentes com a direção, mas que, por instinto de autoconservação revolucionária, se aglomeram em torno do Partido. É preciso que se encontre uma linguagem comum com a desses milhões de operários comunistas. É preciso, desprezando as injúrias, as calúnias, as perseguições dos burocratas, que se encontre um acesso à consciência desses operários; é preciso que se lhes mostre que desejamos a mesma coisa que eles; que não temos outros interesses do que os do comunismo; que a via que indicamos é a única via justa.

É preciso denunciar implacavelmente os capituladores ultrarradicais; é preciso exigir dos "chefes" uma resposta clara à pergunta: o *que fazer*? e propor, a sua resposta – para todo o país, para cada região, para cada cidade, para cada bairro, para cada fábrica.

É preciso criar, no interior do Partido, células bolcheviques-leninistas. Elas devem inscrever na sua bandeira: mudança de curso e reforma do regime do Partido. Sempre onde tiverem apoio sério, deverão começar a aplicação da política da frente única sobre os fatos, embora em escala local reduzida. A burocracia do Partido procederá às exclusões? Seguramente. Mas, nas condições atuais, o seu esplendor não durará muito tempo.

É preciso, nas fileiras do comunismo, uma discussão aberta – sem sabotagem das reuniões, sem falsas citações, sem calúnias envenenadas – uma troca de vistas honesta, à base da democracia proletária: foi assim que discutimos, na Rússia, com todos os partidos e no próprio seio de nosso Partido, durante todo o ano de 1917. É preciso preparar, através de uma discussão larga, um Congresso extraordinário do Partido com um único ponto na ordem do dia: "E agora?"

Os oposicionistas de esquerda não são intermediários entre o Partido Comunista e a social-democracia. São soldados do comunismo, os seus agitadores, os seus propagandistas, os seus organizadores. Face ao Partido! É preciso explicar-lhe, é preciso convencê-lo.

Se o Partido Comunista for obrigado a aplicar a política de frente única, o ataque do fascismo será repelido com certeza. Do outro lado, uma vitória séria sobre o fascismo franqueará o caminho à ditadura do proletariado.

Mesmo depois de ter tomado a frente da Revolução, o Partido Comunista levará no seu seio muitas contradições. A missão da Oposição de Esquerda não estará absolutamente acabada. Num certo sentido, esta missão só terá começado. A vitória da Revolução Proletária na Alemanha significará, antes de tudo, a liquidação da dependência burocrática do Partido Comunista em relação ao aparelho stalinista.

No dia seguinte mesmo à vitória do proletariado alemão e já antes, no processo de sua luta pelo poder, os ferros que encadeiam a Internacional Comunista saltarão.

A miséria ideológica do centrismo burocrático, a estreiteza nacional de seu horizonte, o caráter antiproletário de seu regime, tudo isto se revelará, de um golpe, à luz da Revolução alemã, luz que será incomparavelmente mais brilhante do que a da Revolução de Outubro. As ideias de Marx e Lenin triunfarão inevitavelmente no proletariado alemão.

Conclusões

Um marchante conduzia os seus bois ao matadouro. Veio o aзougueiro com a sua faca. – Cerremos fileiras e, com os nossos chifres, traspassemos esse carrasco!, propфs um dos bois. – Mas em que o aзougueiro й pior do que o marchante que nos conduz aqui a golpes de aguilhada?, responderam os bois educados politicamente no pensionato de Manuilsky. – Em seguida, porйm, poderemos ajustar as nossas contas com o marchante! – Nгo, responderam os bois-de-princнpios. Estбs defendendo os inimigos a esquerda; йs um social-aзougueiro! – E recusaram-se a cerrar fileiras.

(Das *Fбbulas* de Esopo)

Colocar no primeiro plano a anulaзгo do Tratado de Versalhes, incondicionalmente, obrigatoriamente, imediatamente, antes do problema da libertaзгo dos outros paнses do jugo imperialista, й nacionalismo pequeno-burguкs (digno dos Kautsky, dos Hilferding, dos Otto Bauer & Cia.), mas nгo internacionalismo revolucionбrio".

(Lenin, *A molйstia infantil*).

É preciso: renúncia completa ao nacional-comunismo, liquidação aberta e definitiva das palavras de ordem de "revolução popular" e "libertação nacional". Nada de "Abaixo o Tratado de Versalhes", mas: "Viva os Estados Unidos Soviéticos da Europa!"

O socialismo só é realizável na base do nível mais elevado da técnica contemporânea e na base da divisão internacional do trabalho.

A construção socialista da URSS não é um processo nacional independente, mas faz parte integrante da Revolução internacional.

A conquista do poder pelo proletariado alemão e europeu é uma tarefa incomensuravelmente mais real e mais imediata do que a construção de uma sociedade socialista fechada e independente, nos limites da URSS.

Defesa heroica da URSS, do primeiro Estado operário, contra os inimigos do exterior e interior da ditadura do proletariado!

Mas a defesa da URSS não deve ser assegurada com os olhos vendados. Controle proletário internacional sobre a burocracia soviética. Denúncia implacável de suas tendências nacional-reformistas e termidorianas, que encontram sua expressão na teoria do socialismo num só país.

• • •

De que necessita o Partido Comunista?

De voltar à escola estratégica dos quatro primeiros Congressos da Internacional Comunista.

Renúncia ao ultimatismo para com as organizações operárias de massa: a direção comunista não pode ser imposta, só pode ser conquistada.

Renúncia à teoria do socialismo que auxilia a social-democracia e o fascismo.

Utilização perseverante do antagonismo entre a social-democracia e o fascismo: a) para o fim de uma maior eficácia na luta contra o fascismo; b) para o fim de se oporem os operários social-democratas à direção reformista.

Não são os princípios da democracia formal que constituem, para nós, o critério de apreciação das mudanças de regimes de dominação burguesa, mas os interesses vitais da democracia proletária.

Nem apoio direito, nem apoio indireto ao regime Brüning!

Defesa audaciosa e heroica das organizações proletárias contra o fascismo.

"Classe contra classe!" Isto significa: todas as organizações do proletariado devem assumir o seu lugar na frente única contra a burguesia.

O programa prático de frente única é determinado, entre as organizações, por acordos estabelecidos aos olhos das massas. Cada organização continua sob a sua própria bandeira e direção. Cada organização observa na ação a disciplina da frente única.

"Classe contra classe". É preciso realizar, infatigavelmente, uma agitação para que as organizações social-democratas e os sindicatos reformistas rompam com os seus aliados burgueses pérfidos da "frente de ferro" e se coloquem na fileira comum das organizações comunistas e de todas as outras organizações do proletariado.

"Classe contra classe!" Propaganda e preparação organizatória dos *sovietes operários*, como forma suprema de frente única proletária.

• • •

Independência completa, organizatória e política, do Partido Comunista, sempre e em qualquer condição. Nenhuma combinação de programas ou de bandeiras. Nenhuma transação de princípios. Inteira liberdade de crítica dos aliados provisórios.

A candidatura Thälmann ao posto presidencial é, já se vê, a da Oposição de Esquerda. Na luta pela mobilização dos operários, sob a bandeira da candidatura comunista oficial, os bolcheviques-leninistas devem estar nas primeiras filas.

• • •

Os comunistas alemães devem inspirar-se, não no regime atual do Partido Comunista russo, regime que reflete a dominação do aparelho sobre a base da Revolução vitoriosa, mas no regime do Partido que alcançou a vitória da Revolução.

A liquidação do despotismo do aparelho no Partido Comunista alemão é uma questão de vida e de morte.

A volta à democracia interna do Partido é indispensável.

Os operários comunistas devem instaurar no Partido, antes de tudo, uma discussão honesta e séria sobre todas as questões de estratégia e de tática. A voz da Oposição de Esquerda (bolcheviques-leninistas) deve ser ouvida pelo Partido.

Depois desta discussão, abrangendo todas as questões, as decisões devem ser pronunciadas por um Congresso extraordinário livremente eleito.

• • •

Política justa do Partido Comunista para com o SAP: crítica intransigente (mas honesta, isto é, que corresponda aos fatos reais) das hesitações da direção, atitude atenta, amigável, previdente para com a ala esquerda, prontificando--se sempre, porém, à conclusão de acordos práticos com o SAP e a estabelecer uma ligação política com a ala revolucionária.

• • •

Virada brusca do volante na política sindical: luta contra a direção reformista, na base da unidade sindical.

Política de frente única conduzida sistematicamente no interior das empresas. Acordos com os comitês de fábrica reformistas, na base de um programa de reivindicações definidas.

Luta pela baixa dos preços. Luta contra a redução dos salários. Dirigir esta luta sobre os trilhos da campanha pelo controle operário da produção.

Campanha pela colaboração com a URSS, na base de um plano econômico comum.

Elaboração de um projeto de plano pelos organismos da URSS, com a participação das organizações interessadas do proletariado alemão.

Campanha pela passagem da Alemanha ao socialismo na base de um tal plano.

• • •

Mentem os que dizem que a situação é desesperada. Os pessimistas e os céticos devem ser enxotados, como a peste, das fileiras proletárias. As forças internas do proletariado alemão são inesgotáveis. Elas abrirão caminho.

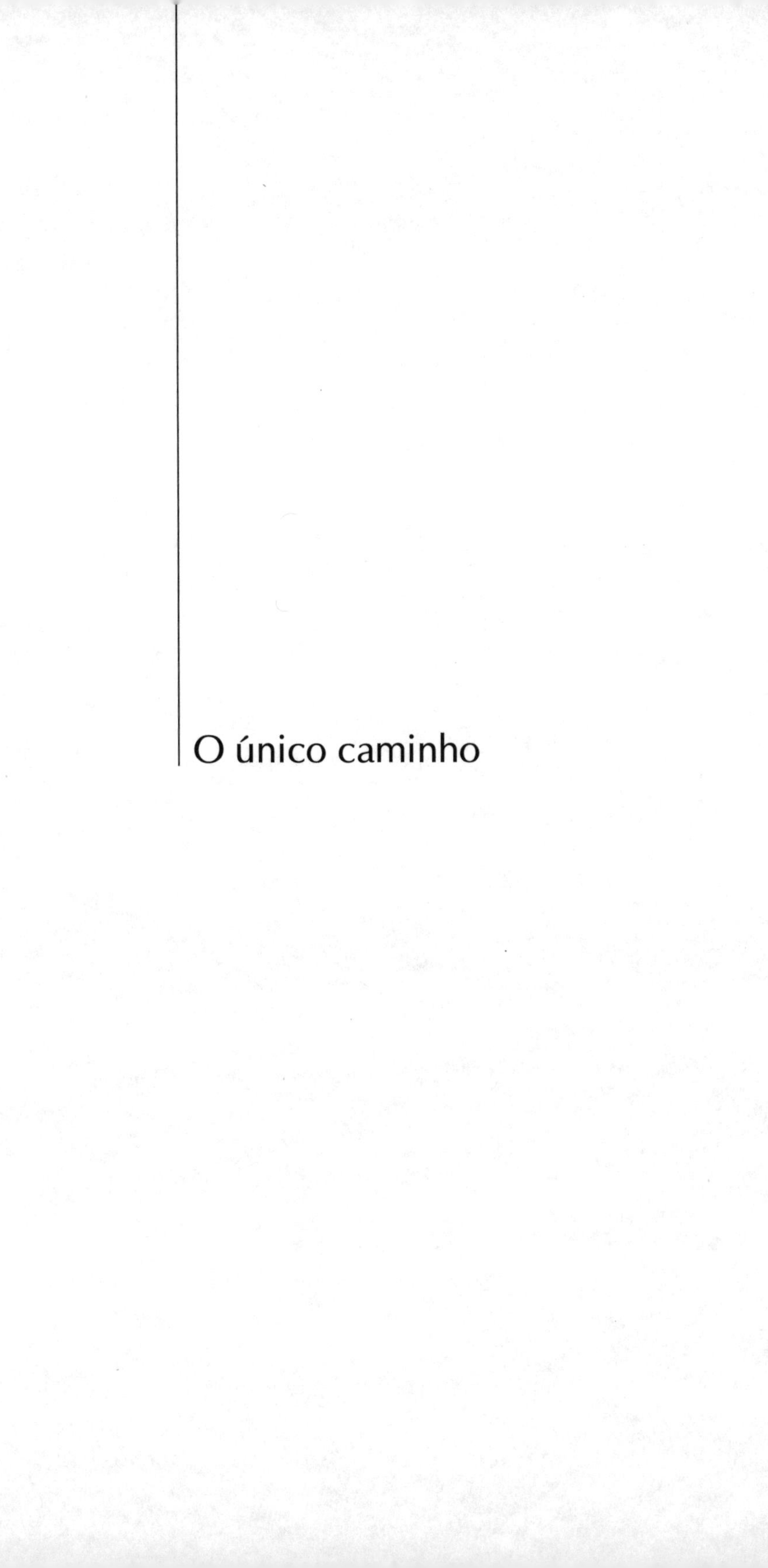

O único caminho

Prefácio

A queda do capitalismo promete ser ainda mais tempestuosa, dramática e sangrenta do que o seu advento. E o capitalismo alemão não poderá excetuar-se neste caso. Se a sua agonia está se prolongando demais, a culpa – diga-se a verdade – cabe aos partidos do proletariado.

O capitalismo alemão chegou atrasado e viu-se destituído das prerrogativas de primogênito. O desenvolvimento da Rússia ficava mais ou menos situado entre a Inglaterra e a Índia; a Alemanha teria de ser colocada, nesse esquema, entre a Inglaterra e a Rússia – embora sem as formidáveis colônias transoceânicas da Grã-Bretanha e sem as colônias internas da Rússia czarista. A Alemanha, encerrada no coração da Europa, encontrou-se – numa época em que o mundo todo já estava repartido – diante da necessidade de conquistar os mercados estrangeiros e novamente retalhar colônias já partilhadas.

Não estava destinado ao capitalismo alemão nadar a favor da correnteza, entregar-se ao jogo livre das suas forças. Esse luxo só a Grã-Bretanha pôde permitir-se, e isso mesmo por um limitado período histórico, cuja liquidação prossegue diante de nossos olhos. O capitalismo alemão também não pôde gozar do "sentimento de moderação" do capitalismo francês, que se consolidou em sua limitação e se armou, além do mais, de uma rica possessão colonial como reserva.

A burguesia alemã, inteiramente oportunista no domínio da política interna, teve de elevar-se à temeridade no domínio da economia e da política mundial, tomar a dianteira e ampliar desmedidamente a produção, a fim de alcançar as velhas nações e brandir o sabre e lançar-se na guerra. A racionalização extrema da indústria alemã de pós-guerra originou-se também da necessidade de vencer as condições desfavoráveis do atraso histórico, da situação geográfica e da derrota da guerra.

Sendo os males econômicos de nossa época, em última análise, o resultado do fato de que as forças produtivas da humanidade são incompatíveis com a propriedade privada dos meios de produção, como com as fronteiras nacionais, o capitalismo alemão sofre as maiores convulsões, exatamente porque é ele o capitalismo mais moderno, mais progressista e mais dinâmico do continente europeu.

Os médicos do capitalismo alemão se repartem em três escolas: o liberalismo, a economia de plano e a autarquia.

O liberalismo pretenderia restabelecer as *leis naturais do mercado*. Entretanto, a lamentável solução política do liberalismo reflete apenas o fato de que o capitalismo alemão nunca assentou sobre o manchesterianismo[1], mas passou do protecionismo para os trustes e monopólios. Não se pode fazer voltar a economia alemã a um passado "sadio" que nunca existiu.

O "nacional-socialismo" promete fazer a revisão, à sua maneira, da obra de Versalhes, isto é, prosseguir praticamente a ofensiva do imperialismo hohenzollérnico. Ao mesmo tempo, pretende levar a Alemanha para a autarquia, isto é, conduzi-la ao caminho do provincianismo e da autolimitação. O uivo do leão dissimula, assim, a psicologia do cão espancado. Querer adaptar o capitalismo alemão às suas fronteiras nacionais é, mais ou menos, o mesmo que curar um homem cortando-lhe a mão direita, o pé esquerdo e uma parte do crânio.

Curar o capitalismo por meio da economia de plano significa abolir a concorrência. Neste caso, deve-se começar pela abolição da propriedade privada dos meios de produção. As reformas burocráticas professorais não ousam abor-

---

[1] O manchesterianismo foi um movimento de reforma que data da formação da Liga Antilei dos Cereais em 1839, que defendia o livre comércio e a abolição de impostos sobre grãos importados. O movimento baseado em Manchester conseguiu a revogação das Leis dos Cereais em 1846. (N.Ed.)

dar o problema. A economia alemã não é uma economia alemã pura, mas uma parte integrante da economia mundial. Um plano alemão só é concebível na perspectiva de um plano econômico internacional. Uma planificação nacional aferrolhada significaria a renúncia à economia mundial, isto é, a tentativa de uma volta ao sistema autárquico.

As três escolas adversas parecem-se, na realidade, uma com a outra, no sentido de que estão compreendidas no círculo mágico do utopismo reacionário. Não se trata de salvar o capitalismo alemão, mas a Alemanha do seu capitalismo.

Nos anos de crise, os burgueses alemães, pelo menos os seus teóricos, usam de uma linguagem de penitentes: "Sim, fizemos uma política arriscada demais, recorremos ao crédito externo com muita leviandade, entregamo-nos a um reaparelhamento exagerado das empresas etc.! De futuro, precisamos ser mais prudentes!". Na realidade, os dirigentes da burguesia alemã nunca penderam tanto – como o programa de Papen[2] e a conduta do capital financeiro o provam – para a política das aventuras econômicas.

Aos primeiros sintomas de revivescência industrial, o capitalismo alemão se mostrará tal como o passado histórico o criou, e não como os moralistas liberais desejariam fazê-lo. Os fabricantes, famintos de lucro, abrirão de novo a pressão, sem olhar o manômetro. A caça ao crédito exterior tomará de novo um caráter febril. Quanto menores as possibilidades de expansão, tanto maior é a necessidade de monopolizá-las. O mundo assombrado reverá a imagem do período passado, apenas sob a forma de convulsões ainda mais violentas. E, simultaneamente, ressurgirá o militarismo alemão. Como se os anos de 1914-1918 não tivessem existido! A burguesia alemã coloca, de novo, à frente da nação, os barões do leste do Elba, que ainda estão mais propensos a arriscar a cabeça da nação sob o signo do bonapartismo do que sob o da monarquia legítima.

Nos seus minutos de lucidez, os chefes da social-democracia alemã devem perguntar a si mesmos: "Por força de que milagre, depois de tudo o que fez, arrasta ainda o nosso partido milhões de trabalhadores atrás de si?". De grande

[2] Em meados de 1932 os decretos de Papen concederam aos empregadores isenções fiscais e o direito de reduzir os salários em parte da semana de trabalho. A política de Papen levou a uma onda de greves das quais até sindicatos ligados ao nazismo participaram. Em muitas empresas, ativistas comunistas, social-democratas, do SAP, nazistas e os sem partido participam conjuntamente de comitês de greve. Ao mesmo tempo, esquadrões das milícias nazistas atacavam outras greves, principalmente na Prússia. (N.Ed.)

importância, sem dúvida, é o conservantismo interior de toda organização de massa. Várias gerações do proletariado passaram pela social-democracia como por uma escola política: isto criou uma grande tradição. Entretanto, a causa principal da resistência vital do reformismo não está aí. Apesar de todos os crimes da social-democracia, não é fácil aos operários deixar definitivamente esse partido: eles precisam poder substituí-lo por um outro. Entretanto, desde os últimos nove anos, o Partido Comunista alemão, na pessoa de seus chefes, emprega energicamente tudo o que está em suas forças para repelir as massas ou, ao menos, impedi-las de reunir-se em torno do Partido Comunista.

A política de capitulação de Stalin-Brandler em 1923; o ziguezague ultraesquerdista de Maslow-Ruth Fischer-Thälmann em 1924-25; a bajulação oportunista diante da social-democracia em 1928; a aventura do "terceiro período" de 1928-1930; a teoria e a prática do "social-fascismo" e da "libertação nacional" de 1930-32 – eis as parcelas da operação. A sua soma dá: Hindenburg, Papen, Schleicher & Cia.

No caminho do capitalismo não há nenhuma saída para o povo alemão. E está aí o principal recurso do Partido Comunista.

O exemplo da União Soviética prova, pela experiência, que só uma saída pelo caminho socialista é possível. E está aí o segundo recurso do Partido Comunista alemão.

Graças, somente, às condições de desenvolvimento do Estado proletário isolado é que foi possível subir à direção da União Soviética uma burocracia nacional-oportunista, que não crê na Revolução mundial, que luta por tornar-se independente desta e que, ao mesmo tempo, mantém um predomínio ilimitado sobre a Internacional Comunista. Eis em que consiste, atualmente, a maior infelicidade para o proletariado alemão e internacional.

A situação parece criada expressamente para tornar possível ao Partido Comunista conquistar, em pouco tempo, a maioria dos trabalhadores. Bastava o Partido Comunista compreender que, ainda hoje, representa apenas a minoria do proletariado, e dar os primeiros passos no caminho da frente única. Em vez disso, o Partido Comunista adotou uma tática que pode ser expressa nos seguintes termos: Não dar aos operários alemães possibilidade nem de travar uma luta econômica, nem de opor resistência ao fascismo, nem de usar a arma da greve geral, nem de criar sovietes, sem que todo o proletariado reconheça primeiro a direção do Partido Comunista. A tarefa política é transformada em ultimato.

Em que dará essa política ruinosa? A resposta é dada pela política da fração stalinista na União Soviética, onde o aparelho transformou a direção política em comando administrativo. Não permitindo aos operários nem discutir, nem criticar, nem votar, a burocracia stalinista só se dirige a eles na linguagem do ultimato. A política de Thälmann é uma tentativa de tradução do stalinismo em mau alemão. A diferença consiste, porém, no fato de a burocracia da URSS dispor, para a sua política de comando, do poder do Estado, que recebeu da Revolução de Outubro, ao passo que Thälmann para a aprovação dos seus ultimatos, só pode contar com a autoridade formal da União Soviética.

É, sem dúvida, um grande recurso moral, mas, nas condições presentes, só serve para tapar a boca aos operários comunistas, e não para conquistar os trabalhadores social-democratas. E é diante desta última tarefa que se concentra, agora, o problema da Revolução alemã.

Incorporando-se aos trabalhos anteriores do autor dedicados à política do proletariado alemão, a presente brochura procura examinar as questões da política revolucionária alemã numa nova etapa.

Prinkipo, 13 de setembro de 1932.

I
Bonapartismo e fascismo

Procuremos recordar em poucas linhas o que aconteceu até ao ponto em que nos encontramos.

Graças à social-democracia, o governo Brüning dispunha do apoio do Parlamento para governar por meio dos decretos-leis. Os chefes social-democratas diziam: "Desta maneira, fecharemos o caminho do poder ao fascismo". A burocracia stalinista dizia: "Não, o fascismo já triunfou, o regime Brüning já é o fascismo".

Um e outro estavam errados. Os social-democratas faziam passar o recuo passivo diante do fascismo por um combate contra o fascismo. Os stalinistas apresentavam as coisas como se a vitória do fascismo fosse um fato consumado. A força combativa do proletariado era minada dos dois lados e a vitória do inimigo facilitada ou aproximada.

Em seu tempo, classificamos de bonapartista o governo Brüning ("caricatura do bonapartismo"), isto é, como um regime de ditadura militar-policial. Logo que a luta entre dois campos sociais – os possuidores e os proletários, os exploradores e os explorados – atinge a mais alta tensão, estabelecem-se as condições para a dominação da burocracia, da polícia e dos militares. O governo torna-se "independente" da sociedade. Lembremo-nos mais uma vez do seguinte: se espetarmos, simetricamente, dois garfos numa rolha, esta pode ficar de pé, mesmo sobre uma cabeça de alfinete. É precisamente o esquema do bonapartismo. Naturalmente, um tal governo não deixa de ser, por isso, o caixeiro dos possuidores. Mas o caixeiro está sentado sobre as costas do patrão, machuca-lhe a nuca e não faz cerimônias para esfregar-lhes, se for necessário, a bota na cara.

Podia-se supor que Brüning se mantivesse até a solução definitiva. Mas, na marcha dos acontecimentos, intercalou-se ainda um membro: o governo Papen. Se quisermos ser precisos, temos de fazer uma retificação na nossa definição anterior: o governo Brüning era um governo pré-bonapartista, Brüning era apenas um precursor. Sob uma forma evoluída, o bonapartismo entrou em cena na pessoa do governo Papen-Schleicher.

Onde está a diferença? Brüning afirmava não conhecer maior felicidade que a de "servir" Hindenburg e o parágrafo 48[1]. Hitler "sustentava" com o punho o quadril direito de Brüning. Mas, com o cotovelo esquerdo, Brüning se escorava ao ombro de Wels. Brüning tinha, além disso, uma maioria parlamentar que o dispensava da necessidade de contar com o *Reichstag*.

Quanto mais crescia a independência de Brüning com relação ao parlamento, mais o ápice da burocracia sentia-se independente de Brüning e dos agrupamentos políticos que se escondiam atrás dele. Só faltava romper definitivamente os laços com o *Reichstag*. O governo von Papen nasceu de uma imaculada concepção burocrática. Com o cotovelo direito, apoia-se ao ombro de Hitler. Com o punho policial, mantém-se contra o proletariado. Nisso reside o segredo de sua "estabilidade", isto é, de não ter caído no momento de sua criação.

O governo Brüning tinha um caráter clerical-burocrático-policial. A *Reichswehr* ainda estava de reserva. Ao lado da polícia, a "Frente de Ferro" servia como sustentáculo imediato da ordem. Foi precisamente na eliminação da de-

[1] Este dispositivo da constituição alemã permitia ao presidente, sob certas circunstâncias, tomar medidas de emergência sem o consentimento prévio do Parlamento alemão. Esse poder foi utilizado para a promulgação de "decretos de emergência". Hitler fez uso deste parágrafo em 1933 para instaurar a sua ditadura e acabar com a República de Weimar. Assim dispunha ele: "O Presidente do Reich pode, quando a segurança e a ordem pública forem seriamente perturbadas ou comprometidas dentro do Reich, tomar as medidas necessárias para sua restauração; se necessário, ele pode recorrer à força. Para tal finalidade, pode suspender total ou parcialmente o exercício dos direitos fundamentais garantidos". (N.Ed.)

pendência para com a "Frente de Ferro" que consistiu a essência do golpe de Estado Hindenburg-Papen[2]. Os generais avançavam, assim, para o primeiro lugar.

Os líderes social-democratas viram-se completamente logrados. É também o que lhes convém em período de crise social. Esses intrigantes pequeno-burgueses parecem inteligentes nas circunstâncias em que a inteligência não é necessária. Agora, puxam as cobertas por cima da cabeça, suam e esperam um milagre; no fim, talvez se possa salvar não só a cabeça, mas os móveis macios e as pequenas economias inocentes. Mas, não haverá milagres...

Infelizmente, o Partido Comunista também foi completamente surpreendido pelos acontecimentos. A burocracia stalinista não soube prever nada. Hoje, Thälmann, Remmele e outros falam a cada momento do "golpe de Estado de 20 de Julho"[3]. Mas, como? A princípio, afirmavam que o fascismo já era um fato, e só os "trotskistas contrarrevolucionários" podiam falar nele como numa coisa para o futuro. Agora, verificam que, para passar de Brüning

[2] Apoiador do estabelecimento de um Estado forte, "aristocrático e autoritário", Franz von Papen pensava em responder às aspirações dos nazistas enquanto acreditava "puxar o tapete" debaixo dos pés deles. Para isso, ele multiplicou os gestos políticos em relação a eles, em particular levantando a proibição das milícias paramilitares nazistas (16 de junho). O presidente Paul von Hindenburg dissolveu o Parlamento alemão em 4 de junho e as eleições foram convocadas para 31 de julho. Diante da falta de entusiasmo dos hitleristas em sustentá-lo, apoiado por Hindenburg e pelo exército, Papen promoveu um golpe de Estado na Prússia para ampliar sua base política (20 de julho). Pretendia também demonstrar aos nazistas a sua "determinação em restabelecer a autoridade do Estado". Em setembro, Papen propôs um golpe de estado ao exército e Hindenburg, o qual recusou, temendo passar "da guerra civil 'fria' para o período da guerra civil". (N.Ed.)

[3] Em 11 de julho de 1932, o primeiro-ministro Franz von Papen recebeu o apoio do gabinete e do presidente Paul von Hindenburg para um decreto permitindo que o governo alemão interviesse e assumisse o governo da Prússia, que era governado pela social-democracia. Tal decisão foi justificada pelo boato de que o governo prussiano social-democrata e o Partido Comunista alemão estariam planejando uma fusão. A violência política do chamado "domingo sangrento de Altona" – confronto entre nazistas, comunistas e a polícia em 17 de julho – deu a Papen o pretexto para intervir na Prússia. Em 20 de julho, Papen lançou um golpe de Estado contra o governo social-democrata da Prússia. Berlim foi colocada sob intervenção militar e Papen enviou forças para prender e destituir do poder as autoridades social-democratas prussianas, sob a acusação, sem provas, de conspiração e de estarem ligadas aos comunistas. A partir de então, Papen se declarou comissário do governo alemão na Prússia por meio de outro decreto de emergência que ele obteve de Hindenburg, enfraquecendo ainda mais a democracia da República de Weimar. Papen tentou fazer do golpe uma oferta aos nazistas para obter seu apoio no Parlamento alemão a fim de que seu governo pudesse obter maioria. (N.Ed.)

a Papen – não a Hitler, mas somente a Papen – foi necessário todo um "golpe de Estado". Mas o conteúdo de classe de Severing, Brüning e Hitler, ensinavam-nos esses sábios, é "o mesmo". Então, de onde vem o golpe de Estado e com que finalidade?

A confusão, porém, não se limita a isso. Embora a diferença entre bonapartismo e fascismo esteja agora bem claramente posta à luz do dia, Thälmann, Remmele e outros falam do golpe de Estado fascista de 20 de julho. Ao mesmo tempo, põem os operários em guarda contra o perigo que se aproxima, de um abalo hitlerista, isto é, igualmente fascista. Finalmente, a social-democracia é qualificada, agora como antes, de social-fascista. Os acontecimentos que se desenrolam reduzem-se a isso: variedades diferentes do fascismo arrebatam o poder, uma da outra, por meio de golpes de Estado "fascistas". Não é evidente que toda a teoria stalinista foi criada expressamente para entupir o cérebro humano?

Quanto menos preparados os operários, tanto mais o aparecimento do governo Papen em cena devia dar uma impressão de força: ignorância completa dos partidos, novos decretos-leis, dissolução do *Reichstag*, represálias, estado de sítio na capital, abolição da "democracia" prussiana. E com que facilidade! Mata-se o leão com balas; esmaga-se a pulga entre as unhas; despacham-se os ministros social-democratas com um peteleco.

Todavia, o governo Papen é "em si e por si", apesar do aspecto de uma força concentrada, ainda mais fraco que o seu predecessor. O regime bonapartista só pode adquirir um caráter relativamente estável e durável no caso de fechar uma época revolucionária. E, quando a relação de forças já foi experimentada nas lutas, quando as classes revolucionárias já se gastaram, mas as classes possuidoras ainda não se libertaram do medo, não trará o dia seguinte novos abalos? Sem essa condição fundamental, isto é, sem o esgotamento preliminar da energia das massas na luta, o regime bonapartista é incapaz de desenvolver-se.

Com o governo Papen, os barões, os magnatas capitalistas, os banqueiros, empreenderam a tentativa de garantir a sua causa por meio da polícia e do exército regular. A ideia de entregar todo o poder a Hitler, que se apoia nos bandos ávidos e desenfreados da pequena burguesia, não pode alegrá-los. Não duvidam, naturalmente, que Hitler seja, afinal de contas, um instrumento dócil de sua dominação. Mas isso está ligado a abalos, aos riscos de uma longa guerra civil e a enormes despesas. Sem dúvida alguma, como o mostra o exemplo da Itália, o fascismo vai dar, finalmente, em uma ditadura militar burocrática, de tipo bonapartista. Mas, mesmo no caso de uma vitória completa, ele necessita, para isso, de uma série de anos: na Alemanha, de um período mais longo que na Itália. Está claro que as classes possuidoras prefeririam um caminho mais econômico, isto é, o de Schleicher e não o de Hitler, sem contar que o próprio Schleicher dá preferência a si mesmo.

É óbvio que o fato da fonte de existência do governo Papen residir na neutralização de campos irreconciliáveis não significa, de modo algum, que as forças do proletariado revolucionário e as da pequena burguesia reacionária se equilibrem na balança da história. Toda a questão se transporta, aqui, para o domínio da política. Pelo mecanismo da "Frente de Ferro", a social-democracia paralisa o proletariado. Pela política do ultimatismo insensato, a burocracia stalinista corta aos operários a saída revolucionária. Com uma direção justa do proletariado, o fascismo seria destruído sem dificuldade, e não restariam brechas para o bonapartismo. Infelizmente, a situação não é essa. A força paralisada do proletariado toma a forma enganadora de uma "força" da camarilha bonapartista. Nisso consiste a fórmula política de hoje.

O governo Papen representa apenas o ponto de interseção de grandes forças históricas. O seu próprio peso é nulo. Eis porque não podia deixar de assustar-se com seus próprios gestos e ter a vertigem do vácuo existente em torno de si. É por isso, e só por isso, que se explica que até agora, nos atos do governo, a uma parte de audácia se acrescentem duas partes de covardia. Para com a Prússia, isto é, a social-democracia, o governo fazia um jogo seguro: sabia que aqueles senhores não lhe oporiam resistência alguma. Mas, depois de dissolver o *Reichstag*, decretou novas eleições e não ousou adiá-las. Depois da proclamação do estado de sítio, apressou-se em explicá-las como um meio de facilitar a capitulação sem combate dos chefes social-democratas.

Mas, a *Reichswehr*? Não pretendemos esquecê-la. Engels designa o Estado como formações de homens com atributos materiais sob a forma de prisões etc. No que diz respeito ao poder do governo presente, pode-se mesmo dizer que só a *Reichswehr* existe realmente. Mas a *Reichswehr* não representa, de modo algum, um instrumento dócil e seguro nas mãos do grupo encabeçado por Papen. Na realidade, o governo é antes uma espécie de comissão política junto à *Reichswehr*.

Entretanto, apesar de toda a sua preponderância no governo, a *Reichswehr* não pode pretender um papel político próprio. Cem mil soldados, por mais unidos e mais temperados que possam ser (o que ainda tem de ser posto à prova), não podem comandar uma nação de 65 milhões de seres, lacerada pelas mais profundas contradições. A *Reichswehr* representa apenas um elemento, e, além do mais, um elemento que não é decisivo no jogo das forças.

O novo *Reichstag*[4] reflete muito bem, no seu governo, essa situação política no país que deu lugar à experiência bonapartista. Um parlamento sem maioria, com alas irreconciliáveis, representa um argumento evidente e irrefutável a favor da *ditadura*. Mais uma vez, os limites da democracia se desenham com toda a evidência. Quando se trata dos próprios fundamentos da sociedade, não é a aritmética parlamentar que decide, mas a luta.

Não tentaremos profetizar de longe os caminhos por que passarão, nos próximos dias, as tentativas de reconstrução do governo. Nossas hipóteses chegam, de qualquer forma, com atraso, e, além disso, as formas de transição e as combinações não resolvem a questão. Um bloco das direitas com o Centro significaria a "legalização" da chegada ao poder dos nacional-socialistas, isto é, a cobertura mais apropriada para o golpe de Estado fascista. Quanto às relações de forças que se estabelecerão, nos primeiros tempos, entre Hitler, Schleicher e os dirigentes do Centro, é coisa mais importante para eles mesmos do que para o povo alemão. Politicamente, todas as combinações imagináveis com Hitler significariam a dissolução da burocracia, da justiça, da política e do exército no fascismo.

Se se admitir que o Centro não entrará numa coligação em que teria, pela ruptura com seus próprios operários, o papel de freio na locomotiva hitlerista, só restará, nesse caso, o caminho extraparlamentar aberto. Uma combinação sem o Centro asseguraria ainda mais facilmente e mais depressa a preponderância dos nacional-socialistas. Se estes não se unificarem logo com Papen e se, ao mesmo tempo, não passarem à ofensiva imediata, o caráter bonapartista

---

[4] Como resultado das eleições de 31 de julho de 1932 os nazistas receberam 37,27% dos votos (um crescimento de 19,02%) e conseguiram 230 assentos no Parlamento alemão; a social-democracia alemã obteve 21,58% dos votos (uma diminuição de 2,95%) e conseguiu 133 assentos no Parlamento; os comunistas alemães conseguiram 14,32% dos votos (um crescimento de 1,19%) e conquistaram 89 assentos no Parlamento; o Partido do Centro teve 12,44% dos votos (um crescimento de 0,63%) e ocupou 75 assentos no Parlamento. (N.Ed.)

do governo deverá aparecer com maior acuidade ainda: von Schleicher terá os seus "cem dias"... sem os anos napoleônicos que se passaram.

Cem dias, não; estamos medindo com muita liberalidade. A *Reichswehr* não decide. Schleicher não basta. A ditadura extraparlamentar dos *junkers* e dos magnatas do capital financeiro só pode ser garantida pelos métodos de uma guerra civil demorada e inexorável. Poderá Hitler desempenhar essa tarefa? É o que não depende só da vontade feroz do fascismo, mas também da vontade revolucionária do proletariado.

II

Burguesia, pequena burguesia e proletariado

Toda análise séria da situação política deve partir da correlação entre as três classes: a burguesia, a pequena burguesia (entre esta – o campesinato) e o proletariado.

A grande burguesia, economicamente poderosa, representa uma insignificante minoria da nação. Para consolidar a sua dominação, vê-se obrigada a manter determinadas relações com a pequena burguesia e, através desta, com o proletariado.

Para a compreensão da dialética dessas relações, é necessário distinguir três etapas históricas: o desabrochar do desenvolvimento capitalista, quando a burguesia precisava, para resolver suas tarefas, de métodos revolucionários; o período de florescimento e madureza do regime capitalista, quando a burguesia emprestava à sua dominação formas democráticas, ordenadas, pacíficas, conservadoras; e, finalmente, a época da decadência do capitalismo, quando a burguesia se vê obrigada a usar de métodos de guerra civil contra o proletariado, para salvaguardar o seu direito à exploração.

Os programas políticos que caracterizam essas três etapas – *o jacobinismo, a democracia reformista* (incluída aí a social-democracia) e *o fascismo* – são, em essência, programas de correntes pequeno-burguesas. Basta esta circunstância para mostrar a significação decisiva, prodigiosa, verdadeira, que a autodeterminação política das massas pequeno-burguesas do povo tem para o destino de toda a sociedade burguesa! Entretanto, as relações entre a burguesia e o seu fundamental esteio social, a pequena burguesia, não residem, de modo algum, na confiança recíproca baseada numa cooperação pacífica. Como massa, a pequena burguesia é uma classe explorada e prejudicada. Coloca-se diante da grande burguesia com inveja e, muitas vezes, com ódio. A burguesia, por seu turno, enquanto se serve do apoio da pequena burguesia, desconfia desta, pois teme sempre, com toda a razão, que ela esteja disposta a transgredir os limites que lhe são impostos de cima.

Enquanto aplainavam e limpavam o caminho para o desenvolvimento burguês, entravam os jacobinos, a cada passo, em choque com a burguesia. Serviram-na lutando irreconciliavelmente contra ela. Depois de ter preenchido o seu limitado papel histórico, os jacobinos caíram, pois a dominação do capital já estava assegurada.

Através de uma série de etapas, consolidava a burguesia o seu poder, sob a forma da democracia parlamentar. De novo, nem pacífica nem voluntariamente. A burguesia manifestou o seu medo de morte do sufrágio universal. Afinal, graças à combinação das medidas de violência com as concessões, da miséria com as reformas, conseguiu submeter, nos quadros da democracia formal, não só a antiga pequena burguesia, como também, em medida considerável, o proletariado, para o que se serviu da nova pequena burguesia – a burocracia operária. Em agosto de 1914, a burguesia imperialista, por meio da democracia parlamentar, pôde arrastar à guerra dezenas de milhões de operários e camponeses.

É exatamente com a guerra que se torna clara a decadência do capitalismo e, sobretudo, de suas formas de dominação democráticas. Já não se trata, agora, de novas reformas e esmolas, mas de cortar e suprimir as antigas. O domínio político da burguesia cai, assim, em contradição, não só com as instituições da democracia proletária (sindicatos e partidos políticos), como também com a democracia parlamentar, em cujos quadros se formaram as organizações operárias. Daí a campanha contra o "marxismo", de um lado, e contra o parlamentarismo democrático, de outro.

Da mesma forma que os vértices da burguesia liberal, em seu tempo, foram incapazes, por sua própria força, de se desembaraçar da monarquia, do feudalismo e da igreja, assim também os magnatas do capital financeiro, sozinhos, são incapazes de liquidar o proletariado com a sua própria força. Precisam do auxílio da pequena burguesia, que, para isso, precisa ser açulada, posta de pé, mobilizada e armada. No entanto, esse método tem os seus inconvenientes. Ao passo que se serve do fascismo, a burguesia o teme. Pilsudski foi obrigado, em maio de 1926, a salvar a sociedade burguesa por um golpe de Estado dado contra os partidos tradicionais da burguesia polaca[1]. A coisa foi tão longe, que o líder oficial do Partido Comunista da Polônia, Warski, que passou de Rosa Luxemburgo, não para Lenin, mas para Stalin, considerou o golpe de Pilsudski como um caminho que conduz à "ditadura revolucionária democrática", e convocou os operários a sustentar Pilsudski. Na sessão da comissão polaca do Comitê Executivo da Internacional Comunista, em 2 de julho de 1926, dizia o autor destas linhas a propósito dos acontecimentos da Polônia:

> Vista em conjunto, a insurreição de Pilsudski é a maneira "plebeia", pequeno-burguesa, de resolver as tarefas inadiáveis da sociedade burguesa decadente e em decomposição. Já existe, ali, uma aproximação direta com o fascismo italiano. Ambas as correntes têm, indubitavelmente, os mesmos rasgos: as suas tropas de assalto são recrutadas, sobretudo, na pequena burguesia. Pilsudski, como Mussolini, trabalha com métodos extraparlamentares, de violência aberta, de guerra civil; ambos se esforçaram, não para derrubar, mas para salvar a sociedade burguesa. Ao mesmo tempo em que puseram a pequena burguesia de pé, trataram, após a conquista do poder, de se unir abertamente à grande burguesia. Impõe-se agora, involuntariamente, uma generalização histórica, que nos faz lembrar a apreciação de Marx sobre o jacobinismo, como a maneira plebeia de ajuste de contas com os inimigos feudais da burguesia. Foi o que sucedeu na época de *ascensão* da burguesia. Pode-se dizer, agora, na época de *declínio* da sociedade burguesa, que a burguesia necessita novamente de uma maneira "plebeia" de solucionar as suas tarefas, já não mais progressivas, mas inteiramente reacionárias. Neste sentido, o fascismo se torna *uma caricatura reacionária do jacobinismo...*

---

[1] Em maio de 1926, exigindo a renúncia do governo de coalizão (democratas-cristãos e agrários), Josef Pilsudski engajou suas tropas contra aquelas leais ao governo. O Partido Socialista Polonês apoiou os rebeldes, enquanto a greve dos ferroviários paralisava o país, impedindo a chegada de reforços legalistas. Após as negociações feitas sob a égide da Igreja, formou-se um novo governo dentro do qual estava Pilsudski. (N.Ed.)

A burguesia em declínio é incapaz de se manter no poder pelos meios e métodos do Estado parlamentar que criou. Recorre ao fascismo como arma de autodefesa, pelo menos nos momentos mais críticos. A burguesia, entretanto, não gosta da maneira "plebeia" de revolver os seus problemas. Manteve-se sempre em posição hostil ao jacobinismo, que lavou com sangue o caminho para o desenvolvimento da sociedade burguesa. Os fascistas estão imensamente mais próximos da burguesia em decadência do que os jacobinos da burguesia ascendente. Entretanto, a burguesia, prudentemente, não vê também com bons olhos a maneira fascista de resolver os seus problemas, pois os abalos, embora provocados no interesse da sociedade burguesa, são, ao mesmo tempo, perigosos. Daí a contradição entre o fascismo e os partidos burgueses tradicionais.

A grande burguesia gosta tanto do fascismo quanto um homem com o maxilar dorido pode gostar de arrancar um dente. Os círculos mais fortes da sociedade burguesa acompanham a contragosto a obra do dentista Pilsudski, mas, por fim, sujeitam-se ao inevitável, embora com ameaças, regateios e transações. Assim, o ídolo de ontem da pequena burguesia se transforma em polícia do capital.

A essa tentativa de assinalar o lugar histórico do fascismo como substituto político da social-democracia, foi oposta a teoria do "social-fascismo". A princípio, podia passar por uma tolice inofensiva, embora arrogante e barulhenta. Os acontecimentos posteriores mostraram a perniciosa influência que a teoria stalinista exerceu sobre todo o desenvolvimento da Internacional Comunista[2].

• • •

Da função histórica do jacobinismo, da democracia e do fascismo, resultará, então, que a pequena burguesia esteja condenada a continuar como instrumento nas mãos do capital até ao fim de seus dias? Se assim fosse, a ditadura

---

[2] Enquanto a imprensa stalinista escondia ao Partido e à Internacional Comunista o discurso citado acima, empreendia contra ele uma de suas campanhas habituais. Manuilsky escreveu que eu tinha ousado "identificar" os fascistas aos jacobinos, que entretanto são os nossos antepassados revolucionários. Este final é mais ou menos certo. Infelizmente, apresentam estes antepassados não poucos descendentes incapazes de fazer trabalhar o cérebro. Um eco da antiga discussão pode-se encontrar, também, nas últimas produções de Münzenberg contra o "trotskismo". Mas deixemos isso de lado.

do proletariado seria impossível numa série de países, onde a pequena burguesia forma a maioria da nação, e extremamente dificultada em outros países, onde a pequena burguesia representa uma minoria considerável. Felizmente, as coisas não se apresentam assim. Já ficou demonstrado, pela experiência da Comuna de Paris[3], nos limites de uma cidade, e, depois dela, pela experiência da Revolução de Outubro, numa escala incomparavelmente maior de tempo e de espaço, que a aliança entre a grande e a pequena burguesia não é indissolúvel. Como a pequena burguesia é incapaz de uma política independente (e eis porque a "ditadura democrática", pequeno-burguesa, em particular, é irrealizável), só lhe resta escolher entre a burguesia e o proletariado.

Na época de ascensão e florescimento do capitalismo, a pequena burguesia, apesar de fortes acessos de descontentamento, quase sempre caminhou obediente na esteira do capitalismo. E não lhe restava outra coisa a fazer. Mas, nas condições de decomposição capitalista e da situação econômica sem saída, a pequena burguesia tenta, procura, experimenta livrar-se dos grilhões dos velhos senhores e dirigentes da sociedade. Ela é perfeitamente capaz de prender o seu destino ao do proletariado. Para isso, basta uma coisa: a pequena burguesia ter confiança na capacidade de o proletariado dar à sociedade um novo rumo. O proletariado só pode inspirar-lhe essa confiança por sua própria força, pela segurança de suas ações, pela destreza de sua ofensiva contra o inimigo, pelo sucesso de sua política revolucionária.

Mas, aí, se o partido revolucionário não se mostra à altura da situação, a luta cotidiana agrava a instabilidade da sociedade burguesa. As perturbações políticas e as greves pioram a situação econômica do país. A pequena burguesia estaria disposta a conformar-se passageiramente com as crescentes privações, se chegasse, pela experiência, à convicção de que o proletariado é capaz de guiá-la por uma nova senda. Mas continue o partido revolucionário a mostrar-se, sempre, apesar da intensificação ininterrupta da luta de classes, incapaz de reunir em torno de si a classe operária, vacile, desoriente-se, contradiga-se: então, a pequena burguesia perde a paciência e principia a ver nos trabalhadores revolucionários os fautores de sua própria miséria. Todos os

---

[3] A Comuna de Paris foi o primeiro exemplo de um governo dos trabalhadores. Ela governou durante apenas 72 dias, de 18 de março a 28 de maio de 1871, e foi esmagada após uma série de batalhas sangrentas. (N.Ed.)

partidos burgueses, inclusive também a social-democracia, impelem os seus pensamentos nesta direção. E é quando a crise começa a adquirir uma intensidade insuportável que entra em cena um partido especial, cujo objetivo é trazer a pequena burguesia a um ponto candente e a dirigir o seu ódio e o seu desespero contra o proletariado. Esta função histórica desempenha hoje na Alemanha o nacional-socialismo, uma ampla corrente, cuja ideologia se compõe de todas as exalações pútridas da sociedade burguesa em decomposição.

A principal responsabilidade política pelo crescimento do fascismo cabe naturalmente à social-democracia. Desde a guerra imperialista que o trabalho desse partido consiste em expulsar da consciência do proletariado a ideia de uma política autônoma, inspirando-lhe a crença na eternidade do capitalismo e obrigando-o a ajoelhar-se diante da burguesia decadente. A pequena burguesia só pode seguir o operário, se vê neste o novo senhor. A social-democracia ensina ao trabalhador a ser lacaio. A um lacaio, a pequena burguesia não seguirá. A política do reformismo tira ao proletariado a possibilidade de guiar as massas plebeias da pequena burguesia, e já por isso as transforma em carne de canhão do fascismo.

A questão, porém, para nós, politicamente, não fica absolutamente decidida com a responsabilidade da social-democracia. Já desde o começo da guerra que denunciamos esse partido como uma agência da burguesia imperialista no seio do proletariado. Desta nova orientação dos marxistas revolucionários nasceu a III Internacional, cuja tarefa consistia em unificar o proletariado sob a bandeira da Revolução e assegurar-lhe, assim, a possibilidade de exercer uma influência dirigente sobre as massas oprimidas da pequena burguesia na cidade e no campo.

O período de pós-guerra foi, na Alemanha, mais do que em qualquer outra parte, um tempo de desespero econômico e de guerra civil. Condições, tanto internas como internacionais, empurravam o país, imperiosamente, para o caminho do socialismo. Cada passo da social-democracia punha a nu a sua degradação e a sua impotência, a essência reacionária de sua política, a venalidade de seus chefes. Que condições, pois, ainda são necessárias para o crescimento do Partido Comunista? Entretanto, o comunismo alemão, depois dos primeiros anos de triunfos significativos, entrou numa era de vacilações, de ziguezagues de oportunismos e aventurismos alternados. A burocracia centrista enfraqueceu sistematicamente a vanguarda proletária, impedindo-a de arrastar a classe atrás de si. Arrebentou, com isso, ao proletariado em conjunto, a possibilidade de arrastar as massas oprimidas da pequena burguesia. A responsabilidade direta e imediata pelo crescimento do fascismo é a burocracia stalinista quem a carrega perante a vanguarda proletária.

III

Aliança ou luta entre a social-democracia e o fascismo?

Compreender as relações entre as classes à luz de um esquema já feito é relativamente simples. Incomparavelmente mais difícil é a apreciação das relações concretas entre as classes numa dada situação.

A grande burguesia hesita, atualmente, o que é nela um estado muito raro. Uma parte chegou decididamente à convicção da inevitabilidade do caminho fascista e pretendia apressar a operação. Outra parte espera dominar a situação com auxílio da ditadura bonapartista militar-policial. Uma volta à "democracia" de Weimar ninguém o deseja neste campo.

A pequena burguesia está dividida. O nacional-socialismo, que conseguiu reunir sob a sua bandeira a maioria dominante das classes intermediárias, quer deter todo o poder nas mãos. A ala democrática da pequena burguesia, que ainda tem atrás de si milhões de trabalhadores, deseja a volta à democracia marca Ebert[1]. Em último caso, está pronta a sustentar, ao menos passivamente, a ditadura bonapartista. A social-democracia calcula da seguinte maneira: sob a pressão dos nazistas, o governo Papen-Schleicher será obrigado, pelo fortalecimento de sua ala esquerda, a restabelecer um equilíbrio; entrementes,

[1] Alusão de Trotsky à coalizão entre a direita e a social-democracia alemã, sob a presidência de Friedrich Ebert. (N.Ed.)

talvez venha uma atenuação da crise; talvez a pequena burguesia recupere o "juízo"; o capital talvez diminua a sua furiosa pressão sobre a classe operária – e assim, com a graça de Deus, tudo ficará de novo em ordem.

A camarilha bonapartista não deseja, efetivamente, a vitória completa do fascismo. Não se negará a utilizar, em certos limites, o apoio da social-democracia. Com este fim, é obrigada, porém, a "tolerar" as organizações operárias, o que no caso só seria realizável, se ao menos se permitisse, até um certo grau, a existência legal do Partido Comunista. Além disso, o apoio da social-democracia à ditadura militar impeliria irremediavelmente os trabalhadores para as fileiras do comunismo. Procurando um amparo contra o diabo castanho[2], o governo iria cair, em breve, sob os golpes do belzebu vermelho.

A imprensa comunista oficial afirma que a tolerância de Brüning pelos social-democratas preparou o caminho a von Papen e a semitolerância de Papen apressará a chegada de Hitler. Isto é absolutamente certo. Nestes limites, não há entre os stalinistas e nós diferença de opinião. Mas isto, justamente, significa que, nos tempos de crise social, a política do reformismo já não é mais somente contra as massas, mas também contra si mesmo. Neste processo, atualmente, o momento crítico já soou.

Hitler tolera Schleicher. A social-democracia não se opõe a Papen. Prolongue-se realmente esta situação por longo tempo, e a social-democracia será transformada em ala esquerda do bonapartismo, cabendo ao fascismo o papel de ala direita. Em teoria, não é impossível, naturalmente, que a crise atual, sem precedente, do capitalismo alemão não encontre solução definitiva, isto é, não termine nem com a vitória do proletariado nem com o triunfo da contrarrevolução fascista. *Se* o Partido Comunista prossegue na sua estúpida política de ultimatismo e salva assim a social-democracia da queda inevitável; se Hitler não se decide, muito breve, a dar o golpe de força, provocando com isso a decomposição inevitável das próprias fileiras; *se* a conjuntura econômica melhora antes de Schleicher cair – é possível, então, que a combinação bonapartista do parágrafo 48 da Constituição de Weimar, do Exército, da semioposição social-democrata e da semioposição fascista se sustenha (até um novo abalo social que, em todo caso, seria de se esperar para breve).

---

2 Referência de Trotsky à cor dos uniformes das milícias nazistas. (N.Ed.)

Entretanto, uma tal disposição feliz de condições, que é o objeto das divagações social-democráticas, por enquanto ainda está longe e não é nada garantida. Na capacidade de resistência e duração do regime de Papen-Schleicher, os stalinistas também acreditam muito pouco. Tudo indica que o triângulo Wels-Schleicher-Hitler se desfaça antes mesmo de ser formado de fato.

Mas talvez viesse a ser substituído pela combinação Hitler-Wels? Segundo Stalin, eles são "gêmeos e não antípodas". Admitamos que a social-democracia, sem intimidar-se perante os seus próprios operários, quisesse vender a Hitler a sua tolerância. Mas o fascismo não faz essa transação: não precisa da tolerância, mas da demolição da social-democracia. O governo de Hitler só pode realizar a sua tarefa se quebrar a resistência dos trabalhadores, desfazendo-se de todos os órgãos capazes de tal resistência. Eis em que consiste o papel histórico do fascismo.

Os stalinistas se limitam a um julgamento puramente psicológico ou, mais exatamente, moral, dos covardes e egoístas pequeno-burgueses que dirigem a social-democracia. É lícito supor que esses traidores patenteados se separem da burguesia e a ela se contraponham? Método tão idealista pouco tem de comum com o marxismo, que não parte do que os homens pensam de si mesmos e do que desejam, mas, antes de tudo, das condições em que estão colocados e de que modo essas condições se transformarão.

A social-democracia sustenta o regime burguês, não por causa dos lucros dos magnatas do carvão, do aço e outros, mas por amor ao seu próprio lucro, o qual ela recebe, como partido, através do seu numeroso e potente aparelho. Certamente, o fascismo nenhuma ameaça constitui para o regime burguês, cuja defesa está afeta à social-democracia. Mas o fascismo prejudica a função que a social-democracia exerce no regime burguês, bem como as rendas que ela percebe por seu desempenho. Se os stalinistas esquecem este lado da questão, não o perde de vista a social-democracia, que considera o fascismo como um perigo de morte, pairando não sobre a burguesia, mas justamente sobre ela, social-democracia.

Quando, mais ou menos há três anos, acentuamos que o ponto de partida da próxima crise política, segundo todas as probabilidades, se formaria em torno da incompatibilidade entre a social-democracia e o fascismo; quando, baseados nesse fato, acusávamos a teoria do "social-fascismo" de ocultar, em vez de desvendar, o conflito próximo; quando chamávamos a atenção para a possibilidade de a social-democracia, com uma parte considerável de seu aparelho, ser arrastada, pela marcha dos acontecimentos, a uma luta contra o fascismo, proporcionando ao Partido Comunista um ponto de partida favorável à ofensiva ulterior; muitos camaradas nos acusavam – e havia entre eles não só funcionários alugados, mas até verdadeiros revolucionários – de "idealizar" a social-democracia. Só nos restava dar de ombros. É difícil discutir com gente cujo pensamento para precisamente no ponto em que a questão apenas começa para os marxistas.

Na discussão usei, muitas vezes, do seguinte exemplo: A burguesia judaica da Rússia czarista representava uma parte profundamente amedrontada e desmoralizada do conjunto da burguesia russa. No entanto, na medida em que os *pogroms* dos Cem Negros, que se efetuavam principalmente contra a pobreza judaica, alcançavam também a burguesia, via-se esta obrigada a organizar a sua autodefesa. Certamente que também neste domínio não demonstrava ela nenhuma bravura notável. Entretanto, diante do perigo suspenso sobre a sua cabeça, os judeus liberais burgueses recolhiam respeitáveis somas para o armamento de trabalhadores e estudantes revolucionários. Dessa maneira, efetuaram-se entendimentos práticos, momentâneos, entre os operários mais revolucionários, prontos a lutar de armas na mão, e o mais aterrorizado grupo burguês, acossado pelos acontecimentos.

Escrevi, o ano passado, que os comunistas, em sua luta contra o fascismo, eram obrigados a entrar em entendimento prático não só com o diabo e sua avó, mas até com Grzesinski. Esta frase circulou pela imprensa stalinista do mundo inteiro: Podia haver melhor prova do "social-fascismo" da Oposição de Esquerda? Muitos camaradas, antecipadamente, me preveniram: "Eles vão se apegar a esta frase". Respondi-lhes: "Foi escrita para isso, para que a ela se agarrem. Agarrar-se-ão em ferro quente e queimarão os dedos. Os idiotas precisam receber uma lição". O curso da luta chegou a isto: von Papen fez Grzesinski entrar em conhecimento com a prisão. Confirmou este episódio a teoria do "social-fascismo" e as profecias da burocracia stalinista? Não, ele as contradiz inteiramente. A nossa apreciação da situação, porém, calculou essa possibilidade e lhe reservou um lugar determinado.

Mas a social-democracia, desta vez também, tornou a evitar a luta, replicar-nos-á um stalinista. Sim, evitou-a. Quem ficou esperando que a social-democracia, pela atuação de seus líderes, aceitasse sozinha a luta, principalmente em condições nas quais o próprio Partido Comunista se mostrava incapaz de lutar, teve de sofrer, naturalmente, uma decepção. Nós não esperávamos tal milagre. Não tivemos, por isso, nenhuma "decepção".

Que Grzesinski não se tenha transformado num tigre revolucionário, acreditamos sem dificuldade. Em todo caso, sempre existe uma diferença entre a situação em que Grzesinski, sentado em sua fortaleza, mandava divisões da polícia contra os operários revolucionários, para defender a "democracia" e aquela em que o salvador bonapartista do capitalismo metia o próprio sr. Grzesinski na cadeia. E não devemos fazer o nosso cálculo político baseado nesta diferença e utilizá-la?

Voltemos ao exemplo citado acima: não é difícil apreender a diferença entre um judeu industrial, que dá gorjeta aos policiais para abater os grevistas de sua fábrica, e o mesmo industrial que dá dinheiro aos grevistas de ontem para a aquisição de armas contra os *pogromistas*. O burguês continua o mesmo. Mas da diferença da situação resulta uma diferença de conduta. Os bolcheviques conduzem a greve contra o industrial. Mais tarde, recebiam dinheiro do mesmo industrial para a luta contra o *pogrom*. Isto, naturalmente, não impediu o trabalhador, ao soar a hora, de dirigir sua arma contra a burguesia.

Significa, então, tudo o que ficou dito que a social-democracia, como um todo, lutará contra o fascismo? A esse respeito, respondemos: Uma parte dos funcionários social-democratas se passará, indubitavelmente, para os fascistas; uma porção mais considerável, na hora do perigo, se esconderá debaixo da cama. Também a massa dos trabalhadores não entrará na batalha em sua totalidade. Adivinhar, antecipadamente, que parte dos trabalhadores social-democratas entrará na luta, e quando entrará, e que parte do aparelho será arrastada por aqueles, é completamente impossível. Isso depende de muitas circunstancias e, entre estas, da atitude do Partido Comunista. A frente única política tem como tarefa separar os que querem lutar dos que não querem; empurrar para a frente os que vacilam; enfim, comprometer aos olhos dos operários os chefes capituladores e fortalecer, assim, a capacidade de luta do proletariado.

Quanto tempo já se perdeu inutilmente, estupidamente, vergonhosamente! Quanto se teria conseguido, mesmo só nos dois últimos anos! Pois era, desde o princípio, perfeitamente claro que o capital financeiro e o seu exército fascista iriam empurrar a social-democracia, com murros e pancadas, no caminho da oposição e da autodefesa. Era preciso espalhar essa perspectiva diante de toda a classe operária, tomar a si a iniciativa da frente única e, em cada nova etapa, conservar firme em mãos essa iniciativa. Em vez de se ter gritado e berrado, devia-se ter feito calmamente um jogo aberto. Bastaria que se tivesse formulado, nítida e clara, a inevitabilidade de cada próximo passo do inimigo e apresentado um programa prático de frente única, sem exagero e sem regateios, mas também sem fraqueza e condescendência. Como o Partido Comunista não estaria bem, agora, se estivesse de posse do A B C da política leninista e o tivesse aplicado com a necessária tenacidade!

IV

Os 21 erros de Thälmann

Em meados de julho, apareceu uma brochura[3] com as respostas de Thälmann a 21 perguntas de operários social-democratas sobre o modo de criar-se a "frente única vermelha". A brochura começa com as palavras: "A frente única antifascista avança irresistivelmente!". A 20 de julho, o Partido Comunista concita os trabalhadores à greve política. O apelo não encontrou eco. Assim, no espaço de cinco dias, se revelava o trágico abismo existente entre a bela fraseologia burocrática e a realidade política.

Nas eleições de 31 de julho, obteve o partido 5,3 milhões de votos. Proclamando este resultado como um triunfo formidável, o Partido demonstra até que ponto a derrota abaixou suas pretensões e esperanças. No primeiro turno das eleições presidenciais, em 13 de março, obteve o Partido quase 5 milhões de votos. No decorrer de quatro meses e meio – e que meses! – não ganhou mais do que 300 mil votos. Em março, a imprensa comunista repetiu centenas de vezes que o número de votos teria sido incomparavelmente maior, se as eleições fossem para o *Reichstag*: nas eleições presidenciais, centenas de

---

3 Trotsky refere-se ao folheto *Wie schaffen wir die Rote Einheitsfront? Thälmanns Antwort auf 21 Fragen von SPD-Arbeitern* (*Como criaremos a Frente Única Vermelha? Respostas de Thälmann a 21 perguntas de operários do SPD*). Berlim: Verlag Antifaschistische Organisation, 1932. (N.Ed.)

milhares de simpatizantes consideravam inútil perder tempo por causa de uma "platônica" demonstração. Levem-se em conta esses comentários de março – eles bem o merecem – e resulta, afinal, que o Partido quase não cresceu nos últimos quatro meses e meio.

Em abril, a social-democracia elegeu Hindenburg, que, em seguida, desfechou diretamente contra ela um golpe de Estado. Era de se pensar que bastassem esses fatos para abalar, nos seus próprios alicerces, o edifício do reformismo. Seguiu-se a isso uma intensificação ainda maior da crise, com todas as suas medonhas consequências. Por fim, a 20 de julho, isto é, onze dias antes das eleições, a social-democracia encolhia lamentavelmente a cauda, diante do golpe de Estado do presidente do Reich que ela elegeu. Em tais períodos, os partidos revolucionários crescem febrilmente. Tudo o que empreender a social-democracia, trancada dentro de cavilhas de ferro, só poderá servir para afastar de si o operário, impelindo-o para a esquerda. Assim, em lugar de avançar com botas de sete léguas, o comunismo marca passo, vacila, bate em retirada, e após cada passo à frente, dá meio passo atrás. Gritar que foi um triunfo o simples fato de o Partido Comunista, a 31 de julho, não ter perdido nenhum voto, significa ter perdido completamente o senso da realidade.

Para compreender por que e como o Partido revolucionário, em condições políticas excepcionalmente favoráveis, fica condenado a uma impotência degradante, é preciso que se leiam as respostas de Thälmann aos operários social-democratas. É uma tarefa enfadonha e desagradável, mas que pode esclarecer o que se passa na cabeça dos chefes stalinistas.

À pergunta: "Como os comunistas julgam o caráter do governo Papen?", Thälmann dá várias respostas contraditórias. Começa chamando a atenção para "o perigo do estabelecimento imediato da ditadura fascista". Então, esta ainda não existe? Fala, com toda a justeza, dos membros do governo como "representantes do capital, dos trustes, dos generais e dos nobres, senhores territoriais". Um minuto depois, diz ele sobre o mesmo governo: "este gabinete fascista", e termina a resposta com a afirmação de que "o governo de Papen tem por finalidade a instauração imediata da ditadura fascista".

Thälmann, deixando passar despercebida a diferença política entre bonapartismo, isto é, o regime da "paz civil" que assenta sobre uma ditadura policial-militar, e o fascismo, isto é, o regime da guerra civil aberta contra o proletariado, tira de si mesmo, de antemão, a possibilidade de compreender o que se passa diante de seus olhos. É o gabinete de Papen um gabinete fascista? Então de que "perigo" fascista se pode tratar? Se os trabalhadores acreditarem no que diz Thälmann, de que Papen tem como objetivo (?) instituir a ditadura fascista, então o conflito provável entre Hitler e Papen-Schleicher surpreenderá tanto o Partido como, em seu tempo, o conflito entre Papen e Otto Braun[4].

À pergunta: "Pensa sinceramente o Partido Comunista na frente única?", Thälmann responde, naturalmente, pela afirmativa, e, como prova, mostra que os comunistas não fazem procissão em frente a Hindenburg ou a Papen. "Não; pomos a questão da luta, e na verdade da luta contra todo o sistema, contra o capitalismo. E aqui é que está o ponto vital da sinceridade da nossa frente única".

É evidente que Thälmann não compreende do que se trata. Os trabalhadores social-democratas continuam social-democratas, justamente porque ainda acreditam na via gradativa e reformista da transformação do capitalismo em socialismo. Como sabem que os comunistas são pela derrubada revolucionária do capitalismo, perguntam os operários social-democratas: "Vocês nos propõem a frente única lealmente?". A isso replica Thälmann: "Sim, naturalmente, com lealdade, pois, para nós, se trata de derrubar todo o sistema capitalista".

Não pensamos, naturalmente, que se deva esconder qualquer coisa aos operários social-democratas. Em todo caso, sempre é preciso que se tenha a medida das coisas e que se guardem as proporções políticas. Qualquer propagandista hábil teria respondido assim: "Vocês são pela democracia; nós achamos que só há saída pela Revolução. Mas não podemos nem queremos fazer a Revolução sem vocês. Hitler é agora o nosso inimigo comum. Depois da vitória sobre ele, daremos juntos o balanço da situação e veremos então qual é de fato o caminho que leva para a frente".

Os ouvintes, por mais reservados que ao primeiro instante parecessem, não só ouviriam o interlocutor com tolerância, como até, muitas vezes, concordariam com ele. O segredo da tolerância dos atuais interlocutores de Thälmann reside no fato de que não só fazem parte da Ação Antifascista[5], como até

---

[4] Estas linhas foram escritas no começo de agosto, por ocasião das negociações entre Hindenburg-Papen e Hitler e antes que o conflito entre Papen e Hitler ficasse aparente. – N. do T.

[5] Após um enfrentamento entre nazistas e comunistas no Parlamento da Prússia, em 25 de maio de 1932, o Partido Comunista alemão fundou em Berlim a Ação Antifascista, que se

exigem que se vote pelo Partido Comunista. Trata-se assim de ex-social-democratas passados para o lado do comunismo. A recrutas como estes só podemos dar as boas-vindas. Entretanto, o ilusório de todo esse empreendimento consiste em que uma explicação a trabalhadores que já romperam com a social-democracia é dada como uma explicação a toda a massa social-democrata. Esta mascarada barata é profundamente característica de toda a política atual dos Thälmann & Cia.!

Seja como for, os ex-social-democratas levantam questões que, de fato, põem a massa social-democrata em movimento. "É a Ação Antifascista um departamento do Partido?", perguntam eles. Thälmann responde: "Não!". A prova? "A Ação Antifascista não é nenhuma organização, mas um movimento de massas". Como se não fosse precisamente o dever do Partido organizar movimentos de massa. Ainda melhor é a segunda prova: A Ação Antifascista está acima dos partidos, pois é dirigida contra o Estado capitalista: "Já Karl Marx, ao tratar das lições da Comuna de Paris, punha em primeiro plano, com toda a força, a questão da destruição do aparelho estatal burguês como a tarefa de toda a classe operária". Oh, citação infeliz! Pois os social-democratas, a despeito de Marx, que pretendem é justamente aperfeiçoar o Estado burguês, e não destruí-lo. Não são comunistas, mas reformistas. Apesar de suas intenções, Thälmann prova precisamente o que queria rebater – o caráter partidário da Ação Antifascista.

O chefe oficial do Partido Comunista não compreende, evidentemente, nem a situação nem o modo de pensar político do operário social-democrata. Não compreende para que serve a frente única. Cada uma de suas frases fornece armas aos chefes reformistas e impele para estes os operários social-democratas.

Thälmann demonstra a impossibilidade de qualquer passo em comum com a social-democracia pela seguinte forma:

> Com isso, devemos reconhecer claramente que a social-democracia, mesmo fingindo, hoje, uma oposição aparente, *em nenhum momento* abandonará os seus pensamentos íntimos de coligação e de arranjos com a burguesia fascista.

---

pretendia uma frente unitária e da qual participavam, marginalmente, militantes socialistas. (N.Ed.)

Mesmo que fosse certo, nem por isso cessaria o dever de o demonstrar aos operários social-democratas através da experiência. Ainda mais, quando é fundamentalmente falso. Se os líderes social-democratas não querem renunciar aos pactos com a burguesia, a burguesia fascista, entretanto, renuncia a pactuar com a social-democracia. Este fato, porém, pode tornar-se decisivo para o destino da social-democracia. Na passagem do poder de Papen a Hitler, a burguesia de modo nenhum poderá poupar a social-democracia. A guerra civil tem suas leis. A dominação do terror fascista só poderá significar a destruição da social-democracia. Mussolini começou justamente por aí, a fim de, tanto mais desimpedido, poder abater os operários revolucionários. Em todo caso, aos "social-fascistas" é cara a própria pele. A política comunista de frente única deve atualmente partir dos cuidados da social-democracia pela própria pele. Esta será a política mais realista e, ao mesmo tempo, a mais revolucionária em suas consequências.

Mas se, "em momento algum", a social-democracia se afastará da burguesia fascista (embora Matteotti se tenha "afastado" de Mussolini), não deverão os operários social-democratas, que querem tomar parte na Ação Antifascista, abandonar o seu partido? Assim reza uma pergunta. A ela replica Thälmann: "Para nós, comunistas, nem se põe em discussão que os operários social-democratas ou da *Reichsbanner*[6] podem participar da Ação Antifascista *sem* precisar deixar o próprio partido". Para mostrar-se livre de sectarismo, Thälmann acrescenta: "Se entrassem aos milhares, em frente compacta, saudaríamos o fato com alegria, mesmo que, sobre certas questões de apreciação do Partido Social-Democrata alemão, ainda subsistisse, a nosso ver, confusão na sua cabeça". Palavras de ouro! "Consideramos o vosso partido como fascista; vós o tomais por democrata; mas não briguemos por pequenas coisas. É o bastante virdes a nós aos "milhões", mesmo sem abandonar o vosso partido fascista". A "confusão sobre certas questões" não pode constituir nenhum empecilho. Mas, ai!, a confusão na cabeça de burocratas todo-poderosos impede qualquer passo.

Aprofundando a questão, continua Thälmann: "Não pomos a questão de partido a partido, mas de ponto de vista da classe". Como Seydewitz, Thälmann está disposto a renunciar os interesses do Partido no interesse da classe.

---

6 *Reichsbanner*: Bandeira do *Reich*, associação republicana de caráter militar. – N. do T.

A desgraça consiste em que, para um marxista, essa contradição não pode existir. Não fosse o seu programa a formulação científica dos interesses da classe operária, o Partido não valeria um vintém.

Sem falar nos erros grosseiros de princípios, as palavras de Thälmann contêm uma verdadeira insensatez. Como pode a questão deixar de ser posta "de partido para partido", se a essência da questão consiste nisso? Milhões de operários seguem a social-democracia. Outros milhões, o Partido Comunista. À pergunta dos operários social-democratas: "Como conseguirmos hoje uma ação comum entre o nosso e o vosso partido contra o fascismo?", Thälmann responde: "Classisticamente" e não partidariamente: "Venham aos milhões para nós!". Não é isso um lamentável palavreado pomposo?

"Nós, comunistas, prossegue Thälmann, não queremos unidade a qualquer preço". Não podemos, no interesse da unidade com a social-democracia, "renegar o conteúdo de classe de nossa política... e renunciar às greves, às lutas dos desempregados, às ações do inquilinato, às patrulhas operárias[7] de massa". Ao entendimento sobre determinadas ações práticas é soto-posta a absurda *unidade* com a social-democracia. Da inevitabilidade das borrascas revolucionárias finais de amanhã, é deduzida a inadmissibilidade das ações de autodefesa, ou de greves feitas em acordo para *hoje*. Quem puder coordenar os pensamentos de Thälmann merece um prêmio.

Os ouvintes insistem: "É possível, na luta contra o governo de Papen e contra o fascismo, uma aliança entre o Partido Comunista e o Partido Social-Democrata alemão?". Thälmann refere-se então a dois ou três fatos como prova de que a social-democracia não luta contra o fascismo, e conclui: "Todo (!!) camarada do Partido Social-Democrata alemão há de nos dar razão (?) quando dizemos que uma aliança entre o Partido Comunista e o Partido Social-Democrata alemão é impossível, não só em virtude destes fatos como também (!) por motivos de princípios (!)". Mais uma vez, o burocrata pressupõe como demonstrado o que justamente é preciso provar. O ultimatismo contrai um caráter particularmente ridículo quando Thälmann responde à pergunta sobre a frente única com organizações que abrangem milhões de trabalhadores. Os social-democratas devem justamente reconhecer que um

[7] Organizações operárias de defesa contra o fascismo, surgidas espontaneamente da situação atual. – N. do T.

entendimento com seu partido é impossível, pois que este é fascista. Pode-se prestar a Wels e a Leipart melhor serviço?

> Nós, comunistas, que rejeitamos fazer qualquer coisa de comum com os chefes do Partido Social-Democrata alemão, tornamos a declarar que estamos, em qualquer tempo, dispostos a uma ação antifascista com os camaradas social-democratas da *Reichsbanner* e com as organizações subordinadas que queiram lutar.

Onde acabam as organizações subordinadas? E que fazer quando as de baixo se submetem à disciplina das de cima e propõem que se comecem as negociações com as de cima? Existem, enfim, andares intermediários entre os inferiores e os superiores. É possível dizer, de antemão, por onde corre a linha de separação entre os que querem lutar e os que fogem à luta? Só pelos fatos isto pode ser determinado e não por conjecturas precipitadas. Que sentido pode ter, pois, deixar-se amarrar, assim, de pés e mãos?

Na *Rote Fahne* de 29 de julho, em uma notícia sobre uma assembleia da *Reichsbanner*, vêm citadas algumas palavras, dignas de toda a atenção, proferidas por um chefe de destacamento social-democrata: "Existe na massa a vontade de uma frente única antifascista. Se os chefes não a levarem em conta, eu irei por cima deles para a frente única". A folha comunista publica estas palavras sem comentários. Entretanto, elas encerram a chave de toda a tática da frente única. O social-democrata quer lutar junto com os comunistas contra os fascistas. Já põe em dúvida a boa vontade de seus líderes. Se estes recusam, diz ele, passarei por cima deles. Social-democratas como esse existem às dezenas, às centenas, aos milhares e aos milhões. O dever do Partido Comunista é demonstrar-lhes, realmente, se os seus chefes querem ou não lutar. Isto só se demonstra pela experiência, por uma nova e recente experiência, em nova situação. Esta experiência não poderá ser feita uma vez somente. É preciso sujeitar os chefes social-democratas a uma prova: na empresa e na oficina, na cidade e no campo, em todo o Estado, hoje e amanhã. É preciso repetir as propostas, colocá-las sob nova forma, debaixo de novos pontos de vista, correspondentes a novas situações.

Mas Thälmann não quer. Em razão "das diferenças de princípio entre o Partido Comunista e o Partido Social-Democrata alemão, rejeitamos qualquer negociação pelo vértice com o Partido Social-Democrata alemão". Esta razão esmagadora é repetida por Thälmann inúmeras vezes. Mas, se não existissem "contradições de princípio", não existiriam dois partidos. E, não existindo dois partidos, não seria o caso de frente única. Thälmann quer provas demais. De menos, fora melhor.

"Não significou a fundação da RGO[8]", perguntam os trabalhadores, "uma divisão do operariado organizado?". Não, responde Thälmann, e, como prova, refere-se à carta de Engels, no ano de 1895, contra os filantropos esteto-sentimentais. Quem, às escondidas, passou a Thälmann citação tão traiçoeira? A RGO foi criada para a unidade, e não para a cisão. Assim, não devem os operários, de modo algum, abandonar a sua organização sindical para entrar para a RGO. Pelo contrário, é melhor que os membros da RGO permaneçam nos sindicatos para fazer o trabalho oposicionista. As palavras de Thälmann podem parecer convincentes para os comunistas que se entregaram à tarefa de lutar contra a direção social-democrata. Mas, como resposta a operários social-democratas, ciosos da unidade sindical, as palavras de Thälmann soam como ironia. "Por que deixaram os nossos sindicatos e foram organizar-se à parte?" – perguntam os trabalhadores social-democratas. "Se vocês querem entrar para as nossas organizações separadas, a fim de lutar contra a direção social-democrata, neste caso não exigimos que deixem os seus sindicatos" – responde-lhes Thälmann. Uma resposta ao pé da letra: em cima da bucha.

"Existe democracia dentro do Partido Comunista alemão?", interrogam os operários, passando a outro tema. Responde Thälmann pela afirmativa: "E como não!". Mas, inesperadamente, no mesmo instante, dispõe: "Na legalidade como na ilegalidade, particularmente nesta, o Partido precisa acautelar-se contra os espiões, os provocadores, os agentes de polícia". Esta intercalação não veio por acaso. A mais nova doutrina anunciada ao mundo pela brochura de um misterioso Büchner[9] defende o estrangulamento da democracia no interesse da luta contra os espiões. Quem protesta contra o predomínio da burocracia stalinista deve ser pelo menos declarado suspeito. Os agentes de polícia e provocadores de todos os países se babam de entusiasmo por esta

---

[8] *Revolutionäre Gewerkschaftopposition*: Oposição Sindical Revolucionária, organização sindical criada pelo Partido Comunista para combater os sindicatos reformistas. – N. do T.

[9] Não foi possível localizar a que texto Trotsky se referia, nem, portanto, estabelecer a identidade de seu autor. (N.Ed.)

teoria. Mais freneticamente do que qualquer outro, vão eles açular os ódios contra os oposicionistas. E isto permite que a atenção seja desviada deles, facilitando-lhes o trabalho de pescar em águas turvas.

O florescimento da democracia é demonstrado também, segundo Thälmann, pelo fato de que, nos congressos mundiais e nas conferências do Comitê Executivo da Internacional Comunista, os problemas são estudados. O orador descuidou-se de nos participar quando teve lugar o último congresso mundial. Mas nós vamos dizê-lo: em junho de 1928, há mais de quatro anos! Desde então, publicamente, nenhuma questão de importância foi levantada. Por que o próprio Thälmann, seja dito de passagem, não convoca um congresso extraordinário do Partido alemão, para resolver as questões de que depende a sorte do proletariado alemão? Não será excesso de democracia no Partido, pois não?

Assim, vai de página em página. Thälmann responde às 21 perguntas. Cada resposta, um erro. Soma: 21 erros, não contando os pequenos e os de segunda ordem. E destes, há muitos.

Thälmann conta que os bolcheviques romperam com os mencheviques em 1903. Na realidade, a cisão só se deu em 1912. Entretanto, isso não evitou que a Revolução de fevereiro de 1917 encontrasse, em uma grande parte do país, as organizações bolchevista e menchevista reunidas. Ainda em começo de abril, Stalin foi favorável à união dos bolcheviques com o partido de Tseretelli (não *frente única*, mas *fusão de partidos*!). Só a chegada de Lenin evitou a coisa.

Thälmann diz que os bolcheviques dissolveram a Assembleia Constituinte no ano de 1917. Na verdade, isto se deu no começo de 1918. Thälmann é muito mau conhecedor da história da Revolução russa e do Partido bolchevique.

Muito pior, no entanto, é o fato dele não compreender os fundamentos da tática bolchevique. Em seus artigos "teóricos", ousa até pôr em dúvida o fato de que os bolcheviques firmaram um acordo com os mencheviques e os socialistas-revolucionários contra Kornilov. Como prova, faz uma citação que alguém lhe deve ter soprado, que nada tem a ver com o caso. Mas esquece de responder à pergunta: Houve, durante o *putsch*[10] de Kornilov, comitês de defesa do povo em todo o país? Dirigiram esses comitês a luta contra Kornilov? Faziam parte desses comitês representantes dos bolcheviques, dos men-

[10] Golpe de força. – N. do T.

cheviques e dos socialistas-revolucionários? Sim, sim, sim. Estavam, então, no poder os mencheviques e os socialistas-revolucionários? Perseguiam eles os bolcheviques como agentes do estado-maior alemão? Estavam milhares de bolcheviques jogados nas prisões? Escondeu-se Lenin na ilegalidade? Sim, sim, sim. Que citações podem contradizer esses fatos históricos?

Resta a Thälmann entregar-se discricionariamente ao parecer de Manuilsky, de Losovsky e do próprio Stalin (no caso deste abrir a boca). Que deixe, porém, em paz o leninismo e a história da Revolução de Outubro: é para ele um livro muito cheio de segredos.

Terminando, é necessário abordar ainda uma questão já de si complexa: é a que diz respeito a Versalhes. Os trabalhadores social-democratas perguntam se o Partido Comunista não fez concessões políticas ao nacional-socialismo. Thälmann, em resposta, começa por defender a palavra de ordem de "libertação nacional" e a colocá-la no mesmo plano da palavra de ordem de libertação social. O que resta das reparações é para Thälmann tão importante como a propriedade privada dos meios de produção. Esta política foi expressamente inventada para desviar a atenção dos operários dos problemas básicos, enfraquecendo o golpe, o ataque contra o capitalismo, e forçando-os a buscar o inimigo principal e o autor da sua miséria do outro lado das fronteiras. Entretanto, mais do que nunca, o "principal inimigo está dentro do país!". Von Schleicher exprimiu este pensamento mais crassamente: "Antes de tudo", declarava ele a 26 de julho pelo rádio, "é preciso liquidar os cães do interior!". Esta fórmula de soldado é muito boa. Nós a aceitamos prontamente. Todos os comunistas devem adotá-la com firmeza. E quando os nazistas desviam a atenção para Versalhes, os trabalhadores revolucionários devem replicar-lhes: Não, antes de tudo é preciso liquidar os cães do interior!

V
A revisão da política de Stalin-Thälmann à luz de sua própria experiência

A tática é posta à prova nos momentos críticos e de responsabilidade. A força do bolchevismo consistia em que as suas palavras de ordem e métodos eram confirmados assim que o ritmo dos acontecimentos exigia decisões mais audaciosas De que valem princípios que devem ser abandonados quando a situação toma um caráter mais sério?

A política realista se apoia no desenvolvimento natural da luta de classes. A política sectária tenta prescrever regras artificiais à luta de classes. Uma situação revolucionária significa a maior intensificação da luta de classes. Justamente por isso é que a política realista do marxismo exerce na situação revolucionária uma poderosa força de atração sobre as massas. A política sectária, ao contrário, será tanto mais fraca quanto mais poderoso o impulso dos acontecimentos. Os blanquistas e proudhonistas, surpreendidos pelo movimento da Comuna de Paris, faziam o contrário do que sempre tinham pregado. Os anarquistas viram-se, durante a Revolução russa, na contingência de reconhecer o soviete, isto é, o órgão do poder. E assim por diante, indefinidamente.

Os comunistas se apoiam em massas que o marxismo conquistou no passado e que foram soldadas pela autoridade da Revolução de Outubro. Agora, porém, a política da atual fração dirigente, fração stalinista, tenta comandar a luta de classes, em lugar de emprestar-lhe expressão política. É este o rasgo essencial do *burocratismo*, que coincide nisto com o *sectarismo*, do qual se distingue fortemente por outros traços. Graças à força do aparelho, aos meios materiais do Estado soviético e à autoridade da Revolução de Outubro, pôde a burocracia stalinista, num tempo relativamente calmo, impor à vanguarda proletária regras artificiais de conduta. Mas, à medida que a luta de classes se transmuda em guerra civil, caem as prescrições burocráticas em contradição cada vez mais frequente com a realidade inexorável. Durante as mudanças bruscas de situação, a burocracia, orgulhosa e cheia de si, perde facilmente a tramontana. Não podendo comandar, capitula. A política dos últimos meses do Comitê Central de Thälmann ainda será estudada, um dia, como exemplo da desorientação mais lamentável e vergonhosa.

Desde o "terceiro período", tem-se como indiscutível que acordos com a social-democracia não podem ser objeto de cogitação. Não só é inadmissível ter-se a iniciativa da frente única, tal como o ensinavam o III e o IV Congressos mundiais[1], como também se deve rejeitar qualquer proposta de ação comum feita pela social-democracia. Os líderes reformistas já estão "bastante desmascarados". A experiência passada já chega. Em vez de se fazer política, contem-se histórias à massa. Dirigir-se aos reformistas com propostas significava concordar que eles fossem capazes de lutar. Isto só já era social-fascismo etc. Assim ressoava nos últimos três e quatro anos a melodia ensurdecedora do realejo ultraesquerdista. E veja-se isto: no *Landtag* prussiano, a 22 de junho, a fração comunista propôs, inesperadamente para todos e para ela mesma, um acordo à social-democracia e mesmo ao Centro. O mesmo se passou em Hessen. Diante do perigo do que a mesa do *Landtag* pudesse cair nas mãos

[1] Quando o III Congresso da Internacional Comunista reuniu-se em junho de 1921 os comunistas o fizeram em um contexto de refluxo do movimento revolucionário internacional, no período de um ano decorrido entre o II e o III Congressos da Internacional Comunista, em que uma série de levantes e de lutas da classe operária terminou, mesmo parcialmente, com derrotas. Tal quadro projetava os desejos de uma revolução mundial para mais longe, não seria mais uma questão de meses, mas de anos. Para tanto se fez necessário os partidos comunistas dirigirem-se às massas para conquistá-las e ganhá-las ao comunismo e isso se faria com a formação de "frentes únicas operárias", em especial com os social-democratas, que foram aprovadas no III Congresso. No IV Congresso, ocorrido em novembro de 1922, a "frente única operária" ainda foi o centro das discussões, onde se aprofundaram muitos de seus aspectos e se confrontaram aqueles que ainda a ela resistiam, os setores mais à esquerda à sua implementação, em especial da seção italiana. (N.Ed.)

dos nazistas, mandavam-se ao diabo todos os sagrados princípios. Não é espantoso? E não é degradante? Explicar estas cabriolas não é, porém, tão difícil. É sabido que muitos liberais e radicais superficiais levam a vida a brincar com a religião e os poderes celestes, mas, quando se veem diante da morte ou de doença mais grave, chamam o padre. Assim também na política. A medula do centrismo é o oportunismo. Sob a influência de circunstâncias excepcionais (tradição, pressão da massa, concorrência política), o centrismo vê-se obrigado, durante certo tempo, a fazer praça de radicalismo. Para isso, porém, precisa vencer-se a si mesmo, violentar a sua própria natureza política. A si mesmo se estimulando por todos os meios, acaba caindo, não raro, na extrema fronteira do radicalismo formal. Mal soa, porém, a hora de perigo mais sério, e a natureza verdadeira do centrismo logo se exterioriza. Em uma questão tão delicada como a defesa da União Soviética, confia a burocracia stalinista muito mais nos pacifistas burgueses, nos burocratas sindicais ingleses e nos radicais franceses, do que no movimento revolucionário do proletariado. Aproxime-se apenas um perigo mais grave, e imediatamente os stalinistas sacrificam não só suas frases ultraesquerdistas, como até os interesses vitais da Revolução internacional – em nome da amizade com inseguros e falsos "amigos" da espécie dos advogados escritores e heróis de salão. Frente única por cima? De modo algum! Mas, ao mesmo tempo, o supercomissário dos negócios duvidosos, Münzenberg, vai-se agarrando às abas do casaco de todos os tagarelas liberais e radicais pançudos "para a defesa da URSS".

A burocracia stalinista da Alemanha, como aliás a de todos os países – excetuando a da URSS –, ficou extremamente descontente com a direção comprometedora de Barbusse nos negócios do congresso mundial antiguerreiro[2]. Nes-

[2] Trotsky se refere ao congresso convocado por Henri Barbusse em Amsterdã, que ele descreve mais adiante neste texto. No final de agosto 1932 foi organizado o Congresso Mundial Contra a Guerra Imperialista em Amsterdã cujos convites foram subscritos pelos escritores franceses Romain Rolland e Henri Barbusse. O congresso realizou-se em Amsterdã nos dias 27 e 29 de agosto de 1932, com a presença de mais de 2.000 delegados de 27 países e nele foi fundado o Comitê Mundial Contra a Guerra Imperialista. Pouco depois foi fundada, em junho de 1933, a União Antifascista dos Trabalhadores Europeus, no Congresso Europeu de Trabalhadores Antifascistas, celebrado no Salle Pleyel, em Paris. Essa organização fundiu-se com o Comitê Mundial Contra a Guerra Imperialista em agosto de 1933 para formar o Comitê Mundial Contra a Guerra e o Fascismo. O Comitê ficou conhecido como "Amsterdã–Pleyel", em razão dos locais em que ocorreram suas fundações. O Comitê Mundial Contra a

te terreno, Thälmann, Foster e outros preferiam ser mais radicais. Entretanto, nas questões propriamente nacionais, procede cada um deles de acordo com o mesmo padrão das autoridades moscovitas: à aproximação do perigo, lançam fora o seu radicalismo falso e presunçoso e exibem a sua natureza verdadeira, isto é, oportunista.

Foi, em si, errada e inadmissível a iniciativa da fração comunista do *Landtag*? Não o cremos. Muitas vezes, em 1917, os bolcheviques propuseram aos mencheviques e aos socialistas-revolucionários: "Tomem o poder, nós os sustentaremos contra a burguesia, se tiverem de opor-lhe resistência". Os compromissos são permitidos e, em determinadas condições, constituem *dever*. Toda a questão consiste em saber a que objetivo devem servir; como devem ser apresentados à massa; quais os seus limites. Limitar o compromisso ao *Landtag* ou ao *Reichstag*, ver uma finalidade completa, em si, no fato de vir a ser presidente um social-democrata ou um democrata católico, em lugar de um fascista, significa cair em pleno cretinismo parlamentar. A situação é completamente outra se o partido impõe-se como tarefa uma luta sistemática e metódica em torno dos operários social-democratas, tendo por fundamento a política da frente única. Um acordo parlamentar contra o predomínio fascista na mesa etc., constituiria apenas, neste caso, um simples aspecto do acordo geral extraparlamentar de luta contra o fascismo. Naturalmente, o Partido Comunista preferiria resolver toda a questão por um golpe fora do parlamento. Mas, quando há falta de forças, preferir só não basta. Os operários social-democratas demonstraram sua crença nas forças mágicas da votação de 31 de julho. É preciso partir desse fato. Os erros anteriores do Partido Comunista (plebiscito vermelho etc.) facilitaram extraordinariamente a sabotagem da frente única pelos líderes reformistas. Um acordo técnico-parlamentar – ou apenas a proposta de um tal acordo – deve auxiliar o Partido Comunista a livrar-se da acusação de que trabalha contra a social-democracia, junto com os fascistas. E não seria uma ação independente, mas simplesmente a limpeza do

Guerra e o Fascismo definiu como seu objetivo coordenar ações em todo o mundo contra a guerra e o fascismo, às quais demandava a adesão de trabalhadores manuais e intelectuais de todos os partidos, sindicatos e tendências, os camponeses e membros das classes médias, os jovens e as mulheres. Embora os vínculos do Comitê "Amsterdã–Pleyel" com o comunismo não fossem desconhecidos, ele conseguiu atrair o apoio de indivíduos de outras tendências políticas. (N.Ed.)

caminho para um acordo de luta ou, pelo menos, para lutar por um acordo de luta entre as organizações de massa.

A diferença das duas linhas é perfeitamente visível. A luta comum com as organizações social-democratas pode e deve, em seu desenvolvimento, tomar um caráter revolucionário. A possibilidade de aproximação das massas social-democratas pode e deve, em certas condições, ser paga até mesmo por acordos parlamentares pelo vértice. Mas, para um bolchevique, isto é apenas o bilhete de ingresso. A burocracia stalinista age exatamente de modo inverso: não só recusa acordos de luta, como faz pior: prejudica hostilmente todo acordo que se forma de baixo, pela base. Ao mesmo tempo, propõe aos deputados socialistas uma combinação parlamentar. Isto quer dizer que, no momento do perigo, ela declara inepta a sua própria teoria e a sua prática ultraesquerdista, mas não as substitui pela política do marxismo revolucionário, e sim por uma combinação parlamentar, sem princípios, no sentido do "menor mal".

Naturalmente vão nos dizer que o episódio da Prússia e do Hessen foi um erro dos deputados, que o Comitê Central logo corrigiu. Em primeiro lugar, uma decisão de princípio tão importante não podia ser tomada sem audiência do Comitê Central: o erro recai sobre este. Em segundo lugar, como explicar-se que a política "de aço", "retilínea", "bolchevista", depois de meses de barulho, de gritos, de polêmicas, de injurias e exclusões, tenha desaparecido para dar lugar a um "erro" oportunista?

Mas as coisas não se limitam ao *Landtag*. Thälmann-Remmele, em uma questão mais crítica e de maiores responsabilidades, esqueceram-se completamente de si mesmos e da própria escola. Na noite de 20 de julho, tomou o Comitê Central do Partido Comunista a seguinte resolução:

> O Partido Comunista apresenta à opinião proletária, ao Partido Social-Democrata alemão, à ADGB[3] e à AfA-Bund[4] a questão de saber se estão dispostos a declarar, em comum com o Partido Comunista, a greve geral pelas reivindicações proletárias.

---

[3] *Allgemeiner Deutscher Gewerkschaftsbund*: Confederação Geral Sindical Alemã, a maior organização sindical da Alemanha, com 4,6 milhões de operários, e dirigida pela social-democracia. – N. do T.

[4] *Allgemeine Freie Angestellter Bund:* Confederação Geral dos Trabalhadores Autônomos, organização sindical com 430 mil membros. – N. do T.

Esta decisão, tão importante quanto inesperada, foi publicada pelo Comitê Central, sem comentários, em sua circular de 26 de julho. É possível cair numa condenação mais completa de toda a sua própria política? Aproximar-se dos chefes reformistas com propostas de ação comum era, ainda um dia antes, declarar-se contrarrevolucionário e social-fascista. Por causa desta questão, vários comunistas foram expulsos do Partido. É sob esse fundamento que se tem movido a campanha contra o "trotskismo". Como podia, então, esse Comitê Central, assim tão de repente, na noite de 20 de julho, inclinar-se diante do que dias antes havia condenado? E a que trágica posição a burocracia reduziu o Partido, se o Comitê Central pôde atrever-se a apresentar-se ao Partido com a sua inesperada decisão, sem nenhuma explicação e sem defender-se!

É nessas mudanças que se pesa uma política. O Comitê Central do Partido Comunista alemão, na noite de 20 de julho, provou realmente ao mundo inteiro o seguinte: "A nossa orientação, até a hora presente, não serviu para nada". Confissão decerto involuntária, mas perfeitamente sincera. Por infelicidade, a proposta de 20 de julho, que foi chocar-se com a própria política que vinha sendo seguida, em caso algum podia dar resultado positivo[5]. Um apelo aos chefes – independente da resposta atual desses chefes – só pode ter significação revolucionária quando preliminarmente preparado na base – isto é, quando se apoia sobre toda uma política, em sua generalidade. Pois a burocracia stalinista vinha repetindo todos os dias aos trabalhadores social-democratas: "Nós, comunistas, rejeitamos toda e qualquer coisa em comum com os chefes do Partido Social-Democrata alemão". (Vejam-se as "respostas" de Thälmann). A proposta inesperada, sem preparação, sem motivação, de 20 de julho, só podia servir, pois, para comprometer a direção comunista, na medida em que revelava a sua inconsequência, a sua falta de seriedade, a sua tendência ao pânico e aos saltos aventuristas.

A política da burocracia centrista ajuda, por todas as formas, os adversários e inimigos. Mesmo quando a pressão poderosa dos acontecimentos empurra novas centenas de milhares de operários para a bandeira comunista, isto acontece a despeito da política de Stalin-Thälmann. E é por isso que não há nada que assegure o dia de amanhã do Partido.

---

[5] O Partido Social-Democrata da Alemanha não respondeu à proposta dos comunistas. (N.Ed.)

VI

O que se diz em Praga sobre a Frente Única

Quando, em 1926, a Internacional Comunista fez frente única com os líderes social-democratas – escreveu, a 27 de fevereiro deste ano, a *Rudé Právo*, órgão do Partido Comunista tcheco, sob o nome de um pretenso correspondente operário "da máquina" – ela o fez para *desmascará-los* perante os próprios aderentes, e então Trotsky foi terrivelmente contra. Ora, quando a social-democracia, por suas inúmeras traições à luta dos trabalhadores, já está tão desacreditada, é que Trotsky propõe a frente única com os seus chefes... Trotsky é, hoje, contra o Comitê Anglo-Russo de 1926, mas por outro "Comitê Anglo-Russo" de 1932.

Estas linhas nos levam diretamente ao centro da questão. Em 1926, a Internacional Comunista procurava, com o auxílio da frente única política, "desmascarar" os líderes reformistas, e isto estava certo. Desde então, porém, a social-democracia "desacreditou-se". Perante quem? Ainda agora, conta ela com mais operários do que o Partido. É triste, mas é a verdade. A tarefa de desmascarar os chefes reformistas continua, do mesmo modo, por fazer-se. Se foi bom o método da frente única em 1926, por que tem de ser mau em 1932?

"Trotsky é, hoje, contra o Comitê Anglo-Russo de 1926, mas por outro 'Comitê Anglo-Russo' de 1932". Em 1926, a frente única foi formada somente por cima, entre os chefes dos sindicatos soviéticos e os *trade-unio-*

nistas ingleses, não em nome de determinadas ações práticas das massas, separadas uma da outra pelas fronteiras dos Estados e pelas condições sociais, mas na base de uma "plataforma" diplomaticamente amigável e evasivamente pacifista. Durante a greve dos mineiros e posteriormente, durante a greve geral, o Comitê Anglo-Russo não pôde nem reunir-se, pois os "aliados" puxavam em duas direções opostas: os sindicatos soviéticos esforçavam-se por auxiliar os grevistas, e os *trade-unionistas* britânicos por furar a greve. A soma considerável recolhida pelos operários russos foi "devolvida" pelo Conselho Geral como "dinheiro maldito". Só depois que a greve foi definitivamente traída e furada, reuniu-se de novo o Comitê Anglo-Russo em um banquete fora de tempo, onde foram trocadas frases convencionais. Assim, a política do Comitê Anglo-Russo serviu para ocultar das massas os furadores de greve reformistas.

Hoje falamos de coisa completamente diferente. Na Alemanha, encontram-se os operários social-democratas e comunistas sobre um mesmo terreno, em frente a um mesmo perigo. Vivem misturados nas fábricas, nas organizações sindicais etc. Não se trata aqui de uma "plataforma" existindo apenas nas palavras dos chefes, mas de tarefas puramente concretas, destinadas a chamar as massas diretamente à luta.

A frente única em escala nacional é dez vezes mais difícil do que localmente. A frente única política em escala internacional é cem vezes mais difícil do que nacionalmente. Unir-se aos reformistas britânicos por uma palavra de ordem tão geral como a "defesa da URSS" ou a "defesa da Revolução chinesa" é o mesmo que prometer o azul do céu. Na Alemanha existe, em compensação, o perigo direto de destruição das organizações operárias, inclusive as social-democratas. Esperar que a social-democracia lute pela defesa da União Soviética, contra a burguesia alemã, seria uma ilusão. Pode-se, porém, esperar que os social-democratas lutem pela defesa de seus mandatos, de suas assembleias, de seus jornais, de suas Caixas e finalmente de seus próprios crânios.

Mas, na Alemanha, também, não recomendamos, de modo algum, que se caia no fetichismo da frente única. Acordos são acordos. Só devem existir na medida em que sirvam o objetivo prático para o qual foram estabelecidos. Sempre que os reformistas comecem a entravar ou a sabotar o movimento, os comunistas devem apresentar a questão: Já não é tempo de romper o acordo, conduzindo as massas para a frente, sob a própria bandeira? Uma tal política não é fácil. Mas, quem já afirmou que conduzir o proletariado à vitória é uma tarefa simples? Contrapondo o ano de 1926 ao ano de 1932, a *Rudé Právo* demonstra com isso apenas a sua incompreensão, não só do que aconteceu há seis anos, como também do que se passa hoje.

O "correspondente operário" da imaginária "máquina" faz também os seus reparos ao exemplo, por mim citado, do acordo dos bolcheviques com os mencheviques e socialistas-revolucionários contra Kornilov. "Outrora", escreve ele, "Kerensky lutou realmente, durante um certo tempo, contra Kornilov e assim, ao mesmo tempo, auxiliou o proletariado a derrubar Kerensky. Que hoje a social-democracia não luta contra o fascismo até uma criança o vê".

Thälmann, que não se parece em nada com uma criança, afirma que nunca houve, afinal, entendimento algum dos bolcheviques russos com os mencheviques e socialistas-revolucionários contra Kornilov. A *Rudé Právo*, como estamos vendo, segue caminho diverso. Não nega o acordo. Mas, na sua opinião, o acordo se justificava porque Kerensky lutou realmente contra Kornilov, ao contrário da social-democracia, que prepara o caminho do poder para o fascismo. A idealização de Kerensky é aqui completamente surpreendente. Com efeito, quando começou Kerensky a lutar contra Kornilov? Somente no instante em que Kornilov levantava o sabre sobre a cabeça de Kerensky, isto é, na noite de 26 de agosto de 1917. Ainda um dia antes, andava numa conspiração direta com Kornilov, que tinha como finalidade esmagar os trabalhadores e soldados de Petrogrado. Se Kerensky começou a "lutar" contra Kornilov, ou melhor, a não opor resistência à luta contra Kornilov durante um certo tempo, isto só aconteceu porque os bolcheviques não lhe deixaram nenhuma outra saída. Que Kornilov e Kerensky, ambos conspiradores, rompessem um com o outro e chegassem a um conflito aberto, foi até certo ponto uma surpresa. Que entre o fascismo alemão e a social-democracia deva dar-se um choque, podia-se e devia-se prever, quando mais não fosse, ao menos se baseando na experiência italiana e polaca. Por que seria possível um acordo com Kerensky contra Kornilov, e será inadmissível pregar, defender, pleitear e preparar um acordo com as organizações de massa social-democratas? Por que razão, afinal, tais acordos devem ser combatidos quando vêm a propósito? Justamente assim é que agem Thälmann & Cia.

A *Rudé Právo* agarrou-se, naturalmente, com muita fome, às minhas palavras, segundo as quais um acordo sobre as facções em luta se pode fazer até com o diabo, sua avó e mesmo com Noske, Grzesinski. Escreve a folha:

> Vede, operários comunistas, deveis entender-vos, então, com Grzesinski, que já fuzilou tantos dos vossos camaradas de luta. Entendei-vos com ele sobre a forma pela qual lutará convosco contra os fascistas com os quais se senta nos banquetes e nos conselhos de administração das fábricas e dos bancos.

A questão está aqui deslocada para um plano de um falso sentimentalismo. Tal objeção é digna de um anarquista, de um velho socialista-revolucionário russo de esquerda, de um "revolucionário pacifista" e até de Münzenberg. De marxismo é que não há aqui uma gota.

Antes de mais nada: É certo que Grzesinski é um carrasco de operários? Absolutamente certo. Mas não era Kerensky um carrasco de operários e camponeses, em medida muito maior do que Grzesinski? Nisso a *Rudé Právo* dá de barato o acordo prático com Kerensky.

Sustentar o carrasco no trabalho dirigido contra os operários é um crime, se não uma traição: foi precisamente em que consistiu a aliança de Stalin com Tchang Kai-chek. Mas, se amanhã o mesmo carrasco chinês se encontrar em guerra com o imperialismo japonês, então acordos práticos de luta dos trabalhadores chineses com o carrasco Tchang Kai-chek seriam não só perfeitamente admissíveis como até obrigatórios.

Banqueteia-se Grzesinski com os fascistas? Não sei, mas admito perfeitamente a possibilidade do fato. Contudo, Grzesinski teve, depois, que ir parar na cadeia de Berlim, não, já se vê, em nome do socialismo, mas simplesmente porque não estava muito inclinado a entregar o seu lugarzinho quente aos bonapartistas e fascistas. Se, há um ano, o Partido Comunista tivesse, ao menos, declarado abertamente contra os bandidos fascistas: Estamos dispostos a lutar até juntos com Grzesinski; se tivesse dado a esta fórmula um caráter de luta; se a tivesse desenvolvido em artigos e discursos, infiltrando-a profundamente na massa – Grzesinski não teria recorrido, em julho, para defender a sua capitulação perante os operários, ao argumento de sabotagem pelo Partido Comunista. Teria dado este ou aquele passo ativo ou, então, se desmoralizaria irremediavelmente aos olhos dos próprios trabalhadores. Não é claro?

Naturalmente, mesmo no caso em que Grzesinski fosse arrastado à luta pela lógica de sua situação e pela pressão das massas, seria um aliado extremamente inseguro e absolutamente infiel. Sua principal preocupação consistiria em raspar-se da luta ou da meia-luta para ir confabular com os capitalistas. Mas as massas, uma vez lançadas em movimento, não param assim tão facilmente com um enfermiço delegado de polícia. A aproximação entre os trabalhadores social-democratas e os comunistas, através da luta, permitiria aos chefes do Partido Comunista exercer uma influência muito maior sobre os operários social-democratas, sobretudo diante do perigo comum. E é justamente o que constitui o objetivo final da frente única.

• • •

Reduzir toda a política proletária a acordos com organizações reformistas, ou, ainda pior, reduzi-la à palavra de ordem de "unidade", só o podem fazer centristas invertebrados da marca dos do SAP.

Para os marxistas, a política de frente única é simplesmente um dos métodos aplicados no curso da luta de classes. Em certas condições, este método é completamente inaplicável: seria insensato querer entrar em acordos com os reformistas sobre a Revolução socialista. Há condições, porém, em que a recusa da frente única pode condenar o partido revolucionário por muitos anos. Tal é, atualmente, a situação na Alemanha.

Onde a frente única encerra as maiores dificuldades e perigos, como já dissemos acima, é na escala internacional, em que a formulação das tarefas práticas e a organização do controle das massas é mais difícil. E assim são as coisas, sobretudo na questão da luta contra a guerra. As perspectivas de ações comuns são, então, muito menores, ao passo que muito maiores as possibilidades dos reformistas e pacifistas recorrerem a subterfúgios e tapeações.

Naturalmente não queremos dizer com isso que neste terreno seja impossível a frente única. Pelo contrário, exigimos que a Internacional Comunista se dirija direta e imediatamente à II Internacional e à Internacional de Amsterdã com a proposta de um congresso comum contra a guerra. A Internacional Comunista teria como tarefa a elaboração de obrigações rigorosamente concretas aplicáveis pelos diferentes países e nas circunstâncias diversas. Fosse a social-democracia forçada a entrar num tal congresso, e a questão da guerra poderia, com uma política justa da nossa parte, ser fortemente encravada nas fileiras como uma cunha.

A condição preliminar e primeira para isso seria o máximo de clareza, não só política como organizatória. Trata-se de uma combinação com organizações que abrangem milhões de proletários, que, hoje ainda, estão separados por profundas divergências de princípios. Nada de intermediários equívocos, nada de disfarces diplomáticos e de vazias fórmulas pacifistas!

A Internacional Comunista, porém, ainda desta vez, houve por bem infringir o ABC do marxismo: ao passo que se recusava a entrar publicamente em negociações com as Internacionais reformistas, tratava, por detrás dos bastidores, com Friedrich Adler, por intermédio do beletrista pacifista e confusionista de primeiro plano, Henri Barbusse. Como resultado dessa política, reuniu Barbusse, em Amsterdã, organizações e grupos comunistas semidisfarçados ou "aparentados", "simpatizantes", juntamente com os pacifistas por contra própria de todos os países. Os mais sérios e sinceros destes últimos – e são a minoria – podem dizer, cada qual consigo mesmo: "Eu e minha confusão". Mas, quem tinha necessidade dessa mascarada, desta feira anual de letrados vaidosos, dessa münzenbergerada, que acaba diretamente em charlatanismo político?[1]

Voltemos, porém, a Praga. Cinco meses após a publicação do artigo acima citado, publicou o mesmo jornal um artigo de um dos líderes do Partido, Klement Gottwald, que tinha o caráter de um apelo aos operários tchecos das diversas tendências, para uma ação comum. O perigo fascista ameaça toda a Europa central; só a união do proletariado pode abater o assalto da reação; não se pode mais perder tempo, faltam apenas "cinco minutos para as doze". O apelo é muito vibrante. Inutilmente, porém. Gottwald, seguindo Seydewitz e Thälmann, acentua que não visa os interesses do Partido, mas os da classe: essa oposição é incompatível com a boca de um marxista. Gottwald ferreteia a sa-

[1] As circunstâncias em que os brandlerianos (veja-se a sua *Arbeiter Tribüne* de Stuttgart, de 27 de agosto), também nesta questão, se separaram prudentemente de nós e apoiaram a mascarada de Stalin, Manuilsky, Losovsky, Münzenberg, não nos surpreenderam de nenhum modo. Depois que forneceram a amostra de sua política de frente única na Saxônia, em 1923, Brandler e Thalheimer apoiaram a política stalinista para com o Kuo Min-tang e o Comitê Anglo-Russo. Como podiam, pois, deixar escapar a oportunidade de se colocarem sob a bandeira de Barbusse? Outra atitude sua não se ajustaria bem à sua fisionomia.

botagem dos chefes social-democratas. É inútil dizer que, neste caso, a verdade está toda do seu lado. É pena que o autor não diga nada, diretamente, sobre a política do Comitê Central do Partido Comunista alemão: abertamente, não se decide a defendê-la, embora não ouse criticá-la. Em todo caso, Gottwald, embora sem decisão, aproxima-se do ponto nevrálgico da questão. Depois de ter reivindicado o entendimento, nas empresas, entre os trabalhadores de todas as tendências, escreve Gottwald:

> Muitos de vós talvez digam: Uni-vos, primeiro, os "de cima"; nós, os "de baixo", facilmente nos entenderemos em seguida. Julgamos – continua o autor – que o mais importante é que os trabalhadores "de baixo" entrem em acordo. E, quanto aos chefes, já dissemos que mesmo com o diabo estamos prontos a nos ligar, contanto que seja contra os dominadores e no interesse dos operários. E nós vos dizemos publicamente: Se os vossos líderes, nem que seja por um momento, romperem sua aliança com a burguesia e quiserem, nem que seja numa só questão, ir realmente contra os dominadores – nós saudaremos o fato e os sustentaremos.

Aqui está dito quase todo o necessário e quase como devia ser dito. Gottwald não esqueceu nem a referência ao diabo, cujo nome, cinco meses antes, levantava a santa indignação da redação da *Rudé Právo*. É verdade que Gottwald deixou no esquecimento a avó do diabo. Mas, Deus seja com ela: por amor à frente única, estamos dispostos a sacrificá-la. Quem sabe se Gottwald estará disposto, de sua parte, a consolar a velha insultada, pondo à sua inteira disposição o artigo da *Rudé Právo* de 27 de fevereiro, juntamente com o "correspondente operário"... da pena?

Esperamos que as considerações políticas de Gottwald sejam aplicáveis, não só na Tchecoslováquia como também na Alemanha. Assim, isso precisava ser dito também lá. Por outro lado, a direção do Partido não pode limitar-se, nem em Berlim nem em Praga, a uma simples declaração de que está pronta a uma frente única com a social-democracia; precisa provar efetivamente, praticamente, à maneira bolchevista, que possui esta disposição, por meio de propostas concretas e por atos. É precisamente o que exigimos.

O artigo de Gottwald, graças à circunstância de soar nele uma nota realista e não ultimatista, encontrou logo eco entre os operários social-democratas: a 31 de julho apareceu na *Rudé Právo*, entre outras, uma carta dum impressor desempregado que acabava de chegar da Alemanha. Pela carta, reconhece-se um operário democrata, preso, sem dúvida, aos preconceitos do reformismo. E tanto mais importante é, por isso mesmo, examinar-se como a política do Partido Comunista alemão se reflete em sua consciência.

> Quando, no outono do ano passado, o camarada Breitscheid, assim escreve o gráfico, dirigiu ao Partido Comunista um convite para iniciar uma ação comum com a social-democracia, levantou por isso uma verdadeira tempestade de indignação. Então, disseram consigo mesmo os operários social-democratas: "Agora, sabemos como são sérias as intenções dos comunistas sobre a frente única".

Aí está a voz autêntica de um trabalhador. Essa voz contribui mais para a solução da questão do que dezenas de artigos de escrevinhadores sem princípios. Breitscheid, de fato, não propôs nenhuma frente única. Apenas intimidava a burguesia com a possibilidade de uma ação conjunta com os comunistas... Tivesse o Comitê Central do Partido Comunista posto imediatamente a questão sobre o gume da faca, e a direção do Partido Social-Democrata teria caído numa situação extremamente difícil. Mas, como sempre, o Comitê Central do Partido Comunista teve pressa em atolar-se também numa tal situação.

Na brochura *E agora?* escrevi justamente sobre a iniciativa de Breitscheid:

> Não é claro que se devia aproveitar imediatamente, com ambas as mãos, a proposta diplomática e equivoca de Breitscheid, apresentando, por sua vez, um programa prático, concreto e bem estudado de luta contra o fascismo e pedindo uma sessão comum das direções dos dois partidos, com a participação da direção dos sindicatos livres? Seria preciso, ao mesmo tempo, fazer penetrar energicamente na base esse programa, em todas as seções dos dois partidos, e nas massas.

Por sua recusa ao balão de ensaio do líder reformista, o Comitê Central do Partido Comunista transmudou, na consciência dos trabalhadores, a frase equívoca de Breitscheid em uma proposta direta de frente única, inspirando aos operários social-democratas esta conclusão. "Os *nossos* querem uma ação conjunta, os *comunistas* a sabotam". Pode-se imaginar política mais desastrada e estúpida? Podia-se facilitar melhor a manobra de Breitscheid? A carta do gráfico de Praga prova, com a mais notável precisão, que Breitscheid, graças ao auxílio de Thälmann, conseguiu completamente o seu objetivo.

A *Rudé Právo* procurou ver contradições e confusão no fato de que, em um caso, rejeitávamos os acordos, ao passo que, em outro, reconhecíamos a necessidade de definir, cada vez, as novas dimensões, objetivos e métodos do acordo, segundo as circunstâncias concretas. A *Rudé Právo* não percebe que, em política, como em todos os terrenos importantes, é preciso conhecer bem o *quê*, o *quando*, o *onde* e o *como*. E também não fará mal se souber o *porquê*.

Em nossa *Crítica do programa*[2], há mais de quatro anos, apresentamos algumas regras elementares da política de frente única. Não pensamos ser inútil relembrá-las aqui:

> O reformismo contém sempre a possibilidade da traição. Isto não significa, naturalmente, que, a cada momento, o reformismo e a traição sejam uma e a mesma coisa. Pode-se, transitoriamente, entrar em entendimento com os reformistas, desde que façam um passo à frente. Conservar um bloco com eles quando, amedrontados pelo desenvolvimento do movimento, começaram a trair, significa ter uma criminosa condescendência para com traidores e encobrir a traição.
>
> A regra mais importante, permanente e invariável, de toda manobra é: Nunca mistures, reúnas ou amarres a tua organização a outra estranha, por mais "amigável" que hoje esta seja. Nunca deves dar passo algum que, direta ou indiretamente, acarrete a subordinação de teu partido a um outro partido ou organização de outra classe, limitando assim a liberdade da própria agitação, ou que te faça responsável, mesmo que só em parte, pela linha de outro partido. Nunca deves confundir as bandeiras, e muito menos ajoelhar-te diante de outra bandeira.

Hoje, depois da experiência do Congresso de Barbusse, estabeleceríamos mais uma nova regra: "Acordos só se devem fazer abertamente, aos olhos das massas, de partido a partido, de organização a organização. Não deves nunca servir-te de corretores equívocos. Não deves entrar nunca em negócios diplomáticos com pacifistas burgueses pela frente única".

---

[2] Este texto de Trotsky foi publicado em *L'Internationale Communiste après Lénine (Le grand organisateur de la défaite)*. Paris: Rieder, 1930. Há tradução recente em português: *Stalin, o grande organizador de derrotas. A III Internacional depois de Lenin*. São Paulo: Sundermann, 2010. (N.Ed.)

VII

A luta de classes à luz da conjuntura

Quando exigimos, insistentemente, que se diferencie o *bonapartismo* do *fascismo*, não o fazemos, em absoluto, por pedantismo teórico. Os termos servem para definir conceitos; os conceitos, por sua vez, para distinguir em política as forças reais. A destruição do fascismo não deixaria, de resto, nenhum espaço ao bonapartismo, e, como é de se esperar, significaria a introdução direta da Revolução socialista. Entretanto, o proletariado não está preparado para a Revolução. A correlação entre a social-democracia e o governo bonapartista, de um lado, e entre o bonapartismo e o fascismo, do outro, assinalam, sem decidir a questão fundamental, o caminho e a velocidade em que a luta entre o proletariado e a contrarrevolução fascista será preparada. As contradições entre Schleicher, Hitler e Wels dificultam, na situação presente, a vitória do fascismo e abrem ao Partido Comunista o mais decisivo de todos os créditos: o crédito de tempo.

"O fascismo chegará ao poder por via fria", ouvimos reiteradamente do lado dos teóricos stalinistas. Esta fórmula devia significar que os fascistas chegariam ao poder legalmente, pacificamente, por meio de coligações, sem precisar de uma insurreição franca. Os acontecimentos já contrariaram esse prognóstico. O governo de Papen subiu ao poder por um golpe de Estado, e o completou pelo golpe de Estado na Prússia. Suponha-se que a coligação entre os nazistas e o Centro derrubará o governo bonapartista de Papen com métodos "constitucionais"; isto, em si e por si, nada decidirá. Entre a incorporação de Hitler ao poder e a implantação do regime fascista existe ainda uma grande distância[1]. A coligação viria apenas simplificar o golpe de Estado, e não substituí-lo. Ao lado da supressão definitiva da Constituição de Weimar, continua de pé a tarefa mais importante: a supressão dos órgãos da democracia proletária. Que significa, sob esse aspecto, a "via fria"? A ausência de resistência por parte dos trabalhadores. O golpe de Estado bonapartista de Papen não encontrou, de fato, nenhuma resistência. Não ficará também o golpe fascista de Hitler sem resposta? É justamente em torno dessa questão que, consciente ou inconsciente, gira a insinuação da "via fria".

Representasse o Partido Comunista uma força esmagadora, e caminhasse o proletariado diretamente para o poder, todas as contradições no campo dos possuidores se apagariam momentaneamente: fascistas, bonapartistas e democratas se colocariam numa frente única contra a Revolução Proletária. Mas não é este o caso. A fraqueza do Partido Comunista e o fracionamento do proletariado permitem que as classes possuidoras e os seus partidos tornem públicas as suas divergências. Somente apoiando-se em tais divergências, poderá o Partido Comunista fortalecer-se.

Há probabilidade, na Alemanha altamente industrial, do fascismo não se decidir, afinal de contas, a fazer valer suas pretensões a todo o poder? Sem

---

[1] A dinâmica do nazismo ao longo do primeiro ano de sua chegada ao poder foi batizada de "sincronização". Pode-se considerar que este período vai da nomeação de Hitler à chancelaria (em 30 de janeiro de 1933) ao plebiscito de 19 de agosto de 1934 (após a morte do presidente Paul von Hindenburg – em 2 de agosto de 1934 – foi convocado um plebiscito para decidir a fusão do cargo de presidente e de chanceler como *Führer* (líder) da Alemanha, para centralizar todo poder nas mãos de Hitler). Entre as ações relevantes da "sincronização" cabe destacar a dissolução do Parlamento alemão; a supressão do caráter federal do Estado; a supressão dos estados (*Länder*); a proibição dos comunistas e dos social-democratas, declarados "inimigos do povo e do Estado"; a abolição das liberdades democráticas; a abertura dos primeiros campos de concentração; a lei dos funcionários (A Lei para a Restauração do Serviço Público Profissional, forçava todos os não arianos a saírem das profissões legais e do serviço público); a instauração do partido único; a criação da Frente Alemã do Trabalho (A *Deutsche Arbeitsfront* - DAF substituiu os sindicatos, que haviam sido suprimidos em maio de 1933 pelos nazistas, reunindo em seu interior tanto trabalhadores como empresários); a liquidação (a "Noite das Facas Longas") dos possíveis opositores dentro do partido nazista, dos meios conservadores e das forças armadas. Em 19 de agosto de 1934, Hitler teve 90% dos votos. (N.Ed.)

dúvida alguma, o proletariado alemão é incomparavelmente mais numeroso e potencialmente mais forte do que o italiano. Embora o fascismo na Alemanha represente um campo mais numeroso e mais bem organizado do que o correspondente, ao seu tempo, na Itália, a tarefa da liquidação do "marxismo" deve, sem embargo, apresentar-se aos fascistas como difícil e arriscada. Além disso, não é impossível que o ponto politicamente culminante de Hitler já esteja para trás. O período já muito prolongado de espera e as novas barreiras surgidas no caminho, sob a forma de bonapartismo, enfraquecem indubitavelmente o fascismo, agravam os seus atributos internos, e podem atenuar consideravelmente a sua pressão. Mas, a esse respeito, estamos ainda no domínio das tendências, que, até a hora presente, não se podem, de modo algum, calcular antecipadamente. Só a luta viva pode responder a essa questão. Apoiar-se, desde já, na suposição de que o nacional-socialismo estacionará, inevitavelmente, em meio do caminho, seria extremamente leviano.

A teoria da "via fria", em última análise, não é nada melhor do que a teoria do "social-fascismo"; ou, mais exatamente, representa apenas o seu reverso. As contradições entre as partes componentes do campo inimigo, em ambos os casos, são completamente desprezadas; as etapas sucessivas e subsequentes do processo são olvidadas. O Partido Comunista é posto inteiramente de lado. Não é em vão que o teórico da "via fria", Hirsch, é ao mesmo tempo o do "social-fascismo".

A crise política do país desenvolve-se sobre a base da crise econômica. Mas a economia não permanece imutável. Éramos, ontem, obrigados a dizer que a crise de conjuntura apenas intensifica a crise permanente, orgânica, do sistema capitalista: hoje, somos obrigados a lembrar também que a decadência geral do capitalismo não exclui as variações de conjuntura. A crise atual não durará eternamente. As esperanças do mundo capitalista em uma mudança de conjuntura são extremamente exageradas, mas não infundadas. É preciso ligar a questão da luta das forças políticas à perspectiva econômica. Isto se torna tanto mais inadiável quanto o próprio programa de Papen parte de uma próxima conjuntura ascendente.

O reerguimento entra em cena, visível a todo mundo, assim que se manifesta sob a forma de saída crescente de mercadorias, de aumento da produção e do número de operários ocupados. A coisa, porém, nunca principia por aí.

Antes desse reerguimento, aparecem processos preparatórios no domínio da circulação monetária e do crédito. Os capitais empregados nas empresas e nos ramos econômicos não lucrativos precisam tornar-se livres e tomar a forma de dinheiro circulante, à procura de colocação. O mercado, libertado de seus depósitos de gordura, intumescências e tumores, precisa mostrar uma verdadeira necessidade de procuras. Os fabricantes precisam adquirir "confiança" no mercado e entre si. Por seu turno, essa "confiança", de que tanto se fala na imprensa mundial, precisa receber estímulos, não só dos fatores econômicos, como também dos fatores políticos (reparações, dívidas de guerra, desarmamento-armamento etc.).

Um crescimento das saídas de mercadorias, da produção, do número dos operários ocupados, não se assinala ainda em parte alguma; pelo contrário, a descida continua. No que concerne aos processos preparatórios de mudança de conjuntura, é manifesto que já preencheram a parte principal das tarefas que lhes cabem. Muitos indícios, realmente, permitem supor que o momento da mudança de conjuntura se aproxima, se não está iminente. É esta uma apreciação feita da escala mundial.

Entretanto, cabe fazer uma distinção entre os países credores (Estados Unidos, Inglaterra e França) e os países devedores, ou melhor, os países em bancarrota; o primeiro lugar, no segundo grupo, pertence à Alemanha. A Alemanha não possui nenhum capital móvel. A sua economia só pode receber um impulso pela afluência de capitais de fora. Mas um país incapaz de saldar suas velhas dívidas não obtém nenhum empréstimo. Em todo caso, antes de lhe abrir o cofre, os credores precisam convencer-se de que a Alemanha se encontra de novo em condições de exportar uma soma maior do que carece importar: a diferença servirá para cobrir as dívidas. A procura de mercadorias alemãs parte dos países agrários, principalmente, e sobretudo do sul da Europa. Os países agrários dependem, porém, por seu lado, da procura de matérias-primas e de produtos alimentícios por parte dos países industriais. A Alemanha, em consequência, será forçada a esperar: a corrente de vitalidade percorrerá, primeiro, o grupo de seus concorrentes capitalistas e parceiros agrários, antes de espalhar pela Alemanha a sua própria energia.

Entretanto, a burguesia alemã não pode esperar. A camarilha bonapartista, ainda menos. Enquanto ela promete não tocar na estabilidade da valorização, o governo de Papen introduz sub-repticiamente a inflação. E, ao mesmo tempo, com discursos sobre a renascença do liberalismo econômico, resolve dispor administrativamente do ciclo econômico e, em nome da liberdade da iniciativa privada, submete diretamente os contribuintes aos donos capitalistas das empresas privadas.

O eixo, em torno do qual o programa do governo gira, é a esperança de uma próxima mudança de conjuntura. Se isto não se realizar a tempo, os dois bilhões[2] se evaporarão como duas gotas d'água sobre uma chapa incandescente. O plano de Papen tem um caráter de azar e especulação, numa medida incomensuravelmente maior do que o jogo de alta que começa a se desenrolar neste momento na Bolsa de Nova York. As consequências de um desastre do jogo bonapartista serão, em todo caso, muito mais catastróficas.

O resultado mais próximo e sensível de um rompimento entre os planos do governo e o movimento efetivo do mercado será a queda do marco. Os males sociais, acrescidos pela inflação, tomarão um caráter insuportável. A bancarrota do programa econômico de Papen exigirá a sua substituição por um outro mais eficiente. Por qual? Evidentemente, pelo programa do fascismo. Uma vez que não se consiga impulsionar a conjuntura para a frente, pela terapêutica bonapartista, tem-se que experimentar a cirurgia fascista. Entrementes, a social-democracia assumirá ares de "esquerda" e se fracionará. O Partido Comunista, no caso de não entravar-se a si próprio, crescerá. Isto significará, em suma, uma situação revolucionária. A questão de perspectiva de vitória, nestas condições, concentra-se por três quartas partes na estratégia comunista.

O partido revolucionário deve, entretanto, estar também preparado para uma outra perspectiva, como a de uma entrada rápida de mudança de conjuntura. Suponhamos que o governo Schleicher-Papen consiga manter-se até o começo de uma revivescência industrial e comercial. Estaria o governo salvo por isso? Não, o começo de uma conjuntura ascendente significaria o fim certo do bonapartismo e talvez ainda de alguma coisa mais.

As forças do proletariado alemão não estão esgotadas. Estão, porém, minadas: por sacrifícios, derrotas, decepções, que principiaram em 1914; pela felonia sistemática da social-democracia; pela autodesmoralização do Partido

---

[2] Este era o valor, em marcos alemães, dado a capitalistas como bônus nos certificados fiscais do programa de Papen. (N.Ed.)

Comunista. Seis, sete milhões de desempregados amontoam-se, como uma carga pesada, aos pés do proletariado. Os decretos-leis de Brüning e Papen não encontraram resistência. O golpe de Estado de 20 de julho ficou sem resposta.

Pode prever-se, com toda a segurança, que a transformação de conjuntura empreste à atividade atualmente deficiente do proletariado um impulso poderoso. Desde o momento em que a fábrica cessar de despedir operários e admitir novos, afirma-se a autossegurança do trabalhador: são de novo necessários. A espiral comprimida começa de novo a se restabelecer. Os operários entram cada vez mais facilmente na luta para a reconquista das posições perdidas e para a conquista de novas. E os operários alemães perderam muito. Nem por decretos-leis, nem pela aplicação da força armada, poderão liquidar-se greves de massa, que se desenvolvem na vaga ascendente. O regime bonapartista, que só pode manter-se pela "paz interna", será a primeira vítima da mudança de conjuntura.

Já se observa, agora, por diferentes países, um crescimento de lutas grevistas (Bélgica, Inglaterra, Polônia, Estados Unidos, em parte; a Alemanha, não). Fazer uma avaliação das greves de massa, que atualmente se estão desenrolando, à luz da conjuntura econômica, não é nada fácil. As estatísticas fixam as variações de conjuntura com atraso inevitável. A revivescência precisa tornar-se um fato, antes de poder ser registrada. Em geral, os trabalhadores sentem as mudanças de conjuntura antes das estatísticas. Novas encomendas – ou mesmo a espera de novas –, reformas das empresas para ampliação da produção, ou, pelo menos, interrupção na dispensa de trabalhadores, aumentam inevitavelmente as forças de resistência e as pretensões do operário. A greve de defesa dos operários têxteis no Lancashire é provocada, inegavelmente, por uma certa animação na indústria têxtil. Quanto à greve belga, desenvolve-se visivelmente, na base da crise ainda em aprofundamento do carvão. Ao caráter de transformação da atual seção da conjuntura mundial correspondem as diferentes modalidades dos choques econômicos, que estão à base das últimas greves. Mas, em geral, o crescimento do movimento de massa significa, antes, uma mudança de conjuntura que já se está fazendo sentir. Em todo caso, a reanimação real da conjuntura, já nos seus primeiros passos, provocará um largo movimento das lutas de massa.

As classes dominantes de todos os países esperam milagres dum renascimento industrial: a desenfreada especulação do mercado de ações já prova isso. Se o capitalismo entrasse na fase de uma prosperidade ou mesmo de uma ascensão lenta, mas prolongada, isto traria naturalmente uma estabilização do capitalismo e, simultaneamente, o fortalecimento do reformismo. Entretanto, não há absolutamente nenhum motivo para esperar-se ou temer-se que a nova e inevitável reanimação de conjuntura possa sobrepujar a tendência geral para a decadência da economia e, particularmente, da economia europeia. O capitalismo anterior à guerra desenvolveu-se no quadro de uma produção progressiva de mercadorias, mas o capitalismo atual representa apenas, com todas as suas variações de conjuntura, uma produção ampliada de misérias e catástrofes. O novo ciclo de conjuntura formará inevitáveis reagrupamentos de forças, não só dentro de cada país isolado, como no campo capitalista em geral, predominando esse deslocamento no sentido da Europa para a América. Mas, já dentro de curto prazo, esse ciclo levará o mundo capitalista a novas contradições insolúveis e o condenará a novas e mais pavorosas convulsões.

Sem risco de erro, pode estabelecer-se a seguinte previsão: A reanimação econômica bastará para solidificar o sentimento de segurança dos trabalhadores e emprestar à sua luta um novo impulso, mas, de modo algum, bastará para abrir ao capitalismo, especialmente europeu, a possibilidade de uma renascença.

As conquistas práticas, que a nova melhora de conjuntura do capitalismo decadente permitirá ao movimento operário, terão por força um caráter extremamente limitado. Poderá o capitalismo alemão, no auge do novo reerguimento econômico, restabelecer para os operários as condições existentes antes da crise de agora? Tudo justifica uma resposta antecipada a essa pergunta pela negativa. E tanto mais brutalmente deverá o movimento de massa despertado tomar o caminho político.

A primeira etapa da reanimação industrial já será extremamente perigosa para a social-democracia. Os trabalhadores se atirarão à luta com o fito de recuperar o que perderam. Os vértices da social-democracia serão de novo empolgados pelas esperanças de um restabelecimento da ordem "normal". A sua principal preocupação será restabelecer a própria capacidade de coligação. Chefes e massas, cada qual irá puxar para seu lado. Para aproveitar decisivamente a nova crise do reformismo, os comunistas precisam seguir uma orientação justa nas mudanças de conjuntura e preparar um programa de ação prática, partindo, sobretudo, das perdas sofridas pelos trabalhadores nos anos de crise. A transformação da luta econômica em luta política é o momento especialmente propício para a consolidação das forças e da influência do partido proletário revolucionário.

Um sucesso, neste ou naquele caminho, só será atingido sob uma condição: pela aplicação justa da política de frente única. Para o Partido Comunista alemão isto significa, sobretudo, o seguinte: acabar com a dúbia posição ocupada atualmente no domínio sindical; orientação decidida para os sindicatos livres; dissolução dos quadros existentes da RGO; iniciação de uma luta sistemática, por meio dos sindicatos, pela influência nos comitês de fábrica; desenvolvimento de uma larga campanha pela palavra de ordem de controle operário da produção.

VIII

O caminho para o socialismo

Kautsky e Hilferding, entre outros, declararam mais de uma vez, nos últimos anos, que nunca participaram da teoria do colapso do capitalismo, que os revisionistas, uma vez, atribuíram aos marxistas e que os kautskistas atribuem, hoje, constantemente, aos comunistas.

Os bernsteinianos traçaram duas perspectivas; uma, irreal, evidentemente "marxista"-ortodoxa, segundo a qual, com o correr do tempo, sob a influência dos antagonismos internacionais do capitalismo, deveria dar-se o colapso mecânico; e outra, "realista", segundo a qual uma evolução gradual do capitalismo para o socialismo deveria realizar-se. Tão opostos quanto possam parecer à primeira vista, estes dois esquemas estão unidos, entretanto, por um traço comum: a ausência do fator revolucionário. Ao passo que desmentiam a caricatura do colapso automático do capitalismo, que lhes era atribuída, os marxistas demonstravam que, sob a influência da intensificação da luta de classe, o proletariado realizaria a Revolução muito antes das contradições objetivas do capitalismo poderem ocasionar-lhe o colapso automático.

Essa discussão se deu numa época tão distante quanto o fim deste século. Entretanto, é preciso reconhecer que a realidade capitalista, depois da guerra, aproximou-se, sob certos aspectos, muito mais da caricatura bernsteiniana do que qualquer pessoa poderia ter esperado e, antes de tudo, do que o poderiam os próprios revisionistas: porque estes só desenharam o espectro do colapso com o fim de mostrar a sua irrealidade. Verifica-se hoje, entretanto, que quanto mais perto está o capitalismo da queda automática, tanto mais retardada está a intervenção revolucionária do proletariado no destino da sociedade.

A parte componente mais importante da teoria do colapso foi a teoria da pauperização[1]. Os marxistas afirmavam, com certa prudência, que a intensificação dos antagonismos sociais não seria necessariamente correspondente a uma baixa absoluta do nível de vida das massas. Na realidade, é este último processo que se está desenvolvendo. Como poderia o colapso do capitalismo expressar-se com maior agudeza do que no desemprego crônico e na destruição do seguro social, isto é, na recusa da ordem social a nutrir os seus próprios escravos?

Os freios oportunistas contra o proletariado demonstraram ser bastante fortes para garantir às forças elementares do capitalismo sobrevivente algumas décadas de vida a mais. Como consequência, não foi o idílio da transformação pacífica do capitalismo em socialismo que se verificou, mas um estado de coisas infinitamente mais próximo da dissolução social.

A responsabilidade pelo atual estado da sociedade procuraram os reformistas, durante muito tempo, atribuí-la à guerra. Mas, em primeiro lugar, a guerra não criou as tendências destrutivas do capitalismo: trouxe-as, apenas, à superfície e acelerou o processo. Em segundo lugar, a guerra não teria conseguido levar a efeito a sua obra de destruição sem o apoio político do reformismo. Em terceiro lugar, as contradições insolúveis do capitalismo estão preparando novas guerras de vários lados. O reformismo não conseguirá descartar-se da responsabilidade histórica. Paralisando e entravando a energia revolucionária do proletariado, a social-democracia internacional dá ao processo do colapso capitalista as formas mais cegas, mais implacáveis, mais catastróficas e mais sangrentas.

Naturalmente, só condicionalmente se pode falar de uma realização da caricatura revisionista do marxismo aplicável a um período histórico definido. To-

---

[1] Trotsky refere-se aqui à concepção corrente na social-democracia alemã do final do século XIX, que ficou conhecida como "teoria do colapso", de que o capitalismo, de crise em crise, caminhava para sua crise final, a qual, conjugada com o crescente fortalecimento do proletariado, tornava inevitável o socialismo. Dela derivou, na interpretação do processo de acumulação capitalista de Karl Marx, o que se chamou de "teoria da pauperização", desenvolvida nos anos 1920, e que afirmava que a miséria crescente do proletariado resultaria na abolição revolucionária do capitalismo. (N.Ed.)

davia, a saída do capitalismo decadente dar-se-á, embora com um grande atraso, não pelo caminho do colapso automático, mas pelo caminho revolucionário.

A crise atual deu uma última vassourada nas sobrevivências das utopias reformistas. Atualmente, a prática oportunista não possui nenhum disfarce teórico. É, enfim, absolutamente indiferente a Wels, Hilferding, Grzesinski e Noske o número de catástrofes que ainda desabarão sobre a cabeça das massas populares, contanto que os seus interesses pessoais fiquem intactos. Mas, a questão é que a crise do regime burguês atinge, também, os chefes reformistas.

"Age, Estado, age!", gritou, ainda há pouco tempo, a social-democracia, quando teve de recuar diante do fascismo. E o Estado agiu: Otto Braun e Severing foram postos na rua a pontapés. Agora, escreveu o *Vorwärts*, todo o mundo tem que reconhecer as vantagens da democracia sobre o regime da ditadura. Sim, a democracia tem vantagens substanciais, refletia Grzesinski, enquanto travava conhecimento com a prisão pelo lado de dentro.

Dessa experiência tiraram a conclusão: "Já é tempo de caminharmos para a socialização!". Tarnow, ainda ontem um doutor do capitalismo, resolveu, subitamente, tornar-se seu coveiro[2]. Pois, quando o capitalismo transforma os seus ministros reformistas, chefes de polícia e prefeitos em desempregados, é que está manifestamente exausto. Wels escreve um artigo programático: *Soou a hora do socialismo*! Só falta Schleicher roubar aos deputados os seus subsídios e aos ministros aposentados as suas pensões, para Hilferding escrever um estudo sobre o papel histórico da greve geral.

A reviravolta à "esquerda" dos chefes social-democratas impressiona pela estupidez e falsidade. Contudo, isso não significa, de modo algum, que a manobra esteja, de antemão, condenada a falhar. Esse partido, carregado de crimes, ainda está à frente de milhões. Não cairá por si só. É preciso que se saiba derrubá-lo.

O Partido Comunista declarará que a corrida de Wels-Tarnow para o socialismo é uma nova forma de enganar as massas, o que é exato. Contará a história das "socializações" social-democratas dos últimos catorze anos. Isso será útil. Mas, é insuficiente: a história, mesmo a mais recente, não pode substituir a política ativa.

---

[2] No congresso de maio-junho de 1931 do Partido Social-Democrata da Alemanha, Fritz Tarnow afirmou que a classe operária deveria "ser o médico ao lado do leito do capitalismo". (N.Ed.)

Tarnow procura reduzir a questão do caminho revolucionário ou reformista para o socialismo à simples questão do "ritmo" das transformações. É impossível um teórico cair mais baixo. O ritmo das transformações socialistas depende, na realidade, do estado das forças produtivas do país, de sua cultura, da proporção das despesas forçadas para a sua defesa etc. Mas as transformações socialistas, rápidas ou lentas, só são possíveis se nos postos de mando da sociedade está uma classe interessada no socialismo, e à frente dessa classe um partido que não engane os explorados e esteja sempre pronto a suprimir a resistência dos exploradores. Precisamos explicar aos trabalhadores que o regime da *ditadura do proletariado* consiste precisamente nisso.

Mas ainda não basta. Tratando-se de uma questão dos problemas candentes do proletariado, não se deveria esquecer – como faz a Internacional Comunista – o fato da existência da União Soviética. Com relação à Alemanha, a tarefa, hoje, não é começar, pela primeira vez, uma construção socialista, mas unir as forças produtivas da Alemanha, a sua cultura, o seu gênio técnico e organizatório, à construção socialista que já se vem processando na União Soviética.

O Partido Comunista alemão limita-se apenas a exaltar os sucessos da União Soviética, e nesse, sentido comete grandes e perigosos exageros. Mas é completamente incapaz de ligar à construção socialista na URSS, as suas enormes experiências e valiosas realizações, as tarefas da Revolução Proletária na Alemanha. A burocracia stalinista, por sua vez, é a que está menos em condições de prestar ao Partido Comunista alemão qualquer auxílio nessa questão de grande importância: as suas perspectivas se limitam a um só país.

Os projetos incoerentes e covardes de capitalismo de Estado da social-democracia precisam ser combatidos com um *plano geral para a construção socialista da URSS e da Alemanha, conjuntamente*. Ninguém exige que se faça um plano detalhado imediatamente. Basta um ligeiro esboço preliminar. As colunas básicas são necessárias. Esse plano precisa tornar-se, tão depressa quanto possível, objeto de estudo de todas as organizações da classe operária alemã, principalmente de seus sindicatos.

As forças progressivas, entre os técnicos, os estatísticos e os economistas alemães, devem ser atraídas para esse empreendimento. As discussões sobre a economia planificada, amplamente hoje difundidas na Alemanha, refletem o impasse do capitalismo alemão, continuam puramente acadêmicas, burocráticas, pedantes, vazias. Só a vanguarda comunista é capaz de arrancar o estudo dessa questão desse círculo mágico.

A construção socialista já está em andamento: é preciso que se estabeleça para esse trabalho uma ponte que ultrapasse as fronteiras nacionais. Aqui está o primeiro plano: estudem-no, melhorem-no, precisem-no! É necessário que os trabalhadores elejam comissões especiais de plano, encarregando-as de entrar em contato com os sindicatos e órgãos econômicos dos Sovietes. Na base dos sindicatos alemães, dos conselhos de empresa e outras organizações proletárias, deve ser criada uma comissão central para a elaboração do plano, que entrará em ligação com o Gosplan da URSS. Arrastai para essa tarefa os engenheiros, organizadores e economistas alemães!

É a única preliminar correta para abordar a questão da economia planificada, hoje, no ano de 1932, depois de 15 anos de existência dos Sovietes, depois de catorze anos de convulsões da república capitalista da Alemanha.

Nada mais fácil do que ridicularizar a burocracia social-democrata, a começar por Wels, que entoou um cântico de louvor ao socialismo. Contudo, não se deve esquecer que os trabalhadores reformistas consideram com profunda seriedade a questão do socialismo. É preciso ter-se uma atitude séria para com os trabalhadores reformistas. E é quando o problema da frente única entra novamente em cena com toda a sua força.

Se a social-democracia se propõe (em palavras: *nós* bem o sabemos!), não salvar o capitalismo, mas construir o socialismo, está obrigada, por isso mesmo, a procurar um acordo, não com o Centro, mas com os comunistas. O Partido Comunista rejeitará esse acordo? De modo algum. Ao contrário, ele mesmo deverá propô-lo, exigindo-o diante das massas como resgate por esta mudança socialista, só agora proclamada.

O ataque do Partido Comunista à social-democracia deve ser feito, no momento presente, sobre três linhas. A tarefa de liquidar o fascismo continua com toda a sua agudeza. A batalha decisiva do proletariado contra o fascismo significará, simultaneamente, a colisão com o aparelho de Estado bonapartista. Isso torna a *greve geral* uma arma de combate indispensável, que precisa ser preparada. É preciso organizar um plano especial de greve geral, isto é, um plano de mobilização das forças, para levá-la a efeito. Em torno desse plano, é necessário desenvolver uma campanha de massa, e, na base desta, propor à social-democracia um acordo para a execução da greve geral, sob condições políticas definidas. Repetida e concretizada em cada fase nova, essa proposta conduzirá, no processo de seu desenvolvimento, à criação dos *sovietes como órgãos supremos da frente única.*

Que o plano econômico de Papen, agora lei, lança o proletariado alemão numa pobreza sem precedentes, reconhecem-no em palavras os próprios chefes da social-democracia e dos sindicatos. Manifestam-se, na imprensa, com uma veemência que há muito tempo não se notava neles. Entre as suas palavras e os seus atos há um abismo – nós bem o sabemos –, mas precisamos saber como lançar contra eles as suas próprias palavras. *Um sistema de medidas de luta em comum contra o regime dos decretos de emergência e do bonapartismo precisa ser elaborado.* Essa luta, imposta a todo o proletariado por toda a situação, não pode, por sua própria natureza, ser conduzida dentro dos moldes da democracia. Uma situação em que Hitler possui um exército de 400 mil homens; Papen-Schleicher, além da *Reichswehr*, o exército semiparticular dos *Stahlhelm*, com 200 mil homens; a democracia burguesa, o exército semitolerado da *Reichsbanner*; o Partido Comunista, o exército proscrito da Frente Vermelha[3]. Uma situação como esta faz surgir, por si só, o problema do Estado como problema do Poder. Não se pode imaginar melhor escola revolucionária!

O Partido Comunista deve dizer à classe operária: Schleicher não será derrubado por um jogo parlamentar. Se a social-democracia quer trabalhar para derrubar o governo bonapartista por outros meios, o Partido Comunista está pronto a auxiliar a social-democracia com toda a sua força. Ao mesmo tempo, os comunistas se comprometem antecipadamente a não empregar métodos violentos contra um governo social-democrata, enquanto este se basear na maioria da classe operária e enquanto garantir ao Partido Comunista liberdade de organização e de agitação. Uma tal maneira de pôr a questão será compreensível a todos os trabalhadores social-democratas e sem partido.

[3] A Liga dos Combatentes da Frente Vermelha (*Roter Frontkämpferbund*), ou Frente Vermelha, foi fundada em julho de 1924 pelo Partido Comunista alemão. Organização de autodefesa extremamente hierarquizada, ela tinha cerca de 100-00 membros. Em 1929, após o "maio sangrento" (*Blutmai*) de Berlim, quando a polícia atirou contra comícios comunistas em Berlim, resultando em mais de 30 mortos e mais de mil presos, a Frente Vermelha foi proibida e se transformou na Liga de Combate Antifascista. (N.Ed.)

A terceira linha, finalmente, é a *luta pelo socialismo*. Também aqui, o ferro precisa ser forjado enquanto está quente, e a social-democracia levada à parede com um plano concreto de colaboração com a URSS. O que é necessário nessa questão já ficou dito acima.

Naturalmente, esses setores da luta, que são de importâncias diversas na perspectiva estratégica geral, não estão separados um do outro, mas, ao contrário, misturam-se e se completam. A crise política da sociedade exige a combinação das questões parciais com as questões gerais: reside precisamente nisso a essência da situação revolucionária.

IX

O único caminho

É de se esperar que o Comitê Central do Partido Comunista realize, por si mesmo, uma mudança para o verdadeiro caminho? Todo o seu passado demonstra que não.

Mal começara a melhorar, viu-se o aparelho diante da perspectiva do "trotskismo". Se o próprio Thälmann não o compreendeu logo, foi-lhe explicado de Moscou que, por amor ao "todo", é preciso saber sacrificar a "parte", isto é, os interesses da Revolução alemã pelo amor aos interesses do aparelho stalinista. As tímidas tentativas de corrigir a política foram novamente suspensas. A reação burocrática triunfou de novo em toda a linha. Isto tudo, naturalmente, não depende de Thälmann. Desse hoje a Internacional Comunista às suas seções a possibilidade de viver, pensar, desenvolver-se, e, nestes últimos quinze anos, teriam elas, de há muito, escolhido e formado os seus próprios quadros dirigentes. Mas a burocracia instituiu um sistema de nomeações dos líderes sustentados por meios artificiais de reclame. Thälmann é um produto desse sistema, mas, ao mesmo tempo, a sua vítima.

Os quadros paralisados em seu desenvolvimento enfraquecem o Partido. E as insuficiências se completam pelas repressões. As hesitações e a insegurança do Partido passam, inevitavelmente, a toda a classe. Não se pode concitar a massa para ações audaciosas, quando o próprio Partido é destituído de decisão e firmeza. Mesmo que Thälmann recebesse, amanhã, um telegrama de Manuilsky sobre a necessidade de uma reviravolta no caminho da frente única, o novo ziguezague dos dirigentes seria de pouca utilidade. A direção já está comprometida demais. Uma política justa exige um regime são. A democracia no Partido, atualmente simples joguete nas mãos da burocracia, precisa voltar a ser uma realidade. O Partido precisa ser de fato um partido, e então as massas acreditarão nele. Praticamente, isto significa colocar na ordem do dia: *um congresso extraordinário do Partido e um congresso extraordinário da Internacional Comunista.*

Uma discussão ampla e franca deve, naturalmente, preceder o congresso. Todas as barreiras do aparelho devem ser derrubadas. Cada organização do Partido, cada célula tem o direito de convocar, para as suas reuniões, todos os comunistas, membros do Partido ou dele expulsos, e ouvi-los quando assim julgar necessário para formar a sua opinião. A imprensa deve ser posta a serviço da discussão, devendo, em cada folha do Partido, diariamente, ser reservado um espaço suficiente para os artigos críticos. Comissões especiais de imprensa, eleitas nas assembleias de massa do Partido, devem fiscalizar se os jornais do Partido estão ou não servindo à burocracia. A discussão, evidentemente, não exigirá pouco tempo nem poucas forças. O aparelho irá apelar para isto: em um período crítico como este, o Partido não pode dar-se ao "luxo de discussões". Os salvadores burocratas julgam que o Partido, em circunstâncias difíceis, deve calar-se. Os marxistas, ao contrário, pensam que quanto mais difícil é a situação, de tanto maior importância é a função autônoma do Partido

A direção do Partido bolchevique gozava, em 1917, de uma autoridade imensa. No entanto, durante o ano todo de 1917, houve uma série de profundas discussões no Partido. Às vésperas da insurreição de outubro, todo o Partido debatia apaixonadamente a questão de saber qual das suas partes do Comitê Central tinha razão: a maioria, que era pela insurreição, ou a minoria, que era contra. Exclusões e, em geral, repressões, não houve nunca, apesar da profundeza das divergências de opinião. Nessas discussões tomaram parte as massas sem partido. Em Petrogrado, uma reunião de mulheres trabalhadoras sem partido enviou uma delegação ao Comitê Central para apoiar a maioria. Certamente, a discussão exigiu tempo. Mas, por isso, levantou-se da discussão aberta, sem ameaças, mentiras e falsidades, a convicção geral, inabalável, da justeza da política, o que é o bastante para tornar possível a vitória.

Que curso tomarão as coisas na Alemanha? Conseguirá a pequena roda da Oposição virar em tempo a grande roda do Partido? Eis como se apresenta, agora, a questão. Ressoam, muitas vezes, as vozes pessimistas. Nos diferentes agrupamentos comunistas, no próprio Partido, como na sua periferia, não são poucos os elementos que dizem: Em todas as questões importantes, a Oposição de Esquerda tem uma posição justa. Mas é muito fraca. Os seus quadros são pequenos em número e inexperientes politicamente. Pode, então, uma tal organização, com uma pequena folha semanal (*Permanente Revolution*) opor-se com êxito à poderosa máquina da Internacional Comunista?

As lições dos acontecimentos são mais fortes do que a burocracia stalinista. E queremos ser os interpretes dessas lições perante as massas comunistas. Reside aí o nosso papel histórico como fração. Não exigimos, como Seydewitz & Cia., que o proletariado revolucionário nos creia sob palavra. Reservamo-nos um papel mais modesto: oferecemos à vanguarda comunista o nosso auxílio na preparação da linha justa. Para esse trabalho, organizamos e educamos quadros próprios. Não se pode saltar esse estágio preparatório. Cada nova etapa da luta impelirá os elementos mais refletidos e críticos do proletariado para o nosso lado.

O partido revolucionário começa com uma ideia, um programa, que é dirigido contra o mais poderoso aparelho da sociedade de classes. Não são os quadros que criam a ideia, mas é a ideia que cria os quadros. O temor ante o poder do aparelho é um dos traços mais rasgados daquele oportunismo especial que a burocracia stalinista cultiva. A crítica marxista é mais forte do que todos os aparelhos.

Quanto à forma organizadora da Oposição de Esquerda, em seu desenvolvimento ulterior, depende de muitas circunstâncias: do ímpeto dos golpes históricos, do grau da força de resistência da burocracia stalinista, da atividade dos simples comunistas, da energia da própria Oposição. Os princípios e métodos por que nos batemos são postos à prova pelos maiores acontecimentos da história mundial, por seus triunfos e por suas derrotas. E hão de fazer caminho.

Os sucessos da Oposição em todos os países, inclusive na Alemanha, são indiscutíveis e notórios. O seu desenvolvimento é, porém, mais lento do que muitos de nós pensávamos. O fato pode ser lamentado, mas não há que se admirar por isso. A todo comunista que começa a ouvir a Oposição de Esquerda, coloca-o a burocracia na alternativa: ou participar da caçada ao "trotskismo", ou ser expulso das fileiras da Internacional Comunista. Para os funcionários do Partido, trata-se de defender os cargos e o salário: sobre esta tecla o aparelho stalinista sabe tocar com perfeição. Infinitamente mais importantes, porém, são os milhares de simples comunistas que se dilaceram entre a sua dedicação às ideias do comunismo e a ameaça de expulsão das fileiras da Internacional Comunista. É o que explica a existência, nas fileiras do Partido Comunista oficial, de muitos oposicionistas escondidos, intimidados ou em formação.

A excepcional acuidade das condições históricas justifica bastante o lento crescimento da Oposição de Esquerda. Mas, ao mesmo tempo, apesar de toda esta lentidão, hoje, mais do que nunca, toda a vida ideológica da Internacional Comunista gira em torno da luta contra o "trotskismo". As revistas teóricas e os artigos teóricos dos jornais do Partido Comunista russo, como de todas as seções nacionais, são dedicados sobretudo à luta, ora aberta, ora mascarada, contra a Oposição de Esquerda. Importância ainda mais sintomática tem a brutal caçada organizatória que o aparelho conduz contra a Oposição: dissolução a cacete de suas reuniões; aplicação de todos os outros meios de violência física: alianças, por detrás dos bastidores, com pacifistas burgueses, radicais franceses[1] e maçons contra os "trotskistas"; disseminação pela central stalinista das calúnias mais torpes etc.

Os stalinistas sentem, melhor e mais diretamente do que nós, em que medida as nossas ideias minam os pilares de seu aparelho. Os métodos de autodefesa da fração stalinista têm, entretanto, um caráter de arma de dois gumes. Até um certo momento, fazem efeito de intimidação. Mas, ao mesmo tempo, preparam uma reação da massa contra o sistema de falsidade e violência.

Quando, em julho de 1917, o governo dos mencheviques e socialistas-revolucionários denunciava os bolcheviques como agentes do estado-maior alemão, conseguiu essa infame medida exercer, nos primeiros tempos, grande efeito sobre os soldados, os camponeses e as camadas atrasadas dos operários. Mas, quando todos os acontecimentos ulteriores deram claramente razão aos bolcheviques, as massas começaram a dizer: Então, caluniaram assim, conscientemente, os leninistas, moveram uma campanha tão ordinária contra eles,

[1] O Partido Radical francês tinha uma tradição anticlerical e era um reduto da maçonaria. (N.Ed.)

só porque tinham razão? E o sentimento de suspeita contra os bolcheviques, se transformou em sentimento de calorosa dedicação e entusiasmo por eles. Embora sob outras condições, este processo tão complexo se desenvolve, também, na atualidade. Pela acumulação monstruosa de calúnias e repressões, a burocracia stalinista consegue, inegavelmente, por um certo espaço de tempo, intimidar os simples membros do Partido; ao mesmo passo, porem, está preparando aos bolcheviques-leninistas uma grandiosa reabilitação aos olhos das massas revolucionárias. Já agora não pode haver mais, a respeito, a menor dúvida.

É verdade que somos ainda muito fracos. O Partido Comunista ainda tem massa, mas já não possui nem doutrina nem orientação estratégica. A Oposição de Esquerda já formou a sua orientação marxista, mas ainda não tem massa. Os grupos restantes do campo da "esquerda" não possuem nem uma coisa nem outra. O *Leninbund*[2], que pensou substituir uma sólida política bem fundamentada pela fantasia individual e caprichos de Urbahns, vegeta por aí sem futuro. Os brandlerianos, apesar do quadro de seu aparelho, vão descendo de degrau em degrau: algumas pequenas receitas táticas não podem substituir uma tomada de posição estratégico-revolucionária. O SAP levantou a sua candidatura à liderança do proletariado revolucionário. Infundada pretensão! Os mais sérios representantes desse "partido" não vão além, como demonstra o último livro de Fritz Sternberg[3], dos limites do centrismo de esquerda. Quanto mais se aplicam em procurar criar uma doutrina própria, "autônoma", tanto mais se mostram discípulos de Thalheimer. Esta escola é tão sem esperanças como um cadáver.

Não pode surgir um novo partido histórico pelo simples fato de um certo número de velhos social-democratas se ter convencido, com grande atraso, do caráter contrarrevolucionário da política de Ebert-Wels. Não se pode, igualmente, improvisar um partido com um grupo de comunistas decepcionados, que ainda não demonstraram, em nada, o seu direito à direção do proletariado. O nascimento de um novo partido requer, de um lado, grandes aconte-

---

[2] *Liga Lenin*: grupo dissidente de comunistas expulsos do Partido Comunista alemão sob a antiga direção Ruth Fischer-Maslow-Urbahns. A política deste grupo se resume na atitude individual sectária de Urbahns. – N. do T.

[3] Trotsky aqui se refere à obra de Sternberg *Der Niedergang des deutschen Kapitalismus* [*O declínio do capitalismo alemão*]. Berlim: Rowohlt, 1932. (N.Ed.)

cimentos históricos, que quebrem a espinha dos velhos partidos, e, de outro lado, uma posição de princípios forjados pela experiência dos acontecimentos e quadros já postos à prova.

Quando lutamos, com todas as nossas forças, pela regeneração da Internacional Comunista e pela continuidade de seu futuro desenvolvimento, não fazemos a mínima concessão a um puro fetichismo de forma. O destino da Revolução Proletária mundial está para nós acima do destino organizatório da Internacional Comunista. Realizem-se as piores variantes; sejam os partidos oficiais de hoje, a despeito de todos os nossos esforços, arrastados à ruína pela burocracia stalinista; queira isso significar, num certo sentido, recomeçar tudo de novo pelo princípio – então, a nova Internacional derivará a sua genealogia das ideias e dos quadros da Oposição Internacional de Esquerda.

Eis porque os estreitos critérios de "pessimismo" e "otimismo" não se aplicam à obra que estamos executando. Ela paira acima das etapas isoladas, assim como das derrotas e vitórias parciais. A nossa política é uma política de longo alcance.

Posfácio

A presente brochura, cujas partes foram escritas em momentos diferentes, já estava concluída, quando um telegrama de Berlim trouxe a notícia do choque entre a esmagadora maioria do *Reichstag* e o governo de Papen: consequentemente, com o presidente do Reich[1]. Procuraremos seguir, pelas colunas da *Permanente Revolution*, o desenvolvimento concreto dos acontecimentos ulteriores. Queremos, agora, acentuar apenas algumas conclusões gerais que pareciam apressadas quando começamos a escrever a brochura e que, desde então, graças ao testemunho dos fatos, se tornaram maduras.

1. O caráter *bonapartista* do governo Schleicher-Papen revelou-se sem esperanças, dada a sua situação isolada no *Reichstag*. Os círculos agrários capitalistas, que se mantêm atrás do governo presidencial, formam uma percentagem incomparavelmente menor da nação alemã do que a percentagem de votos dada no *Reichstag* a Papen.

2. O antagonismo entre Papen e Hitler é o antagonismo entre as esferas agrárias capitalistas e a pequena burguesia reacionária. Assim como, outrora, a burguesia liberal utilizava o movimento revolucionário da pequena burguesia, mas lhe impossibilitava, por todos os meios, a tomada do poder, assim tam-

[1] Referência a Paul von Hindenburg. (N.Ed.)

bém a burguesia monopolizadora está disposta, hoje, a contratar Hitler como lacaio, mas não como senhor. Sem uma necessidade extrema, ela não entregará todo o poder aos fascistas.

3. O fato de as diferentes frações da grande, média e pequena burguesia entrarem numa luta aberta pelo poder, sem ter medo de um conflito extremamente perigoso, prova que a burguesia não se sente ameaçada imediatamente pelo proletariado. Não só os nacional-socialistas e o Centro, como também os vértices da social-democracia, só ousaram abrir o conflito constitucional, pela firme segurança de que este não se transformaria em um conflito *revolucionário*.

4. O único partido cuja votação contra Papen foi ditada por intenções revolucionárias foi o *Partido Comunista*. Mas, das intenções revolucionárias às ações revolucionárias, vai uma grande distância.

5. A lógica dos acontecimentos é de molde a fazer com que todo operário social-democrata considere a luta pelo "parlamento" e pela "democracia" como uma questão do *poder*. Reside nisso o conteúdo principal de todo conflito do ponto de vista da Revolução. A questão do poder é a questão da unidade de ação revolucionária do proletariado. A política de frente única para com a social-democracia deve ser dirigida de modo a possibilitar, já no futuro mais próximo, sobre o fundamento da representação proletária democrática, a criação dos órgãos de luta da classe, isto é, dos *sovietes operários*.

6. Em virtude dos donativos feitos aos capitalistas e da ofensiva monstruosa contra as condições de vida do proletariado, deve o *Partido Comunista* lançar a palavra de ordem de *controle operário da produção*.

7. As frações da classe possuidora só podem brigar uma com a outra porque o partido revolucionário é fraco. O partido revolucionário poderia tornar-se incomparavelmente mais forte se esses conflitos da classe possuidora fossem bem aproveitados. A esse respeito, é preciso saber distinguir as diferentes facções, segundo a sua existência social e os seus métodos políticos, e não lançar todas num mesmo monte. A teoria do "social-fascismo", que abriu falência completa e definitiva, deve ser jogada fora, finalmente, como um traste inútil.

Prinkipo, 14 de setembro de 1932.

O bonapartismo alemão

As eleições para o *Reichstag* devem submeter o governo "presidencial" a novo exame crítico[1]. É, por conseguinte, necessário recordar sua natureza social e política. É precisamente na análise de fenômenos políticos tão concretos e à primeira vista "inesperados", como o governo Papen-Schleicher, que o método marxista manifesta as suas vantagens inestimáveis.

Em sua época, definimos o governo "presidencial" como uma variedade de bonapartismo. Seria um erro ver nesta definição o resultado fortuito do desejo de encontrar um nome conhecido para um fenômeno desconhecido. A decadência da sociedade capitalista põe na ordem do dia o bonapartismo, ao lado do fascismo e em ligação com este. Já havíamos caracterizado o governo Brüning, em seu tempo, como bonapartista. Mais tarde, lançando um golpe de vista para trás, precisamos a definição como semi ou pré-bonapartista.

Que disseram a esse respeito os outros agrupamentos comunistas e, sobretudo, os agrupamentos de "esquerda"? É óbvio que seria ingênuo, senão estúpido, esperar da atual direção da Internacional Comunista a tentativa de definir cientificamente um fenômeno político novo. Os stalinistas se limitaram a enfileirar

[1] Trotsky refere-se a governo presidencial para distinguir entre o que se transformara um governo dominado pelo presidente por meio do chanceler e o governo normal dominado pelo parlamento que estipulava a Constituição de Weimar. (N.Ed.)

Papen no campo do fascismo. Se Wels e Hitler são "gêmeos", em geral não se tem necessidade de quebrar a cabeça sobre uma bagatela como Papen. É a mesma literatura política que Marx qualificou de grosseira e que nos ensinou a desprezar. O fascismo é, na realidade, um dos dois campos principais da guerra civil. Ao estender a mão para o poder, Hitler exigiu, antes de tudo, que se lhe abandonasse a rua por 72 horas. Hindenburg recusou-se a isso. A tarefa de von Papen-Schleicher é afastar a guerra civil, disciplinando amigavelmente os nacional-socialistas e amarrando o proletariado às algemas da polícia. A possibilidade de um tal regime é determinada pela fraqueza relativa do proletariado.

O SAP resolve a questão do governo Papen, como as outras questões, com frases gerais. Os brandleristas se calaram a respeito de nossa definição, enquanto se tratava de Brüning, isto é, do período de gestão do bonapartismo. Mas, assim que a caracterização marxista encontrou a sua confirmação completa na teoria e na prática do governo presidencial, os brandleristas apareceram com a sua crítica: o mocho Thalheimer levanta voo nas horas tardias da noite.

O *Arbeitertribüne* de Stuttgart nos ensina que o bonapartismo, erigindo sobre a burguesia o aparelho militar-policial, para defender a dominação de classe desta contra os seus próprios partidos políticos, deve basear-se no campesinato e empregar os métodos da demagogia social. Papen não se baseia no campesinato e não apresenta nenhum programa pseudorradical. Por conseguinte, nossa tentativa de definir o governo Papen como bonapartista seria "completamente errônea". Julgamento severo, mas pouco sólido.

Como definem os brandleristas o governo Papen? No mesmo número da *Tribune* estão anunciadas, muito a propósito, umas conferências de Brandler sobre o tema: "Ditadura dos senhores territoriais monarquistas, ditadura fascistas ou ditadura proletária?". Nessa trindade, o regime Papen é apresentado como uma ditadura monarquista dos senhores territoriais. Isto é absolutamente digno do *Vorwärts* e dos democratas vulgares em geral. Que os aristocratas bonapartistas façam alguns presentinhos acessórios aos *junkers*, é indiscutível. Que esses senhores sejam devotados aos sentimentos monarquistas, é igualmente sabido. Mas é uma insensatez liberal colocar a essência do regime presidencial no monarquismo dos *junkers*.

Noções como a de *liberalismo*, de *bonapartismo*, de *fascismo*, têm um caráter de generalização. Os fenômenos históricos nunca experimentam uma repetição completa. Não seria difícil mostrar-se que mesmo o governo de Napoleão III, comparado ao regime de Napoleão I, não era bonapartista, não só porque Napoleão III era, pelo sangue, um Bonaparte duvidoso, mas também porque sua atitude para com as classes, particularmente para com o campesinato e o lumpemproletariado, era inteiramente diversa da atitude de Napoleão I. Além disso, o bonapartismo clássico saíra de uma época de grandiosas vitórias militares que o Segundo Império[2] absolutamente não conheceu. Mas, se se procurasse uma repetição de *todos* os traços do bonapartismo, concluir-se-ia que o bonapartismo foi um fenômeno único, impossível de repetir-se, isto é, que não existe um bonapartismo em geral, mas que houve uma vez um general Bonaparte vindo da Córsega. O caso não é muito diferente em relação ao liberalismo e a todas as outras noções gerais da história. Mas, se se fala do bonapartismo por analogia, será preciso mostrar, consequentemente, quais são, de seus traços, os que, em condições históricas dadas, encontraram a sua expressão mais completa.

O atual bonapartismo alemão é de um caráter extremamente complicado e, por assim dizer, combinado. O governo Papen seria impossível sem o fascismo. Por outro lado, o fascismo não está ainda no poder. E o governo Papen não é o fascismo. Mas o governo Papen, pelo menos na sua forma atual, seria impossível também sem Hindenburg, que, apesar da derrota final da Alemanha na guerra, encarna na memória de largas camadas populares as grandes vitórias da Alemanha e simboliza o seu exército. A reeleição de Hindenburg tinha todos os sinais de um "plebiscito". Por Hindenburg votaram vários milhões de operários, de pequenos burgueses e de camponeses (social-democracia e Centro). Estavam longe de ver nele qualquer programa político. Queriam, antes de tudo, evitar a guerra civil, e levantaram Hindenburg sobre os seus ombros, como árbitro supremo da nação. É justamente este o papel mais importante do bonapartismo: elevando-se por cima dos dois campos beligerantes para proteger a ordem e a propriedade, reprime a guerra civil, por meio do aparelho militar-policial, impede-a ou não permite que se reacenda. Falando-se do governo Papen, não se deve esquecer Hindenburg, sobre quem

[2] O Segundo Império, o de Napoleão III, vai de 1852 à captura do imperador na batalha de Sedan pelos alemães em 1870. (N.Ed.)

desce a bênção da social-democracia[3]. O caráter combinado do bonapartismo alemão encontrou expressão no fato de que dois grandes partidos independentes desempenharam, em seu lugar e a seu favor, a tarefa demagógica da conquista das massas: a social-democracia e o nacional-socialismo. Que ambos tenham ficado espantados com o resultado de seu trabalho, isso não muda em nada a questão.

A social-democracia afirma que o fascismo é um produto do comunismo. Isto está certo na mesma medida em que o fascismo não seria necessário sem a acentuação da luta de classes, sem proletariado revolucionário, sem a crise do sistema capitalista. E a teoria servil dos Wels, Hilferding, Otto Bauer não pode ter outro sentido. Sim, o fascismo é uma reação da sociedade burguesa contra a Revolução Proletária ameaçadora. Mas, precisamente porque esse perigo não é imediato hoje, as classes dominantes empreendem a tentativa de evitar a guerra civil pela ditadura bonapartista.

Entre as suas objeções contra nossa caracterização do governo Hindenburg-Papen-Schleicher, os brandleristas recorrem a Marx e exprimem, ironicamente, a esperança de que a sua autoridade também tenha valor para nós. É difícil imaginar que alguém possa cair mais lamentavelmente num atoleiro. Marx e Engels não escreveram só a respeito do bonapartismo dos dois Bonaparte, mas também a respeito de outras de suas variedades. Mais ou menos a partir do ano de 1864, eles puseram, muitas vezes, num mesmo pé de igualdade, o regime "nacional" de Bismarck e o bonapartismo francês. E isso apesar de Bismarck não ter sido um demagogo pseudorradical e, ao que saibamos, não se ter apoiado nos camponeses. O chanceler de ferro[4] chegou ao poder, não por um plebiscito, mas nomeado pelo seu rei, de dinastia legítima. E, no entanto, Marx e Engels têm razão. Bismarck explorou de uma maneira bonapartista a contradição entre as classes possuidoras e o proletariado crescente; dominou, assim, o antagonismo no seio das classes possuidoras, entre os *junkers* e a burguesia, e erigiu o aparelho militar-policial acima da nação. A política de Bismarck é precisamente essa tradição a que se referem os "teóricos" do presente bonapartismo alemão. Todavia, Bismarck resolveu à sua maneira o

---

[3] Para a eleição presidencial de 27 de fevereiro de 1932, a social-democracia alemã chamou o voto para a reeleição de Paul von Hindenburg. (N.Ed.)

[4] Trotsky refere-se a Otto von Bismarck. (N.Ed.)

problema da unidade e do poder exterior da Alemanha. Papen, porém, só faz, por enquanto, prometer atingir a "igualdade de direitos" para a Alemanha na arena internacional. A diferença não é pequena. Mas, já pensamos nós, algum dia, em dizer que o bonapartismo de Papen é do mesmo calibre que o bonapartismo de Bismark? Napoleão III, também, foi apenas uma paródia de seu pretenso tio.

A referência a Marx tem, como vimos, um caráter manifestamente irrefletido. Que Thalheimer não tenha aprendido a dialética revolucionária do marxismo, nós já o sabíamos há muito tempo. Entretanto, devemos confessar que pensávamos que ele conhecesse ao menos os escritos de Marx e Engels. Aproveitemos a ocasião para retificar o nosso engano.

Rejeitada pelos brandleristas, a nossa característica do governo presidencial encontrou uma confirmação extremamente nítida vinda de um lugar completamente inesperado, mas absolutamente "autorizado" no gênero. Por ocasião da dissolução do "*Reichstag* de cinco dias", o *Deutsche Allgemeine Zeitung*[5], cita, num grande artigo de 28 de agosto, o trabalho de Marx: *O 18 Brumário de Luís Bonaparte*. E com que finalidade? Nem mais nem menos do que para demonstrar o direito histórico e político do presidente do Reich pôr a sua bota sobre a nuca da representação popular. O órgão da indústria pesada arrisca-se, numa hora difícil, a beber na fonte envenenada do marxismo. Com notável astúcia, o jornal apresenta uma citação detalhada da obra imortal, explicando porque e como o presidente francês ganhou como encarnação pessoal da "nação" a preponderância sobre o parlamento esfacelado. O mesmo artigo do *Deutsche Allgemeine Zeitung* lembra, muito a propósito, como Bismarck, na primavera de 1890, elaborou o plano mais cômodo de um golpe de Estado. Napoleão III e Bismarck são designados, pelo nome, como precursores do governo presidencial, por um jornal berlinense que desempenhou, pelo menos em agosto, o papel de órgão oficioso.

Citar *o 18 Brumário de Luís Bonaparte*, por ocasião do "20 de julho de Papen" é, todavia, muito arriscado, porque Marx apontou o regime de Napoleão III, em traços mordentes, como a dominação de aventureiros, mistificadores e proxenetas. A bem dizer, o *Deutsche Allgemeine Zeitung* deveria ter sido con-

---

[5] *Deutsche Allgemeine Zeitung*: *Diário Geral Alemão*. – N. do T.

denado por ultraje ao governo. Mas, se deixarmos de lado essa desvantagem secundária, é indubitável que o instinto histórico levou o *Deutsche Allgemeine Zeitung* precisamente aonde convinha. Infelizmente, não se pode afirmar o mesmo da inteligência teórica de Thalheimer.

O bonapartismo da época de decadência do capitalismo distingue-se extraordinariamente do da época de ascensão da sociedade burguesa. O bonapartismo alemão não se apoia *diretamente* na pequena burguesia do campo ou da cidade, e não é por acaso. Foi precisamente por isso que escrevemos, em seu tempo, sobre a *fraqueza* do governo Papen, que só se mantinha pela neutralização dos dois campos: o do proletariado e o do fascismo.

Mas, atrás de Papen, encontram-se a grande propriedade territorial, o capital financeiro, os generais – objetam outros "marxistas". As classes possuidoras não representam em si uma força poderosa? Essa objeção prova, ainda uma vez, que é muito mais fácil compreender as relações de classes, no seu esquema sociológico geral, do que na sua forma histórica concreta. Sim, atrás de Papen encontram-se diretamente as altas esferas possuidoras e somente elas; e reside precisamente nisso a causa de sua fraqueza.

Nas condições do capitalismo atual, um governo que não seja agência do capital financeiro é, em geral, impossível. Mas entre todas as agências possíveis, o governo Papen representa a mais instável. Se as classes possuidoras pudessem dominar diretamente, não teriam necessidade nem do parlamentarismo, nem da social-democracia, nem do fascismo. O governo Papen desnuda demais o capital financeiro e o deixa mesmo sem a tanga sagrada prescrita pelo comissário da Prússia, Bracht. É precisamente porque o governo extraparlamentar "nacional" não pode falar realmente senão em nome das altas esferas da sociedade, que o capital evita sempre identificar-se com o governo Papen. O *Deutsche Allgemeine Zeitung* desejaria encontrar para o governo presidencial um apoio nas massas nacional-socialistas e exige, na linguagem do ultimato, que Papen conclua um bloco com Hitler, isto é, que capitule diante dele.

Ao calcular a "força" do governo presidencial, não se deve esquecer a circunstância de que, se o capital financeiro se encontra atrás de Papen, isso não significa, de modo algum, que caia com ele. O capital financeiro tem possibilidades incomparavelmente maiores que Hindenburg-Papen-Schleicher. No caso de uma acentuação das contradições, resta-lhe a reserva do fascismo puro.

No caso de uma atenuação das contradições, é possível recuar para a linha de um parlamentarismo "racionalizado". O capital financeiro manobrará até que o proletariado lhe ponha o joelho sobre o peito. Por quanto tempo manobrará Papen, isso se verá num futuro bem próximo.

Até que essas linhas cheguem à imprensa, as eleições para o *Reichstag* já se terão realizado[6]. A natureza bonapartista do governo "antifrancês" se manifestará inevitavelmente com uma nova clareza, mas também em toda a sua fraqueza. A esse respeito, voltaremos a falar mais tarde.

Prinkipo, 30 de outubro de 1932.

---

6 As eleições aconteceram em 6 de novembro de 1932. Os nazistas tiveram 33,09% dos votos (uma diminuição de 4,18%) e conseguiram 196 assentos no Parlamento alemão; a social-democracia alemã obteve 20,43% dos votos (uma diminuição de 1,15%) e obtiveram 121 assentos no Parlamento; os comunistas alemães conquistaram 16,86% dos votos (um crescimento de 2,54%) e ocuparam 100 assentos no Parlamento; o Partido do Centro teve 11,93% dos votos (uma diminuição de 0,51%) e ocupou 70 assentos no Parlamento. (N.Ed.)

Notas biográficas

A

ADLER, Friedrich (1879-1960). Físico e jornalista. Filho de Viktor Adler, fundador e chefe da social-democracia austríaca. Em 1897 se filiou à social-democracia austríaca. Líder de sua ala esquerda, foi, até 1916, secretário do Partido Social-Democrata da Áustria. Neste mesmo ano, em sinal de protesto contra a guerra, matou o primeiro-ministro, Karl von Stürgkh (1859-1916), a quem responsabilizou pela política de guerra. Condenado à morte, foi agraciado e teve sua pena comutada e reduzida a 18 anos de trabalhos forçados. O fim da monarquia e a proclamação da república austríaca de 1918 deram-lhe a liberdade. Fundador e secretário da Internacional II e ½, que esperava promover a reunificação do movimento operário internacional, mas que logo deixou de existir e fundiu-se com a II Internacional. Passou a secretário-geral da Internacional Operaria Socialista, de 1923 a 1939. Durante a Segunda Guerra Mundial exilou-se nos Estados Unidos. Em 1947 foi residir na Suíça.

ADLER, Max (1873-1937). Advogado, sociólogo e filósofo. Membro do Partido Social-Democrata da Áustria, social-democracia austríaca e integrante da corrente "austromarxista". Dirigiu de 1903 a 1914, com Rudolf Hilferding, a publicação *Marx Studien*. Durante a Primeira Guerra Mundial ligou-se à esquerda da social-democracia austríaca, tornando-se um defensor dos conselhos operários. Simpático à Revolução Russa, mas não a via como um modelo universal. Após a insurreição fascista de 1934 foi aprisionado, mas lhe foi permitido continuar a dar aulas na Universidade de Viena.

Alexander Aleksandrovitch ver **Alexander BOGDANOV**

B

BALABANOVA, Angélica Isaakova (1877-1965). Jornalista e editora. Nascida na Ucrânia, formada em filosofia e literatura na Bélgica, militou no Partido Socialista italiano; ela representou os socialistas italianos nas reuniões e congressos da Internacional Socialista. Foi delegada nas conferências de Zimmerwald e Kienthal que precederam a formação da Internacional Comunista. Ela se fixou em Estocolmo e aderiu aos bolcheviques em 1917. Membro da missão diplomática russa na Suíça, de onde acabou expulsa. Participou do congresso de fundação da Internacional Comunista, em Moscou, em 1919, e trabalhou em seu secretariado. Rompeu com a Internacional Comunista depois da rebelião de Kronstadt em 1921 e deixou a União Soviética em 1922. Voltou a militar novamente no Partido Socialista italiano no exílio. Retornou à Itália em 1947 para militar no Partido Social-Democrata italiano.

BARBUSSE, Henri (1873-1935). Jornalista e escritor. Com uma trajetória já estabelecida no mundo literário Barbusse alistou-se como voluntário para combater na Primeira Guerra Mundial. Dessa experiência escreveu o romance *O Fogo* no qual retratou a vida dos soldados nas trincheiras e denunciou a guerra, tornando-se um pacifista. Fundador do movimento pacifista "Clarté" e da revista homônima (1919-1924), ingressou no Partido Comunista em 1923, tornando-se editor literário do diário comunista *L'Humanité* em 1926. Tornou-se figura de destaque na Liga contra o Imperialismo e liderou o Congresso Mundial Contra a Guerra Imperialista (Amsterdã, 1932) e dirigiu o Comitê Mundial Contra a Guerra e o Fascismo (conhecido com Amsterdã-Pleyel), fundado em 1933, eventos que preconizaram a política de Frente Popular. Seu último trabalho, uma biografia de Stalin, foi parcialmente escrito na União Soviética, onde ele morava no momento de sua morte.

BAUER, Otto (1881-1938). Advogado, filósofo e economista. Ingressou na social-democracia austríaca em 1904, tornando-se secretário parlamentar do partido em 1907. No final da Primeira Guerra Mundial tornou-se um dos líderes do partido. Entre 1918-1919 foi ministro das Relações Exteriores em um governo de coalizão do qual os social-democratas tomaram parte, cargo ao qual renunciou após a rejeição de sua proposta de unificação da Alemanha e da Áustria pelas potências aliadas. Os social-democratas austríacos, liderados por Bauer, e os social-democratas independentes alemães (Partido Social-Democrata Independente da Alemanha (*Unabhängige Sozialdemokratische Partei Deutschlands* – USPD)), liderados por Karl Kautsky, formaram a União Internacional dos Partidos Socialistas, conhecida como Internacional dois e meio, que existiu entre 1920 e 1923. Foi um dos expoentes teóricos do chamado austromarxismo, uma combinação de ortodoxia marxista formal com uma prática reformista e defensor das teorias da "revolução lenta" e da "violência defensiva", criticadas por Trotsky. Quando os nazistas austríacos instalaram sua ditadura em 1934, as atividades dos social-democratas austríacos foram severamente restringidas. Otto Bauer exilou-se, falecendo em Paris.

BEBEL, Ferdinand August (1840-1913). Torneiro e jornalista. Em 1863 aproximou-se das ideias socialistas. Em 1865 conheceu Wilhelm Liebknecht, o qual, em Londres, fazia parte dos círculos em torno de Karl Marx e Friedrich Engels. Em 1866, Bebel ingressou na Primeira Internacional, que havia sido fundada em Londres há dois anos. Bebel foi membro do Parlamento alemão de 1867 a 1881 e de 1883 até sua morte. Em 1869, na conferência realizada em Eisenach, Bebel, ao lado de Liebknecht, fundam o Partido Social-Democrata dos Trabalhadores (*Sozialdemokratische Arbeiterpartei*–SDAP), sob a presidência de Bebel. Em 1875, na cidade de Gotha, o SDAP fundiu-se com a União Geral dos Trabalhadores Alemães (*Allgemeiner Deutscher Arbeiterverein*–ADAV) para formar o Partido Socialista dos Trabalhadores da Alemanha (*Sozialistische Arbeiterpartei Deutschlands*–SAP). Em 1878, o SAP foi declarado ilegal e os socialistas tiveram de atuar na clandestinidade, o que não impediu o seu crescimento. Com o fim da lei antissocialista, em 1890, o partido mudou seu nome para Partido Social-Democrata da Alemanha (*Sozialdemokratische Partei Deutschlands* – SPD). Bebel presidiu o SDAP, o SAP e o SPD, sucessivamente, até sua morte. Na segunda metade da década de 1890, Eduard Bernstein afirmou que o marxismo não era mais válido e precisava ser "revisado"; para ele, o socialismo seria produto da democratização gradual do capitalismo. Como resultado disso, Bernstein acreditava que os trabalhadores teriam de abandonar a política de luta de classes em favor de uma colaboração de classe com a burguesia "progressista". Tal questionamento do marxista, encarnado por Karl Kautsky, resultou na controvérsia do revisionismo. Apesar de sua amizade com Edouard Bernstein, Bebel se opôs com veemência às ideias revisionistas, pois Babel compreendeu que elas ameaçavam os fundamentos do partido. Assim, para enfrentar tais questões, o centro em torno de Bebel aliou-se à esquerda, agrupada em torno de Rosa Luxemburgo. A luta contra o reformismo aberto e o revisionismo teórico defendidos por Eduard Bernstein no final da década de 1890 atingiu seu clímax no congresso de Dresden de 1903. No entanto, assim como Bebel condenava os desvios do credo radical oficial do partido, ele também não concordava em ceder à pressão da esquerda para trilhar caminhos insurrecionais e, assim, correr o risco de levar novamente o partido à ilegalidade. Com o crescimento parlamentar da social-democracia alemã, Bebel evoluiu rumo ao centrismo e presidiu a política reformista de seu partido.

BERNSTEIN, Eduard (1850-1932). Bancário e jornalista. Ingressou na social-democracia alemã em 1872. Com a perseguição aos social-democratas decretada pelo governo alemão, Bernstein exilou-se na Suíça em 1880, onde se tornou o editor da revista dos exilados social-democratas alemães, *Der Sozialdemokrat*. Expulso da Suíça em 1888, Bernstein continuou a publicação do periódico em Londres. Lá ele se tornou amigo próximo de Friedrich Engels, colaborador e patrono de Marx. Entre 1896 e 1898, Bernstein publicou uma série de artigos sob o título de "Problemas do Socialismo" na revista *Die Neue Zeit*, que abriu a discussão sobre o chamado revisionismo no Partido Social-Democrata da Alemanha (*Sozialdemokratische Partei Deutschlands* – SPD). Nestes artigos sustentava que o marxismo não era mais válido e precisava ser "revisado"; o socialismo seria produto da democratização gradual do capitalismo. Como resultado disso, os trabalhadores teriam de abandonar a política de luta de classes em favor de uma colaboração de classes com a burguesia "progressista". A obra de Bernstein, *Socialismo Evolucionário*, foi atacada por todos os marxistas notáveis do período, especialmente Karl Kautsky e Rosa Luxemburgo. Naquele momento, as posições de Bernstein acabaram derrotadas. Retornou à Alemanha em 1901. A teoria e a prática do revisionismo tornaram-se dominantes nos partidos socialistas mais importantes em todo o mundo ao longo do tempo e levaram ao colapso da II Internacional com a eclosão da Primeira Guerra Mundial. Bernstein foi deputado no parlamento alemão em 1902-1907, 1912-1918 e 1920-1928. Em 1917, Bernstein rompeu com a social-democracia e foi um dos fundadores do Partido Social-Democrata Independente da Alemanha (*Unabhängige Sozialdemokratische Partei Deutschlands* – USPD), por discordar da política de paz civil e da atitude favorável à guerra tomadas pela social-democracia na Primeira Guerra Mundial. No início de 1919, no entanto, deixou o USPD e retornou à social-democracia.

BISMARCK-SCHÖNHAUSEN, Otto Eduard Leopold von (1815-1898). Membro da nobreza prussiana, diplomata e político. Bismarck foi primeiro-ministro prussiano de 1862 a 1873 e de 1873 a 1890, primeiro chanceler do império alemão de 1871 a 1890. Ele unificou a Alemanha sob a Prússia e os Hohenzollerns, sob Guilherme I, e foi um inimigo declarado do movimento dos trabalhadores e do socialismo. Como chanceler, fez a Lei Antissocialista de 1878, que ilegalizou a social-democracia alemã.

BLUM, Leon André (1872-1950). Advogado, jornalista e crítico literário. O caso Dreyfus o trouxe para a política ao lado dos republicanos, e sua estreita associação com Jean Jaurès, a quem ele admirava muito, acabou aproximando-o do socialismo no final do século XIX, e o fez ingressar no Partido Socialista francês em 1902 (o qual, em 1905, transformou-se na Seção Francesa da Internacional Operária – SFIO). Após o assassinato de Jean Jaurès em 1914, tornou-se seu sucessor. Em 1919, foi eleito ao Parlamento francês. Sua primeira tarefa importante foi reconstruir a SFIO após a divisão de dezembro de 1920 que deu origem ao Partido Comunista francês. Foi o articulador da coalizão conhecida como Cartel das Esquerdas – composta pelos Partidos Radical, Socialista Radical, Socialista Republicano e a SFIO – que governou a França de 1924 a 1926, embora Blum e a SFIO tenham se recusado a integrar os ministérios formados após a vitória do Cartel. Nas eleições de 1928, o Partido Socialista ampliou o número de cadeiras no Parlamento francês, mas Blum não se elegeu. Um ano depois, ele voltou ao Parlamento francês, para onde foi reeleito em 1932 e novamente em 1936. Após os motins de direita em Paris em fevereiro de 1934, Blum trabalhou pela união entre socialistas, radicais e todos os outros oponentes do fascismo. Seus esforços contribuíram para a formação da aliança eleitoral de esquerda conhecida como Frente Popular, que, nas eleições de abril e maio de 1936, conquistou ampla maioria na Câmara. Blum tornou-se o primeiro-ministro como líder do governo da Frente Popular em junho de 1936. Ele foi o primeiro socialista a se tornar primeiro-ministro da França. Seu governo introduziu, contra considerável oposição, a semana de trabalho de 40 horas, garantiu férias pagas e negociação coletiva para os trabalhadores; nacionalizou as principais indústrias de guerra e o Banco da França, além de outras reformas sociais. Blum também dissolveu as ligas fascistas de extrema-direita. No entanto, sua política de "não intervenção" na Guerra Civil Espanhola foi denunciada como apaziguamento frente aos fascistas e nazistas. Em junho de 1937, Blum renunciou depois que a maioria conservadora no Senado ter-se recusado a conceder-lhe poderes de decretar emergência para lidar com as dificuldades financeiras do país. Novos governos da Frente Popular foram formados pelo radical-socialista Camille Chautemps, no qual Blum serviu como vice-primeiro-ministro, e por Blum novamente em março e abril de 1938. Ele foi sucedido pelo radical Édouard Daladier, marcando o fim dos governos da Frente Popular francesa. Quando a Alemanha invadiu e derrotou a França em 1940, foi assinado um armistício que dava aos nazistas o controle total sobre grande parte da França, deixando o domínio do restante do país, bem como do império colonial francês e da Marinha francesa, nas mãos de um governo sediado na cidade de Vichy. O mesmo Parlamento que patrocinou o programa da Frente Popular desde 1936 permaneceu no poder; votou esmagadoramente para tornar o marechal Philippe Pétain um ditador e reverter todas as conquistas da Terceira República Francesa. Blum se tornou um adversário ferrenho da França de Vichy. Blum estava entre os "80 de Vichy", uma minoria de parlamentares que se recusou a conceder plenos poderes ao marechal Pétain. Preso em setembro de 1940, Blum foi acusado de traição (mas nunca julgado) em fevereiro de 1942 pelo governo de Pétain, e acabou enviado ao campo de concentração de Buchenwald. Quando os exércitos aliados se aproximaram desse campo, Blum foi transferido para Dachau, perto de Munique, e depois, no final de abril de 1945, para o Tirol, de onde foi finalmente libertado pelas forças aliadas em maio de 1945. Após a libertação da França, Blum emergiu como um dos principais estadistas da França. Em dezembro de 1946, ele formou um "governo provisório" que durou menos de cinco semanas, o primeiro ministério francês totalmente socialista, enquanto aguardava a eleição do primeiro presidente da nova Quarta República. Blum anunciou sua retirada da vida pública em janeiro de 1947, mas ainda assim serviu como vice-primeiro-ministro no ministério de André Marie em agosto de 1948, sua última função pública.

BLUMKIN, Iakov Grigorievitch (1898-1929). Membro do Partido Socialista-Revolucionário russo, Blumkin matou o embaixador alemão em um atentado organizado por seu partido.

Condenado à morte, foi perdoado por intervenção de Trotsky, que o ganhou para as posições do Partido bolchevique. Serviu no Exército Vermelho, onde comandou uma divisão, passando a servir depois no serviço de informações do exército soviético. Por ter auxiliado Trotsky foi denunciado, preso e fuzilado.

BOGDANOV, Alexander (pseudônimo de **Alexander Aleksandrovitch Malinovsky**, 1873-1928). Médico, filósofo, economista e escritor. Iniciou sua atuação política na Universidade de Moscou, quando se aproximou dos populistas, o que o levou a ser dali expulso em 1884. Aproximou-se do marxismo e esteve nos primórdios da existência do Partido Operário da Social-Democracia Russa (POSDR). Bogdanov foi um dos fundadores da facção bolchevique em 1903, mas dela foi expulso em 1909 após liderar a tendência boicotista (ou ultimatista). Sua posição foi a de defender que o partido só poderia funcionar por meio de organizações ilegais, em razão da supressão de partidos políticos naquele período. Depois de 1911, ele deixou o ativismo político e passou a escrever sobre filosofia, cultura e economia. Serviu como médico do Exército na Primeira Guerra Mundial. Ele não retornou ao Partido bolchevique, mas após a Revolução de Outubro ele se tornou um organizador e líder do chamado Proletkult. Depois de 1921, ele deixou a política para trabalhar no campo da ciência, embora permanecesse uma figura amplamente respeitada do antigo bolchevismo. Ele morreu em abril de 1928 enquanto fazia experiências com transfusões de sangue.

BONAPARTE, Charles-Louis-Napoléon (1808-1873). Presidente da Segunda República da França de 1850 a 1852, e, sob o nome de Napoleão III, imperador da França de 1852 a 1870. Foi o terceiro filho do irmão de Napoleão I, Luís Bonaparte, e de Hortense de Beauharnais Bonaparte, enteada de Napoleão I. Os Bonapartes foram banidos da França em 1815 após a queda de Napoleão I, levando-os a viver no exílio. Após a morte em 1832 de seu primo, o duque de Reichstadt (filho único de Napoleão I), Charles-Louis-Napoléon Bonaparte se considerou o pretendente de sua família ao trono francês e promoveu sucessivas tentativas fracassadas de golpes de Estado valendo-se da imagem ainda popular de seu tio. Com a Revolução de 1848 retornou à França e conseguiu ser eleito presidente em dezembro daquele ano. Prudentemente expandindo seu poder ao fazer uso de todos os direitos que a constituição lhe concedia, obteve posições-chave na administração e no exército para seus adeptos. Em outubro 1849 conseguiu pela primeira vez nomear um Gabinete constituído de homens que dependiam mais dele do que da Assembleia Nacional. Ao mesmo tempo, viajou pelo país, angariando grande popularidade. Além disso, demagogicamente, utilizou a cassação do direito de voto de 3 milhões de eleitores das classes mais pobres pela Assembleia Nacional em 1850 e uma recessão econômica em 1851 para insuflar a população contra os partidos e para se anunciar como o "homem forte" contra o perigo de uma revolução inexistente. Como a constituição francesa proibia a reeleição do presidente, e sabendo que não poderia obter a maioria de três quartos necessária para uma revisão da constituição, deu um golpe de Estado em dezembro de 1851. A resistência dos republicanos ao golpe foi insuficiente. Charles-Louis-Napoléon Bonaparte dissolveu a Assembleia Nacional e decretou uma nova constituição. Um plebiscito aprovou a nova constituição. Realizou outro plebiscito em novembro de 1852 que o confirmou como imperador após a resolução do Senado sobre a restauração do império. Adotou o nome de Napoleão III. Seu governo caracterizou-se pela promoção de obras públicas, a construção de ferrovias, o estabelecimento de instituições de crédito e outros meios de fomento à indústria e à agricultura "para a prosperidade e a grandeza da França", ao mesmo tempo em que promovia medidas como baixar o preço do pão, construir moradias para os trabalhadores por "amor aos diligentes e necessitados". Para tanto, estudava a opinião pública, buscando influenciá-la por meio da propaganda. No entanto, embora prometendo "liberdade razoável", sempre fez uso dos métodos de um estado policial. A utilização do termo bonapartismo inspirou-se em Napoleão III e foi consagrada por Karl Marx no seu livro *O 18 de Brumário de Luís Bonaparte*. Com ele, Marx descrevia um governo que se formava quando o domínio de classe não era seguro e as forças armadas, a polícia e a burocracia do estado intervinham para estabelecer a ordem. Ao longo do tempo, Napoleão III e seu governo foram perdendo prestígio e adesão popular e quando ele envolveu a França numa guerra com a Alemanha em 1870, que resultou na derrota francesa, acabou deposto e em 4 de setembro a Terceira República foi proclamada. Napoleão III foi libertado pelos alemães e foi morar na Inglaterra, onde morreu.

BONAPARTE, Napoléon (1769-1821). Militar, primeiro cônsul (de 1799 a 1804) e imperador da França, sob o nome de Napoleão I (de 1804 a 1814 e brevemente em 1815, durante os chamados "Cem Dias"). Ganhou destaque durante a Revolução Francesa e liderou várias campanhas militares de sucesso durante as Guerras Revolucionárias Francesas. Ele venceu a maioria desses conflitos e a maioria de suas batalhas, construindo um império que governava boa parte da Europa continental antes de seu colapso final em 1815. Inovou a organização e o treinamento militar; patrocinou o chamado Código Napoleônico, que foi o protótipo dos códigos de direito civil posteriores; e reorganizou a educação. As reformas patrocinadas por Napoleão deixaram uma marca duradoura nas instituições da França e de grande parte da Europa Ocidental.

BORDIGA, Amadeo (1889-1970). Engenheiro e jornalista. Em 1910 ingressou no Partido Socialista Italiano (PSI). No congresso socialista de 1919, Amadeo Bordiga, apoiando a Revolução Russa de Outubro de 1917 e defendendo ser este o rumo a ser seguido pelo Partido Socialista Italiano, propôs mudar o nome do partido para "Partido Comunista" e expulsar os "socialistas reformistas" de Filippo Turati. Bordiga acreditava que cabia ao proletariado tomar o poder político de armas na mão e mantê-lo sob a forma de ditadura do proletariado e que, por isso, o partido sequer deveria participar de eleições. Sua corrente, majoritária entre as várias existentes no socialismo italiano, recebeu o nome de "comunista abstencionista" por conta de sua oposição à participação nas eleições burguesas. Em 1921, no Congresso de Livorno, ao aliar-se Bordiga à corrente de Torino liderada por Antonio Gramsci e Palmiro Togliatti, decidiu-se a disputa no interior do PSI que vigorava desde 1919, a respeito da adesão à Internacional Comunista e que resultou na fundação do Partido Comunista italiano, do qual Bordiga era a figura mais proeminente. As posições esquerdistas dos "comunistas abstencionistas" logo começaram a gerar tensões entre o Partido Comunista italiano e a Internacional Comunista quando em 1921 esta passou a defender a frente única entre comunistas e socialistas para lutar por reformas e até mesmo para formar um governo operário. Bordiga via isso como um retrocesso às táticas fracassadas que os social-democratas do pré-guerra haviam adotado e que os levara a se tornarem reformistas. Bordiga foi preso em fevereiro de 1923 sob uma acusação forjada pelo governo fascista, e, em junho, ele e os outros líderes presos foram substituídos na liderança do partido por determinação da Internacional Comunista. Absolvido das acusações, ele se recusou a assumir suas funções no comitê executivo do partido. Paulatinamente o controle do Partido lhe escapou e ele foi derrotado no congresso de Lyon (França) em janeiro de 1926 pelo grupo Gramsci-Togliatti. Sem o apoio da Internacional Comunista para escapar do controle fascista, poucos membros da esquerda comunista italiana foram capazes de chegar à França, o que fez com que as teses elaboradas por Bordiga fossem rejeitadas e as de Gramsci-Togliatti acabassem vitoriosas. Em 1929 foi preso após retornar do VI Congresso da Internacional Comunista. Bordiga acabou excluído do Partido Comunista italiano por "trotskismo" e "fracionismo" em 1930. Trotsky e a Oposição de Esquerda tentaram trabalhar com Bordiga e seus seguidores, mas esbarraram no sectarismo inveterado de Bordiga e as relações não prosperaram. Depois disso, Bordiga somente retomou suas atividades políticas, que se deram em torno do Partido Comunista Internacionalista, no qual ingressou em 1949 e militou até o final de sua vida.

BRACHT, Clemens Emil Franz (1877-1933). Advogado. Filiado ao Partido do Centro Alemão. Após o golpe de Estado de Papen na Prússia, em julho de 1932, foi nomeado ministro regional da Justiça. Em outubro de 1932, tornou-se ministro sem pasta no gabinete de Papen. Sob o governo do chanceler general Kurt von Schleicher, ele serviu brevemente como ministro da Justiça da Alemanha de dezembro de 1932 até a chegada de Hitler.

BRANDLER, Heinrich (1881-1967). Pedreiro. Em 1901 tornou-se membro da social-democracia alemã. Em 1918 aderiu à Liga Spartacus. Foi um dos fundadores do Partido Comunista da Alemanha em dezembro do mesmo ano. Ele foi eleito para a direção nacional do partido no 2º Congresso da organização, realizado em 1919. Brandler foi eleito para a direção do Partido em 1920, sendo escolhido presidente da organização no ano seguinte. Brandler foi responsabilizado pelo fracasso da tentativa da insurreição comunista de novembro de 1923, em razão da recusa da social-democracia de apoiar o movimento, o que levou ao seu afastamento da direção do Partido Comunista. Ele foi enviado à União Soviética pela Internacional Comunista em janeiro de 1924 e permaneceu naquele país durante a maior parte dos quatro anos seguintes, sendo substituído por Ernst Thälmann. Em outubro de 1928, Brandler retornou à Alemanha contra a vontade do Partido. A corrupção da organização de Thaelmann em Hamburgo e sua proteção pela facção de Stalin em Moscou foi usada como pretexto para Brandler e Thalheimer convocarem uma reunião de seus seguidores em 11 de novembro de 1928. A Internacional Comunista reagiu imediatamente: Brandler, Thalheimer e seus camaradas foram duramente criticados em uma carta aberta de 19 de dezembro de 1928, e expulsos logo em seguida. Brandler e Thalheimer reuniram seus partidários em uma nova organização chamada Partido Comunista da Alemanha (Oposição) (*Kommunistische Partei Deutschland (Opposition)* – KPDO), o qual defendia a frente única das organizações de esquerda. Essas expulsões ocorreram ao mesmo tempo das investidas feitas por Stalin para expurgar o Partido Comunista russo dos seguidores de Nikolai Bukharin, Alexei Rykov e Mikhail Tomsky. Brandler foi o secretário-geral da organização. Embora o grupo nunca tenha tido ampla influência ou sucesso eleitoral, mesmo assim se tornou o primeiro e também um dos partidos mais proeminentes a ser identificado com a chamada "Oposição de Direita Internacional". Após a ascensão ao poder dos nazistas, Brandler exilou-se na França, onde permaneceu militando até o início da Segunda Guerra Mundial. Entre 1939 e 1940 Brandler foi temporariamente internado pelo governo de Vichy e enviado para a prisão no sul da França. Brandler e Thalheimer fugiram para Cuba para evitar maiores repercussões em 1941. Após a morte de Thalheimer em 1948, Brandler deixou Cuba e foi para o Reino Unido e depois, em 1949, ele retornou à Alemanha.

BRAUN, Otto (1872-1955). Ferroviário, gráfico, jornalista. Ingressou na social-democracia alemã em 1888. De 1909 a 1920, ele foi membro do conselho da Associação Alemã de Trabalhadores Agrícolas (*Deutscher Landarbeiter-Verband*), uma associação de trabalhadores rurais, da qual ele havia sido fundador. Ele também se tornou um especialista em questões agrícolas dentro de seu partido. Após a Revolução Alemã, Braun tornou-se ministro da Agricultura da Prússia. Em 1919, foi eleito para o congresso Nacional Alemão. Foi líder da social-democracia alemã até 1933; foi primeiro-ministro da Prússia em 1920-1921, 1922 e 1925-1932, quando foi afastado por um golpe de Estado dado por von Papen. Com a ascensão dos nazistas ao poder foi para o exílio, onde morreu.

BREITSCHEID, Rudolf (1874-1944). Economista e político social-democrata alemão. Depois de passar por partidos liberais, ingressou em 1912 no Partido Social-Democrata da Alemanha, no qual permaneceu até 1917, quando se transferiu para o Partido Social-Democrata Independente da Alemanha (*Unabhängige Sozialdemokratische Partei Deutschlands* – USPD). Após a Revolução de novembro, Breitscheid se tornou ministro do Interior da Prússia no primeiro governo revolucionário, em 1918-1919. Em 1920, foi eleito ao parlamento alemão, retornando à social-democracia em 1922, com a qual o USPD se fundiu. No final de 1931 apresentou a proposição, que acabou não aceita, de os social-democratas entrarem em uma aliança com os comunistas para se defenderem dos nazistas. Com a chegada ao poder dos nazistas conseguiu fugir, abrigando-se na França. Em 1941, foi preso pelo governo francês e entregue aos nazistas. Morreu no campo de concentração de Buchenwald, supostamente após um ataque aéreo.

BRONSTEIN, Liev Davidovich ver **Leon TROTSKY**

BRÜNING, Heinrich (1885-1970). Cientista político. Brüning era o líder do Partido do Centro Alemão, partido de orientação católica. Foi nomeado chanceler por Hindenburg em 28 de março de 1930. Ele representava setores capitalistas que se opunham a trabalhar com Hitler, obtendo, por isso, além do apoio de seu partido, o endosso da social-democracia. Governou por decreto de julho de 1930 até sua demissão (30 de maio de 1932). Conduziu uma política de austeridade, de redução das despesas públicas e dos custos do trabalho (em que praticamente anulou todos os contratos sindicais em dezembro de 1931), além de restringir a liberdade de imprensa e de reunião. Tal conjunto de ações resultou na duplicação do número de desempregados e crescimento da miséria e abriu o caminho ao crescimento eleitoral do nazismo. Temendo ser preso após a ascensão dos nazistas ao poder, Brüning fugiu da Alemanha em 1934. Depois de ficar na Suíça e no Reino Unido, ele acabou se estabelecendo nos Estados Unidos, onde faleceu.

BUKHARIN, Nikolai Ivanovitch (1888-1938). Economista. Ingressa na facção bolchevique do Partido Operário Social-Democrata Russo em 1906. Várias vezes preso, se exilou e voltou à Rússia em 1917. Membro do Comitê Central do partido bolchevique de 1917 até sua morte. Em 1918, foi o líder dos comunistas de esquerda. Foi o elaborador e o teórico da Nova Política Econômica (NEP, na abreviatura em russo) do governo soviético russo em 1921. Aliou-se a Stalin em 1923. Dirigente da tendência comunista de direita esmagada por Stalin 1928-1929. Presidiu a Internacional Comunista de 1926 a 1929. Expulso do Partido Comunista soviético em 1929, capitulou pouco depois. Tornou-se editor do jornal *Izvestia* de 1933 a 1937; isso, no entanto, pouco lhe adiantou, pois foi condenado à morte e executado após o terceiro "Processo de Moscou".

BUTOV, Giorgi Valentinovitch (1893-1928). Ingressou no Exército Vermelho, no qual foi encarregado administrativo do "trem de Trotsky"; aproximando-se de Trotsky, com quem trabalhou como secretário do Comitê de Concessões. Preso quando tentou juntar-se a Trotsky em seu exílio, suicidou-se no cárcere.

C

CACHIN, Gilles Marcel (1869-1958). Professor e jornalista. Em 1892 ingressou no Partido Operário da França, o qual, através de sucessivas fusões, esteve na origem do Partido Socialista (Seção Francesa da Internacional Operária – SFIO), fundado em 1905, nele permanecendo até ser um dos fundadores do Partido Comunista francês, em 1920. Na sua longa trajetória foi vereador socialista de Bordéus (1900-1904), de Paris (1912-1914); diretor do diário *L'Humanité* (1918-1958); deputado no Congresso francês pelo Partido Socialista e pelo Partido Comunista (1914-1932, 1944-1958), foi o primeiro senador comunista na França (1935-1940), membro suplente da comissão administrativa permanente do Partido Socialista em 1905 e titular em 1907-1909, 1912-1920, membro da comitê diretor do Partido Comunista (dezembro de 1920-1924), do Comitê Central (1925-1958), do Bureau Político (1922-1958). Sempre foi um executor disciplinado das diretivas provenientes da Internacional Comunista. Embora tivesse sido decisivo na trajetória do comunismo francês entre 1920 e 1924, tudo aceitou sem qualquer discussão e acabou apenas jogando o papel de símbolo do comunismo na França, tornando-se aos olhos dos militantes aquele que ligava a época heroica do socialismo ao presente, fazendo-o a figura mais popular do Partido. Seu enterro propiciou o mais formidável desfile popular que os comunistas franceses foram capazes de organizar enquanto partido.

CITRINE, Walter McLennan (1887-1983). Eletricista e sindicalista. Foi secretário-geral do Congresso dos Sindicatos (*Trade Unions Congress* – TUC) de 1926 a 1946 e um dos chefes do Comitê Anglo-Russo. Ele também foi presidente da Federação Sindical Internacional (*International Federation of Trade Unions* – IFTU, também conhecida como Internacional de Amsterdã) entre 1928 e 1945 e presidente da Federação Sindical Mundial, de 1945 a 1946. Identificado com a ala conservadora do trabalhismo inglês, Citrine adotou uma posição anticomunista em assuntos sindicais nacionais e internacionais. Ele foi nomeado cavaleiro em 1935 e elevado ao título de barão em 1946.

CHUMSKAIA, Ita Lazarevna (1894-1938). Professora. Ingressou no Partido bolchevique em 1917. Aderiu à Oposição desde seus primórdios, transformando-se em uma de suas dirigentes locais. Foi presa e condenada por ter auxiliado um deportado doente a mudar de lugar no exílio. No campo de Magadan organizou protestos contra um massacre ali perpetrado. Morreu fuzilada.

CLEMENCEAU, Georges (1841-1929). Médico. Apesar de socialista em sua juventude, destacou-se como membro do Partido Radical francês. Tornou-se primeiro-ministro e ministro da Guerra em 1917 e foi um dos artífices do Tratado de Versalhes e defendeu a intervenção contra a Revolução Russa. Apesar de conhecido como o "Pai da Vitória", acabou aposentado pelos seus eleitores.

COOK, Arthur James (1883-1931). Mineiro de carvão e sindicalista. Foi secretário da Federação de Mineiros da Grã-Bretanha de 1924 a 1931. Embora membro do Partido Trabalhista Independente, Cook também atuava em proximidade com o Partido Comunista após sua formação em 1920. Dirigiu a greve dos mineiros de 1926 e atuou na greve geral britânica em maio daquele ano. Quando o Congresso dos Sindicatos (*Trade Unions Congress* – TUC) abandonou a greve geral, Cook pediu aos mineiros que voltassem ao trabalho, mas, após a recusa inicial, ele dirigiu a greve até que eles capitulassem.

CURTIUS, Julius (1877-1948). Advogado. Membro do Partido Popular Alemão (*Deutsche Volkspartei – DVP*), integrou o Parlamento alemão de 1920 a 1932. Foi ministro da Economia em 1926 e das Relações Exteriores de 1929 a 1931.

D

DAN, Fiodor (pseudônimo de Fiodor Ilyitch **GURVITCH**, 1871-1947). Médico. Pioneiro da social-democracia russa, na qual ingressou em 1899. Exilado em 1903, adere neste ano à facção menchevique do Partido, da qual seria um dos líderes. Pacifista durante a Primeira Guerra Mundial, fez parte da direção do soviete de Petrogrado em 1917. Depois da revolução de outubro tornou-se um ativo oponente dos bolcheviques. Preso em 1921, foi expulso da União Soviética em 1922. Morreu nos Estados Unidos.

DAWES, Charles Gates (1865-1951). Banqueiro. Membro do Partido Republicano norte-americano, foi vice-presidente dos Estados Unidos entre 1925 e 1929, durante a presidência de Calvin Coolidge. Pela elaboração do plano que levou o seu nome para as indenizações da Primeira Guerra Mundial foi laureado com o Nobel da Paz de 1925, juntamente com Austen Chamberlain.

DENIKIN, Anton Ivanovitch (1857-1937). Militar. Tenente-general do Exército Imperial Russo. Após a Revolução Russa, Denikin fugiu para o sul da Rússia e formou, com Kornilov, um exército de voluntários para lutar contra os bolcheviques. Em abril de 1918, com a morte de Kornilov, Denikin assumiu o comando dos antirrevolucionários, mas foi derrotado em outubro de 1919. Após a derrota, Denikin foi para o exílio na França, de onde continuou a se opor ao regime soviético.

DINGELSTEDT, Fedor Niklausevitch (1890-1937). Ingressou na facção bolchevique do Partido Operário Social-Democrata Russo em 1910. Membro do comitê bolchevique em Petrogrado em 1917, foi um dos quatro militantes que conquistou os marinheiros de Kronstadt para a revolução. Após a Guerra Civil fez parte do Instituto dos Professores Vermelhos. Integrante da Oposição desde seus primórdios, organizou com sucesso diversas greves de fome de aprisionados por Stalin. Morreu fuzilado.

DJUGACHVILI, Iossif Vissarionovitch, ver **STALIN, Josef**

DRIZDO, Salomon Abramovitch, ver **LOSOVSKY**

E

EBERT, Friedrich (1871-1925). Seleiro, jornalista e comerciante. Ingressou na social-democracia alemã em 1889. Ele se tornou líder da ala "moderada" da social-democracia e em 1905 ocupou a cadeira de secretário-geral do Partido; na época, ele era o membro mais jovem da executiva do partido. Ebert, além de demonstrar ser um organizador de partido pragmático e ter criado um aparelho partidário moderno, apresentou-se como mediador entre as alas do partido nas suas disputas. Foi presidente, juntamente com Hugo Haase, da social-democrata alemã entre 1913 e 1915, mantendo-se Ebert na função até 1919, mas compartilhando-a novamente a partir de 1917 com Philipp Scheidemann. Chanceler do Império alemão em 1918, juntamente com Philipp Scheidemann comandou o esmagamento da revolução de novembro de 1918, massacrando Rosa Luxemburgo, Karl Liebknecht e os revolucionários proletários alemães, enfrentando-a com uma aliança construída e não explicitada com o marechal Hindenburg e os milicianos (os *freikorps*, caldo de cultura das futuras SAs (*Sturmabteilungs*) nazistas). Foi desde 1919 até a sua morte presidente da República alemã e tornou-se símbolo da "traição social-democrata".

EISLER, Elfriede, ver **FISCHER, Ruth.**

ELTSIN, Boris Mikhailovitch (1879-1937). Ingressou na social-democracia russa em 1899, aderindo à facção bolchevique do Partido Operário Social-Democrata Russo em 1904, tornando-se dirigente do Partido. Organizou o trabalho dos bolcheviques nos Urais, foi presidente do soviete de Ekaterinoslav em 1917 e membro do comitê executivo dos sovietes.

Após a Revolução Russa ligou-se à Oposição, tornando-se um dos seus dirigentes. Foi preso, exilado e finalmente fuzilado por seu papel na greve do campo de Magadan.

ELTSIN, Victor Bossivitch (1899-1938). Economista. Filho de Boris. Ingressou no Partido bolchevique em 1917. Presidiu o soviete de Perm, em 1918. Durante a guerra civil engajou-se no Exército Vermelho, onde foi comissário político em 1919 e 1920, tornando-se secretário de Trotsky. Expulso e exilado em 1928. Posteriormente foi transferido para o campo de Vorkuta e fuzilado.

ENGELS, Friedrich (1820-1895). Jornalista, industrial e teórico revolucionário alemão, o qual, junto com Karl Marx, desempenhou papel de destaque na elaboração do materialismo histórico e dialético. De sua experiência na fábrica de seu pai na Inglaterra, Engels ficou impressionado com a miséria em que viviam os trabalhadores. Fruto dessa indignação, Engels desenvolveu um detalhado estudo sobre a situação da classe operária na Inglaterra, que se tornou a base de uma de suas obras principais: *A Situação da Classe Trabalhadora na Inglaterra.* Publicada em 1845, ela o aproximou de Karl Marx, do qual se tornou colaborador permanente; foi coautor do *Manifesto Comunista* de 1848; viveu na Inglaterra de 1842 a 1844 e desde 1849 até sua morte; líder político e teórico das forças marxistas após a morte de Marx.

ERCOLI, ver **Palmiro TOGLIATTI**

F

FISCHER, Ruth (pseudônimo de **Elfriede EISLER**, 1895-1961). Jornalista. Nascida na Alemanha, com a família acompanhou seu pai para a Áustria, onde ele assumiu cargo de professor em Viena. No final da Primeira Guerra Mundial, ela aderiu à social-democracia austríaca, ligando-se à sua corrente de esquerda. Foi uma das fundadoras do Partido Comunista austríaco em 1918. Em 1919 voltou à Alemanha, onde aderiu ao Partido Comunista alemão. Atuando em Berlim, fez daí um bastião de sua fração de esquerda. Ligada a Arkadi Maslow, ocupou a direção do Partido em 1924 após a derrota dos levantes comunistas de 1923. Delegada ao IV Congresso da Internacional Comunista e membro do Comitê Executivo da Internacional Comunista de 1924 a 1926. Foi deputada no Parlamento alemão de 1924 a 1928. Perdeu sua predominância no Partido para o grupo de centro patrocinado pela Internacional Comunista liderado por Ernst Thälmann, que se torna presidente do Partido, acabando expulsa do Partido Comunista alemão com Arkadi Maslow e Hugo Urbahns em 1926. Eles formaram a *Leninbund* (Liga Lenin) em 1928. Algum tempo depois, ela e seus seguidores deixaram a *Leninbund*, mas seus esforços para se juntar novamente ao Partido Comunista alemão não tiveram sucesso. Quando o mandato de Ruth Fischer no Parlamento alemão expirou em 1928, ela perdeu espaço politicamente. Até 1933 ela ganhava a vida como professora e assistente social em Berlim. Em 1933, com a chegada ao poder dos nazistas, exilou-se na França, onde ela e Maslow trabalharam com Trotsky durante anos. Depois de sair da França e partir para os Estados Unidos, retornou à França ao final da Segunda Guerra Mundial, onde residiu até sua morte.

FORD, Henry (1863-1947). Engenheiro e industrial. Renovou o sistema produtivo ao criar a chamada "linha de montagem", que permitiu a produção em massa com significativa redução de custos. Foi um notório antissemita, publicando uma série de quatro livros chamados *O Judeu Internacional.*

FOSTER, William Zebulon (1881-1961). Estivador e ferroviário. Ingressou no Partido Socialista estadunidense em 1901. Foster se juntou aos Trabalhadores Industriais do Mundo

(*Industrial Workers of the World* – IWW) em 1909. Ele ganhou destaque nacional como líder da Federação Americana do Trabalho na sangrenta greve do aço de 1919. Ingressou no Partido Comunista estadunidense em 1923. Ele foi candidato a presidente dos Estados Unidos pelo partido nas eleições de 1924, 1928 e 1932, concorrendo em uma plataforma que previa o fim definitivo do capitalismo e o estabelecimento de uma república dos trabalhadores. Foster foi nomeado secretário-geral do partido em 1929 com o apoio da Internacional Comunista e de Stalin. Em 1932, Foster sofreu um ataque cardíaco e a liderança do partido passou para Earl Browder. Voltou a ser presidente do Partido Comunista estadunidense após a Segunda Guerra Mundial. Foster se aposentou em 1957 e assumiu o título de presidente emérito do partido para dar lugar ao jovem Gus Hall. Morreu em Moscou.

FRICK, Wilhelm (1877-1946). Advogado. Ingressou na polícia da Baviera, onde, nos início dos anos 1920, aderiu ao nazismo. Participou do *putsch* de Munique de 1923, sendo preso, condenado e expulso da polícia. Foi eleito deputado ao Parlamento alemão em 1924 pelo nazismo. Foi ministro da Interior na Turíngia de 1929 a 1931, tornando-se o primeiro nazista a ocupar um cargo de nível ministerial em qualquer nível na Alemanha (embora tenha permanecido como membro do Parlamento alemão). Com a ascensão dos nazistas ao poder em janeiro de 1933, Frick foi nomeado Ministro do Interior da Alemanha, mantendo-se no cargo durante dez anos. Foi julgado e condenado à morte pelo Tribunal de Nürnberg.

FRÖLICH, Paul (1884-1953). Jornalista. Ingressou em 1902 na social-democracia alemã. Foi um dos fundadores do Partido Comunista alemão, sendo eleito para a sua direção. Em 1921 foi eleito para o Parlamento alemão, do qual foi membro até dezembro de 1924 e de 1928 a 1930. Como Frölich pertencia à ala direita do comunismo alemão, que foi acusada pelo fracasso da tentativa de insurreição comunista de novembro de 1923, ele deixou de ser membro da direção em 1924. Em 1925 encarregou-se do trabalho de publicação da coletânea de obras de Rosa Luxemburgo, organizadas por Clara Zetkin e Adolf Warski, e cujos primeiros volumes saíram nos anos seguintes. Com a crescente stalinização do movimento comunista, ele entrou em oposição cada vez mais forte com a direção do Partido. A corrupção da organização do secretário-geral Ernst Thälmann em Hamburgo – o chamado "caso Wittorf", em que foi denunciado o desvio de recursos partidários e cujo responsável foi protegido por Thälmann em 1928 – e sua proteção pela facção de Stalin em Moscou foi usada como pretexto para que a "Facção de Direita" convocasse uma reunião de seus seguidores em novembro de 1928. A Internacional Comunista reagiu imediatamente e publicou uma carta aberta criticando duramente os membros da direita do Partido Comunista alemão, os quais foram expulsos imediatamente, entre eles Frölich. O grupo expulso do Partido Comunista alemão se reuniu em uma nova organização chamada Partido Comunista da Alemanha (Oposição) (*Kommunistische Partei Deutschland (Opposition)* – KPDO). Em dezembro de 1928, tornou-se cofundador e integrante da direção do KPDO. Durante as disputas dentro do KPDO em 1931-1932, Paul Frölich e Jacob Walcher lideraram a minoria do KPDO que defendia uma fusão com o Partido Socialista Operário (*Sozialistische Arbeiterpartei* – SAP). Com essa minoria entrou no SAP em 1932. Após a chegada ao poder dos nazistas, Frölich preparou-se para fugir para a Noruega, mas foi preso antes disso. No entanto, por um descuido, acabou libertado e conseguiu fugir para a França. Ali publicou sua biografia de Rosa Luxemburgo em 1939. Com a eclosão da guerra e a invasão da França pelo exército alemão, ele foi internado em um campo francês. Em fevereiro de 1941, Paul Frölich chegou a Nova Iorque, com a ajuda de um visto de emergência. Retornou à Alemanha no final de 1950 e ingressou novamente na social-democracia alemã.

FROSSARD, Louis-Oscar (1899-1946). Professor e jornalista. Ingressou no Partido Socialista francês em 1908, tornando-se seu secretário-geral de 1918 a 1920. Fundador do Partido Comunista francês, foi seu secretário-geral de 1921 a 1923. Rompeu com o Partido Comunista por discordar da orientação da Internacional Comunista no sentido compor a unidade no Partido para o desencadeamento da política de frente única. Depois de tentar formar um partido, Frossard retornou ao Partido Socialista francês em junho de 1924, dele saindo, porém, em junho de 1935, para aceitar o cargo de ministro do Trabalho, como "socialista independente". Foi deputado no Congresso francês desde 1928 e ministro em sete governos entre 1935 e 1940. Em 10 de julho de 1940, na Assembleia Nacional de Vichy, Frossard votou pela concessão de plenos poderes constituintes ao marechal Pétain, que logo o chamou para participar do Conselho Nacional do Estado francês.

G

GANDHI, Mahondas (1869-1948). Advogado. Foi o líder do movimento de resistência que mais tarde se tornou o Partido do Congresso da Índia. Ele organizou uma oposição maciça ao domínio britânico, insistindo em métodos de resistência pacíficos, não violentos e passivos.

GEORGE, David Lloyd (1863-1945). Estadista do País de Gales e político do Partido Liberal. Foi primeiro-ministro do Reino Unido de 1916 a 1922, sendo o último liberal a ocupar o cargo. Por ter sido primeiro-ministro britânico durante os dois anos finais da Primeira Guerra Mundial, liderou a delegação britânica na Conferência de Paz de Paris em 1919.

GORKI, Máximo (pseudônimo de **Alexei Maximovitch PESHKOV**, 1868-1936). Escritor. Publica seus primeiros trabalhos literários em 1892, iniciando uma trajetória de sucesso em uma obra dedicada primordialmente ao mundo do trabalho e aos desvalidos. Em 1899 aproximou-se do Partido Operário da Social-Democracia Russa (POSDR), identificando-se, em 1903, com sua ala bolchevique. Por sua participação na Revolução de 1905, acabou preso no ano seguinte. Libertado após uma campanha em seu favor, partiu para o exílio no estrangeiro, vivendo, principalmente em Capri, na Itália, aí durante sete anos. Ele retornou à Rússia em 1913 e, durante a Primeira Guerra Mundial, concordou com os bolcheviques em se opor à participação da Rússia na guerra. Após a vitória dos bolcheviques, passou a criticar a conduta de Lenin no poder. Em 1921 exilou-se, supostamente para cuidar de sua saúde, mas efetivamente pelas suas discordâncias com a orientação dos bolcheviques. Retornou à União Soviética em 1929, onde viveria até sua morte. Emprestou seu nome e apoio aos stalinistas em congressos de paz e atividades similares. O seu prestígio o tornou líder indiscutível dos escritores soviéticos e, quando a União dos Escritores Soviéticos foi fundada em 1934, ele se tornou seu primeiro presidente. Ao mesmo tempo, incentivou o chamado realismo socialista, pelo qual a arte e a cultura em geral deveriam estar a serviço dos ideais revolucionários, transformando desse modo os artistas em propagandistas. Gorki, cuja obra abrangeu o período pré-revolucionário e pós-revolucionário de forma tão intensa, foi uma das figuras literárias mais importantes do seu tempo.

GOTTWALD, Klement (1896-1953). Marceneiro e jornalista. Ingressou na social-democracia austríaca em 1912. Em 1918 se juntou à ala esquerda do Partido Social-Democrata da Tchecoslováquia, a qual, em 1921, se transformou no Partido Comunista da Tchecoslováquia, do qual foi fundador. Em 1925 Gottwald fez parte da direção do Partido e dois anos depois foi eleito seu secretário-geral. A partir de 1929, foi membro do parlamento da Tchecoslováquia. Com a anexação da Tchecoslováquia à Alemanha nazista e a proibição do Partido Comunista,

Gottwald foi para a União Soviética, onde passou integrar a direção da Internacional Comunista. Em 1945, tornou-se vice-primeiro-ministro de um governo provisório tchecoslovaco. Em março de 1946, tornou-se presidente do Partido Comunista tchecoslovaco e, em julho, tornou-se o primeiro-ministro do país. Em 14 de junho de 1948, Gottwald foi empossado como presidente da república tchecoslovaca.

GOTZ, Abram Rafaílovitch (1882-1937). Seu irmão, Mikhail Gotz, foi um dos fundadores do Partido Socialista-Revolucionário russo e, após sua morte, em 1906, Abram aderiu ao partido, sendo preso e condenado a oito anos de prisão no ano seguinte. Quando ocorreu a revolução de Fevereiro de 1917, que derrubou a monarquia czarista, Gotz se encontrava exilado na Sibéria. Líder dos socialistas-revolucionários russos no soviete de Petrogrado. Transformou-se em opositor da revolução de Outubro. Em 1922, foi condenado à morte por sua oposição armada aos bolcheviques no julgamento dos dirigentes social-revolucionários daquele ano. Sua pena foi comutada para cinco anos de prisão, sendo libertado em 1927. A partir de então, trabalhou em vários corpos econômicos soviéticos. Preso novamente em 1936, provavelmente foi executado em 1937.

GRAMSCI, Antonio Francesco (1891-1937). Jornalista. Estudante bolsista na Universidade de Torino em 1911 Ingressou na Juventude Socialista em 1913 e no Partido Socialista Italiano em 1914, abandonando seus estudos por falta de recursos em 1915. Foi secretário da seção de Torino do Partido Socialista em 1917. Trabalhou como jornalista para a imprensa socialista e em Primeiro de maio de 1919 fundou o semanário *L'Ordine Nuovo*. O grupo em torno do *L'Ordine Nuovo* criticava incessantemente a liderança centrista do Partido Socialista Italiano e aliou-se à principal facção dos socialistas, conhecida como a dos "abstencionistas", liderada por Amadeo Bordiga, para fundar, em janeiro de 1921, na cidade de Livorno, o Partido Comunista italiano (PCI). Indicado pelo PCI como representante do partido em Moscou, esteve afastado da Itália em 1922-1923 quando o fascismo subiu ao poder, mas era membro do Comitê Executivo e suplente do *Presidium* da Internacional Comunista. Neste período, o governo de Benito Mussolini desencadeou uma campanha de repressão contra os partidos da oposição, prendendo a maior parte da liderança do PCI, inclusive Bordiga. No final de 1923, Gramsci viajou de Moscou a Viena, de onde tentou reagrupar seu partido, dilacerado por conflitos fracionais. Em 1924, Gramsci, agora reconhecido como chefe do PCI, foi eleito deputado pelo Veneto. Organizou o lançamento do jornal oficial do partido, *L'Unità*, morando em Roma, enquanto sua família permaneceu em Moscou. No Congresso do Partido Comunista italiano, em janeiro de 1926 na cidade francesa de Lyon, as teses de Gramsci, pedindo uma frente única para restaurar a democracia na Itália, foram adotadas pelo partido, derrotando as posições esquerdistas da ala ligada a Bordiga. Em 1926, as manobras de Joseph Stalin dentro do Partido Comunista soviético motivaram Gramsci a escrever uma carta à Internacional Comunista na qual criticava a oposição liderada por Leon Trotsky, mas também sublinhava os graves defeitos do líder soviético. Diante das críticas que lhe dirigiu Palmiro Togliatti em Moscou, reafirmou seus argumentos numa segunda carta. Palmiro Togliatti, como representante do partido, recebeu as cartas e decidiu não entregá-las. No final de 1926, o governo fascista promulgou uma nova onda de leis de emergência, tomando como pretexto um suposto atentado contra a vida de Mussolini. A polícia fascista prendeu Gramsci e ele acabou condenado a vinte anos de prisão. Uma campanha internacional, organizada pela cunhada de Gramsci, Tatiana, e por Piero Sraffa na Universidade de Cambridge, foi montada para exigir a libertação de Gramsci em razão da grave deterioração de sua saúde durante a prisão. Em 1933, ele foi transferido da prisão para uma clínica, onde, no entanto, não recebeu o atendimento médico adequado. Dois anos depois, foi transferido para outra clínica em

Roma. Apesar de ter sido, finalmente, determinada sua soltura, Gramsci acabou morrendo. Seus cadernos de prisão e escritos teóricos receberam reconhecimento póstumo nos círculos de esquerda apenas no período da "desestalinização"; pois Togliatti suprimiu a publicação das cartas críticas de Gramsci ao partido e à Internacional Comunista e suas lideranças.

GRIMALDI, Louis Honoré Charles Antoine, ver **LUÍS II**.

GROENER, Karl Eduard Wilhelm (1867-1939). Militar. Foi ministro da Defesa na Alemanha de 1928 a 1932. No final de 1918, Groener trabalhou com o novo presidente social-democrata Friedrich Ebert para evitar uma tomada de poder pela esquerda durante a Revolução Alemã de 1918-1919. Sob seu comando, o exército suprimiu violentamente revoltas populares em toda a Alemanha. Groener serviu em vários governos da República de Weimar como ministro dos Transportes, Interior e Defesa. Ele foi afastado do governo em 1932 por Kurt von Schleicher, que estava trabalhando aliado aos nazistas.

GRÜNSTEIN, Karl Ivanovitch (1886-1937). Quando foi estudar na Alemanha ingressou na social-democracia, aderindo à facção bolchevique quando retornou à Rússia em 1904. Sua militância o levou a longos períodos de prisão e deportação. Com a Revolução Russa de 1917, durante a guerra civil, engajou-se no Exército Vermelho, tornando-se um próximo colaborador de Trotsky, passando a ocupar diversas responsabilidades: comandante de divisão, comissário do Exército, diretor da Escola de Força Aérea. Foi secretário da Sociedade dos Antigos Condenados Políticos. Aproximou-se dos oposicionistas ligados a Ivan Nikititch Smirnov e foi fuzilado por ordem de Stalin.

GRZESINSKI, Albert Carl (1879-1948). Metalúrgico e sindicalista. Ingressou na social-democracia alemã em 1897. Em 1925 e 1926 e de 1930 a 1932 foi chefe da Polícia de Berlim. Foi ministro da Interior da Prússia de 1926 a 1930. A gestão de Grzesinski como ministro do Interior foi marcada pela violência política na Alemanha da época, especialmente pela hostilidade entre os comunistas e os social-democratas. No Primeiro de maio de 1929, comandou a violenta repressão policial aos comícios comunistas em Berlim, o que resultou em vários dias de tumulto, evento que ficou conhecido como *Blutmai* (Maio Sangrento). Mais de 30 civis foram mortos e foram feitos mais de mil presos, levando a críticas generalizadas sobre a resposta do governo. Ofereceu apenas uma resistência simbólica ao golpe de Papen de 20 de julho de 1932. Com a tomada do poder pelos nazistas foi para o exílio, morrendo nos Estados Unidos.

GUBELMAN, Minei Israilevitch, ver **Yemelyan Mikhailovitch YAROSLAVSKY**

GURVITCH, Fiodor Ilyitch, ver **Fiodor DAN**

H

HAUPTMANN, Gerhart Johann Robert (1862-1946). Romancista, poeta e dramaturgo. Depois de seus estudos em ciência e filosofia, Hauptmann tentou iniciar uma carreira de escultor, que logo foi abandonada para dedicar-se à literatura. Hauptmann se estabeleceu em Berlim, tendo aulas de atuação e se associando a um grupo de cientistas, filósofos e escritores de vanguarda que estavam interessados em ideias naturalistas e socialistas. Em 1889 começou a ter sucesso como dramaturgo, com suas peças de caráter naturalista que abordavam problemas sociais contemporâneos. Nelas, ao tratar das condições de vida dos trabalhadores pobres, como em *Os Tecelões* (1892), eram apresentados temas que até então não eram considerados adequados ao teatro. Embora Hauptmann tenha ajudado a estabelecer o naturalismo na Alemanha, mais tarde ele abandonou os princípios naturalistas em suas peças. Em suas peças posteriores, elementos de contos de fadas e sagas se misturam com religiosidade mística e simbolismo mítico. Em 1912, ele foi agraciado com o Prêmio Nobel de Literatura em reconhecimento pela sua vasta produção, especialmente no domínio da arte dramática. Em 1915, Hauptmann assinou um manifesto assinado por 93 cientistas, acadêmicos e artistas alemães, declarando seu apoio inequívoco às ações militares alemãs no início da Primeira Guerra Mundial. A reputação literária de Hauptmann, na Alemanha, foi inigualável até a ascensão dos nazistas ao poder. Como Hauptmann era altamente considerado pelo povo alemão, os nazistas fizeram de tudo para cortejá-lo e impedi-lo de deixar o país, no entanto, ele não era visto com simpatia pelo regime, embora tenha tentado sem sucesso até aderir ao partido nazista. Após a guerra, a Silésia, onde Hauptmann morava, tornou-se parte da Polônia, mas Hauptmann foi temporariamente autorizado a ficar por uma carta oficial da administração soviética em favor do escritor, que era altamente considerado na União Soviética, falecendo logo depois.

HAASE, Hugo (1863-1919). Advogado. Membro da social-democracia alemã desde 1887. Eleito para o Parlamento alemão em 1897. Haase pertencia à chamada ala "revisionista" do partido, que, ao contrário dos marxistas, apoiava reformas graduais e já não via na revolução o melhor caminho para a mudança social e política. Em 1911, ele se tornou presidente da social-democracia alemã junto com August Bebel. Após a morte de Bebel, em 1913, Haase e Friedrich Ebert foram escolhidos como copresidentes do partido, compartilhando a função até 1916. Apesar de ser contra a Primeira Guerra Mundial e de ter organizado comícios antiguerreiros Haase votou pelos créditos de guerra em 1914 por disciplina partidária. Em 1916 renunciou ao cargo de presidente do Partido. Em abril de 1917, Haase tornou-se presidente do recém-fundado Partido Social-Democrata Independente da Alemanha (*Unabhängige Sozialdemokratische Partei Deutschlands* – USPD). Com Friedrich Ebert, ele copresidiu o Conselho dos Deputados do Povo após a Revolução Alemã de 1918-1919. Foi assassinado nas escadarias do Parlamento alemão por um fanático de extrema direita.

HABSBURGO. A Casa de Habsburgo, também conhecida por Casa da Áustria, é uma família nobre europeia, cujas origens encontram-se no século XI. O primeiro Habsburgo a ocupar um trono imperial foi Rodolfo IV de Habsburgo, que reinou sobre o Sacro Império Romano-Germânico de 1273 a 1291 como Rodolfo I. Os Habsburgos foram soberanos em vários Estados e territórios. Entre os seus principais domínios estavam o Sacro Império Romano-Germânico, onde imperou, salvo interregnos, de 1273 a 1740, e a Áustria (1278-1918). Os Habsburgos foram também soberanos da Espanha, dos Países Baixos, da Borgonha, dos reinos de Nápoles, da Sicília e da Sardenha, da Boêmia, da Hungria e da Croácia, do Ducado de Milão e de Portugal.

HEILMANN, Ernst (1881-1940). Jurista e político social-democrata. Chauvinista exaltado que se envolveu em um grande escândalo financeiro. Com a ascensão ao poder do nazismo acabou preso e morreu em um campo de concentração.

HEINE, Christian Johann Heinrich (1797-1856). Advogado, jornalista e poeta alemão. Além do aspecto lírico de sua obra, ela também foi marcada por seu engajamento social e político, embora jamais tenha se filiado a nenhum partido ou movimento político. Quando deixou a Alemanha para morar em Paris, Heine aí conheceu Karl Marx. Um de seus poemas, "Os tecelões de Silésia", de 1844 – cujo ritmo remete ao som do trabalho mecânico do tear dos operários, e quc foi traduzido por Friedrich Engels, com quem Heine também travou amizade – transformou-se no hino da Liga dos Comunistas em Londres.

HENDERSON, Arthur (1863-1935). Metalúrgico e político. Um dos organizadores do Partido Trabalhista britânico, do qual foi secretário de 1911 até 1934. Foi eleito deputado à Câmara dos Comuns pela primeira vez em 1903. Foi secretário de Estado de Relações Exteriores da Grã-Bretanha de junho de 1929 a agosto de 1931 e ganhou o Prêmio Nobel da Paz em 1934.

HILFERDING, Rudolf (1877-1941). Médico e economista. Nascido em Viena, naturalizou-se alemão. Em 1901, aderiu à social-democracia austríaca. Junto com Max Adler, em 1904, ele fundou e editou o *Marx Studien*, que consolidou o chamado austromarxismo. Em 1906, desistiu de seu emprego como médico e, após o chamado de August Bebel, começou a lecionar Economia e História Econômica na escola da social-democracia alemã em Berlim. Permaneceu na Alemanha e transformou-se em um dos líderes social-democratas na Alemanha antes da guerra e foi autor de um trabalho pioneiro em economia política, *O Capital Financeiro*. Pacifista durante a guerra, em 1917 tornou-se líder do Partido Social-Democrata Independente da Alemanha (*Unabhängige Sozialdemokratische Partei Deutschlands* – USPD). Tornou-se cidadão alemão, retornou à social-democracia alemã, pela qual foi deputado no Parlamento alemão de 1924 a 1933. Hilferding também serviu como ministro das Finanças no gabinete de Stresemann (1923) e no gabinete de Mueller (1928-1929). Ele fugiu para a França em 1933. O governo de Pétain o entregou à Gestapo em 1940, sendo pouco depois torturado e assassinado pelos nazistas.

HINDENBURG, Paul Ludwig Hans Anton von Beneckendorff und von (1847-1934). Militar. De uma família de *junkers* prussianos, combateu na guerra contra a França em 1870-1871. Aposentou-se em 1911 "para abrir caminho para os homens mais jovens". Ele completou, então, 46 anos de serviços no exército, incluindo 14 anos em cargos de Estado-Maior. No início da Primeira Guerra Mundial, ele retomou a carreira militar e obteve grandes vitórias no Leste, o que o levou a se tornar comandante em chefe das Forças Armadas alemãs em 1916. Ele e seu vice-comandante, o general Erich Ludendorff, exploraram a ampla delegação de poderes do imperador Guilherme II ao exército alemão para estabelecer uma ditadura militar de fato, a qual dominou a política nacional pelo restante da guerra. Em novembro de 1918 fez um pacto com Ebert para a luta contra a esquerda e a revolução. Representando a direita e contra a social-democrata, foi eleito presidente da Alemanha em 1925, sucedendo a Friedrich Ebert, e, com o apoio da social-democracia, foi reeleito em 1932. Após dissolver duas vezes o Parlamento alemão em 1932, Hindenburg finalmente concordou em nomear Adolf Hitler como Chanceler da Alemanha em janeiro de 1933. Em resposta ao incêndio do Parlamento alemão, ele aprovou um decreto que suspendeu várias liberdades civis. Logo depois, em março, ele assinou uma lei que deu poderes de emergência ao regime nazista, um sólido elemento para a transformação da Alemanha em um estado totalitário e que se consolidou após a sua morte. Em 30 de janeiro de 2020 a cidade de Berlim revogou a cidadania honorária de Hindenburg, em razão de ele ter nomeado Adolf Hitler para o cargo de chefe de governo alemão em 30 de janeiro de 1933.

HIRSCH, Werner Daniel (1899-1941). Jornalista e funcionário do aparato da Internacional Comunista e do Partido Comunista alemão, do qual foi fundador. Em 1932, Hirsch tornou-se um dos adjuntos do secretário-geral do Partido comunista alemão, Ernst Thälmann, obtendo grande influência na política partidária. Com a ascensão dos nazistas ao poder foi preso em março de 1933 e torturado em várias prisões. Com intervenção de sua mãe, que tinha laços familiares com o presidente Bismarck e laços de amizade com a esposa do ministro nazista Göring, acabou libertado. Foi para a Tchecoslováquia, indo em seguida para a União Soviética, onde trabalhou no aparelho da Internacional Comunista. Levantaram-se suspeitas sobre sua libertação e o seu comportamento na prisão, o que o levou a ser condenado, em 1937, a dez anos de prisão, onde fez várias greves de fome e teve de passar 105 dias em solitária. Ficou tão fraco em 1941 que mal conseguia se mover. Morreu algum tempo depois, supostamente de insuficiência cardíaca.

HITLER, Adolf (1889-1945). Militar. Líder do Partido Nacional Socialista dos Trabalhadores Alemães (*Nationalsozialistische Deutsche Arbeiterpartei* – NSDAP), condenado a uma pena de prisão após o fracassado golpe de Estado de Munique em 1923; autor de *Mein Kampf*, tornou-se chanceler da Alemanha em 30 de janeiro de 1933, conduzindo a Alemanha a uma guerra que destruiu o país. Suicidou-se em 1945 quando da entrada do Exército Vermelho em Berlim.

HOHENZOLLERN. A Casa de Hohenzollern é uma antiga família nobre da Europa, cujas origens remontam ao ano de 1100. Sua dinastia se iniciou com Frederico de Hohenzollern em 1415. Os Hohenzollerns tornaram-se Duques da Prússia no início do século XVIII. Com Otto von Bismarck, os Hohenzollerns tiveram seu auge com a criação do Império Alemão, do qual eram a casa real da dinastia homônima, reinante entre 1871 e 1918, quando foi proclamada a República e abolida a monarquia.

HOLLWEG, Theobald Theodor Friedrich Alfred von Bethmann (1856-1921). Advogado. Membro de uma família de banqueiros de Frankfurt. Foi ministro do Interior da Prússia em 1905 e secretário de estado do Interior no Gabinete Imperial em 1907. Em 1909 foi nomeado primeiro-ministro do império alemão, cargo que ocupou até 1917.

HOOVER, Herbert Clark (1874-1964). Engenheiro e empresário. Membro do Partido republicano, presidiu os Estados Unidos de 1929 a 1933. Embora Hoover tivesse angariado a imagem de humanitário – conquistada durante e após a Primeira Guerra Mundial ao resgatar milhões de europeus da fome –, em sua gestão como presidente estadunidense ele se mostrou incapaz de enfrentar o desemprego generalizado, a falta de moradia e a fome em seu próprio país durante os primeiros anos da depressão que se seguiu à quebra da Bolsa de Nova Iorque de 1919.

HUGENBERG, Alfred Ernst Christian Alexander (1865-1951). Empresário e político. Antigo dirigente da metalúrgica Krupp e opositor da República de Weimar, tornou-se presidente do Partido Nacional alemão em 1928 e fez uma aliança com os nazistas, na expectativa de utilizar Hitler para seus propósitos. Tornou-se ministro da Economia do primeiro gabinete nazista, mas acabou demitido quando Hitler logo consolidou seu poder em 1933.

J

JOUHAUX, Leon (1879-1954). Trabalhador em fábrica de fósforos. Jouhaux iniciou sua trajetória no movimento dos trabalhadores franceses vinculado ao sindicalismo revolucionário. Foi secretário nacional do sindicato dos trabalhadores em fábricas de fósforos em 1906 e depois foi secretário-geral da Confederação Geral do Trabalho (CGT) em 1909. Participou da Conferência de Paz de 1919 na Comissão Internacional de Legislação Trabalhista e foi um dos fundadores da Organização Internacional do Trabalho. Na Segunda Guerra Mundial, o governo do marechal Philippe Pétain dissolveu a CGT e prendeu Jouhaux e o entregou aos alemães que o internaram até o fim da guerra em um campo de concentração. Retornando à França, ele foi novamente secretário-geral da CGT reconstituída, mas em 1947 rompeu com a então maioria comunista e fundou em 1948 a central sindical Força Operária. Em 1951 recebeu o Prêmio Nobel da Paz.

K

KASPAROVA, Varsenika Diavadovna (1875-1941). Ingressou na social-democracia russa em 1904 e aderiu à facção bolchevique do Partido Operário da Social-Democracia Russa (POSDR). Após a Revolução Russa, durante a Guerra Civil, teve importante atuação no Comissariado Político do Exército Vermelho, tornando-se secretária de propaganda, e aproximou-se de Trotsky. Consagrou-se às questões da libertação da mulher e trabalhou na Internacional Comunista. Teve atuação de destaque na Oposição russa desde seus primórdios até 1935, quando capitulou frente a Stalin. Foi fuzilada no campo de prisioneiros de Orel.

KAUTSKY, Karl Johann (1954-1938). Filósofo e jornalista. Estudou história, filosofia e economia na Universidade de Viena em 1874 e ingressou em 1875 na social-democracia austríaca. Em 1880, ele se juntou a um grupo de socialistas alemães na Suíça. Em 1883, Kautsky fundou a revista *Die Neue Zeit* (*O Novo Tempo*) em Stuttgart, que se tornou semanal em 1890. Ele editou a revista até setembro de 1917. Entre 1885 e 1890 Kautsky esteve em Londres, onde se aproximou de Friedrich Engels. Sua posição como um proeminente teórico marxista foi assegurada em 1888, quando Engels o encarregou de editar a obra de Marx em três volumes. No final da década de 1890 Kautsky, ao lado de Rosa Luxemburgo, se contrapôs à posição de Eduard Bernstein de ataque à posição marxista de colapso iminente da economia capitalista e de tomada do poder pelo proletariado, além disso, Kautsky argumentava que a ênfase de Bernstein em supostos fundamentos éticos do socialismo servia apenas para abrir o caminho a uma aliança com a burguesia "progressista" e ignorava completamente uma abordagem de classe na questão. Em 1917, por se posicionar contra a guerra, ele trocou a social-democracia alemã pelo Partido Social-Democrata Independente da Alemanha (*Unabhängige Sozialdemokratische Partei Deutschlands* – USPD). Após a Revolução de Novembro de 1918 na Alemanha, Kautsky serviu como subsecretário de Estado no ministério das Relações Exteriores no governo revolucionário formado pelos social-democratas e pelos social-democratas independentes alemães e trabalhou para encontrar documentos que provavam a culpa pela Primeira Guerra Mundial da Alemanha Imperial. Em 1920, com a cisão dos social-democratas independentes, Kautsky retornou à social-democracia. Tornou-se um crítico declarado da Revolução Bolchevique, envolvendo-se em polêmicas com Lenin e Trotsky sobre a natureza do estado soviético. Em 1924 deixou a Alemanha e retornou a Viena com sua família, onde permaneceu até 1938. Quando a Áustria foi anexada à Alemanha nazista, Kautsky fugiu para Amsterdã, ali falecendo logo depois.

KERENSKY, Aleksandr Fyodorovitch (1881-1970). Advogado e político. Em 1912 tornou-se membro do Partido Socialista-Revolucionário. Eleito para a Duma em 1912, onde liderou um grupo chamado *Trudoviks* (trabalhistas), que se separou dos socialistas-revolucionários. Ele se tornou vice-presidente do Soviete de Petrogrado em 1917. Logo em seguida foi nomeado para ocupar o ministério da Justiça no governo provisório sob o príncipe Lvov em março de 1917. Em maio, ele assumiu o cargo de ministro da Guerra e Marinha, que continuou a exercer quando ele se tornou premiê em julho. Após o golpe de Kornilov, ele também se autoproclamou comandante em chefe. Fugindo de Petrogrado quando os bolcheviques tomaram o poder, Kerensky fez uma longa carreira no exílio, onde escreveu e reescreveu várias versões do que havia acontecido em 1917.

KOLTCHAK, Aleksandr Vassiliyevich (1871-1920). Militar. Oficial da Marinha que se tornou almirante no governo czarista. Com a Revolução Russa e a assinatura do tratado de paz com a Alemanha, ele aceitou ser ministro da Guerra no governo antibolchevique russo, fundado em Omsk. Em 1918 foi eleito governador supremo da Rússia pelas forças antibolcheviques durante a guerra civil russa. Reconhecido pelos Aliados como "comandante supremo", ele representou a Rússia na Conferência de Paz de 1919. Liderou com ajuda aliada um forte exército que marchou sobre Moscou durante a guerra civil. No final de 1919, os remanescentes de seu exército e centenas de milhares de civis recuaram em desordem para escapar da ofensiva bolchevique que tomou Omsk. Koltchak foi derrotado em dezembro de 1919; em janeiro de 1920 ele foi entregue aos bolcheviques e fuzilado.

KORNILOV, Lavr Geórgievitch (1870-1918). Militar. General do exército czarista em 1917. Depois de ter sido nomeado comandante-em-chefe das Forças Armadas russas em julho de 1917 pelo primeiro ministro Kerensky empenhou-se em esmagar a revolução russa através de uma tentativa de golpe armado em agosto de 1917. Preso depois do seu fracasso, conseguiu fugir e comandou as forças contrarrevolucionárias até abril de 1918, quando foi morto.

KRASNOV, Piotr Nikolayevitch (1869-1947). Militar. Oficial do exército imperial russo e comandante de forças antibolcheviques durante a Guerra Civil Russa. Durante a Segunda Guerra Mundial, ele ajudou a organizar unidades cossacas antissoviéticas para os alemães. Em 1944, os alemães estabeleceram um estado fantoche cossaco nos Alpes italianos, ao qual Krasnov se juntou em 1945. Rendendo-se aos britânicos em maio, ele foi devolvido à União Soviética. Em 1947 ele foi enforcado após ser condenado por um tribunal militar soviético

KRASSIKOV, Piotr Ananievitch (1870-1939). Advogado. Aderiu às ideias social-democratas em 1893 e esteve entre os fundadores da facção bolchevique do Partido Operário Social-Democrata Russo em 1903. Depois da Revolução Russa atuou no campo jurídico institucional, sendo considerado um dos criadores do sistema jurídico soviético. Foi vice-comissário do Povo da Justiça desde 1918, Procurador-Geral do Supremo Tribunal desde 1924 e vice-presidente do Supremo Tribunal de 1933 a 1938.

KUN, Bela (1886-1937). Jornalista. Social-democrata antes da Primeira Guerra Mundial, Kun serviu no exército austro-húngaro e foi capturado pelo exército imperial russo em 1916, sendo enviado para um campo de prisioneiros de guerra nos Urais. Aí Kun abraçou as ideias comunistas e, já em Moscou, em 1918 foi um dos fundadores do Grupo Húngaro do Partido Comunista Russo. Em novembro de 1918 retornou à Hungria, onde esteve entre os fundadores do Partido Comunista húngaro. Em março de 1919, frente à insatisfação da população húngara com a situação política e econômica do país – que resultara do fim do Império Austro-Húngaro e dos acordos de Paz do final da Primeira Guerra Mundial –, foi proclamada a República Soviética Húngara, o segundo regime comunista na Europa depois da própria Rússia. Os social-democratas e os comunistas fundiram-se sob o nome provisório de Partido Socialista Húngaro, e Bela Kun, que estava preso, foi libertado da prisão e empossado como comissário das Relações Exteriores. Em agosto a República Soviética Húngara acabou derrotada pela intervenção militar externa dos aliados. Bela Kun exilou-se em Viena onde foi preso e acabou libertado em troca de prisioneiros austríacos na Rússia em julho de 1920. Kun tornou-se uma figura importante na Internacional Comunista como aliado de Grigori Zinoviev. Em março de 1921, ele foi enviado à Alemanha para aconselhar o Partido Comunista alemão. Encorajou os comunistas alemães a seguirem uma orientação esquerdista, que os levou a uma fracassada tentativa insurrecional, que ficou conhecida com a "Ação de Março". Conseguiu retornar até Moscou, onde continuou trabalhando na Internacional Comunista. Colocou-se sob a influência de Stalin, mas não sem lhe opor resistências. Em 1932, ele "conspirou" contra Stalin e sua política alemã; depois resistiu à política de frente popular, o que valeu sua prisão, tortura e execução. Ele foi reabilitado postumamente em 1956.

KÜSTER, Friedrich (1889-1966). Jornalista e conhecido pacifista, editor de um jornal chamado *Das andere Deutschland* (*A Outra Alemanha*).

KUUSINEN, Ottomar Wilhelm (1881-1964). Professor de filosofia. Eleito deputado em 1907 pelo Partido Social-Democrata finlandês. Comissário do Povo para a Educação Nacional no governo soviético finlandês de 1918. Em agosto, ele foi um dos fundadores do Partido Comunista finlandês na Rússia. Desde então, foi uma das principais figuras no aparelho da Internacional Comunista, um dos três secretários em 1921, o secretário-geral em dezembro. Em 1928 foi reeleito ao Comitê Executivo, ao *Presidium* e ao Secretariado Político, e manteve suas funções até a dissolução da Internacional Comunista, ato do qual foi um dos signatários.

L

LAFOLLETTE, Robert Marion (1855-1925). Senador republicano que o Partido Comunista dos Estados Unidos apoiou nas eleições presidenciais em 1924, quando ele concorreu pela legenda do Partido Progressista. Quando os líderes do Partido Comunista estadunidense começaram a se integrar à sua campanha, sob a pressão da Internacional Comunista, finalmente lançaram seu próprio candidato presidencial.

LANGNER, Paul (1896-1935). Trabalhador rural, mineiro, soldado durante a Primeira Guerra Mundial, jornalista. Depois de aderir à social-democracia alemã em 1914, ingressou em 1917 no Partido Social-Democrata Independente da Alemanha (*Unabhängige Sozialdemokratische Partei Deutschlands* – USPD), do qual se afastou para ingressar nas fileiras comunistas alemãs em 1921, onde trabalhou em suas organizações e iniciou sua carreira de jornalista. Em 1932 Langner chegou a chefiar o serviço de imprensa do Comitê Central no início de 1932. Com a ascensão dos nazistas ao poder exilou-se, primeiro na França e depois na União Soviética, onde acabou falecendo.

LASSALLE, Ferdinand (1825-1864). Filósofo e advogado. Nascido em Wroclaw, (Polônia), na época Alemanha, como Ferdinand Johann Gottlieb Lassal, depois de uma estadia na França onde entrou em contato com socialistas, mudou seu nome para Lassalle, no ano de 1845, em homenagem ao general revolucionário francês La Salle. Na revolução de 1848, Lassalle destacou-se como orador e jornalista do lado da esquerda e conheceu Karl Marx e Friedrich Engels. Em 1863 Lassalle fundou a Associação Geral dos Trabalhadores Alemães (*Allgemeiner Deutscher Arbeiterverein* – ADAV) em Leipzig. Mantendo-se próximo de Marx e Engels durante algum tempo, deles acabou se afastando em 1864, mesmo defendendo a criação de um partido democrático dos trabalhadores a fim de alcançar uma sociedade socialista, por rejeitar a greve como arma de guerra e por defender a realização do socialismo dentro das relações de poder do Estado. A ADAV existiu sob este nome até 1875, quando se uniu com o Partido Social-Democrata dos Trabalhadores para formar o Partido Socialista Operário da Alemanha. Esta organização unificada foi rebatizada pouco depois como Partido Social-Democrata da Alemanha, partido ainda hoje existente. Lassalle acabou morrendo em um duelo resultante de uma disputa amorosa.

LEDEBOUR, Georg (1850-1947). Jornalista. Ingressou na social-democracia alemã em 1891. Foi dirigente da esquerda social-democrata antes de 1914, a partir de quando passou a fazer oposição antimilitarista à orientação da social-democracia relativamente à guerra. Fundador e um dos dirigentes do Partido Social-Democrata Independente da Alemanha (*Unabhängige Sozialdemokratische Partei Deutschlands* – USPD), que surgiu de uma cisão na social-democracia. Ledebour foi um dos que chefiou o comitê revolucionário que dirigiu o fracassado levante comunista em Berlim para derrubar o governo chefiado por Friedrich Ebert em janeiro de 1919, que foi rapidamente derrotado pelas unidades do exército alemão e dos *freikorps* (caldo de cultura das futuras SAs (*Sturmabteilungs*) nazistas), e levou ao assassinato de Karl Liebknecht e Rosa Luxemburgo. Foi deputado no Parlamento alemão de 1900 a 1924. Em 1931 deixou o USPD e ingressou no Partido Socialista Operário (SAP, na sigla alemã). Ele foi para o exílio na Suíça depois que os nazistas chegaram ao poder em 1933 e ali faleceu.

LEIPART, Theodor (1867-1947). Marceneiro e sindicalista. Em 1887 ligou-se ao movimento sindical social-democrata. A partir de 1908 foi presidente da federação dos marceneiros em Stuttgart. De julho de 1919 a junho de 1920 foi ministro do Trabalho em Württemberg. Em 1921 foi eleito presidente da Confederação Geral Sindical Alemã (*Allgemeiner Deutscher Gewerkschaftsbund* – ADGB) e, em 1922, também vice-presidente da Federação Internacional de Sindicatos. Entre 1921 e 1925 ele pertenceu ao conselho executivo da Organização Internacional do Trabalho (OIT). Sua atuação no movimento sindical foi conservadora, sempre buscando a conciliação e evitando o confronto, preferindo fazendo concessões e buscando flexibilidade em resposta às mudanças nas correntes políticas e nos balanços de poder. Depois que os nazistas chegaram ao poder, Leipart acreditava que poderia chegar a um acordo com o novo governo. A esta postura atribui-se a responsabilidade pela falta de resistência dos sindicatos frente ao nazismo. Em maio de 1933 Leipart foi preso e torturado, sendo libertado algum tempo depois. Em 1936, ele foi acusado em um julgamento de apropriação indébita de fundos sindicais para ajudar na campanha eleitoral da social-democracia alemã. Depois disso, Theodor Leipart viveu aposentado em Berlim, mas manteve contato com seus ex-companheiros. Leipart sobreviveu à guerra e foi membro do Partido Socialista Unificado da Alemanha (*Sozialistische Einheitspartei Deutschlands* – SED) da Alemanha Oriental de 1946 até sua morte.

LENIN, V. I. (pseudônimo de **Vladimir Ilitch ULIANOV** – 1870-1924). Político e teórico político. Social-democrata russo, líder da facção bolchevique do Partido Operário Social-Democrata Russo. Foi chefe de governo da Rússia Soviética de 1917 até sua morte.

LEVI, Paul (1883-1930). Advogado. Depois de concluir sua formação e defender seu doutorado, em 1906, estabeleceu-se como advogado na cidade de Frankfurt e decidiu advogar em defesa dos pobres. Ingressou no Partido Social-Democrata alemão e foi delegado ao congresso do partido de 1913. Foi advogado de defesa no grande julgamento contra Rosa Luxemburgo em fevereiro de 1914, depois do qual ficou sob sua influência teórica e política. Ingressou no Grupo Spartacus, pelo qual atuou durante a Primeira Guerra Mundial, especialmente na mobilização contra a guerra. Após a revolução de 1918, ele foi um dos líderes da Liga Spartacus e um dos fundadores do Partido Comunista alemão, no qual fez parte de sua direção. Após o assassinato de Rosa Luxemburgo, Karl Liebknecht e Leo Jogiches, Levi chefiou o Partido Comunista em março de 1919. Em junho de 1920 foi eleito para o Parlamento alemão. No entanto, ele renunciou ao mandato parlamentar no início de 1921 por causa de divergências com a Internacional Comunista, porque ele era contra a cisão no Partido Socialista Italiano e a fundação do Partido Comunista Italiano, pois defendia a construção de um partido de massas e era contra a formação de um partido de quadros. Em fevereiro de 1921 também renunciou às suas funções como presidente do Partido Comunista e integrante do Comitê Central. Acabou expulso do partido em abril de 1921. Foi o responsável pela publicação do texto de Rosa Luxemburgo *A Revolução Russa*, no qual ela criticava a atuação do Partido bolchevique e os rumos da Revolução Russa. Retornou ao Partido Social-Democrata alemão em 1922, vinculando-se à sua esquerda. Em 1924 foi eleito para o Parlamento alemão. Em sua ação advocatícia auxiliou a descobrir os assassinos de Rosa Luxemburgo e Karl Liebknecht. Suicidou-se em 1930.

LIEBKNECHT, Karl (1871-1919). Advogado. Filho do fundador da social-democracia alemã Wilhelm Liebknecht, antimilitarista e presidente (em 1907) da Federação Internacional da Juventude Socialista. Eleito em 1912 deputado da social-democracia alemã ele seguiu a disciplina partidária em 4 de agosto de 1914, votando pelos créditos de guerra no Parlamento alemão. No entanto, convencido de seu erro pelos trabalhadores de Württemberg prontamente rompeu com a política social-democrata. Organizou uma manifestação em Berlim contra a guerra, o que lhe valeu uma condenação à prisão. Adquiriu renome mundial por sua atitude e sua palavra de ordem "O inimigo mais perigoso está em nosso país!". Fundou e dirigiu a Liga Spartacus com Rosa Luxemburgo, liderando o levante de novembro de 1918, e defendeu a palavra de ordem de constituição de uma república socialista na Alemanha. Em 9 de novembro desse ano, proclamou a República Livre Socialista da Alemanha da varanda do castelo de Berlim, inspirando-se no modelo soviético. Quase ao mesmo tempo, o social-democrata Philipp Scheidemann proclamou da varanda do Parlamento a República Alemã, impedindo a entrada de Liebknecht no Conselho de Deputados do Povo. Karl Liebknecht e Rosa Luxemburgo foram assassinados por milícias (os *freikorps*, caldo de cultura das futuras SAs (*Sturmabteilungs*) nazistas) em janeiro de 1919 por ordem de Gustav Noske, ministro da Guerra social-democrata no governo de Ebert-Scheidemann.

LOSOVSKY (pseudônimo de **Salomon Abramovitch DRIZDO**, 1878-1952). Ferroviário, eletricitário e sindicalista. Ingressou em 1901 ao Partido Social-Democrata russo e em 1904 aderiu à facção bolchevique do Partido Operário Social-Democrata Russo. Preso várias vezes e deportado, fugiu e acabou indo para o exílio em 1908. Permaneceu na França até 1917, onde militou ativamente nos meios sindicais. Retornou à Rússia e tomou parte na Revolução. Por se colocar contra o acordo de paz com a Alemanha, acabou expulso do Partido bolchevique em 1918 e reintegrado no ano seguinte. De 1921 a 1937 foi secretário-geral da Internacional Sindical Vermelha (Profintern no acrônimo russo); de 1927 a 1935 foi membro da direção da Internacional Comunista. De 1936 a 1946 foi vice-ministro das Relações Exteriores da União Soviética. Foi preso e condenado em um processo contra intelectuais judeus e executado.

LUIS II (1870-1949). **Louis Honoré Charles Antoine GRIMALDI** era filho de Alberto I, príncipe de Mônaco, sucedendo-o após sua morte em 1922.

LUXEMBURGO, Rosa (1871-1919). Professora, jornalista e economista. Nasceu na então Polônia russa. Em 1887, ainda estudante secundarista, ingressou no Partido Socialista Revolucionário polonês. Para escapar da perseguição política exilou-se na Suíça em 1889, onde frequentou a Universidade de Zurique, estudando Ciências Naturais, Matemática e Economia Política, para doutorar-se em 1897. Em 1893 fundou o Partido da Social-Democracia do Reino da Polônia, rebatizado em 1900 para Social-Democracia do Reino da Polônia e Lituânia (SDKPiL). Em 1898, ao obter cidadania alemã, mudou-se para a Alemanha, fixou residência em Berlim e passou a militar na social-democracia alemã. Entre 1898 e 1899 polemizou, ao lado de Karl Kautsky, contra o revisionismo de Eduard Bernstein, tornando-se, desse modo, conhecida no movimento socialista internacional. Entre 1904 e 1914 representou o SDKPiL na Internacional Socialista. No início de 1906, viajou ilegalmente para a Polônia para tomar parte na Revolução Russa desencadeada em 1905 e acabou presa. Libertada, retornou à Alemanha onde começou a defender a greve de massas como contraponto à inércia social-democrata. De 1907 a 1914 lecionou na escola de quadros da social-democracia alemã. Em 1914, indignada com a aprovação dos créditos de guerra por parte da social-democracia alemã, fundou com um grupo de militantes social-democratas o Grupo Internacional, o qual, em novembro de 1918 passou a chamar-se de *Grupo Spartacus*. Entre 1915 e 1918, com pequenos interregnos de liberdade, foi presa pelo governo alemão sob a acusação de "agitação antimilitarista". Libertada em novembro de 1918, no início da Revolução Alemã. Criou a Liga Spartacus, que sucedeu o Grupo Spartacus, e assumiu a direção do jornal *Die Rote Fahne* (*A Bandeira Vermelha*), onde criticou enfaticamente o governo social-democrata de Ebert–Scheidemann por reprimir o processo revolucionário. Participou da fundação do Partido Comunista alemão no final de 1918 e início de 1919. Foi assassinada, juntamente com Karl Liebknecht, por uma das várias milícias paramilitares patrocinadas pelo governo e compostas principalmente de veteranos da Primeira Guerra Mundial (os *freikorps*, caldo de cultura das futuras SAs (*Sturmabteilungs*) nazistas) em janeiro de 1919 por ordem de Gustav Noske, ministro da guerra social-democrata no governo de Ebert-Scheidemann.

M

MACDONALD, James Ramsay (1861-1937). Professor e jornalista. Na sua juventude na Escócia, integrou organizações social-democratas locais, antes de mudar-se para Londres, em 1886. Em 1894, ele ingressou no recém-fundado Partido Trabalhista Independente. Em 1900 ele se tornou o primeiro-secretário do Comitê de Representação Trabalhista (*Labour Representation Committee* – LRC), que em 1906, ao fundir-se com o Partido Trabalhista Independente, se transformou no Partido Trabalhista. Em 1906 MacDonald foi eleito para a Câmara dos Comuns britânica, transformando-se, em 1911, líder da bancada do Partido Trabalhista inglês. Opôs-se à Primeira Guerra Mundial e renunciou ao seu cargo de líder do trabalhismo e não votou os créditos de guerra. Voltou à Câmara dos Comuns em 1922, quando o trabalhismo substituiu os liberais como o principal partido da oposição ao governo conservador de Stanley Baldwin, tornando MacDonald o líder da oposição. A essa altura, ele já havia se afastado da esquerda trabalhista e abandonado o socialismo de sua juventude. Ele se opôs fortemente à onda de radicalismo que varreu o movimento operário depois da Revolução Russa de 1917 e se transformou em um inimigo determinado do comunismo. MacDonald foi o primeiro trabalhista a ocupar o cargo de primeiro-ministro do Reino Unido, liderando governos trabalhistas minoritários por nove meses em 1924 e novamente entre 1929-1931. De 1931 a 1935, ele chefiou um governo nacional dominado pelo Partido Conservador e apoiado por apenas alguns membros trabalhistas. Como resultado, MacDonald acabou expulso do Partido Trabalhista.

MANUILSKY, Dimitri Zakarovitch (1883-1959). Jornalista. Ingressou na facção bolchevique do Partido Operário Social-Democrata Russo em 1903; foi várias vezes preso e deportado, exilando-se em 1907. Voltou quase dez anos depois e aderiu à organização "interdistrital", que tentava conciliar bolcheviques e mencheviques, dirigida por Trotsky, a qual aderiu em maio de 1917 ao Partido bolchevique. Em 1922 passou a trabalhar na Internacional Comunista e foi enviado em missões à França e à Alemanha. Tornou-se, a partir de 1928, um dos principais dirigentes da Internacional Comunista e o principal porta-voz do Partido Comunista da União Soviética em sua direção. Durante e após a Segunda Guerra Mundial, foi ministro das Relações Exteriores da Ucrânia e delegado da União Soviética à Organização das Nações Unidas.

MARTOV, Julius (pseudônimo de **Yuliy Osipovitch TSEDERBAUM**, 1873-1923). Jornalista. Nascido em Constantinopla, emigrou com a família para a Rússia. Entrou em 1892 na Universidade de São Petersburgo, onde se ligou a um grupo de influência marxista, mas acabou preso e expulso da universidade. Depois de sair da cidade, alguns anos a ela retornou, no final de 1895, e ajudou a formar a Liga de Luta pela Emancipação da Classe Trabalhadora de São Petersburgo, na qual Lenin era uma figura dominante. Preso no ano seguinte, passou três anos isolado na Sibéria. Em seguida, emigrou para o exterior, foi um dos fundadores do Partido Operário da Social-Democracia Russa (POSDR) e um dos criadores e responsáveis pelo jornal do partido, *Iskra* (Centelha). Muito próximo de Lenin, Martov acabou rompendo com ele no II Congresso do Partido em 1903, onde defendeu as posições daqueles que posteriormente foram conhecidos como mencheviques e que eram favoráveis ao estabelecimento de um partido de massa no modelo da Europa Ocidental e se opunham à concepção de Lenin de limitar a adesão ao partido a "revolucionários profissionais", os quais ficaram conhecidos como bolcheviques. Na época da Revolução de Outubro, ele ocupava uma posição de esquerda nas fileiras mencheviques, permanecendo no Segundo Congresso dos Sovietes após a saída dos Socialistas-Revolucionários e mencheviques de direita. Opositor irreconciliável do governo soviético, optou por emigrar para Berlim em 1920.

MARX, Karl Heinrich (1818-1883). Filósofo, sociólogo, historiador, economista, jornalista e revolucionário socialista. Depois de ter tentado uma carreira acadêmica na Alemanha, Marx, em razão de suas convicções políticas, acabou se exilando e passou grande parte de sua vida na Inglaterra. A obra de Marx em economia estabeleceu a base para muito do entendimento atual sobre o trabalho e sua relação com o capital, além do pensamento econômico posterior. Publicou vários livros durante sua vida, sendo o *Manifesto Comunista* (1848) e *O Capital* (1867–1894) os mais proeminentes.

MASLOW, Arkadi (1891-1941). Jornalista e tradutor. Nascido com o nome de Isaac Yefimovitch Tschemerinsky em uma família judaica na Ucrânia, aos 8 anos imigrou com sua mãe e irmãos para a Alemanha. No final da Primeira Guerra Mundial tomou contato com as ideias comunistas e acabou aderindo ao Partido Comunista alemão em 1919, ano em que passou a adotar o nome de Arkadi Maslow. Tornou-se membro do Comitê Central do Partido no final de 1920. Membro da sua ala esquerda, Maslow liderou o Partido Comunista alemão, junto com Ruth Fischer e Hugo Urbahns, após o eclipse do grupo de direita de Heinrich Brandler em 1924. Seguindo as posições de Zinoviev, Maslow defendeu posições contra Trotsky no período de 1923 a 1925; no entanto, a partir de 1926, como membro do Comitê Executivo da Internacional Comunista, passou a apoiar a Oposição de Esquerda. Quando Maslow e Fischer não desfrutavam mais da proteção de Grigori Zinoviev – que, ao lado de Lev Kamenev (1883-1936), juntou-se à Oposição de Esquerda de Trotsky em 1925 –, a partir de defesa de Josef Stalin para favorecer Ernst Thaelmann, eles foram destituídos da liderança do Partido e, em 20 de agosto de 1926, acabaram excluídos do Partido Comunista. Junto com Ruth Fischer e Hugo Urbahns, Maslow reuniu ex-membros da ala esquerda do Partido e formou a *Leninbund* (Liga Lenin) no início de 1928, que durante um breve período esteve filiada à Oposição de Esquerda. Separou-se da direção da *Leninbund*, antes de esta romper com a Oposição de Esquerda e durante um tempo, em meados da década de 1930, simpatizou com o movimento de apoio à Quarta Internacional. Com a ascensão do nazismo, partiu para o exílio, morrendo em Cuba, morte sobre a qual ainda hoje pairam suspeitas de ter sido realizada por agentes da polícia política soviética.

MATTEOTTI, Giacomo (1885-1924). Advogado. Ingressou no Partido Socialista Italiano em 1907. Foi eleito deputado ao Parlamento italiano em 1919, reelegendo-se sucessivamente até sua morte. Adversário resoluto do fascismo, sempre denunciou no Parlamento a ação violenta do agrupamento liderado por Benito Mussolini. Em 1921 ele publicou "Inquérito socialista sobre as façanhas dos fascistas na Itália", no qual a violência dos esquadrões de ação fascista durante a campanha eleitoral das eleições de 1921 foi por ele denunciada pela primeira vez. Ele foi excluído do Partido Socialista Italiano em 1922, sendo um dos fundadores do Partido Socialista Unitário, do qual foi secretário. Pouco depois de denunciar mais uma vez os métodos dos fascistas e do governo de Mussolini, em 10 de junho de 1924 Matteotti foi sequestrado por um grupo de fascistas. Seu cadáver foi encontrado em 16 de agosto. Frente à indignação geral provocada pelo assassinato de Matteotti, Mussolini acabou radicalizando sua ditadura.

MILLERAND, Alexandre (1859-1943). Membro do Partido Socialista francês, em 1899 tornou-se o primeiro socialista a entrar em um governo burguês, o que acabou resultando em sua expulsão das fileiras socialistas. Teve posteriormente vários postos ministeriais e foi eleito presidente da República em 1920.

MOLOTOV (pseudônimo de Vyacheslav Mikhailovitch **SKRIABIN**, 1890-1986). Jornalista. Ingressou no Partido Operário da Social-Democracia Russa (POSDR) em 1906, integrando a facção dos bolcheviques. Chefiou a organização de Petrogrado desde 1916, quando editou o *Pravda*, do qual foi demitido, por Josef Stalin e Lev Kamenev (1883-1936), que deram a este jornal uma política conciliatória até a chegada de Lenin em abril de 1917. Eleito para o Comitê Central em 1920. Juntou-se à facção de Stalin, que conhecia desde 1911, de quem se tornou o principal lugar-tenente, estando estreitamente associado a todos os expurgos do período. Presidente da Internacional Comunista durante a época do "Terceiro Período", entre Bukharin e Dimitrov. Foi membro do Bureau Político do Partido Comunista da União Soviética, ministro das Relações Exteriores, de 1939 a 1949 (em cuja função assinou, em 23 de agosto de 1939, com Ribbentrop, o chamado "Pacto Germano-Soviético") e de 1953 a 1956, e presidente do Conselho dos Comissários do Povo, de 1930 a 1941. Após a morte de Stalin, opôs-se à "desestalinização". Excluído do Comitê Central em julho de 1957 como membro do "grupo antipartido".

MONMOUSSEAU, Gaston (1883-1960). Carpinteiro, ferroviário e sindicalista. Como militante sindicalista revolucionário, liderou a greve dos ferroviários franceses. Secretário-geral da Confederação Geral do Trabalho Unitária (CGTU) de 1922 1932, ingressou no Partido Comunista em 1925 e se tornou um burocrata sindical stalinista. Foi deputado no congresso francês de 1936 a 1940.

MOSSE, Rudolf (1843-1920). Editor e fundador de um conglomerado editorial. Iniciou sua trajetória renovando a forma de disseminação da propaganda em jornais e revistas na Alemanha. A partir de 1872 iniciou a construção de seu império com a fundação do jornal *Berliner Tageblatt* (1872), seguindo-se a ele dezenas der títulos por toda a Alemanha. Seus concorrentes incluíam a editora Scherl, a editora Ullstein e o grupo Hugenberg. A linha política dos jornais e revistas de Rudolf Mosse era leal ao imperador e de orientação liberal-conservadora, não possuindo simpatias republicanas ou socialistas. Após sua morte o conglomerado continuou com sua família, mantendo a mesma orientação. Com a ascensão ao poder dos nazistas, como os Mosse eram judeus, a empresa e os bens da família foram "arianizados" e destruídos.

MÜLLER, Hermann (1876-1931). Jornalista. Foi eleito para a direção da social-democracia alemã em 1906, onde ajudou a imprimir um curso moderado entre a esquerda e a direita. Müller tornou-se membro do parlamento alemão em 1916 e, após a revolução de novembro de 1918, entrou no novo governo provisório. Como ministro das Relações Exteriores, ele assinou o Tratado de Versalhes pela Alemanha. Após o fracasso do golpe de Kapp (março de 1920), ele assumiu o cargo de primeiro-ministro até as eleições de junho de 1920. Foi presidente da social-democracia alemã de 1919 a 1928. Após o sucesso dos social-democratas nas eleições de 1928, ele formou um governo de coalizão com os partidos moderados, sendo o último primeiro-ministro social-democrata da Alemanha (1928-1930). Em seu governo foi negado o asilo a Trotsky após sua expulsão da União Soviética. Incapaz de evitar os efeitos desastrosos da Grande Depressão na Alemanha em 1929, ele foi forçado a renunciar à sua segunda chancelaria.

MÜNZENBERG, Willi (1889-1940). Sapateiro. Em 1906 ingressou no movimento juvenil social-democrata alemão. Seu talento organizacional o levou a posições de liderança. Perseguido por suas posições políticas migrou para a Suíça em 1910, onde manteve sua militância no movimento juvenil. Em 1914 assumiu a secretaria da organização de juventude suíça. Com o início da Primeira Guerra Mundial alinhou-se à corrente internacionalista e ligou-se a Lenin, que ali se encontrava na ocasião. Tornou-se secretário da Juventude Socialista Internacional. Preso como organizador de uma greve geral em Zurique, foi expulso da Suíça após o fim da Primeira Guerra Mundial. Retornou à Alemanha, onde se aproximou da Liga Spartacus e depois do Partido Comunista alemão. Organizou o congresso de fundação da Internacional da Juventude Comunista (IJC) em Berlim em novembro de 1919, onde defendeu a autonomia das organizações de jovens em relação aos partidos comunistas. Münzenberg foi secretário da IJC até 1921. Neste ano, no II Congresso Internacional da IJC e no III Congresso da Internacional Comunista, ele foi deposto por Zinoviev e se retirou do trabalho com jovens por discordar da decisão da Internacional Comunista de subordinação das entidades juvenis aos partidos comunistas. Imediatamente Lenin o encarregou de organizar a ajuda no Ocidente contra a grande fome na Rússia. Esta ação imediatamente levou à criação do Socorro Operário Internacional, a primeira grande organização política criada por Münzenberg. Com o passar dos anos, o Socorro Operário Internacional organizou seções em todos os países, publicou jornais e revistas, administrou cozinhas e lares para crianças e apoiou grevistas. Ele dirigiu a campanha da Internacional Comunista de liberação de Sacco e Vanzetti, ajudou a criar a Liga Mundial contra o Imperialismo, o Socorro Vermelho Internacional (SVI), o movimento "Amsterdã-Pleyel". Com base nesta experiência, ele constituiu o que se chamou de "Conglomerado Münzenberg", um conjunto de empresas como produtoras de cinema, teatros, editoras, revistas de grande circulação (como a famosa *AIZ*, sigla alemã para *Revista Ilustrada dos Trabalhadores*, uma revista progressista e graficamente moderna) etc. Isso o levou a integrar a direção do Partido de 1924 a 1935, bem como ser eleito para o parlamento alemão de 1924 a 1933. Com a chegada ao poder dos nazistas, Münzenberg exilou-se na França, onde assumiu a luta de propaganda contra Hitler com grande atividade e novamente criou editoras e jornais. A partir de 1934 criticou a orientação da Internacional Comunista por ter contribuído para a subida ao poder dos nazistas e passou a defender uma frente popular alemã. Münzenberg, que em 1935 participou do VII Congresso Mundial da Internacional Comunista, retornou à França e entrou cada vez mais em conflito com Moscou e especialmente com a liderança do Partido Comunista alemão. Convocado para esclarecer suas posições em Moscou, recusou-se a ir e, assim, certamente, escapou dos expurgos stalinistas. Em outubro de 1937, Münzenberg foi expulso do Partido Comunista alemão. Embora durante algum tempo tenha tentado discutir sua posição, em 1939 rompeu publicamente com o Partido Comunista alemão e com a Internacional Comunista, após a assinatura do pacto germano-soviético. Quando se iniciou a Segunda Guerra Mundial, Münzenberg foi detido e internado em um campo de prisioneiros na França, em janeiro de 1940. Em meados de 1940 fugiu do campo de Chambarran, perto de Lyon, e no final de outubro de 1940 seu corpo, já em decomposição, foi encontrado. Suspeita-se que tenha sido assassinado a mando de Stalin.

MURALOV, Nikolai Ivanovitch (1886-1937). Agrônomo. Ingressou no Partido Operário da Social-Democracia Russa (POSDR) em 1903. Teve atuação destacada em Moscou nas revoluções de 1905 e 1917. Foi inspetor do Exército Vermelho, quando dirigido por Trotsky. Membro da Oposição Unificada, permaneceu sem ser preso até 1936, quando foi detido. Foi condenado e executado nos Processos de Moscou.

MUSSOLINI, Benito Amilcare Andrea (1883-1945). Professor e jornalista. Em 1900 ingressou no Partido Socialista italiano. Em 1912 fez parte da direção do Partido Socialista italiano, tornando-se líder de sua esquerda e foi eleito vereador em Milão. Com o início da Primeira Guerra Mundial tornou-se defensor da entrada da Itália na Guerra e acabou expulso do Partido Socialista, acusado de receber fundos ocultos de agentes franceses na Itália, que o subornaram para se juntar à causa da defesa da entrada da Itália na guerra. No final de 1914 Mussolini participou da fundação da "Ação Revolucionária *Fasci*" de Filippo Corridoni em Milão, a qual seria o embrião do partido fascista criado em 1919 e que em 1921 adotou o nome de Partido Nacional Fascista. Depois de uma longa trajetória de ataques e violências dos fascistas contra os trabalhadores e suas organizações – e que perduraram por mais de uma década –, com o que obteve o apoio de altos funcionários e industriais, que viam em Mussolini o homem forte que poderia restaurar a ordem no país, "normalizando" a situação social italiana, ele tornou-se chefe do governo após a Marcha sobre Roma em 1922. Seus sonhos de império levaram à invasão da Abissínia (mais tarde Etiópia) em 1935. Apoiado em seus esquemas fascistas por Adolf Hitler, Mussolini apoiou o Eixo Roma-Berlim e declarou guerra aos Aliados em 1940. As derrotas militares italianas na Grécia e no Norte da África levaram a uma crescente desilusão com Mussolini. Após a invasão aliada da Sicília (1943), o Grande Conselho Fascista o depôs de suas funções. Foi libertado da prisão pelas forças nazistas, que o colocam à frente de um governo fantoche autointitulado República Social Italiana, conhecido como República de Salo. Foi capturado e fuzilado pelos *partiggiani* e seu corpo acabou exposto dependurado em praça pública.

N

NAPOLEÃO I, ver **Napoléon BONAPARTE**

NAPOLEÃO III, ver **Charles-Louis-Napoléon BONAPARTE**

NEUMANN, Heinz (1902-1937). Jornalista e militante político. Ingressou no Partido Comunista alemão em 1920. Em 1922 acompanhou uma delegação alemã à Rússia Soviética e, por ser o único que falava russo, isso deu a ele acesso aos principais comunistas russos, particularmente com Stalin, que acabara de se tornar secretário-geral do Partido Comunista russo. Nesta ocasião estava alinhado às posições de esquerda no Partido, mas a partir de 1923 Neumann representou a política de Stalin na Alemanha de forma cada vez mais clara. Perseguido pela polícia Neumann fugiu em 1925 para a União Soviética onde atuou como representante do Partido alemão na Internacional Comunista onde dedicou sua atuação à "bolchevização" do Partido contra a esquerda que hegemonizava então as fileiras alemãs. Em 1927 passou a integrar o Comitê Central do Partido. Quando a política da Internacional Comunista na China faliu no final de 1927, Stalin tentou mudar as coisas a seu favor. Neste mesmo ano Stalin enviou à China seu amigo Vissarion (Besso) Lominadze e Neumann. Eles organizaram um levante em Cantão que eclodiu em dezembro de 1927 e levou à destruição dos comunistas em uma luta sangrenta de três dias. A partir dessa ação, solicitada por Stalin, Neumann foi chamado por seus oponentes de "carrasco de Cantão". Ele conseguiu escapar e foi enviado de volta à Alemanha por Stalin em 1928. Neumann atingiu o auge de seu poder: ele integrou o Secretariado Político do Partido Comunista alemão, com a qual o jovem de 26 anos, ao lado de Thälmann e Hermann Remmele, tornou-se o líder indiscutível do Partido Comunista Alemão. Heinz Neumann foi, com Remmele, um líder stalinista no Partido Comunista, um "teórico" da virada ultraesquerdista ocorrida a partir do VI Congresso da Internacional Comunista com a orientação do "Terceiro Período". Eleito para o Parlamento alemão em 1930, a partir de 1931 Neumann começou a discordar tanto de Stalin quanto de Thälmann. Neumann começou a se dar conta de que, ao se concentrar em derrubar a social-democracia do poder, os comunistas subestimaram o perigo nazista. Ele foi derrotado em outubro de 1932, dispensado de suas funções no partido em novembro de 1932 e perdeu seu assento no Parlamento alemão. Com a chegada dos nazistas ao poder, saiu da Alemanha, indo primeiro para a Suíça. Preso, acabou sendo expulso e enviado para a União Soviética em 1935. Heinz Neumann foi preso pela polícia política de Stalin em 27 de abril de 1937. Em 26 de novembro de 1937, ele foi condenado à morte pelo Colégio Militar da Suprema Corte da União Soviética e fuzilado no mesmo dia.

NOSKE, Gustav (1868-1946). Marceneiro e jornalista. Ingressou na social-democracia alemã em 1884, alinhando-se ao longo do tempo à sua facção de direita. Foi membro do Parlamento alemão de 1906 a 1918, onde se especializou em questões militares, navais e coloniais. Com o final da Primeira Guerra Mundial, que levou à queda da monarquia na Alemanha e a instauração da República, entre fevereiro de 1919 a março de 1920, Noske foi o primeiro social-democrata responsável pelos militares na história da Alemanha. Noske compartilhou o antibolchevismo dos militares e deu às milícias (os *freikorps*, caldo de cultura das futuras SAs (*Sturmabteilungs*) nazistas), apoiadas pelo Exército alemão, completa liberdade em sua repressão às greves e levantes dos trabalhadores, além de garantir que os soldados do governo não fossem levados à justiça por crimes violentos. Além de responsável pela supressão da revolta de janeiro de 1919 (a chamada "revolta espartaquista"), Noske ordenou o assassinato de Karl Liebknecht e Rosa Luxemburgo. A sua carreira terminou com o golpe de Kapp, porque os seus "protegidos", os chefes militares, o "traíram". Ele foi mais tarde o presidente da província de Hannover (1920-1933).

O

OUSTRIC, Albert Antoine (1887-1971). Banqueiro. Fundou um banco em 1919 e fez da especulação no mercado de ações sua especialidade. Ficou famoso pela falência fraudulenta de seu banco em 1930, que acabou com muitos bancos e arruinou milhares de famílias em um prejuízo da ordem de 1,5 bilhão de francos e causou a queda do gabinete de André Tardieu (1876-1945) e de vários políticos da época atingidos pelo escândalo. Oustric foi condenado em janeiro de 1932 a 18 meses de prisão e a uma multa de 3 mil francos.

OSSIETZKY, Karl von (1889-1938). Jornalista. Em 1912 Ossietzky ingressou na Sociedade Alemã da Paz, tornando-se seu secretário em 1920. Em 1922 ajudou a fundar a organização *Nie Wieder Krieg* (Guerra Nunca Mais). Em 1927 tornou-se editor do *Weltbühne*, um semanário político liberal, no qual, em uma série de artigos, ele desmascarou os preparativos secretos do exército alemão para rearmamento do país, para burlar o acordo de paz de Versalhes. Acusado de traição, Ossietzky foi condenado em novembro de 1931 a 18 meses de prisão, mas foi anistiado em dezembro de 1932. Quando os nazistas chegaram ao poder, Ossietzky, que havia retomado seu posto no *Weltbühne*, atacou os nazistas. Recusando-se a sair da Alemanha, foi preso em 28 de fevereiro de 1933. Ele ganhou o Prêmio Nobel da Paz em 1936, enquanto estava em um hospital-prisão com tuberculose. A resposta dos nazistas foi proibir a imprensa alemã de comentar sobre a concessão do prêmio a Ossietzky, e o governo alemão decretou que no futuro nenhum alemão poderia aceitar qualquer Prêmio Nobel. A última aparição pública de Ossietzky foi a uma curta audiência no tribunal em que seu advogado foi condenado a dois anos de trabalhos forçados por desviar a maior parte do prêmio Nobel de Ossietzky. Embora não tenha obtido permissão para deixar a Alemanha, Ossietzky foi autorizado a se mudar para um sanatório privado para tratar sua tuberculose, mas, mesmo assim, acabou morrendo da doença.

P

PAPEN, Franz Joseph Hermann Michael Maria von (1879-1969). Militar. Ao final da Primeira Guerra Mundial iniciou sua carreira política. Entre 1921 e 1932 Papen foi um deputado no Parlamento regional da Prússia, atuando pelo Partido Católico. Embora ele tivesse conexões com monarquistas alemães, ex-aristocratas, grandes círculos de negócios e o exército alemão, o próprio Papen não possuía seguidores políticos organizados. Orquestrada pelo general Kurt von Schleicher, um conselheiro do presidente alemão Paul von Hindenburg, a sua nomeação para a chancelaria, ocorrida em junho de 1932, foi uma completa surpresa para o público e os meios políticos. Papen formou o chamado "gabinete dos barões" e realizou um governo autoritário de direita sem uma real base política ou com uma maioria votante no Parlamento alemão, governando através de decretos e que não pretendia barrar o caminho dos nazistas, mas imaginava integrá-los ao conjunto da via política alemã. Em 11 de julho de 1932, Papen recebeu o apoio do gabinete e do presidente Hindenburg para um decreto permitindo que o governo alemão interviesse e assumisse o governo da Prússia, que era dominado pela social-democracia. Tal decisão foi justificada pelo boato de que o governo social-democrata e o Partido Comunista alemão estariam planejando uma fusão. A violência política do chamado "domingo sangrento de Altona" – confronto entre nazistas, comunistas e a polícia em 17 de julho – deu a Papen o pretexto para intervir na Prússia. Em 20 de julho, Papen lançou um golpe de Estado contra o governo social-democrata da Prússia. Berlim foi colocada sob intervenção militar e Papen enviou forças para prender as autoridades social-democratas prussianas, a quem ele acusou sem provas de estarem ligadas aos comunistas. A partir de então, Papen se declarou comissário do governo alemão da Prússia por meio de outro decreto de emergência que ele obteve de Hindenburg, enfraquecendo ainda mais a democracia da República de Weimar. Papen tentou fazer do golpe uma oferta aos nazistas para obter seu apoio no Parlamento alemão a fim de que seu governo pudesse obter maioria. Esta e outras "ofertas" de Papen, como a revogação da proibição de atuação das tropas de choque paramilitares nazistas, as SAs (*Sturmabteilung*), no entanto, não produziram o resultado desejado, pois os nazistas se recusaram a apoiá-lo. Sua incapacidade para formar uma maioria no Parlamento levou a que o presidente Hindenburg o demitisse e o substituísse pelo general Kurt von Schleicher. Enfurecido com sua demissão e determinado a se vingar de Schleicher, Papen chegou a um acordo com Hitler e persuadiu Hindenburg a nomear o líder nazista à chanceleria, dando-lhe a vice-chanceleria e nomeando-o ministro-presidente da Prússia. Papen, cujos colegas nacionalistas não nazistas receberam a maioria dos postos ministeriais, imaginava que poderia conter os nazistas. Papen renunciou à vice-chancelaria em julho de 1934 e logo em seguida foi enviado como embaixador na Áustria (1934-1938), onde atuou pela sua anexação à Alemanha. Logo depois se tornou embaixador na Turquia (1939-1944). Papen foi preso pelos aliados em abril de 1945 e julgado como criminoso de guerra, mas acabou absolvido no Tribunal de Nürnberg. Em 1947, um tribunal de desnazificação da Alemanha Ocidental o condenou a oito anos de prisão por ter atuado em crimes relacionados ao governo nazista, mas um recurso o libertou em 1949 e o penalizou com uma multa.

PESHKOV, Alexei Maximovitch, ver Máximo GORKI

PILSUDSKI, Josef (1867-1935). Político e militar. Socialista e fundador do Partido Socialista Polonês (PPS), tornou-se nacionalista e colaborou com as chamadas Forças Centrais (Império Austro-Húngaro e Alemanha) com o objetivo de restaurar a Polônia. De fato, durante a Primeira Guerra Mundial, em fins de 1916, as Forças Centrais proclamaram a "independência" da Polônia. Presidente da República de 1918 a 1922, tornou-se ditador depois de um golpe de Estado em 1926, mantendo-se no cargo até sua morte.

POSNANSKI, Igor Moiseievitch (1898-1938). Depois da Revolução Russa, ainda estudante de matemática, foi segurança de Trotsky e ingressou no Exército Vermelho, onde combateu as forças contrarrevolucionárias e organizou a Cavalaria Vermelha. Tentou acompanhar Trotsky quando foi exilado, mas acabou preso. Enviado a um campo, morreu fuzilado.

PURCELL, Albert Arthur (1872-1935). Pintor de mobília e sindicalista. Foi fundador do Partido Comunista da Grã-Bretanha em 1920 e mais tarde presidente da Federação Sindical Internacional (*International Federation of Trade Unions* – IFTU, também conhecida como Internacional de Amsterdã) de 1924 a 1928 e foi deputado pelo Partido Trabalhista na Câmara dos Comuns durante dois períodos separados entre 1923 e 1929. Em 1925, ele presidiu uma delegação do Congresso dos Sindicatos (*Trade Unions Congress* – TUC) à União Soviética. Foi membro do Conselho Geral do TUC e do Comitê da Unidade Sindical Anglo-Russa durante fracassada Greve Geral Britânica de 1926.

R

RADEK, Karl (pseudônimo de **Karol SOBELSOHN**, 1885-1939). Jornalista. Nasceu na Galícia austríaca, juntou-se em 1904 ao partido Social-Democracia do Reino da Polônia e Lituânia (SDKPiL). Participou da Revolução de 1905 em Varsóvia. Em 1907, após sua prisão na Polônia, fugiu para a Alemanha e ingressou na social-democracia alemã. Com o início da Primeira Guerra Mundial, emigrou para a Suíça, onde ingressou na seção local do Partido bolchevique russo. Após a revolução de 1917 ingressou na Rússia, onde passou a trabalhar no comissariado das Relações Exteriores e participou das negociações de paz com a Alemanha, em Brest-Litovsk, de onde retornou à Alemanha. Acabou preso após o levante espartaquista em 12 de fevereiro de 1919 e mantido na Prisão de Moabit até sua libertação em janeiro de 1920, quando retornou à Rússia. Pertenceu à Oposição de Esquerda até 1928, depois passou para o lado de Stalin, tornando-se um especialista em relações exteriores do Kremlin. Ele se incriminou no segundo julgamento de Moscou, não foi condenado à morte e morreu na prisão, assassinado, dizem, por outros prisioneiros.

RADITCH, Stefan (1871-1928). Fundador e dirigente do Partido Camponês Croata. Lutou pela independência da Croácia e liderou os separatistas croatas na formação do estado Iugoslavo. Em 1924 participou da Internacional Camponesa (conhecida como Krestintern, de acordo com o acrônimo russo) em Moscou. Foi assassinado no Parlamento em Belgrado por um colega deputado montenegrino.

RADOMYLSKY, Grigori Evseievítch, ver **Grigori ZINOVIEV**

RAKOVSKY, Khristian Georgevitch (1873-1941). Médico. Nascido Krystiu Gheorgiev Stanchev na Bulgária, em 1878, com a alteração nas fronteiras do país, sua família teve de alterar o nome para conservar terras, que se encontravam então na Romênia, e optou pelo nome de Rakovsky, proveniente de um ancestral ilustre. Aos 14 anos Krystiu Gheorgiev Stanchev tornou-se legalmente Khristian Georgevitch Rakovsky. Em 1888 aproximou-se dos socialistas, o que o levou a ser expulso da escola e exilar-se na Suíça em 1890 para iniciar seus estudos em medicina, que foram concluídos na França em 1896. Ao mesmo tempo seu engajamento o levou a aprofundar sua militância socialista, o que o fez se aproximar e militar ao lado de uma plêiade do socialismo internacional como August Bebel, Friedrich Engels, Jules Guesde, Jean Jaurès Paul Lafargue, V. I. Lenin, Karl Liebknecht, Rosa Luxemburgo, George Plekhanov, Charles Rappoport, Leon Trotsky, Vera Zassulitch, entre outros. Foi membro do Bureau Socialista Internacional, corpo diretivo máximo da Internacional Socialista, o que lhe valeu sucessivas prisões por toda a Europa. Durante a Primeira Guerra Mundial foi preso na Romênia no final de 1916 e libertado pelo soviete dos soldados russos em maio de 1917. No final do ano ingressou no Partido bolchevique. Presidiu o Conselho dos Comissários do Povo da Ucrânia de 1919 a julho de 1923. Foi um dos fundadores da Internacional Comunista, em 1919. Em 1922 polemizou com Stalin a respeito da questão nacional e da autonomia das repúblicas soviéticas, posicionando-se ao lado de Lenin. Em 1923, Stalin o afastou da Rússia designando-o para postos diplomáticos em Londres e depois em Paris. Retornou em 1927, quando aderiu à Oposição de Esquerda e da qual se tornou o principal dirigente após a expulsão de Trotsky do território soviético até 1934. Em 1928 foi preso e deportado primeiro em Astrakhan (à beira do Mar Cáspio) e depois em Barnul (em plena Sibéria). Capitulou após seis anos de deportação. Acusado no terceiro "julgamento de Moscou" em 1938, foi condenado a 20 anos de trabalhos forçados. Ele se recompôs na prisão, foi condenado à morte e executado, amordaçado e esquartejado, em setembro de 1941.

RAPPOPORT, Charles Léon (1865-1941). Filósofo e jornalista. Nascido na Lituânia russa, Rappoport aderiu em 1883 ao grupo *Narodnaia Volia* (Vontade do Povo). Procurado por envolvimento em uma tentativa de ataque terrorista contra o czar russo fugiu para o exterior em 1887. Depois de passar pela França, foi para a Suíça, onde concluiu seus estudos até obter o doutoramento em filosofia em 1897. Neste mesmo ano retornou à França, onde, em contato com Jean Jaurès, acabou aderindo ao socialismo. Naturalizou-se francês em 1899. Militou no Partido Socialista da França e depois no Partido Socialista (Seção Francesa da Internacional Operária – SFIO) até 1920. A longa prática filosófica de Rappoport, seu conhecimento do marxismo, de Pierre Lavrov a Antonio Labriola e Georges Sorel, fez dele um dos principais marxistas franceses. Também reconheceu a autoridade política e ideológica da social-democracia alemã e, em particular, a de Karl Kautsky. Ele se tornou a voz do marxismo na II Internacional e da social-democracia alemã na França. Em 1920 se tornou um dos fundadores do Partido Comunista francês, do qual foi membro de sua direção de 1920 a 1922. A partir de então seu papel como dirigente diminuiu consideravelmente e Rappoport deu continuidade ao seu trabalho intelectual como jornalista, propagandista e professor. No entanto, isolado e em minoria em termos de ideias, Rappoport colidiu com o aparato nascente do Partido Comunista em seus esforços para introduzir um marxismo vivo e criativo. Definitivamente desgostoso pela realização dos julgamentos de Moscou, ele superou o que ele mesmo chamou de covardia e decidiu romper com o Partido Comunista frente ao destino reservado ao seu amigo Nikolai Bukharin em março de 1938. Ele retornou à SFIO pouco antes de sua morte.

RASPUTIN, Gregori Yefimovitch (1872-1916). Monge e místico siberiano analfabeto que conquistou grande influência na última corte czarista; ele foi assassinado por membros da nobreza russa.

REMMELE, Hermann (1880-1939). Metalúrgico e militante político. Ingressou na social-democracia alemã em 1897, onde permaneceu até 1918, quando ingressou no Partido Social-Democrata Independente da Alemanha (*Unabhängige Sozialdemokratische Partei*

Deutschlands – USPD), pelo qual chegou a se eleger deputado ao parlamento em 1920. Neste mesmo ano, juntamente com a ala esquerda do USPD, transferiu-se para o Partido Comunista alemão. Remmele foi membro do parlamento alemão e do Comitê Central comunista sem interrupção até 1932. Em 1931-1932 sua tentativa, junto com Neumann e a maioria do Bureau Político, de remover Thälmann e dar uma orientação mais firme contra os nacional--socialistas e os social-democratas fracassou. Ao contrário do que ocorreu com o grupo de Neumann, que foi todo penalizado, Remmele foi apenas advertido. Em outubro de 1932, no entanto, ele teve de renunciar ao secretariado do Comitê Central, mas permaneceu em Berlim. Depois que os nazistas tomaram o poder, exilou-se na União Soviética. Depois que sua correspondência com Neumann foi encontrada, a carreira política de Remmele chegou ao fim. Em janeiro de 1934, ele teve de fazer uma autocrítica e renunciar às suas teorias sobre o fascismo. Ele também declarou que sua afirmativa "de que a classe trabalhadora alemã havia sofrido a pior derrota desde 1914" estava "errada". Foi preso pelo serviço secreto soviético em maio de 1937, acusado de integrar uma "organização terrorista contrarrevolucionária", sendo condenado à morte. Remmele foi uma das vítimas mais proeminentes do expurgo stalinista, que atingiu dois terços dos comunistas alemães que fugiram para a União Soviética.

RENOULT, Daniel Étienne (1880-1958). Revisor e jornalista. Em 1906 ingressou no Partido Socialista (Seção Francesa da Internacional Operária – SFIO). Em 1920 tornou-se um dos fundadores do Partido Comunista Francês, sendo membro de sua direção de 1920 a 1922. Em dezembro de 1921, em uma reunião do Comitê Executivo da Internacional Comunista em Moscou, Daniel Renoult se opôs à estratégia da frente única com a social-democracia, que ali foi defendida por Grigori Zinoviev. Mantendo tal posicionamento depois de seu retorno à França, acabou não sendo reeleito para a direção do Partido. Acabou, pouco a pouco, se afastando para posições de segundo plano e teve uma trajetória centrada fora dos postos principais, sendo vice-prefeito de Montreuil-sous-Bois de 1935 a 1940 e depois prefeito de 1945 a 1958. Somente após a Segunda Guerra Mundial voltou a fazer parte do Comitê Central do Partido Comunista francês.

ROSENFELD, Kurt Samuel (1877-1943). Advogado. Ingressou na social-democracia alemã em 1888, onde atuou em sua ala esquerda. Entre 1910 e 1920 atuou como vereador na cidade de Berlim. Ao lado de sua atuação parlamentar também construiu reputação: durante esse período, ele defendeu seus camaradas políticos, como Rosa Luxemburgo, Kurt Eisner e Georg Ledebour. Em 1917, perto do final da Primeira Guerra Mundial, Rosenfeld esteve entre os que romperam com a social-democracia e fundaram o Partido Social-Democrata Independente da Alemanha (*Unabhängige Sozialdemokratische Partei Deutschlands* – USPD). Rosenfeld foi candidato do USPD nas eleições gerais de maio de 1920 e foi eleito deputado ao Parlamento alemão, sucessivamente até 1932. Em 1922, Rosenfeld retornou à social-democracia, atuando novamente em sua ala esquerda. Em 1931, Rosenfeld foi um dos seis membros de esquerda da social-democracia excluídos do partido após uma "violação da disciplina partidária". No centro da divergência estava a decisão da liderança do partido de "tolerar" o governo Brüning, para "estabilizar o estado vacilante" e evitar uma tomada nazista do poder. Rosenfeld fundou então o Partido Socialista Operário (*Sozialistische Arbeiterpartei* – SAP), do qual se tornou um dos presidentes. Permaneceu no SAP até janeiro de 1933. Em 1934 ingressou no Partido Comunista alemão. Com a ascensão dos nazistas ao poder, exilou-se, sucessivamente, na França, na Inglaterra e nos Estados Unidos, onde viria a falecer.

ROY, Manabendra Nath (pseudônimo de **Narendra Nath BHATTACHARYA**, 1887-1954). Engenheiro. Ligado a um movimento nacionalista radical que advogava a independência da

Índia por meios radicais, Roy viajou ao exterior em 1915 em busca de armamentos, passando pela Alemanha, Estados Unidos e México, onde tomou contato com as ideias comunistas e, logo após a Revolução Russa, tornou-se um dos fundadores do Partido Comunista mexicano. Em 1920 foi a Moscou para participar do II Congresso da Internacional Comunista, onde colaborou com Lenin na elaboração das teses sobre a questão nacional e colonial, nas quais se propunha cooperação com elementos nacionalistas burgueses nas lutas pela independência dos países coloniais. Roy atuou como membro da direção da Internacional Comunista por oito anos. Por ocasião da disputa entre Trotsky e Stalin, apoiou as posições deste último, aproximando-se, particularmente, de Nikolai Bukharin e Heinrich Brandler, aos quais deu seu apoio quando da formação da Oposição de Direita. Quando Stalin derrotou Bukharin, Roy foi destituído de seus cargos na Internacional Comunista. Roy retornou à Índia em 1930. Preso no ano seguinte, foi condenado e permaneceu preso até 1936. Após ser libertado aproximou-se do Partido do Congresso Nacional indiano. Dando maior prioridade imediata à derrota do fascismo do que à independência indiana, Roy se opôs ao Partido do Congresso por sua relutância em ajudar os britânicos na Segunda Guerra Mundial e criou o Partido Democrático Radical em 1940. Depois que a Índia conquistou a independência em 1947, Roy fundou o movimento de humanismo radical, uma mistura de ideias humanitárias, socialistas e liberais.

S

SAVOIA, Vittorio Emanuele Ferdinando Maria Gennaro di, ver **VITOR Manuel III**

SCHEIDEMANN, Philipp Heinrich (1865-1939). Gráfico, jornalista e sindicalista. Aderiu à social-democracia alemã em 1883. Entre 1903 e 1918 atuou no Parlamento alemão. Em 1911 passou a fazer parte da direção do Partido Social-Democrata da Alemanha. Durante a Primeira Guerra Mundial defendeu a linha moderada da maioria da social-democracia: de paz, sem anexações ou reparações. Compartilhou a presidência da social-democracia alemã de 1917 a 1919 com Friedrich Ebert. Em 1918 se tornou secretário de Estado no governo do príncipe Max von Baden. Em novembro de 1918, embora seu companheiro de presidência na social-democracia Friedrich Ebert ainda defendesse a manutenção da monarquia, proclamou a República no Parlamento, ao mesmo tempo em que Karl Liebknecht fazia o mesmo em outro extremo de Berlim Tornou-se membro do Conselho dos Comissários do Povo. Com Friedrich Ebert presidiu o esmagamento da revolução de novembro de 1918, massacrando Rosa Luxemburgo, Karl Liebknecht e os revolucionários proletários alemães. Em 1919 foi o segundo chefe de governo da República de Weimar, atuando neste cargo por 127 dias, renunciando ao cargo em protesto contra as duras condições impostas pelo Tratado de Versalhes. Retornou ao Parlamento, aí permanecendo até a subida ao poder dos nazistas, quando partiu para o exílio, aonde viria a falecer.

SCHERINGER, Richard (1904-1986). Militar. Antigo oficial de milícias, membro do partido nazista, foi preso e condenado por atividades políticas. No presídio tomou contato com as ideias comunistas, abandonou o nazismo e aderiu publicamente ao Partido Comunista alemão em 1930 ao lado de outros membros de forças paramilitares nazistas, "decepcionados pela falta de sinceridade revolucionária de Hitler". Com a ajuda dos comunistas alemães, publicou um folheto chamado *A voz dos soldados honestos da revolução alemã no Partido Nazista*. Libertado, foi mais uma vez processado e preso, sendo anistiado em 1933, às vésperas de chegada dos nazistas ao poder. Após a Segunda Guerra Mundial foi secretário de Estado no ministério da Agricultura da Baviera de novembro a dezembro de 1945. Na década de 1950, ele foi presidente do Partido Comunista alemão da Baviera, até o partido ser proibido em 1956.

SCHLEICHER, Kurt Ferdinand Friedrich Hermann von (1882-1934). Militar. Ingressou no exército alemão em 1900. Excetuando-se um curto período, durante a Primeira Guerra Mundial, em que comandou um batalhão na frente de batalha, Schleicher construiu sua carreira nos gabinetes do Estado-Maior do Exército. Oficial do Estado-Maior durante a guerra, responsável pelas questões políticas, jogou um papel importante na Revolução alemã em 1918-1919, onde foi conselheiro político de Paul von Hindenburg, e indicou aqueles que combateram e massacraram os espartaquistas. Dali em diante, mesmo que não fosse visto intervindo pessoalmente, se poderia sentir sua influência invisível pairando sobre as decisões tomadas. Em 1929, quando também recebeu a patente de general, com sua nomeação ao cargo de subsecretário de Estado no Ministério das Forças Armadas no governo do social-democrata Hermann Müller, Schleicher se viu situado em um dos pontos estratégicos mais importantes da vida política alemã, servindo de ponto de conexão entre as Forças Armadas e o governo, particularmente com o presidente Paul von Hindenburg, sob cujas ordens serviu durante a Primeira Guerra Mundial. Acabou conhecido como um mestre das intrigas. Ele jogava o papel de "eminência parda" no ministério das Forças Armadas da Alemanha, operando nas sombras, plantando histórias em jornais com quem entretinha relações e contando com uma rede de informantes para descobrir o que outros departamentos do governo estavam planejando. Entre 1929 e 1933, Schleicher foi uma das forças determinantes na República de Weimar. Em 1930 suas intrigas contribuíram para derrubada do gabinete de Hermann Müller. Em 1931, Schleicher mudou as regras do Ministério da Defesa para permitir que os nacional-socialistas se servissem em depósitos e arsenais militares, embora não como oficiais, tropas de combate ou marinheiros. Além disso, para contornar o Tratado de Versalhes, que proibia o recrutamento, Schleicher contratou os serviços das forças paramilitares nazistas para substituir o recrutamento. Outra modificação introduzida por Schleicher em prol dos nazistas foi com respeito à filiação partidária das Forças Armadas. Antes de 1931, os militares eram estritamente proibidos de se filiar a qualquer partido político, porque as Forças Armadas deveriam ser apolíticas. Somente os nacional-socialistas foram autorizados por Schleicher a se juntar às Forças Armadas; se um membro das Forças Armadas se filiasse a qualquer outro partido político, seria dispensado de forma desonrosa. Mais uma vez suas intrigas contribuíram para a queda do governo de Heinrich Brüning em maio de 1932 e levaram à nomeação de Franz von Papen como chanceler em junho de 1932. Schleicher foi então nomeado ministro da Defesa. Quando Schleicher foi ministro, em junho de 1932, foi permitida novamente a atuação das forças paramilitares nazistas, as quais haviam sido suspensas em abril daquele ano. Quando Papen renunciou, em dezembro de 1932, Schleicher tornou-se chanceler. Como chanceler manifestou a convicção de que era possível dividir os nazistas e conter a violação das leis e da constituição, mantendo-os sob o controle das Forças Armadas. Para obter o apoio nazista enquanto se mantinha como chanceler, Schleicher falou em formar um governo de coalizão em torno de um regime não parlamentar, autoritário, como forma de obter o apoio dos nazistas Schleicher esperava que Hitler recuasse em sua demanda pela chancelaria e apoiasse a proposta. Como parte de sua tentativa de pressionar Hitler para sustentar seu eventual governo, Schleicher tentou obter o apoio dos sindicatos social-democratas, dos sindicatos cristãos e de um setor do Partido Nazista liderado por Gregor Strasser. Hitler recusou. Daquele momento em diante, ele considerou Schleicher seu inimigo. Em janeiro de 1933, Hindenburg demitiu Schleicher e fez de Hitler chanceler. Em junho de 1934, na "noite das facas longas", Schleicher foi assassinado pelas milícias paramilitares nazistas em seu apartamento em Berlim.

SCHOBER, Johannes (1874-1932). Jurista e político. Foi primeiro-ministro da Áustria de 1921 a 1922 e novamente de 1929 a 1930. Schober foi nomeado Chefe da Polícia de Viena em 1918 e em 1919 e 1927 deu ordens para que as forças militares sob suas ordens abrissem fogo contra manifestantes desarmados e foi fundador e presidente da Interpol de 1923 até sua morte. Ele também ocupou cargos em vários ministérios por curto espaço de tempo.

SEITZ, Karl (1869-1950). Professor e político. Membro do Partido Social-Democrata austríaco. Após a Primeira Guerra Mundial foi presidente da Assembleia Nacional Constituinte da Áustria e membro do Conselho Nacional Austríaco. De 1923 a 1934 foi prefeito de Viena.

SÉMARD, Pierre Victor (1887-1942). Ferroviário e sindicalista. Ingressou no Partido comunista francês em 1921 depois de importante atuação no movimento sindical do país. Em novembro de 1922 Pierre Sémard foi a Moscou participar do IV Congresso da Internacional Comunista e do III Congresso do Internacional Sindical Vermelha. De volta à França, Pierre Sémard defendeu a adesão da central sindical nacional constituída pelos comunistas no ano anterior, a Central Geral do Trabalho Unificada, à Internacional Sindical Vermelha. A forte disputa entre as várias correntes internas do Partido Comunista francês que se desenvolvia há tempos levaram a que Sémard fosse indicado para ocupar o cargo de secretário-geral do Partido Comunista francês sob o argumento de que sua trajetória no movimento sindical garantiria o caráter proletário do partido. Sémard permaneceu neste cargo até 1928, quando o rumo esquerdista que tomou a Internacional Comunista e novas crises que surgiram no interior do comunismo francês, as quais Sémard se revelou incapaz de conter, fizeram com que fosse afastado da secretaria geral. Depois de sofrer diversos ataques e graves acusações, que se revelaram infundadas, Sémard passou a dedicar-se novamente às atividades sindicais. Em 1940, sob a acusação de peculato e de violação do decreto de dissolução do Partido Comunista, acabou condenado e preso e, após a invasão da Alemanha, os seus captores o entregaram aos alemães, que o fuzilaram.

SERMUKS, Nikolai Martinovitch (1897-1937). Ingressou no Exército Vermelho, onde secretariou Trotsky. Preso durante a deportação de Trotsky e sua família, permaneceu encarcerado até seu fuzilamento.

SEVERING, Wilhelm Carl (1875-1952). Serralheiro, sindicalista. Ingressou na social-democracia alemã em 1893. Severing foi membro do parlamento imperial de 1907 a 1912, da assembleia constituinte de Weimar do pós-guerra (1919) e, até o início da era nazista, do parlamento de Weimar e da dieta do estado prussiano. Foi o chefe social-democrata da Polícia prussiana e ministro do Interior da Prússia de 1919 a 1926 e de 1930 a 1932. Juntamente com Otto Braun foi deposto por von Papen no golpe de Estado de 20 de julho de 1932. Severing se retirou da vida pública na Alemanha nazista, retornando à atividade política após 1945.

SEYDEWITZ, Max (1892-1987). Político, escritor, jornalista, editor, diretor de rádio, diretor de museu. Foi deputado da social-democracia no Parlamento alemão em 1924, integrando a sua ala esquerda. Fez parte da dissidência à esquerda na social-democracia alemã que deu origem ao Partido Socialista Operário (*Sozialistischen Arbeiterpartei* – SAP) em 1931, do qual se tornou um dos presidentes. Com a chegada ao poder dos nazistas foi para o exílio, onde, em 1938, aderiu ao Partido Comunista alemão, posição tornada pública com o seu livro *Trotsky ou* Stalin*: A URSS e o trotskismo: um estudo histórico*. Com o final da guerra voltou à República Democrática Alemã, onde chegou a ser presidente da Província da Saxônia e depois deputado.

SHAO Li-Tsi (1882-1967). Jornalista. Entrou em contato com o marxismo em Xangai com Tchen Du-Siu dentro do primeiro "pequeno grupo" comunista fundado em Xangai em maio de 1920. Ingressou no Kuo Min-tang, em agosto de 1920, tornou-se em seguida membro do Partido Comunista da China e se juntou ao Grupo Comunista de Xangai. Em 1926, Shao Li-Tsi participou do Segundo Congresso Nacional do Kuo Min-tang e foi eleito membro do Comitê Central. Em agosto desse mesmo ano, foi a Moscou como representante do Kuo Min-tang para participar da sétima reunião ampliada do Comitê Executivo da Internacional Comunista e saiu do Partido Comunista chinês. Foi presidente da Província de Kansu em 1932 e no ano seguinte passou a dirigir a Província de Shensi. Dentro do Kuo Min-tang Shao Li-Tsi sempre foi um defensor da cooperação entre sua organização e os comunistas chineses. Em 1949 retornou ao Partido Comunista chinês.

SHAW, George Bernard (1856-1950). Dramaturgo, romancista, e jornalista irlandês. Adepto do socialismo fabiano, escreveu muitos folhetos e discursos, onde defendeu a igualdade de direitos entre homens e mulheres, criticou a exploração da classe trabalhadora e defendeu a reforma agrária, entre outras causas.

SKRIABIN, Vyacheslav Mikhailovitch, ver **MOLOTOV**

SOBELSOHN, Karol, ver **Karl RADEK**

SÓCRATES (cerca de 470 a.C.-399 a.C.). Filósofo grego, cujo modo de vida, caráter e pensamento exerceram uma profunda influência na filosofia ocidental.

SOLNTSEV, Eleasar Borissovitch (1900-1936). Ingressou no Partido bolchevique na Revolução Russa. Durante a guerra civil ingressou no Exército Vermelho, onde Trotsky o incorporou a seu secretariado. Aderiu à Oposição desde seu início. Para afastá-lo de Trotsky, Stalin o designou para trabalhar no Comissariado de Comércio Exterior, oportunidade que Solntsev aproveitou para estabelecer relações com oposicionistas de países estrangeiros. Dando-se conta de seus erros Stalin exigiu seu retorno à União Soviética, no que foi desaconselhado por Trotsky. No entanto, retornou e acabou preso sem jamais ser libertado. Iniciou uma greve de fome, da qual resultou sua morte.

STALIN, Josef (pseudônimo de **Iossif Vissarionovitch DJUGACHVILI**, 1879-1953). Ingressou no Partido Operário da Social-Democracia Russa (POSDR) depois de ser expulso de uma escola teológica por insubordinação. Em 1903 ligou-se à facção bolchevique do POSDR. Após sucessivas prisões, foi preso em 1913 e exilado na Sibéria, de onde saiu com a anistia geral após a Revolução de Fevereiro de 1917, retornando a Petrogrado. Após a Revolução de Outubro de 1917, Stalin foi nomeado para o cargo de comissário para as Nacionalidades. Tornou-se secretário-geral do partido em 1922, reorganizando o aparelho e se apossando de todo o poder após a morte de Lenin. Foi o verdadeiro chefe da Internacional Comunista desde 1927, quando obrigou os comunistas alemães a manter Thälmann no seu posto, até 1943, quando decidiu a sua dissolução como um gesto de "boa vontade" para com os Aliados.

STENBOCK-FERMOR, Alexander (1902-1972). Engenheiro e escritor. Membro da nobreza da Letônia, emigrou para a Alemanha em 1920. Quando estudava engenharia, teve contatos com mineiros da região do Ruhr e aproximou-se do comunismo. A partir de 1929, ele trabalhou como escritor (escrevendo com o pseudônimo de Peter Lorenz), autor de filmes e dramaturgo de rádio. Stenbock-Fermor tornou-se membro da Liga dos Escritores Revolucionários Proletários. A partir de 1931 também teve atuação no Socorro Vermelho alemão, tendo atuação destacada na campanha de libertação de Richard Scheringer.

STERNBERG, Fritz (1895-1963). Economista e jornalista. Em 1910 ingressou na social-democracia alemã ao mesmo tempo em que militou também em organizações socialistas sionistas. O início da Primeira Guerra Mundial, que Sternberg via como uma guerra imperialista, e a aprovação dos créditos de guerra pela bancada social-democrata do Parlamento alemão levaram-no a desligar-se da social-democracia. Em 1923 afastou-se do sionismo por não ver com bons olhos o estreitamento das relações entre religião e ideologia. Passou a dedicar-se ao estudo da teoria marxista não dogmática, na qual buscava combinar análise econômica e sociológica das relações globais do capitalismo após Primeira Guerra Mundial. Como primeiro resultado desses estudos publicou em 1926 o livro *O Imperialismo*, o qual provocou acaloradas discussões dentro e fora dos círculos marxistas, especialmente porque previu a possibilidade socioeconômica da Segunda Guerra Mundial. Em Berlim esteve associado aos círculos de artistas, escritores e intelectuais em que atuavam Bertolt Brecht (1898-1956), Lion Feuchtwanger (1884-1958), George Grosz (1893-1959), Alfred Döblin (1878-1957) e Erwin Piscator (1893-1966), entre outros. Depois de realizar duas viagens à União Soviética, em 1929 e 1930, desiludiu-se com o regime stalinista e suas políticas econômicas. Ao mesmo tempo, tornou-se um oponente militante do nacional-socialismo e ingressou no pequeno Partido Socialista Operário (*Sozialistischen Arbeiterpartei* – SAP) em 1931. Com a ascensão dos nazistas ao poder saiu da Alemanha e continuou atuando politicamente em nome do SAP no exílio. No final de agosto e início de setembro de 1933 ele conheceu Leon Trotsky, que se encontrava exilado em Royan/França. Na primavera de 1936, Sternberg foi expulso da Suíça e mudou-se para Paris, onde estava abrigada a direção exilada do SAP. Em maio de 1939, Sternberg entrou nos EUA com um visto de turista. Após a eclosão da guerra, sua autorização de residência foi prorrogada por seis meses até receber um visto de imigrante em 1943 e a cidadania americana em 1948. Em 1954, Sternberg retornou à Alemanha e viveu principalmente em Munique, onde faleceu.

STOPALOV, Grigori Mikhailovitch (1900-1938). Após a revolução russa, ainda estudante secundarista, engajou-se no combate às forças militares contrarrevolucionárias. Ingressou no Exército Vermelho e tornou-se membro do secretariado de Trotsky. Aderiu à Oposição, sendo preso em 1927. Foi fuzilado no campo de Vorkuta.

STRASSER, Gregor (1852-1934). Farmacêutico e miliciano. Dirigente do partido nazista, opositor de Hitler; defendia ideias e um demagógico programa de suposto caráter socialista. Foi assassinado a mando de Hitler, na chamada "Noite das Facas Longas".

STROEBEL, Heinrich (1869-1945). Historiador social-democrata de esquerda que passou pelo Partido Social-Democrata Independente da Alemanha (*Unabhängige Sozialdemokratische Partei Deutschlands* – USPD) e depois por um breve período pertenceu ao Partido Socialista Operário (*Sozialistischen Arbeiterpartei* – SAP).

T

TARNOW, Fritz (1880-1951). Carpinteiro e jornalista. Ingressou na social-democracia alemã em 1906. Sindicalista social-democrata de 1918 a 1933, onde se tornou o teórico dos modelos colaboracionistas de classe de "democracia econômica". Foi eleito para o Parlamento alemão em 1928. Com a ascensão dos nazistas ao poder chegou a ser preso, mas conseguiu ser solto e fugiu para o exílio, onde permaneceu até o final da Segunda Guerra Mundial. Em 1946 retornou à Alemanha e voltou a ter atuação nos meios sindicais.

TCHANG Kai-chek (1887-1975). Militar e depois homem de negócios. Membro da direção do Kuo Min-tang em 1920. Visitou Moscou em 1923. Comandante do exército nacionalista, apoiado pelos comunistas chineses durante a expedição do Norte, esmagou os trabalhadores e os comunistas de Xangai em 1927, transformando-se em um ditador. Instalou-se em Formosa desde 1949 com o apoio dos Estados Unidos.

THALHEIMER, August (1884-1948). Filósofo e jornalista. Ingressou na social-democracia alemã em 1904, onde se ligou à sua ala esquerda (com Clara Zetkin e Friedrich Westmeyer e outros), não apenas onde militava, Württemberg, mas também, política e pessoalmente, em Berlim, com Rosa Luxemburgo, Franz Mehring e Karl Liebknecht, entre outros. Ingressou na Liga Spartacus (*Spartakusbund*) e foi um dos fundadores do Partido Comunista alemão. Após o assassinato de Rosa Luxemburgo, era considerado como um dos teóricos do Partido e foi editor do órgão "*Internationale*" e, por vezes, editor-chefe da "*Die Rote Fahne*" (*A Bandeira Vermelha*, órgão central do Partido Comunista alemão). Embora inicialmente se vinculasse à esquerda, Thalheimer sempre permaneceu na ala direita do partido. Associou-se a Heinrich Brandler, mas com a derrota deste na fracassada insurreição de 1923, Thalheimer perdeu prestígio o poder. Procurado pela polícia em 1924, buscou refúgio em Moscou, onde ficou numa espécie de "exílio" até 1927. Thalheimer trabalhou no Instituto Marx-Engels, foi professor na Universidade Sun Yat-sen e publicou na época o livro *Introdução ao materialismo dialético* (Viena-Berlim, 1928), um resumo de palestras. No mesmo ano publicou, com Deborin, *A posição de Spinoza na pré-história do materialismo dialético*. Quando retornou à Alemanha, tentou reorganizar a direita no Partido comunista alemão, mas foi derrotado. Em janeiro de 1929 foi expulso do Partido. Brandler e Thalheimer reuniram seus partidários em uma nova organização chamada Kommunistische Partei Deutschland (Opposition) (Partido Comunista da Alemanha (Oposição) – KPDO), cujos membros foram expulsos do Partido Comunista alemão. Essas expulsões ocorreram ao mesmo tempo em que se deram as investidas feitas por Stalin para expurgar o Partido Comunista russo dos seguidores de Nikolai Bukharin, Alexei Rykov e Mikhail Tomsky. Embora o grupo nunca tenha tido ampla influência ou sucesso eleitoral, mesmo assim se tornou o primeiro e também um dos partidos mais proeminentes a ser identificado com a chamada "Oposição de Direita Internacional". Com a ascensão do nazismo, Thalheimer emigrou para a França por decisão da liderança do KPDO. Até a eclosão da guerra, ele e Brandler lideraram o KPDO na emigração francesa e na ilegalidade alemã. Internado pelas autoridades francesas em 1939, ele fugiu para Cuba em 1941. Ele morou em Havana e escreveu várias obras políticas, ali falecendo após ter proibido o seu reingresso na Alemanha.

THÄLMANN, Ernst (1886-1944). Portuário e militante político. Membro da social-democracia da Alemanha em 1903, da qual se afastou em 1918 para ingressar no Partido Social-Democrata Independente da Alemanha (*Unabhängige Sozialdemokratische Partei Deutschlands* – USPD). Quando o USPD se dividiu sobre a questão de ingressar na Internacional Comunista, Thälmann se alinhou à facção pró-comunista que se fundiu com o Partido Comunista alemão em novembro de 1920, e no ano seguinte Thälmann foi eleito para o Comitê Central do Partido Comunista. Foi membro do Parlamento alemão de 1924 a 1933 e candidato presidencial do Partido Comunista alemão em 1925 e 1932. Inicialmente ligado à sua corrente de esquerda em Berlim, em 1924 aliou-se à corrente de centro, apoiada pela Internacional Comunista, e se tornou presidente do Partido Comunista em 1925. Apoiado por Stalin durante o "caso Wittorf" (um caso de desvio de recursos partidários cujo responsável foi protegido por Thälmann em 1928), acabou ficando sob a influência de Moscou. Preso em março de 1933 pelos nazistas, foi executado no campo de concentração de Buchenwald em 18 de agosto de 1944.

THOREZ, Maurice (1900-1964). Mineiro. Ingressou na Seção Francesa da Internacional Operária (SFIO) em 1919 e logo no ano seguinte ingressou no Partido Comunista francês, que acabara de ser fundado, como uma cisão da SFIO. Ascendeu rapidamente dentro da estrutura partidária comunista até se tornar secretário-geral do partido em 1930, cargo que ocupou até 1964. Em 1932 foi eleito para o Parlamento francês e reeleito em 1936. Com o início da Segunda Guerra Mundial, Thorez foi convocado para combater, mas deixou o exército e passou à clandestinidade quando o Partido Comunista foi banido pelo governo Daladier por sua oposição à guerra. Thorez foi julgado à revelia e lhe foi retirada sua nacionalidade francesa. Ele partiu para a União Soviética. Com a libertação da França, teve sua cidadania restaurada e voltou para a França. Thorez foi novamente eleito e reeleito para o Parlamento francês em toda a Quarta República (1946-1958). Ele foi ministro de Estado sob de Gaulle em 1945 e vice-primeiro-ministro em 1946 e 1947.

TOGLIATTI, Palmiro (1893-1964) (pseudônimo Ercoli). Político e dirigente do Partido Comunista da Itália e líder do Partido Comunista Italiano de 1927 até sua morte. Fugiu para Moscou em 1926, chefiou as operações da Internacional Comunista na Espanha durante a guerra civil e voltou a chefiar o Partido Comunista na Itália desde 1944 até sua morte. Em 1944 e 1945 Togliatti ocupou o cargo de vice-primeiro-ministro e de 1945 a 1946 foi nomeado ministro da Justiça nos governos que dirigiram a Itália após a queda do fascismo. Ele também foi membro da Assembleia Constituinte da Itália. Togliatti sobreviveu a uma tentativa de assassinato em 1948 e morreu em 1964, durante viagem de férias na Criméia, no Mar Negro.

TORHORST, Marie (1888-1989). Professora e política. Ingressou no Partido Social-Democrata alemão em 1928, do qual se afastou no final de 1931, para ingressar nas fileiras comunistas alemãs em janeiro do ano seguinte. Com a chegada dos nazistas foi demitida de seu cargo de professora, mas permaneceu na Alemanha até o final da guerra exercendo várias atividades e trabalhos auxiliares em Berlim, além de fazer trabalho político ilegal. Com a divisão da Alemanha, ficou na República Democrática da Alemanha, onde continuou suas atividades docentes e pedagógicas. Foi ministra da Educação Pública do Estado da Turíngia de 1947 a 1950, sendo a primeira mulher a ocupar este cargo.

TROTSKY, Leon (pseudônimo de **Liev Davidovitch BRONSTEIN**, 1879-1940). Jornalista, intelectual marxista e revolucionário russo. Dirigente do soviete de Petrogrado em 1905 e, novamente, em 1917. Ingressou no Partido bolchevique em 1917 e foi eleito para seu comitê central. Pouco depois, Trotsky ajudou a organizar a Revolução de Outubro. No novo governo seu primeiro posto foi o de comissário de relações exteriores. Em 1918 tornou-se comissário da guerra, organizando o Exército Vermelho e levando-o à vitória na guerra civil contra a intervenção imperialista. Em 1923, Trotsky formou a Oposição de Esquerda para enfrentar a onda reacionária do stalinismo que varria a União Soviética. Trotsky foi expulso do Partido Comunista e da Internacional Comunista, e exilado na Turquia em 1927. Em 1933, desistiu de seus esforços para reformar a Internacional Comunista e se engajou na formação de uma nova Internacional, a Quarta Internacional, que acabou fundada em 1938. Foi assassinado no México a mando de Stalin.

TSEDERBAUM, Yuliy Osipovitch, ver **Julius MARTOV**

TSERETELLI, Irakli Georgevitch (1882-1959). Advogado e político. Membro da social-democracia georgiana desde 1903, quando aderiu à fração menchevique. Líder do grupo socialista na 2ª Duma em 1907, foi exilado na Sibéria pelo czar, retornando com a revolução de fevereiro de 1917, tornou-se ministro dos Correios e Telégrafo do governo provisório em Maio de 1917. Adversário da revolução socialista. Emigrou para França, em 1923, e para os EUA em 1940. Representou no exílio os mencheviques na Internacional Socialista.

TURATI , Filippo (1857-1932). Advogado e jornalista. Em 1889, Turati fundou a Liga Socialista Milanesa, que rejeitava o anarquismo e era inspirada pelo socialismo. Foi um dos fundadores, em 1892, do Partido dos Trabalhadores Italianos (que se transformou no Partido Socialista Italiano em 1895). Em 1896 foi eleito deputado ao Parlamento italiano. Em 1914 Turati votou contra os créditos de guerra, mas apoiou o programa de Wilson e tornou-se a personificação do "reformismo" socialista. Ele foi excluído do Partido Socialista Italiano em 1922, fundou o Partido Socialista Unitário, o qual foi dissolvido pelo governo fascista em 1925, e exilou-se em 1926 na França, onde morreu.

U

ULIANOV, Vladimir Ilitch, ver **LENIN**

ULLSTEIN, Leopold (1826-1899). Comerciante, editor e fundador de um conglomerado editorial. Depois de ter trabalhado no comércio de papel ele começou, desde 1877, a criar editoras e jornais. Leopold Ullstein foi o fundador e editor de vários jornais alemães de sucesso, incluindo o *B.Z. am Mittag* e o *Berliner Morgenpost*. Muitos deles ainda são publicados hoje. Ullstein também foi o fundador da principal editora alemã, Ullstein-Verlag. Seu conglomerado foi o porta-voz da política liberal e de crítica ao governo de Bismarck. Os concorrentes diretos de Leopold Ullstein no mercado de jornais alemão foram os editores August Scherl e Rudolf Mosse. A Ullstein foi incorporada pelo império editorial Axel Springer em 1956.

URBAHNS, Hugo (1890-1946). Professor. Ao final da Primeira Guerra Mundial juntou-se à Liga Spartacus e, em 1920, ao Partido Comunista alemão. Em 1921, como membro da sua corrente de esquerda, passou a integrar a direção do Partido. Secretário da organização de Hamburgo, onde foi considerado herói do levante de outubro de 1923, pelo qual foi condenado a dez anos de prisão, mas foi logo libertado por sua imunidade parlamentar. Expulso do partido, com Arkadi Maslow e Ruth Fischer, por suas posições de esquerda em 1927, com eles formou a *Leninbund* (Liga Lenin) em 1928, que se associou à Oposição Internacional de Esquerda dirigida por Leon Trotsky, e da qual logo se separou em 1929. Na *Leninbund* Urbahns inicialmente atacou o Partido Comunista alemão pela esquerda, mas depois da virada ultraesquerdista do Partido em 1929, defendeu enfaticamente a frente única contra o fascismo. Com a ascensão do nazismo em 1933, exilou-se na Suécia, onde faleceu.

V

VITOR Manuel III (1869-1947). **Vittorio Emanuele Ferdinando Maria Gennaro di SAVOIA** foi o rei da Itália de 1900 até 1946, quando abdicou e foi para o exílio em Portugal.

W

WALCHER, Jacob (1887-1970). Metalúrgico e jornalista. Ingressou na social-democracia alemã em 1906. Em 1915 aderiu ao Grupo Spartacus. Atuou na Revolução de Novembro de 1918 em Berlim e foi enviado a Stuttgart por Rosa Luxemburgo em 10 de novembro de 1918, onde desempenhou um papel importante na fundação da seção local do Partido Comunista alemão. No final de dezembro de 1918, Walcher foi um dos delegados no congresso de fundação do Partido Comunista alemão em Berlim. No Segundo Congresso, em outubro de 1919, foi eleito para a direção do partido, à qual pertenceu até 1923, e foi responsável pelo seu trabalho sindical. Com o fracasso da tentativa de insurreição comunista de novembro de 1923, que foi atribuída a Heinrich Brandler e seus apoiadores, entre os quais estava Walcher, o grupo foi afastado da direção do Partido Comunista alemão. Em 1924, como Walcher não foi mais eleito para a direção do Partido e não possuía a proteção de uma imunidade parlamentar, acabou fugindo para a União Soviética. Retornou em 1926 à Alemanha, mantendo seu posicionamento político ligado à fração de direita do Partido e atuando contra a direção partidária de Ernst Thälmann. A corrupção da organização de Thälmann em Hamburgo – o chamado "caso Wittorf", que ocorreu pela descoberta de desvio de recursos partidários cujo responsável foi protegido por Thälmann em 1928 – e sua proteção pela facção de Stalin em Moscou foi usada como pretexto para que a direita convocasse uma reunião de seus seguidores em novembro de 1928. A Internacional Comunista publicou uma carta aberta criticando duramente os membros da direita do Partido Comunista alemão, os quais acabaram expulsos, entre eles Walcher. Em dezembro de 1928 o grupo expulso do Partido Comunista alemão se reuniu em uma nova organização, o Partido Comunista da Alemanha (Oposição) (*Kommunistische Partei Deutschland (Opposition)* – KPDO), do qual Walcher tornou-se cofundador e liderança. Durante as disputas dentro do KPDO em 1931-1932, ele e Paul Frölich lideraram a minoria do KPDO que defendia uma fusão com o Partido Socialista Operário *(Sozialistische Arbeiterpartei* – SAP). Com essa minoria ingressou no SAP em 1932 e tornou-se membro de sua direção e secretário do partido. Tendo emigrado para a França após a chegada ao poder dos nazistas, Walcher era o único membro assalariado de sua direção internacional. Fugiu para a parte desocupada da França em junho de 1940, depois emigrou para os Estados Unidos em 1941, onde foi viver em Nova Iorque e trabalhou no Conselho para uma Alemanha Democrática. No final de 1946 Walcher retornou à Europa e foi residir na Alemanha Oriental.

WANG Jing-wei (1884-1944). Intelectual, discípulo de Sun Yat-sen, a quem se ligou quando estudava no Japão em 1905. Tornou-se dirigente do Kuo Min-tang e líder de sua ala "esquerda", aliada dos comunistas. Após o golpe anticomunista de Tchang Kai-chek, presidiu o governo da província de Wuhan que incluía os comunistas. Em seguida reprimiu o movimento revolucionário e se reconciliou com Tchang. Rompeu com este em 1939; concordou em presidir, em 1940, o governo fantoche estabelecido pelos japoneses nos territórios por eles ocupados.

WARSKI, Adolf (pseudônimo de **Jerzy WARSZAWSKI**, 1868-1938). Jornalista. Em 1893 foi, ao lado de Rosa Luxemburgo, um dos fundadores do Partido da Social-Democracia do Reino da Polônia, rebatizado em 1900 para Social-Democracia do Reino da Polônia e Lituânia. Na virada dos séculos XIX e XX, atuou na Alemanha, colaborando com Rosa Luxemburgo. De 1902 a 1913, Warski foi membro da direção do partido e participou ativamente da Revolução Russa de 1905-1907, durante a qual foi preso várias vezes pela polícia czarista. Durante a Primeira Guerra Mundial Warski representou os social-democratas poloneses nas conferências antiguerras de Zimmerwald e Kienthal. Em 1918 foi um dos fundadores do Partido Comunista da Polônia. Em 1926 foi eleito como membro comunista do Parlamento polonês. Quando o Partido Comunista polonês foi declarado ilegal em 1930, ele emigrou para a União Soviética, onde se tornou uma figura proeminente na seção polonesa da Internacional Comunista. Em sua estadia em Moscou trabalhou no Instituto Marx-Engels-Lenin. Em agosto de 1937, durante os grandes expurgos na União Soviética, foi acusado de traição e de contrarrevolucionário, sendo imediatamente preso e executado, juntamente com outros exilados poloneses.

WARSZAWSKI, Jerzy ver **Adolf WARSKI**

WEITLING, Wilhelm Christian (1808-1871). Alfaiate. Escritor revolucionário alemão, identificado ora com o anarquismo, ora com o socialismo. Em 1837 imigrou para a França, onde entrou na Liga dos Justos, unindo-se aos trabalhadores parisienses em protestos e batalhas de rua. Aí permaneceu durante quatro anos, quando foi para a Suíça, onde depois de algum tempo foi preso e processado por agitação revolucionária, incluindo blasfêmia por ter publicado um texto que retratava Jesus Cristo como comunista e filho ilegítimo de Maria. Considerado culpado, ele recebeu uma sentença de seis meses de prisão. Retornou à Alemanha em 1848. No ano seguinte, imigrou para os Estados Unidos, onde permaneceu até sua morte.

WELS, Otto (1873-1939). Forrador e político. Ingressou na social-democracia em 1891. Dirigente da social-democracia alemã. Quando ocupou o comando militar de Berlim, esmagou a insurreição da *Spartakusbund* sob as ordens de Gustav Noske. Em seguida substituiu Friedrich Ebert como copresidente do executivo da social-democracia alemã encarregado do aparato do partido, cargo que ocupou até 1933. Com a ascensão dos nazistas ao poder saiu da Alemanha e morreu no exílio.

WILSON, Thomas Woodrow (1856-1924). Cientista político, professor e político. Presidente democrata dos Estados Unidos (1913-1921), responsável pela entrada do país na Primeira Guerra Mundial e da fixação das condições para uma "paz democrática" com os seus famosos "14 Pontos".

WRANGEL, Piotr Nikolaievitch (1878-1928). Militar. Oficial do exército czarista. Sucedeu Denikin como comandante das forças antibolcheviques na Crimeia. Reuniu os restos do exército de Denikin e, com a ajuda do governo francês, tentou a reconquista da Rússia. Quando seu exército foi esmagado na Crimeia, fugiu e se refugiou no Ocidente.

Y

YAROSLAVSKY, Yemelyan Mikhailovitch (pseudônimo de **Minei Israilevitch GUBELMAN**, 1878-1943). Encadernador, jornalista e historiador. Ingressou no Partido Operário da Social-Democracia Russa (POSDR) em 1898 e em 1903 foi um dos fundadores da fração bolchevique. Preso e exilado várias vezes, retornou a Moscou em 1917, quando atuou no processo que resultou na Revolução de 1917. Em 1919 integrou o Comitê Central do Partido bolchevique e em 1921 assumiu um dos cargos de secretário do Comitê Central, função na qual acabou substituído por J. Stalin. Yaroslavsky nunca mais ocupou um cargo tão importante no partido. Ligado a Stalin, o apoiou em todas as disputas fracionais dentro do Partido Comunista que se seguiram após a morte de Lenin. Passou a ser um dos escribas de Stalin e autor de obras de história da União Soviética e de seus personagens de destaque, repletas de falhas e falsificações.

YOUNG, Owen D. (1874-1962). Advogado e empresário estadunidense. Foi conselheiro geral da *General Electric Company*, servindo também como presidente de seu conselho de diretores (1922–1939). Além disso, organizou a *Radio Corporation of America* (RCA) em 1919, foi presidente honorário de seu conselho de diretores (1919-1929) e presidente do seu comitê executivo (1929-1933). Foi membro do conselho de curadores da Fundação Rockfeller. Tornou-se também conhecido por ter tratado das questões relativas às indenizações da Alemanha em um plano que levou o seu nome.

Z

ZINOVIEV, Grigori (pseudônimo de **Grigori Evseievítch RADOMYLSKY**, 1881-1936). Ingressou na social-democracia russa em 1901, aderindo à fração bolchevique do Partido Operário da Social-Democracia Russa (POSDR) em 1903, da qual foi um dos fundadores. Ingressou na Universidade de Berna de 1902 a 1905, onde estudou filosofia, literatura e história, voltou à Rússia e participou da revolução, entrou no Comitê Central em 1907, emigrou e tornou-se auxiliar de Lenin no exílio. Opôs-se à insurreição de outubro de 1917, no entanto, permaneceu na liderança do partido, liderou o partido com punho de ferro em Leningrado. Membro do Bureau Político de 1917 a 1927. Foi presidente da Internacional

Comunista de 1919 a 1926, realizador de sua "bolchevização" e o primeiro a submetê-la às necessidades da luta pelo poder em Moscou. Membro do triunvirato que, com Josef Stalin, Lev Kamenev (1883-1936), governou após a destituição de Lenin. Ele e Lev Kamenev juntaram-se à Oposição de Esquerda de Trotsky em 1925; quando foi expulso junto com a Oposição em 1927. Ele se retratou em 1928. Excluído do Partido em 1932 e readmitido em 1993, apesar das autocríticas, foi finalmente condenado à morte em 1936 e executado no final do primeiro julgamento em Moscou.

ZINZADZÉ, Alipi M. Kote (1887-1930). Militante do Partido Operário da Social-Democracia Russa (POSDR). Depois da Revolução de 1917 foi o dirigente da Cheka (acrônimo em russo de Comissão Extraordinária de Toda a Rússia para Combater a Contrarrevolução, Especulação e Sabotagem) na Geórgia. Ligou-se à Oposição russa desde cedo. Foi expulso e exilado, morrendo no exílio.

ZÖRGIEBEL, Karl Friedrich (1878-1961). Político social-democrata alemão e chefe de polícia de Colônia (1922-1926), depois de Berlim (1926-1929) e finalmente de Dortmund (1930-1933). Zörgiebel ganhou notoriedade pela violenta repressão das manifestações de maio de 1929, organizadas pelos comunistas alemães em Berlim. Com mais de 30 manifestantes mortos como resultado da operação policial, o conjunto dos eventos ficou conhecido como "Maio Sangrento". Com a chegada ao poder dos nazistas, Zörgiebel foi demitido de seu cargo e preso. Depois de quatro meses em cárcere, foi libertado e mantido sob a vigilância da Polícia Secreta do Estado (Gestapo). Depois da guerra foi presidente do Partido Social-Democrata na cidade de Mainz e chefe da polícia estadual da Renânia-Palatinado de 1947 a 1949.

Notas sobre jornais/periódicos e organizações, partidos e instituições

A

ADGB, ver **CONFEDERAÇÃO GERAL SINDICAL ALEMÃ**

AÇÃO ANTIFASCISTA. Imediatamente após um enfrentamento entre nazistas e deputados comunistas no Parlamento da Prússia, ocorrido em 25 de maio de 1932, e que deixou oito pessoas gravemente feridas, o Partido Comunista alemão anunciou a criação da Ação Antifascista (*Antifaschistische Aktion*). Ela existiu entre 1932 e 1933 e teve uma atuação mais intensa durante nas eleições alemãs de 1932. A Ação Antifascista era apresentada pelo Partido Comunista alemão como uma frente unitária e da qual poderiam participar todos os adversários do nazismo, especialmente os social-democratas. As duas bandeiras vermelhas em seu logotipo simbolizariam os comunistas em unidade com os socialistas. No entanto, sob o influxo das concepções do Terceiro Período da Internacional Comunista e ainda sob a influência do chamado "social-fascismo", os comunistas afirmavam ser a Ação Antifascista uma "frente vermelha unida sob a liderança do único partido antifascista, o Partido Comunista alemão", o que cobriu de ambiguidade os propósitos dos comunistas e que fez com que a adesão por parte dos socialistas fosse extremamente reduzida. A Ação Antifascista incorporou aos seus efetivos as unidades de Autodefesa Vermelha de Massa (*Roter Massenselbstschutz* – RMSS), formando os núcleos dos Comitês de Unidade, organizados em bases locais, (prédios de apartamentos, fábricas, loteamentos etc.). Além disso, a Ação Antifascista também recebia apoio da ilegal Liga dos Combatentes da Frente Vermelha (*Roter Frontkämpferbund* – RFB), dando à Ação Antifascista um papel de defesa distinto e quase paramilitar, necessário para fazer frente às milícias paramilitares dos nazistas. Com a ascensão dos nazistas ao poder, o movimento passou à clandestinidade.

AfA-BUND, ver **CONFEDERAÇÃO GERAL DOS TRABALHADORES AUTÔNOMOS**

Arbeiter Tribüne: Süddeutsche Zeitung des Werktätigen Volkes (*A Tribuna dos trabalhadores: Jornal dos trabalhadores do Sul da Alemanha*). Semanário regional do Partido Comunista da

Alemanha (Oposição) (*Kommunistische Partei Deutschlands (Opposition)* – KPDO), publicado de 1929 a 1933 na cidade de Stuttgart.

B

Berliner Tageblatt. Foi um diário publicado em Berlim de 1872 a 1939. Editado inicialmente por Rudolf Mosse como um órgão publicitário, tornou-se um jornal liberal-conservador, formando a base do conglomerado editorial Mosse. Quando os nazistas chegaram ao poder em 1933 o governo assumiu o controle do jornal, para fechá-lo tempos depois.

BOLCHEVIQUES, BOLCHEVISMO, ver **PARTIDO OPERÁRIO SOCIAL-DEMOCRATA RUSSO (BOLCHEVIQUES)**

BOLCHEVIQUES-LENINISTAS, ver **OPOSIÇÃO DE ESQUERDA (BOLCHEVIQUES--LENINISTAS)**

BRANDLERIANOS/BRANDLERISTAS, ver **PARTIDO COMUNISTA DA ALEMANHA (OPOSIÇÃO)**

C

CADETE, ver **PARTIDO DEMOCRÁTICO CONSTITUCIONAL**

Les Cahiers du Bolchévisme (*Os Cadernos do Bolchevismo*). Revista teórica mensal do Comitê Central do Partido Comunista francês. Circulou de 1924 a 1944. A publicação foi sucedida pelos *Les Cahiers du Communisme* (*Os Cadernos do Comunismo*), que circularam de 1944 a 1999.

CAPACETE DE AÇO, *Liga dos Soldados do Fronte* (*Stahlhelm, Bund der Frontsoldaten*). Organização paramilitar fundada logo após o fim da Primeira Guerra Mundial em dezembro de 1918. Seu nome provém dos capacetes de aço introduzidos no exército alemão em 1916. Era uma organização paramilitar do Partido Popular Nacional Alemão (*Deutschnationalen Volkspartei* – DNVP), atuando na segurança das reuniões do partido. Depois de 1929, os capacetes de aço passaram de organização paramilitar a movimento político, assumindo um caráter abertamente antissemita, antiparlamentar, antirrepublicano e antidemocrático. Chegou a ter mais de 500 mil membros depois de 1930. Após a ascensão dos nazistas ao poder os membros mais jovens do Capacete de Aço ingressaram nas forças paramilitares nazistas em julho de 1933. Em novembro de 1935, Hitler dissolveu a organização que reunia os capacetes de aço.

CEM NEGROS. Organização monarquista e antissemita russa surgida durante a revolução russa de 1905. Organizava perseguições a intelectuais e revolucionários e organizava "*pogroms*" em favor do czarismo.

COMISSÃO DE PLANEJAMENTO ESTATAL. Criada em 1921, a Comissão de Planejamento Estatal da União Soviética, conhecida pelo acrônimo russo Gosplan, tinha como função o estabelecimento dos planos quinquenais de desenvolvimento soviéticos, funcionando até 1991.

COMITÊ ANGLO-RUSSO. Teve existência entre maio de 1925 e maio de 1927. Foi criado por representantes sindicais soviéticos e ingleses com vistas a possibilitar sua unificação em escala internacional. A seção inglesa do Comitê incluía membros do Conselho Geral do Congresso dos Sindicatos (*Trade Unions Congress* – TUC, a federação sindical inglesa), que traiu o Comitê na greve geral de 1926. Por ocasião da greve dos mineiros ingleses de maio de 1926, que deveria se estender a toda a classe trabalhadora, os dirigentes sindicais de outras categorias os abandonaram após dez dias de paralisação, deixando os mineiros continuarem sozinhos o movimento durante meses. Os soviéticos permaneceram no Comitê após a fracassada greve geral, mas ele se dissolveu quando os ingleses dele se retiraram em 1927.

CONFEDERAÇÃO GERAL DOS TRABALHADORES AUTÔNOMOS (*Allgemeine Freie Angestellter Bund* – AfA-Bund). Foi uma entidade fundada em 1921 por vários sindicatos de orientação social-democrata e de esquerda liberal para profissões técnicas e administrativas de colarinho branco, bem como as profissões artísticas. A AfA-Bund era ligada à Confederação Geral Sindical Alemã (*Allgemeiner Deutscher Gewerkschaftsbund* – ADGB) e à Associação Geral dos Funcionários Públicos Alemães (*Allgemeine Deutsche Beamtenbund* – ADB), ambas também com conexões com a social-democracia. A AfA-Bund foi presidida de 1921 a 1933 por Siegfried Aufhäuser (1884-1969). Em 1920, ela se destacou em sua oposição à tentativa de golpe de Kapp, ao lado da ADGB e a ADB. A partir de 1931, a AfA-Bund pertenceu à Frente de Ferro. A AfA-Bund ao longo de sua existência teve uma média de 450 mil membros. Teve mais comprometimento com as ideias socialistas desde o início do que a ADGB, com sua determinação em lutar por uma maior influência das organizações de trabalhadores na Alemanha, bem como por uma nova regulamentação da legislação política, econômica e social. Além de seus constantes apelos para expurgar as administrações públicas de personalidades reacionárias. Após a ascensão dos nazistas ao poder, em protesto contra a reaproximação do ADGB com os novos governantes nacional-socialistas, Aufhäuser renunciou ao cargo de presidente da AfA-Bund em 28 de março de 1933. A própria confederação se dissolveu em 30 de março, pouco antes da dissolução das organizações sindicais.

CONFEDERAÇÃO GERAL SINDICAL ALEMÃ (*Allgemeiner Deutscher Gewerkschaftsbund* – ADGB). Foi a central sindical alemã vinculada à social-democracia e que atuou de julho de 1919 a maio de 1933. Ela foi fundada em um congresso em Nürnberg, como sucessora organizacional da Comissão Geral dos Sindicatos na Alemanha, que atuou de 1890 a 1919. Os delegados elegeram Carl Legien (1861-1920), o anterior presidente da Comissão Geral, como o primeiro presidente da nova organização. Após a morte de Carl Legien, Theodor Leipart tornou-se o novo presidente da organização. A ADGB era a maior organização sindical alemã e possuía 52 sindicatos filiados, e era ligada à Confederação Geral dos Trabalhadores Autônomos (*Allgemeine Freie Angestellter Bund* – AfA-Bund) e à Associação Geral dos Funcionários Públicos Alemães (*Allgemeine Deutsche Beamtenbund* – ADB), ambas também ligadas à social-democracia. Em 1920, ela se destacou em sua oposição à tentativa de golpe de Kapp, ao lado da AfA-Bund e a ADB. A partir de 1931, a ADGB pertenceu à Frente de Ferro. Entre 1920 e 1932, o número de seus membros se reduziu, principalmente por causa da crise econômica, e diminuiu de 8 para 3,5 milhões. Após a ascensão dos nazistas ao poder, a direção da ADGB tentou entrar em composição com o novo governo sem sucesso, tendo sido sua sede e as de vários sindicatos a ela afiliados invadidas e destruídas pelas forças paramilitares nazistas em maio de 1933 e acabou dissolvida pelos nazistas.

CONSELHO GERAL DO CONGRESSO DOS SINDICATOS. O Congresso dos Sindicatos (*Trade Unions Congress* -TUC) é uma central sindical nacional britânica fundada em 1868. Sua máxima instância diretiva é o Conselho Geral, o qual toma as decisões entre os congressos, com poderes para lidar com conflitos intersindicais e para intervir em disputas com empregadores.

D

Deutsche Allgemeine Zeitung (*Jornal Geral Alemão* – DAZ). Publicado em Berlim de 1861 a 1945, era um diário liberal-conservador que tomou, no final dos anos 1920, um curso de direita, conservador e antirrepublicano, semelhante a partes do círculo de classe média em torno do Partido Popular Alemão (*Deutsche Volkspartei* – DVP).

F

FEDERAÇÃO AMERICANA DO TRABALHO (*American Federation of Labor* – AFL). Foi uma entidade nacional de sindicatos nos Estados Unidos fundada em 1886 por uma aliança de sindicatos de ofícios descontentes com os Cavaleiros do Trabalho, um sindicato nacional. Samuel Gompers (1850-1924) foi seu primeiro presidente, permanecendo na função até sua morte. A AFL foi o maior agrupamento sindical dos Estados Unidos na primeira metade do século XX. Em 1955 a AFL fundiu-se com o Congresso de Organizações Industriais (*Congress of Industrial Organizations* – CIO, formada por sindicatos expulsos pela AFL em 1935) para criar a AFL-CIO, a federação trabalhista mais duradoura e influente nos Estados Unidos até hoje.

FEDERAÇÃO SINDICAL INTERNACIONAL. Também conhecida como Internacional de Amsterdã, foi uma organização sindical fundada em julho de 1919 e que reunia sindicatos de trabalhadores que se recusam a aderir à futura Internacional Sindical Vermelha (Profintern, no acrônimo russo). Manteve relações próximas com a Internacional Socialista e atuava com ênfase na pressão sobre a Liga das Nações e os governos nacionais em nome da Organização Internacional do Trabalho (OIT). A Federação Sindical Internacional foi dissolvida em 1945 para ser substituída pela Federação Sindical Mundial.

FRAÇÃO DE ESQUERDA ITALIANA. Denominação do primeiro grupo italiano que aderiu à Oposição Internacional de Esquerda, que tinha como principal dirigente Amadeo Bordiga. Também conhecido como "Grupo *Prometeo*" pelo periódico que editavam e que circulou de 1928 a 1938. Por conta de seu esquerdismo, a Fração de Esquerda Italiana afastou-se da Oposição Internacional de Esquerda em fins de 1932.

Das Freie Wort: *Sozialdemokratische Diskussionsorgan* (*A Palavra Livre: Órgão de Discussão Social--Democrata*). Impresso em Berlim de 1929 a 1933, foi um dos órgãos da social-democracia alemã.

FRENTE DE FERRO (*Eiserne Front*). Foi formada em 16 de dezembro de 1931 para lutar contra os nazistas. A Frente de Ferro era integrada pelo Partido Social-Democrata da Alemanha, a ADGB (*Allgemeiner Deutscher Gewerkschaftsbund* – Confederação Geral Sindical Alemã), a AfA-Bund (*Allgemeine Freie Angestellter Bund* – Confederação Geral dos Trabalhadores Autônomos), a *Reichsbanner* (Bandeira do *Reich*) – organização paramilitar e militante ligada à social-democracia alemã –, sindicatos e organizações juvenis e esportivas social-democratas. O objetivo da Frente de Ferro era a "preservação e cumprimento" da constituição da República de Weimar e a defesa contra as formações radicais "antirrepublicanas", especialmente dos nacional-socialistas. A liderança política da aliança defensiva estava nas mãos do Partido Social-Democrata alemão e a direção técnico-militar ficou com a *Reichsbanner*. A Frente de Ferro deixou de existir após a ascensão dos nazistas ao poder, em 2 de maio de 1933, com a repressão ao movimento operário e o esmagamento dos sindicatos.

FRENTE VERMELHA ou a Liga dos Combatentes da Frente Vermelha (*Roter Frontkämpferbund* – RFB) foi uma organização paramilitar que atuou como uma força de proteção do Partido Comunista alemão na República de Weimar. Para fazer frente às milícias paramilitares dos nazistas (as *Sturmabteilung* – SA), o Partido Comunista alemão criou inicialmente as Centúrias Proletárias (*Proletarische Hundertschaften*), que foram ilegalizadas pelo governo alemão em 1923, sendo substituídas, em julho de 1924, pela Frente Vermelha. Com a intensificação da violência por parte das milícias paramilitares nazistas, a Frente Vermelha se envolveu cada vez mais em violentos confrontos que culminaram no Primeiro de maio de 1929, quando houve uma violenta repressão policial aos comícios comunistas em Berlim, o que resultou em vários dias de tumulto, evento que ficou conhecido como *Blutmai* (Maio Sangrento). Mais de 30 civis foram mortos e foram feitos mais de mil presos. Como resultado a Frente Vermelha foi posta na ilegalidade e todos os seus bens confiscados pelo governo. O número de membros da Frente Vermelha cresceu constantemente, chegando a quase 130 mil membros no momento da sua proibição em 1929. O punho cerrado, sob o lema "protegendo o amigo, lutando contra o inimigo", era o símbolo da Frente Vermelha.

G

GOSPLAN, ver **COMISSÃO DE PLANEJAMENTO ESTATAL**

GPU. A GPU foi a organização sucessora da Cheka (acrônimo em russo de Comissão Extraordinária de Toda a Rússia para Combater a Contrarrevolução, Especulação e Sabotagem, e que funcionou de 1917 a 1922) e precursora do KGB (Comitê de Segurança do Estado, que foi a agência de inteligência nacional e externa soviética que existiu de 1954 a 1991). A Administração Política Estatal Unificada (OGPU, na sigla em russo), comumente abreviada para GPU, foi a designação da polícia secreta da União Soviética a partir de 1922. Em 1934, a GPU foi incorporada ao Comissariado do Povo para Assuntos Internos (NKVD, na sigla em russo). Em 1941, a atual polícia secreta foi separada do NKVD e renomeada para Comissariado do Povo para a Segurança do Estado (NKGB, na sigla em russo), e em seguida renomeado para Ministério da Segurança do Estado (MGB, na sigla em russo), em 1946.

GRUPO "PROMETEO", ver **FRAÇÃO DE ESQUERDA ITALIANA**

I

INTERNACIONAL DE AMSTERDÃ, ver **FEDERAÇÃO SINDICAL INTERNACIONAL**

INTERNACIONAL II e ½, ver **UNIÃO INTERNACIONAL DOS PARTIDOS SOCIALISTAS**

INTERNACIONAL CAMPONESA. A Internacional Camponesa (conhecida como Krestintern, de acordo com o acrônimo russo), formada pela Internacional Comunista em outubro de 1923 e voltada para tratar das questões dos trabalhadores do campo, foi uma experiência que não teve muito sucesso. Ela desapareceu sem publicidade em algum momento do final dos anos 1920 e foi extinta formalmente em 1939.

INTERNACIONAL COMUNISTA ou **III INTERNACIONAL**. Também referida pelo acrônimo em russo Comintern. Fundada em 1919 em Moscou como a sucessora revolucionária da Internacional Socialista, atuava para unir os partidos comunistas do planeta e coordenar as lutas revolucionárias. Na época de Lenin seus congressos eram realizados anualmente (o I Congresso ocorreu em 1919, o II em 1920, o III em 1921 e o IV em 1922), apesar da guerra civil e da instabilidade da Rússia revolucionária. Trotsky considerava as teses dos quatro primeiros congressos da Internacional Comunista como as bases programáticas da Oposição de Esquerda e depois da Quarta Internacional. O V Congresso da Internacional Comunista ocorreu em 1924, quando a máquina stalinista iniciou o seu controle e logo acabou transformada em instrumento da diplomacia soviética. O VI Congresso somente ocorreu em 1928 e o VII Congresso em 1935. Foi dissolvida em 1943 como um "gesto de boa vontade" de Stalin para com os Aliados na Segunda Guerra Mundial.

INTERNACIONAL SOCIALISTA, ou **II INTERNACIONAL**. A Internacional Socialista foi formada em 1889 como sucessora da Primeira Internacional (ou Associação Internacional dos Trabalhadores), a qual existiu de 1864 a 1876. A Segunda Internacional era uma federação de partidos nacionais, unindo elementos revolucionários e reformistas, cuja seção mais forte e com mais autoridade era o Partido Social-Democrata da Alemanha. Ela entrou em colapso em 1914, quando, embora a Internacional Socialista tenha declarado sua oposição a todas as guerras entre as potências europeias, a maioria dos principais partidos europeus acabou optando por apoiar seus respectivos estados nacionais na Primeira Guerra Mundial, violando os princípios socialistas que regiam até então suas relações. A Internacional Socialista se desfez durante a guerra e foi retomada em 1923 sob o nome de Internacional Operária Socialista (*Internationale Ouvrière Socialiste* – IOS, na sua versão em francês), ou Internacional Socialista dos Trabalhadores (*Sozialistische Arbeiterinternationale* ou *Sozialistische Arbeiter-Internationale* – SAI, na sua versão em alemão), ou Internacional Trabalhista e Socialista (*Labour and Socialist International* – LSI, na sua versão em inglês). Ela foi a organização internacional dos partidos socialistas e social-democratas entre as guerras mundiais e surgiu em maio de 1923 como resultado da fusão da reformista Internacional de Londres – a qual, sediada nesta cidade, havia sido criada em um congresso em Genebra em meados de 1920 reunindo alguns pequenos partidos social-democratas do Leste Europeu, além da social-democracia alemã, do Partido Trabalhista inglês e dos socialistas dinamarqueses, suecos, holandeses e belgas e que se considerava a legítima sucessora ou continuação da Segunda Internacional – e da centrista União Internacional dos Partidos Socialistas e existiu até 1940. A Internacional Operária Socialista esteve inicialmente baseada em Londres, depois de 1925 em Zurique e de 1935 a 1940 em Bruxelas. Em 3 de abril de 1940, foi realizada a última reunião do escritório da Internacional Operária Socialista, que convocou um grupo formado por três ex-presidentes da Internacional Operária Socialista para mantê-la ativa durante a guerra. Este grupo se estabeleceu em Londres. A partir de 1941, o grupo de ex-presidentes publicou um boletim mensal e realizou reuniões de grupos socialistas no exílio em Londres, que se reuniram sob a égide do Partido Trabalhista inglês. A Internacional Operária Socialista foi dissolvida oficialmente em 1946, na conferência de Bournemouth. Os contatos foram retomados sob a forma de "Conferências Socialistas Internacionais", que conduziram, em 1951, à criação da Internacional Socialista dando continuidade à Internacional Operária Socialista, e que permanece até nossos dias.

Die Internationale: Zeitschrift für Theorie und Praxis des Marxismus (*A Internacional: Revista da Teoria e Prática do Marxismo*). Publicada em Berlim e posteriormente em Paris de 1919 a 1938, era o órgão da Internacional Comunista editado em alemão.

Izvestia (*Notícias*). Foi publicado inicialmente em 1917 como órgão do soviete de Petrogrado. Após a Revolução de Outubro passou a publicar as posições do *Presidium* Supremo, transformando-se no órgão oficial do governo soviético. Circulou nessa condição até 1991, quando foi privatizado.

K

Klassenkampf (*Luta de Classes*). Publicado de 1921 a 1933, na cidade de Halle, era órgão regional de Halle-Merseburg.

KPD, ver **PARTIDO COMUNISTA DA ALEMANHA**

KPDO, ver **PARTIDO COMUNISTA DA ALEMANHA (OPOSIÇÃO)**

KUO MIN-TANG. Partido nacionalista burguês da China fundado em 1912 por Sun Yat-sen (1866-1925) em Xangai, que o dirigiu até sua morte. No início de 1923 o governo soviético e o Kuo Min-tang estabeleceram um acordo de cooperação e em junho os comunistas chineses deliberaram em congresso ingressar no Kuo Min-tang. Quando Sun Yat-sen foi sucedido por Tchang Kai-chek, as relações entre ambas as organizações se deterioraram. Os comunistas passaram a sofrer uma intensa repressão em razão de seu crescimento, sobretudo nas grandes cidades chinesas, o que incomodava Tchang Kai-chek. Este rompeu o acordo entre ambas as organizações e promoveu massacres brutais contra os comunistas, estabelecendo um governo nacionalista em outubro de 1928. Derrotado na guerra civil com o Partido Comunista Chinês (1936-1949), Kuo Min-tang continuou sendo o partido no poder em Taiwan.

L

LABOUR PARTY, ver **PARTIDO TRABALHISTA**

LENINBUND, ver **LIGA LENIN**

LIGA LENIN (*Leninbund*). Foi uma organização fundada por Arkadi Maslow, Ruth Fischer e Hugo Urbahns após sua expulsão do Partido Comunista alemão em 1928. A *Leninbund* tomou posições próximas à da Oposição de Esquerda até 1930, quando Hugo Urbahns ocupou a sua liderança e expulsou os simpatizantes da Oposição de Esquerda. Com a ascensão dos nazistas ao poder, a *Leninbund* passou à clandestinidade e ao longo do tempo suas atividades foram se esvaindo. Após a eclosão da guerra em 1939, seus sinais desapareceram.

LIGA SPARTACUS (*Spartakusbund*) teve sua origem no Grupo Internacional, criado no interior do Partido Social-Democrata da Alemanha (*Sozialdemokratische Partei Deutschlands* – SPD) no início da Primeira Guerra Mundial por uma iniciativa de Rosa Luxemburgo, imediatamente após a votação aos créditos de guerra feita pela bancada social-democrata alemã, por considerá-la como uma traição aos objetivos da social-democracia, especialmente à solidariedade internacional do movimento operário contra a guerra. O Grupo Internacional organizou-se formalmente em março de 1915 como uma fração interna do SPD. Em 1916, passou a publicar um boletim interno de nome *Cartas de Spartacus*, em que se estabeleciam os objetivos do grupo e que levou à modificação do nome da organização para Grupo Spartacus. Em 1917, em torno de Karl Kautsky, outros oponentes à Primeira Guerra Mundial dentro do SPD fundaram seu próprio partido em abril de 1917, o Partido Social-Democrata Independente da Alemanha (*Unabhängige Sozialdemokratische Partei Deutschlands* – USPD). O Grupo Spartacus juntou-se ao USPD visando influenciá-lo, pois os marxistas internacionalistas eram ali minoritários. Em novembro de 1918, com a queda da monarquia e a proclamação da República e o início da Revolução Alemã, o Grupo Spartacus lançou ao seu diário e logo em seguida mudou sua denominação para Liga Spartacus. Como não conseguiram eco de suas posições no USPD, a Liga Spartacus realizou um congresso nacional, de 30 de dezembro de 1918 a primeiro de janeiro de 1919, e, juntamente com outra cisão do SPD, o grupo Comunistas Internacionais da Alemanha (*Internationalen Kommunisten Deutschlands* – IKD), fundaram o Partido Comunista da Alemanha (*Kommunistische Partei Deutschlands* – KPD).

M

MENCHEVIQUES, MENCHEVISMO, ver **PARTIDO OPERÁRIO SOCIAL-DEMOCRATA RUSSO (MENCHEVIQUES)**

N

NACIONAL-SOCIALISMO; NAZISMO, ver **PARTIDO NACIONAL-SOCIALISTA DOS TRABALHADORES ALEMÃES**

The New Masses (*As novas massas*). A revista estadunidense foi uma revista marxista americana próxima do Partido Comunista dos Estados Unidos, que sucedeu *The Masses* (circulou entre 1912 e 1917). Publicada na cidade de Nova Iorque, *The New Masses* circulou de 1926 a 1948 e foi sucedida por *Masses & Mainstream*, que circulou de 1948 a 1963.

O

OPOSIÇÃO DE DIREITA. Facção inicialmente formada em torno de Nikolai Bukharin, Alexei Ivanovitch Rykov (1881-1938), Mikhail Pavlovitch Tomsky (1880-1936) e os seus apoiadores dentro da União Soviética. Fortes defensores da Nova Política Econômica (NEP), foram rotulados de direitistas por Stalin no outono de 1928, no contexto do debate em torno da implantação do primeiro plano quinquenal, no qual certos aspectos o grupo criticava por nele verem as propostas formuladas por Trotsky e seus camaradas da Oposição de Esquerda. Tais posições obtiveram adesão em outras seções da Internacional Comunista, as quais foram forçadas a formar suas próprias organizações quando foram, por sua vez, expulsas das seções nacionais da Internacional Comunista. Em uma conferência internacional realizada em março de 1930, em Berlim, criou-se um centro de informação para coordenar as atividades internacionais e publicar um boletim. Em dezembro de 1930, novamente em Berlim, realizou-se a conferência de fundação da Oposição Internacional Comunista (OIC), com a presença de representantes de dez países. A OIC teve partidos em quinze países durante a década de 1930. No entanto, nunca conseguiram se agrupar como uma única tendência internacional, pois estavam mais preocupados com as questões de seus próprios países e dos Partidos Comunistas de seus países. Após a ascensão do nazismo, a OIC começou a se desintegrar. Em uma conferência em fevereiro de 1938, a OIC se afiliou ao Bureau de Londres, dando origem, em abril de 1939 a uma nova organização, o Centro Internacional Revolucionário Marxista, que deixou de existir depois da queda da França, em 1940.

OPOSIÇÃO DE ESQUERDA (BOLCHEVIQUES-LENINISTAS). Facção formada por Leon Trotsky no interior do Partido Comunista russo em 1923 para defender seus pontos de vista contra o triunvirato Josef Stalin, Grigori Zinoviev e Lev Kamenev (1883-1936). Organizada em escala planetária em 1930 sob o nome de Oposição Internacional de Esquerda. Após a chegada dos nazistas ao poder em 1933, decidiu encerrar seu estatuto de fração da Internacional e buscou construir novos partidos marxistas revolucionários, mudando seu nome para Liga Comunista Internacionalista, predecessora da Quarta Internacional, fundada em 1938.

OPOSIÇÃO DE ESQUERDA DO PARTIDO COMUNISTA DA ALEMANHA (BOLCHEVIQUES-LENINISTAS). A seção alemã da Oposição Internacional de Esquerda constituiu-se em março de 1930 com a fusão de uma corrente egressa da Liga Lenin (*Leninbund*) com um grupo remanescente da Oposição do Wedding (uma cisão do Partido Comunista Alemão no distrito de Wedding em Berlim). A Oposição de Esquerda publicou inicialmente o jornal *Der Kommunist*, o qual foi sucedido pelo semanário *Die Permanente Revolution*, em 1931. Em 1933 a Oposição de Esquerda mudou seu nome para Comunistas Internacionalistas da Alemanha (*Internationale Kommunisten Deutschlands* – IKD). Após a ascensão dos nazistas ao poder, *Die Permanente Revolution* foi substituída pela revista *Unser Wort*, que foi publicada até 1941.

OPOSIÇÃO DO PARTIDO COMUNISTA DA ÁUSTRIA. Criada no final de 1926 a Oposição de Esquerda austríaca tinha como seu órgão oficial o *Arbeiterstimme* (*Voz Operária*), que publicou 134 números de 1927 a 1933.

OPOSIÇÃO SINDICAL REVOLUCIONÁRIA (*Revolutionäre Gewerkschaftopposition* – RGO). Foi um pequeno movimento sindical de esquerda, formado em 1928 em oposição à ADGB (*Allgemeiner Deutscher Gewerkschfsbund* – Confederação Geral dos Sindicatos da Alemanha), a principal federação sindical liderada pelos social-democratas. A RGO foi criada a partir de determinações da Internacional Comunista, sob o influxo do chamado Terceiro Período, que, além de preocupar-se com o "perigo direitista no Partido Comunista alemão", pressionou por uma cisão pela criação de sindicatos separados da social-democracia, os chamados "sindicatos vermelhos". A RGO conseguiu agrupar nove "sindicatos vermelhos", todos minoritários. A principal realização da RGO foi manter os sindicalistas comunistas isolados da grande maioria dos trabalhadores organizados. Com a ascensão dos nazistas ao poder foi declarada ilegal, mas continuou funcionando ainda alguns anos na clandestinidade, até ser esmagada completamente.

P

PARTIDO DO CENTRO ALEMÃO (*Deutsche Zentrumspartei*). É um dos mais antigos partidos existentes na Alemanha e fundado em 1870. Foi um partido orientado pelos valores católicos, com penetração nas zonas católicas da Alemanha. Até 1933 foi um dos partidos mais importantes nos sistemas políticos do Império Alemão e da República de Weimar. Após 1945 perdeu o seu espaço político para a União Democrata-Cristã (Christlich-Demokratische Union – CDU). Hoje continua a existir, no entanto, sem qualquer peso político.

PARTIDO COMUNISTA DA ALEMANHA (*Kommunistische Partei Deutschlands* – KPD). Foi fundado em um congresso realizado de 30 de dezembro de 1918 a primeiro de janeiro de 1919, unificando as cisões da social-democracia alemã Liga Spartacus (*Spartakusbund*) – então atuando com fração no interior do Partido Social-Democrata Independente da Alemanha (*Unabhängige Sozialdemokratische Partei Deutschlands* – USPD) – e os Comunistas Internacionais da Alemanha (*Internationalen Kommunisten Deutschlands* – IKD). O novo partido, fortemente influenciado pela Revolução Russa, se diferenciava das duas outras representações político-partidárias do movimento operário – o Partido Social-Democrata da Alemanha (*Sozialdemokratische Partei Deutschlands* – SPD) e o USPD –, as quais consideravam moderadas demais. No início de 1919, após as revoltas espartaquistas de Berlim, importantes líderes do Partido Comunista alemão, Karl Liebknecht, Rosa Luxemburgo e Leo Jogiches, foram assassinados por milícias (os *freikorps*, caldo de cultura das futuras SAs (*Sturmabteilungs*) nazistas) por ordem de Gustav Noske, ministro da guerra no governo social-democrata de Friedrich Ebert – Philipp Scheidemann. O KPD aumentou consideravelmente seu número de membros quando, em dezembro de 1920, se fundiu com a esquerda do USPD para formar o Partido Comunista Unificado da Alemanha, o qual logo em seguida voltou a utilizar seu antigo nome de KPD. Depois de se envolver Em seguidas e fracassadas tentativas insurrecionais, o KPD, a partir de 1925, sob a direção de Ernst Thälmann, passou a adotar uma orientação extremamente influenciada por J. Stalin. Com a radicalização nas orientações da Internacional Comunista aprovadas em seu VI Congresso (1928), no qual o grupo de Stalin consolidou sua dominação, adotaram-se nos partidos comunistas as políticas do chamado "Terceiro Período", quando se passou a afirmar que a fase de estabilização do capitalismo estava chegando ao fim, que o movimento operário estava se radicalizando e que uma nova "ascensão revolucionária" era iminente. O KPD, em seu 12º Congresso Nacional realizado em junho de 1929 – o último na República de Weimar –, incorporando as ideias do "Terceiro Período", adotou a postura sectária de luta contra a social-democracia na qual, reproduzindo a concepção idealizada por Stalin, a igualava ao fascismo, atribuindo-lhe o epíteto de "social-fascista", impedindo, desse modo, qualquer ação política conjunta das duas maiores forças do movimento operário contra o crescimento das forças nacional-socialistas de Adolf Hitler. Tal posicionamento abriu o caminho do poder ao nazismo na Alemanha e à derrocada do comunismo em janeiro de 1933. O KPD foi ilegalizado e suas estruturas de organização foram completamente destruídas pelo regime nazista e seus membros forçados ao exílio ou à clandestinidade, e os que acabaram presos foram em grande parte exterminados fisicamente pela ditadura hitlerista. Com o final da Segunda Guerra Mundial e a divisão da Alemanha, na área sob a influência da União Soviética, a futura República Democrática Alemã, os remanescentes do KPD e da social-democracia fundiram-se para formar o Partido Socialista Unificado da Alemanha (*Sozialistische Einheitspartei Deutschlands* – SED) em abril de 1946. Já na área controlada pelos demais países aliados, que formou a República Federal da Alemanha, o KPD atuou até 1956, quando foi ilegalizado.

PARTIDO COMUNISTA DA ALEMANHA (OPOSIÇÃO) (*Kommunistische Partei Deutschlands (Opposition)* – KPDO). Foi uma cisão do Partido Comunista da Alemanha (*Kommunistische Partei Deutschlands* – KPD) que ocorreu no final de 1928. A radicalização nas orientações da Internacional Comunista aprovadas em seu VI Congresso (1928), no qual o grupo de Stalin consolidou sua dominação na organização, resultou da avaliação do grupo stalinista de que a fase de estabilização do capitalismo estava chegando ao fim, que o movimento operário estava se radicalizando e que uma nova "ascensão revolucionária" era iminente. Isto, no entanto, foi considerado um erro em muitos partidos comunistas, como no caso alemão. Vários militantes do KPD rejeitaram tais teses e as criticaram. Aqueles agrupados em torno de Heinrich Brandler e August Thalheimer, que eram identificados com a chamada "Oposição de Direita Internacional", iniciaram uma luta aberta contra esta orientação, classificada de "ultraesquerdista". Além disso, um caso de corrupção envolvendo membros do grupo do secretário-geral do KPD, Ernst Thälmann em Hamburgo e sua proteção pela facção de Stalin em Moscou foram usados como pretexto para Brandler e Thalheimer agruparem seus seguidores. A Internacional Comunista reagiu imediatamente: Brandler, Thalheimer e seus camaradas foram duramente criticados em uma carta aberta de 19 de dezembro de 1928, e expulsos logo em seguida. Em 30 de dezembro de 1928, uma conferência nacional da oposição de direita do KPD ocorreu em Berlim e nela se fundou o Partido Comunista da Alemanha (Oposição). Embora o grupo nunca tenha tido ampla influência ou sucesso eleitoral, mesmo assim se tornou o primeiro e também um dos partidos mais proeminentes a ser identificado com a chamada "Oposição de Direita Internacional". No início de 1932, uma minoria do KPDO, em torno de Paul Frölich (futuro biógrafo de Rosa Luxemburg) e Jacob Walcher, juntou-se ao Partido Socialista Operário (*Sozialistische Arbeiterpartei* – SAP), uma cisão socialista de esquerda da social-democracia alemã. Imediatamente após sua 5ª Conferência Nacional, que ocorreu em Berlim na virada do ano de 1932 para 1933, o KPDO, em sua análise política afirmava que a classe trabalhadora já havia sido eliminada da luta pelo poder político, mudou sua organização para o trabalho clandestino. Poucos dias após o incêndio do Parlamento alemão, ocorrido logo após a ascensão ao poder pelos nazistas, o KPDO constituiu em Estrasburgo, na França, sua direção no exílio. Até o início de 1937 o KPDO conseguiu preservar sua estrutura clandestina na Alemanha, quando então sofreu graves perdas em suas forças. Ao longo do tempo, o KPDO viu suas forças sendo diluídas e depois da guerra ele praticamente desapareceu.

PARTIDO COMUNISTA DA ÁUSTRIA (*Kommunistische Partei Österreichs* – KPÖ). Foi fundado em 1918, como uma cisão da social-democracia austríaca, a qual, mesmo assim, manteve-se como a corrente predominante entre os trabalhadores do país. Em 1933, o KPÖ foi ilegalizado pelo governo austrofascista de Engelbert Dollfuss (1892-1934), mas continuou a atuar na ilegalidade. Em fevereiro de 1934 participou da fracassada insurreição contra o governo fascista com o objetivo de restaurar a democracia na Áustria. Após a Áustria ter sido anexada à Alemanha em março de 1938, houve uma intensificação da repressão e milhares de seus militantes foram enviados para campos de concentração. Após a Segunda Guerra Mundial o KPÖ foi lentamente perdendo forças. Desde 1959 o partido não conseguiu eleger representantes ao Congresso Nacional austríaco, sendo hoje quase nula sua influência.

PARTIDO COMUNISTA DA CHINA. Em julho de 1921 Tchen Du-Siu (1879-1942) e Li Da-zhao (1882-1927) lideraram a fundação do Partido Comunista da China (PCCh). Em junho de 1923, quando realizou o seu III Congresso, o PCCh se alinhou, por imposição da Internacional Comunista, com o partido nacionalista Kuo Min-tang como a esquerda organizada no interior do movimento nacionalista. No entanto, a partir de 1925, a ala direita do Kuo Min-tang, liderada por Tchang Kai-chek, começou a se voltar contra o PCCh e em abril de 1927 massacrou dezenas de milhares de membros do partido, e os dois partidos se dividiram e iniciaram uma prolongada guerra civil. Durante os dez anos seguintes dessa guerra, Mao Tsé-tung tornou-se a figura mais proeminente do PCCh e o partido estabeleceu uma forte base entre o campesinato rural com suas políticas de reforma agrária. A Segunda Guerra Sino-Japonesa (1937-1945) causou uma pausa no conflito entre o PCCh e o Kuo Min-tang, estabelecendo-se a Segunda Frente Unida entre o PCCh e o Kuo Min-tang para combater a invasão. Embora a frente tenha existido formalmente até 1945, toda a colaboração entre as duas partes terminou em 1940. O apoio ao PCCh continuou a crescer durante a Segunda Guerra Sino-Japonesa e, após a rendição japonesa, os comunistas emergiram triunfantes na renovada guerra civil contra o Kuo Min-tang de Tchang Kai-chek. Depois de expulsar o Kuo Min-tang da China continental para a ilha de Formosa (Taiwan), o PCCh estabeleceu a República Popular da China em primeiro de outubro de 1949.

PARTIDO COMUNISTA DA ESPANHA (*Partido Comunista de España* – PCE). Surgiu como resultado da fusão dois grupos que saíram do Partido Socialista Operário Espanhol (*Partido Socialista Obrero Español* – PSOE) e se fundiram em uma conferência realizada em novembro de 1921. Um dos grupos era uma cisão ocorrida na Federação da Juventude Socialista do PSOE em abril de 1920, a qual deu origem ao Partido Comunista Espanhol (*Partido Comunista Español* – PCE). O outro era o Partido Comunista Operário Espanhol (*Partido Comunista Obrero Español* – PCOE), resultado de uma cisão ocorrida no II Congresso do PSOE, o qual decidiu pela não adesão à Internacional Comunista. No entanto, um grupo minoritário contrário à decisão do II Congresso e favorável à adesão à Internacional Comunista formou o PCOE em abril de 1921. Em setembro de 1923, o general Miguel Primo de Rivera y Orbaneja (1870-1930) e o rei Alfonso XIII (Alfonso León Fernando María Jaime Isidro Pascual Antonio de Borbón y Habsburgo-Lorena, 1886-1941) deram um golpe de Estado, estabeleceram uma ditadura e o PCE foi ilegalizado. Com a queda da monarquia e a proclamação da Segunda República espanhola em abril de 1931 o PCE voltou à legalidade. Em janeiro de 1936, os comunistas participaram da criação da Frente Popular, coalizão eleitoral também integrada pelo PSOE, pelo Partido Operário de Unificação Marxista (*Partido Obrero de Unificación Marxista* – POUM), pela Esquerda Republicana e pela União Republicana, além de ter o apoio da Esquerda Republicana da Catalunha, do Partido Galeguista, da Federação Nacional das Juventudes Socialistas, do Partido Sindicalista, da central sindical socialista

União Geral dos Trabalhadores e da central sindical anarcossindicalista CNT (*Confederación Nacional del Trabajo*). Nas eleições de fevereiro de 1936, com a vitória da Frente Popular, o PCE elegeu 17 deputados ao Parlamento espanhol e ocupou ministérios no novo governo, além de conquistar influência nas forças militares, especialmente após julho de 1936, quando as forças nacionalistas tentam dar um golpe de estado para depor o governo da frente popular, iniciando a Guerra Civil Espanhola. Assim, tanto nas Brigadas Internacionais como no Exército Popular os comunistas jogaram um papel de destaque. Essa predominância nas forças de segurança fez com que os comunistas as utilizassem para seu acerto de contas com forças do campo da esquerda, especialmente os trotskistas e os anarquistas, levando muitos à prisão e até à sua eliminação. Com a vitória das forças nacionalistas em 1939, os comunistas foram postos na ilegalidade, passando a atuar na clandestinidade e somente voltando a ter vida legal em abril de 1977.

PARTIDO COMUNISTA FRANCÊS (PCF). Foi fundado em 1920 resultando de uma cisão ocorrida no Congresso de Tours da Seção Francesa da Internacional Operária (SFIO), cuja maioria decidiu criar um novo partido e aderir à Internacional Comunista. Inicialmente criado apenas como Seção Francesa da Internacional Comunista (SFIC), logo em seguida, em 1921, teve seu nome alterado para Partido Comunista (Seção Francesa da Internacional Comunista PC-SFIC) e posteriormente, em 1943, após a dissolução da Internacional Comunista, passou a denominar-se Partido Comunista Francês (PCF). Até 1930 o PC-SFIC viveu uma sucessão de lutas de tendências, das quais parte eram reflexo de dissidências na Internacional Comunista e parte eram ligadas a questões puramente francesas. Em 1930, com o controle do grupo de Maurice Thorez, ligado a Stalin, o PC-SFIC alinhou-se incondicionalmente à Internacional Comunista. Em reação à tentativa de golpe de Estado das organizações fascistas promovida em fevereiro de 1934, socialistas e comunistas iniciam um processo de aproximação, ao qual, incorporando os setores médios da sociedade próximos do Partido Radical, os levaram à constituição de programa comum e de uma aliança eleitoral que tomou o nome de Frente Popular para enfrentar a ameaça fascista. A Frente Popular governou a França de maio de 1936 a abril de 1938. Reuniu os três principais partidos de esquerda: a SFIO, o Partido Radical e o Partido Comunista, além de outros movimentos de esquerda e antifascistas, como sindicatos, associações de veteranos de esquerda e movimentos intelectuais (Liga dos Direitos Humanos, Movimento Contra a Guerra e o Fascismo e Comitê de Vigilância de Intelectuais Antifascistas), bem como pequenos partidos (Partido Republicano da União Socialista, Partido da Unidade Proletária, Partido Camille Pelletan, Partido República Jovem, o Partido Frontista etc.). O PC elegeu uma bancada de 72 parlamentares ao Congresso Nacional francês e obteve 15% dos votos. Apoiou (sem participar, no entanto) o governo da Frente Popular e combateu as tentativas de ir além do programa defendido pela ala mais moderada da coalizão, os radicais. Com o fim do governo da Frente Popular várias das reformas sociais conquistadas foram anuladas. Tais atos produziram forte oposição popular e sindical, com greves e manifestações. A repressão que se seguiu, com demissões em massa e numerosas prisões, marcou o fim da Frente Popular e enfraqueceu consideravelmente os efetivos do Partido Comunista. Em agosto de 1939, a União Soviética assinou um acordo de não agressão e divisão da Europa Central com a Alemanha, tendo o PC aprovado oficialmente a assinatura do pacto. Quando a guerra estourou, a União Soviética permaneceu neutra e invadiu a Polônia, conforme estabelecido no pacto com a Alemanha. Com o início da Segunda Guerra Mundial em setembro de 1939, e a entrada da França no conflito, o governo francês, afirmando que os comunistas estavam desencorajando o esforço de guerra, ilegalizou o PC-SFIC. A invasão da França pela Alemanha e, posteriormente, a da

União Soviética, permitiram ao PC-SFIC se comprometer totalmente na resistência à ocupação alemã, na qual perdeu muitos militantes, e tornar-se uma das principais forças políticas francesas ao final de guerra. Mesmo com a Guerra Fria os comunistas mantiveram um papel importante durante décadas na França, somente o perdendo com o fim da União Soviética.

PARTIDO COMUNISTA DA ITÁLIA. Ao contrário do seu congênere francês, o qual reuniu a maioria da Seção Francesa da Internacional Operária (SFIO), o Partido Comunista da Itália – Seção Italiana da Internacional Comunista (*Partito comunista d'Italia – sezione italiana dell'Internazionale comunista* – PCd'I, o qual, após a dissolução da Internacional Comunista, em 1943 passou a denominar-se *Partito Comunista Italiano* – PCI) surgiu a partir da minoria esquerdista da social-democracia italiana em janeiro de 1921, em Livorno, no XVII Congresso do Partido Socialista Italiano. Seus primeiros anos foram caracterizados, de um lado, pela derrota do movimento operário e pela reação estatal e o surgimento do fascismo e, de outro, pela mudança do grupo dirigente, abandonando sua postura esquerdista inicial para uma de centro. O PCd'I foi ilegalizado pelo regime fascista em novembro de 1926, na mesma época em que o seu secretário-geral, Antônio Gramsci, foi preso. Frente a isso, no ano seguinte a direção acabou transferida para o exílio, dividindo-se entre a União Soviética e a França, surgindo com isso um novo grupo de direção em torno de Palmiro Togliatti, situado em Moscou. Tal fato resultou em um maior alinhamento do PCd'I com as posições de Stalin. Na Itália o PCd'I engajou-se no movimento de resistência ao fascismo, desempenhando um papel importante durante a libertação nacional. Após a queda do regime de Mussolini em 25 de julho de 1943, o Partido Comunista retornou a um *status* formalmente legal, levando ao retorno de seus principais dirigentes que se encontravam no exílio. Os comunistas participaram de todos os governos durante o período de libertação nacional e constitucional de junho de 1944 a maio de 1947. Com o desencadeamento da chamada "Guerra Fria", os comunistas e os socialistas foram afastados do governo, mas o PCI tornou-se a partir de então a maior força política de oposição. Após a morte de Stalin, o PCI começou a se distanciar do unitarismo de estilo soviético predominante no movimento do comunismo mundial. Após o colapso do comunismo nos países do Leste Europeu, o PCI iniciou uma profunda transformação que culminou em 1991 na dissolução do partido e na constituição do Partido Democrático de Esquerda (*Partito Democratico della Sinistra* – PDS). Uma ala contrária à mudança deu origem ao Partido da Refundação Comunista (*Partito della Rifondazione Comunista* – PRC). O PDS, em 1998, fundiu-se com outras forças da esquerda italiana para dar origem aos Democratas de Esquerda (*Democratici di Sinistra* – DS). Em 2001 a DS realizou mais uma fusão para dar origem ao atual Partido Democrático.

PARTIDO COMUNISTA DA POLÔNIA (*Komunistyczna Partia Robotnicza Polski* – KPRP). O Partido Comunista dos Trabalhadores da Polônia foi fundado em dezembro de 1918 com a fusão do Social-Democracia do Reino da Polônia e Lituânia (SDKPiL) e do Partido Socialista Polonês – Esquerda (PPS). Em 1925 alterou seu nome para Partido Comunista da Polônia (*Komunistyczna Partia Polski* – KPP). O partido, ilegal na Polônia desde janeiro de 1919, foi dissolvido em 1938 pela Internacional Comunista sob a acusação de trotskismo. Na clandestinidade, sob os auspícios da Internacional Comunista, em janeiro de 1942, foi fundado o Partido dos Trabalhadores Poloneses (*Polska Partia Robotnicza* – PPR), o qual se fundiu, em setembro de 1948, ao Partido Socialista Polonês (*Polska Partia Socjalistyczna* – PPS) para dar origem ao Partido Unificado dos Trabalhadores Poloneses (*Polska Zjednoczona Partia Robotnicza* – PZPR), que governou a Polônia até 1989. Após a queda do bloco soviético europeu, o partido foi dissolvido em 1990, transformado em Social-Democracia da República da Polônia, um partido social-democrata, que se dissolveu na Aliança da Esquerda Democrática.

PARTIDO COMUNISTA RUSSO, ver **PARTIDO OPERÁRIO SOCIAL-DEMOCRATA RUSSO (BOLCHEVIQUES)**

PARTIDO COMUNISTA DA UNIÃO SOVIÉTICA, ver **PARTIDO OPERÁRIO SOCIAL-DEMOCRATA RUSSO (BOLCHEVIQUES)**

PARTIDO DEMOCRÁTICO CONSTITUCIONAL. Foi um partido burguês russo comprometido com a monarquia constitucional e de caráter liberal, liderado por Pavel Nikolaievitch Miliukov (1859-1943), que dominou brevemente o governo provisório depois de fevereiro de 1917. O termo Cadete vem das iniciais russas do nome do partido.

PARTIDO NACIONAL-SOCIALISTA DOS TRABALHADORES ALEMÃES. Partido nacionalista de extrema-direita alemão surgido em 1919, inicialmente com o nome de Partido dos Trabalhadores Alemães (*Deutsche Arbeiterpartei* – DAP) e que alterou para esta nova denominação no ano seguinte. Seu apelido nazista vem da corruptela em alemão da expressão nacional-socialista (Nationalsozialistische Deutsche Arbeiterpartei – NSDAP – Partido Nacional-Socialista dos Trabalhadores Alemães). Sob a liderança de Adolf Hitler desde 1921, os nazistas chegaram ao poder na Alemanha em 1933 e imediatamente ilegalizaram os demais partidos e declararam-se partido único do país, governando por métodos ditatoriais até 1945. Para buscarem seus objetivos expansionistas, os nazistas desencadearam a Segunda Guerra Mundial em 1939 e destruíram grande parte da Europa. E para concretizarem seu objetivo de aniquilação de seus alegados inimigos realizaram o assassinato em escala industrial de milhões deles em campos de concentração e extermínio visando ciganos homossexuais, testemunhas de Jeová, opositores políticos (em particular, comunistas e social-democratas) e, especialmente, judeus.

PARTIDO OPERÁRIO SOCIAL-DEMOCRATA RUSSO. Partido político marxista, formado em 1898 em Minsk, o Partido Operário Social-Democrata Russo (POSDR) reuniu diversos agrupamentos em oposição aos chamados populistas, os quais consideravam apenas os camponeses como revolucionários, enquanto os social-democratas acreditavam que a união e a organização tanto do campesinato como dos trabalhadores urbanos resultaria na revolução socialista. O POSDR se dividiu em dois grupos, os Bolcheviques (maioria), liderados por Lenin, e os Mencheviques (minoria), liderados por Martov, no segundo congresso do Partido Operário Social-Democrata Russo ocorrido em 1903. A divisão, ocorrida na discussão do programa do partido, travou-se sobre os princípios da sua organização. Os bolcheviques enfatizaram a necessidade de construir um partido revolucionário militante da classe trabalhadora e a necessidade de todos os membros do partido estarem alinhados a essa tarefa. Os bolcheviques e os mencheviques coexistiram como facções até 1912, quando se dividiram em Partido Operário Social-Democrata Russo (Bolcheviques) e Partido Operário Social-Democrata Russo (Mencheviques). Os bolcheviques formaram o que viria a se tornar o Partido Comunista Russo e impulsionaram a criação da Internacional Comunista, enquanto os mencheviques continuaram dentro da Internacional Socialista.

PARTIDO OPERÁRIO SOCIAL-DEMOCRATA RUSSO (BOLCHEVIQUES). Surgidos da cisão ocorrida no segundo congresso do Partido Operário Social-Democrata Russo ocorrido em 1903, os bolcheviques coexistiram como facção até 1912, quando se separaram dos mencheviques e formaram o Partido Operário Social-Democrata Russo (Bolcheviques). Após tomarem o poder na Revolução Russa de 1917, passaram a chamar-se Partido Comunista Russo (bolchevique) de 1918 a 1925, o qual em seguida passou a denominar-se Partido Comunista da União Soviética e governou o país até 1991.

PARTIDO OPERÁRIO SOCIAL-DEMOCRATA RUSSO (MENCHEVIQUES). Surgidos da cisão ocorrida no segundo congresso do Partido Operário Social-Democrata Russo, ocorrido em 1903, os mencheviques coexistiram como facção até 1912, quando se separaram dos bolcheviques e formaram o Partido Operário Social-Democrata Russo (Mencheviques). Eles acreditavam que o socialismo só poderia ser alcançado através de etapas e primeiramente por meio de uma revolução burguesa (via reformismo). Após a Revolução de Fevereiro de 1917, a maioria dos mencheviques apoiou o governo provisório, pois nele viu a concretização de suas convicções reformistas. Após a Revolução de Outubro, os mencheviques se opuseram ao governo soviético, enquanto uma minoria apoiou o governo bolchevique. Em 1921, o Partido Operário Social-Democrata Russo (Mencheviques) lançou programa pedindo a liquidação do monopólio político do Partido Comunista. Ilegalizados, passaram então os mencheviques a operar clandestinamente na Rússia Soviética e abertamente no exílio na Europa e na América do Norte, neste caso já desde 1920. A direção no exílio dos mencheviques atuou em Berlim de 1920 a 1933, depois se mudou para Paris e em seguida foi para Nova Iorque, onde existiram até 1965, sempre inseridos no âmbito da Internacional Socialista.

PARTIDO RADICAL. Oficialmente chamado Partido Republicano, Radical e Radical-Socialista, foi fundado em 1901. Suas origens remontam ao século XIX e os radicais defendiam uma política laica e anticlerical e elogiavam a propriedade privada. Situados originalmente no espectro da centro-esquerda, desde o surgimento do Partido Socialista (Seção Francesa da Internacional Operária – SFIO) em 1905, os radicais passaram a ocupar uma posição de centro-direita, a qual, ao longo do século XX, enveredou para a direita. O Partido Radical viu seu auge durante o período entre guerras. Em meados dos anos 1930, os radicais participaram do governo de Frente Popular, ao lado da SFIO e do Partido Comunista francês. O Partido Radical teve um Presidente da República de 1924 a 1931.

PARTIDO SOCIAL-DEMOCRATA DA ALEMANHA (*Sozialdemokratische Partei Deutschlands* – SPD). É o partido mais antigo em atuação na Alemanha. Tem suas origens em 1863. Neste ano foi criada, liderada por Ferdinand Lassalle, a Associação Geral dos Trabalhadores Alemães (*Allgemeiner Deutscher Arbeiterverein* – ADAV). Alguns anos depois, em 1869, com liderança de August Bebel e Wilhelm Liebknecht, foi fundado o Partido Social-Democrata dos Trabalhadores (Sozialdemokratische Arbeiterpartei – SDAP). Os dois grupos se fundiram em 1875 para criar o Partido Socialista dos Trabalhadores da Alemanha (*Sozialistische Arbeiterpartei Deutschlands*), quando então passaram a nele predominar as ideias marxistas. De 1878 a 1890 as Leis Antissocialistas proibiram a atuação de qualquer grupo ou entidade que defendesse ideias socialistas, e, com a revogação dessas leis, o Partido Socialista dos Trabalhadores da Alemanha, em 1890, alterou seu nome para Partido Social-Democrata da Alemanha, transformando-se em um partido de massas, tanto em termos de adesão às suas fileiras e penetração nos meios sindicais como em resultados eleitorais. Tal crescimento resultou no aumento do aparato partidário, bem como levou ao surgimento de dissidências e polêmicas. Quando se desencadeou a Primeira Guerra Mundial, o SPD dividiu-se. Inicialmente formou-se em 1915 o Grupo Internacional, ligado à esquerda do SPD, mas como uma fração partidária e que no ano seguinte passou a se denominar Grupo Spartacus. Em abril de 1917, formou-se o Partido Social-Democrata Independente da Alemanha (*Unabhängige Sozialdemokratische Partei Deutschlands* – USPD), com posições de centro. O Grupo Spartacus juntou-se como fração ao USPD. Em novembro de 1918, com a queda da monarquia e a proclamação da República, o Grupo Spartacus mudou sua denominação para Liga Spartacus. Como não conseguiu influenciar majoritariamente o USPD, a Liga Spartacus realizou um congresso nacional e fundou o Partido Comunista da Alemanha (*Kommunistische Partei Deutschlands* – KPD), ao qual também se juntou em 1920 a maioria da ala esquerda do USPD. Pouco antes do final da Primeira Guerra Mundial, em outubro de 1918, o SPD ingressou no recém-formado governo imperial alemão. No início da Revolução alemã, que resultou na queda da monarquia e na proclamação da República, o SPD formou com o USPD o Conselho de Deputados do Povo. No entanto, o SPD se opôs a qualquer forma de governo de caráter soviético. Valendo-se do temor de uma maior radicalização e o medo do colapso da organização estatal, o SPD absteve-se de tomar medidas de reforma na primeira fase da revolução e negociou, através de Friedrich Ebert, que ocupava então a chancelaria, acordos secretos com o Comando Supremo do Exército. Embora o Conselho dos Deputados do Povo afirmasse que o poder político estava nas mãos dos Conselhos de Trabalhadores e Soldados e que estes deveriam se reunir em sessão plenária o mais rápido possível, o SPD manobrou para a convocação de eleições para uma Assembleia Nacional na expectativa de obtenção de maioria parlamentar. Com a omissão da USPD – o que levou à saída da Liga Spartacus e à formação do KPD – acabaram ocorrendo as eleições, em que se formou uma maioria entre liberais e católicos. O USPD saiu do governo e seus postos foram ocupados por elementos do SPD que logo adquiriram notoriedade na bárbara repressão à chamada "revolta espartaquista", onde ordenaram o assassinato de vários políticos e partidários do KPD, entre eles Rosa Luxemburgo e Karl Liebknecht. Em fevereiro de 1919, a Assembleia Nacional elegeu o ex-chanceler do Reich Friedrich Ebert como presidente, cargo que ocupou até sua morte em 1925. O SPD, por fim, assinou o Acordo de Paz de Versalhes, com cláusulas altamente prejudiciais à Alemanha, o que iniciou um processo de perda de prestígio e desgaste, o que resultou em que o partido só participasse de governos de coalizão liderados por outros partidos alemães até 1924. Embora ainda conseguisse ter forte expressão regional, em especial na Prússia, o SPD gradualmente foi perdendo forças no campo eleitoral, além das disputas desenvolvidas com os comunistas, no campo da esquerda, e com os nazistas ao longo dos anos 1920 até 1933. Com a ascensão dos nazistas ao poder, o SPD começou a ser perseguido e em 22 de junho de 1933 o partido foi ilegalizado pelos nazistas. Muitos membros foram posteriormente presos e mortos pelo governo nazista, enquanto outros fugiram do país. Sua direção migrou para o exílio, passando a denominar-se *Sopade* (tomado das iniciais de seu nome em alemão), e que atuou em Praga de 1933 a 1938, de 1938 a 1940 em Paris e até 1945 em Londres. Ao final da Segunda Guerra Mundial, o SPD retornou à legalidade, voltando a ser um dos principais partidos alemães. Em 1959 o SPD abandonou seu compromisso com o marxismo e retirou de seus estatutos as menções a ele referentes, tornando-se um partido de centro-esquerda.

PARTIDO SOCIAL-DEMOCRATA DA ÁUSTRIA (*Sozialdemokratische Partei Österreichs* – SPÖ). Um dos mais tradicionais partidos existentes na Áustria e o agrupamento mais popular da esquerda política no país, foi fundado em 1889 com o nome de Partido Social-Democrata dos Trabalhadores (*Sozialdemokratischen Arbeiterpartei* – SDAP), depois que Victor Adler conseguiu unificar os vários grupos socialistas existentes através das fronteiras linguísticas do país. De 1918 a 1934 foi chamado de Partido Social-Democrata dos Trabalhadores da Áustria Alemã (SDAP). Foi proibido durante o austrofascismo e a ditadura nazista. De 1945 a 1991 seu nome foi Partido Socialista da Áustria (*Sozialistische Partei Österreichs* – SPÖ). A partir de 1991 passou a denominar-se Partido Social-Democrata da Áustria (*Sozialdemokratische Partei Österreichs* – SPÖ).

PARTIDO SOCIAL-DEMOCRATA INDEPENDENTE DA ALEMANHA (*Unabhängige Sozialdemokratische Partei Deutschlands* – USPD). Foi um partido originário de uma cisão na social-democracia alemã ocorrida em 1917. Originou-se da crise nas fileiras do Partido Social-Democrata da Alemanha (SPD) causada pelo apoio ao governo alemão à sua entrada na Primeira Guerra Mundial quando da votação dos créditos militares, o que revoltou uma grande camada de pacifistas e antiguerreiros em suas fileiras. Quando alguns membros da bancada social-democrata do SPD passam a votar contra os créditos de guerra eles acabaram expulsos.

Embora ainda tentassem conciliar com o SPD, isso não foi possível e acabaram formando o USPD em um congresso realizado em Gotha em abril de 1917. Ao USPD aderiu o Grupo Spartacus, outro grupo dissidente do SPD mais à esquerda e que atuou de modo independente nas fileiras do novo partido, tendo em vista influenciá-lo no combate que travava com os rumos conservadores que a social-democracia tomava. Nas fileiras do USPD destacavam-se Hugo Haase, seu primeiro presidente, Karl Kautsky, Eduard Bernstein, Rudolf Hilferding, Arthur Crispien, Georg Ledebour Kurt Eisner e os marxistas revolucionários do Grupo Spartacus, dentre eles Rosa Luxemburgo e Karl Liebknecht. Ao final da Primeira Guerra Mundial, em novembro de 1918, após a queda da monarquia e a proclamação da República, o USPD acabou, de modo minoritário, ingressando no novo governo que tinha à frente o SPD. De maneira ambígua e oscilando entre a legalidade e a defesa da continuidade do processo revolucionário que se abrira com a Revolução Alemã, o USPD se viu levado a caucionar medidas que serviram para consolidar um Estado centralizador e conservador, em que os interesses dos trabalhadores se viram relegados ao segundo plano. Esta atuação sinuosa provocou importantes adesões e cisões. Por um lado, a atuação mais à esquerda do USPD fez com que um número importante de militantes do SPD abandonasse o partido e ingressasse no USPD, que atingiu até 750 mil militantes; por outro, sua ambiguidade provocou diversas crises em seu interior, sendo a primeira delas a saída dos espartaquistas para a formação do Partido Comunista da Alemanha (KPD), no final do ano de 1918 e início do de 1919 e, posteriormente, em 1920, resultou na saída de cerca de 400 mil militantes de suas fileiras e que ingressaram no KPD. Após rejeitar o ingresso na Internacional Comunista, em uma conferência do USPD realizada em outubro de 1920 – cujo resultado levou à fusão dos que eram favoráveis ao ingresso com o KPD em dezembro daquele ano –, os independentes participaram da criação da União Internacional dos Partidos Socialistas (conhecida como Internacional II e ½), a qual foi formada, em uma conferência realizada em Viena em fevereiro de 1921 e que se dissolveu em maio de 1923, e fundiu-se com a Internacional Socialista. O ingresso do setor mais esquerdista no KPD fez com que, na prática, as diferenças entre o USPD e o SPD se reduzissem significativamente, chegando ao ponto de o USPD começar a defender a democracia parlamentar contra o sistema conselhista que até então defendera. Os intentos golpistas da extrema-direita que resultaram no assassinato do ministro das Relações Exteriores Walther Rathenau, em junho de 1922, fez com que ambos os partidos formassem um grupo de trabalho unitário no Parlamento em julho. Poucos meses depois, em 24 de setembro, os dois partidos unificaram-se oficialmente numa convenção de Nürnberg, adotando o nome de Partido Social-Democrata Unido da Alemanha (*Vereinigten Sozialdemokratischen Partei Deutschlands* – VSPD), mudando-o novamente para SPD em 1924. No entanto, pela recusa de uma ala em unificar-se com o SPD, o USDP continuou como partido independente. Teve doravante uma existência residual e em 1931 o USPD se incorporou ao Partido Socialista Operário (*Sozialistische Arbeiterpartei* – SAP).

PARTIDO SOCIALISTA OPERÁRIO (*Sozialistische Arbeiterpartei* – SAP). Foi formado em outubro de 1931 por um agrupamento de esquerda liderado por nove membros do parlamento alemão expulsos da social-democracia em setembro. Foi reforçado pela fusão com um agrupamento do KPDO (*Kommunistische Partei Deutschlands* (Opposition) – Partido Comunista da Alemanha (Oposição)) e também com remanescentes do Partido Social-Democrata Independente da Alemanha (*Unabhängige Sozialdemokratische Partei Deutschlands* – USPD). O objetivo do SAP era criar uma organização revolucionária unificada em uma base nacional e internacional. No entanto, ela não conseguiu conquistar a ala esquerda do SPD como um todo, nem ganhar influência significativa entre o eleitorado. Em 1933, o SAP se orientou para a esquerda, apoiando o apelo da Oposição de Esquerda para a construção de uma nova

Internacional. Mas logo recuou e se tornou um oponente da Quarta Internacional. Uma parte significativa dos militantes do SAP na Alemanha acabou presa e assassinada pelos nazistas. Já os militantes que conseguiram escapar para o exílio, ao retornarem para a Alemanha Ocidental reingressaram na social-democracia e aqueles que voltaram à Alemanha Oriental aderiram ao Partido Socialista Unificado da Alemanha (*Sozialistische Einheitspartei Deutschlands* – SED).

PARTIDO SOCIALISTA-REVOLUCIONÁRIO. Partido populista russo fundado em 1900. Em seu primeiro congresso, ocorrido na Finlândia em 1905, adotou um programa no qual projetava a luta por uma república burguesa democrática por meio da mobilização do campesinato. A ala direita dos socialistas-revolucionários apoiou o governo de Aleksandr Kerensky em 1917 e se opôs à revolução de outubro. A ala esquerda do Partido Socialista-Revolucionário participou do governo bolchevique. Em julho de 1918 o Partido Socialista-Revolucionário promoveu uma insurreição antibolchevique, o que levou ao seu fechamento.

PARTIDO TRABALHISTA (*Labour Party*). Partido político inglês fundado em 1906, surgido do movimento sindical e dos partidos socialistas do século XIX. Desde 1922 disputou todas as eleições até nossos dias. Suas primeiras experiências de governo, nos anos 1920 e 1930, tendo James Ramsay MacDonald como primeiro-ministro, foram em dois governos minoritários nos anos 1920 e um início dos anos 1930.

***Permanente Revolution, Die*.** Órgão da Oposição de Esquerda do Partido Comunista da Alemanha, foi publicado de 1931 a 1933. Após a ascensão dos nazistas ao poder, foi sucedido por *Unser Wort*, que era impresso no exterior e enviado clandestinamente para a Alemanha.

***Pravda*.** Órgão da fração bolchevique do Partido Operário Social-Democrata Russo publicado a partir de maio de 1912 em São Petersburgo, a *Pravda* (*A Verdade*) acabou se tornando um importante órgão do movimento bolchevique, com Lenin exercendo importante influencia editorial. Foi repetidamente apreendido pela polícia czarista, reaparecendo com um nome diferente, até que passou a ser publicado em Moscou em 1918 para assumir seu papel de órgão oficial do Partido Comunista da União Soviética de 1918 a 1991.

R

REICHSBANNER. A *Reichsbanner Schwarz-Rot-Gold* (Bandeira Negra, Vermelha e Dourada do *Reich*) foi uma organização paramilitar na Alemanha durante a República de Weimar, formada por membros do Partido Social-Democrata da Alemanha (SPD, na sigla em alemão), do Partido do Centro Alemão e o Partido Democrático Alemão em fevereiro de 1924. Criado como resposta dos social-democratas às milícias paramilitares dos nazistas (as *Sturmabteilung* – SA), a *Reichsbanner* afirmava ter como objetivo a defesa da democracia parlamentar contra a subversão interna e o extremismo da esquerda e da direita, obrigar a população a respeitar a República, honrar sua bandeira e a constituição. Embora a *Reichsbanner* tivesse sido criado como uma organização multipartidária passou a ser fortemente associado ao Partido Social-Democrata alemão e visto como sua força paramilitar. Os principais oponentes da *Reichsbanner* eram o Partido Comunista alemão – cuja revolta havia sido sufocada e líderes assassinados por paramilitares do SPD em 1919 – e seu *Rotfrontkämpferbund* (Liga dos Combatentes de Frente Vermelha) à esquerda, e o Partido Nazista e suas SAs à direita. Após a chegada ao poder dos nazistas a *Reichsbanner* foi banido. Enquanto parte de seus membros participou da resistência ao nazismo, parte importante dos membros da *Reichsbanner*, especialmente os associados ao Partido do Centro Alemão, o qual posteriormente votou a favor da lei de plenos poderes ao nazismo e pavimentou sua via ao poder absoluto, acabou aderindo aos ao governo de Adolf Hitler.

RGO, ver **OPOSIÇÃO SINDICAL REVOLUCIONÁRIA**

Rote Aufbau, Der. Publicado em Berlim de 1922 a 1933, *Der Rote Aufbau* (*A Construção Vermelha*) era um órgão periódico e teórico do Socorro Operário Internacional para "política, literatura, economia, política social e movimento trabalhista". O Socorro Operário Internacional foi um órgão auxiliar da Internacional Comunista formado inicialmente para obter o apoio de organizações internacionais da classe trabalhadora e partidos comunistas à Rússia soviética atingida pela fome. A organização, dirigida por Willi Münzenberg, com sede em Berlim, mais tarde produziu filmes e coordenou esforços de propaganda em nome da URSS.

Rote Fahne, Die (*A Bandeira Vermelha*). O primeiro número apareceu em Berlim, como órgão da Liga Spartacus. Seus primeiros editores foram Karl Liebknecht e Rosa Luxemburgo. Como resultado da fundação do Partido Comunista alemão em janeiro de 1919, transformou-se no órgão central do partido até 1945. Durante a ditadura nazista e até o final da Segunda Guerra Mundial *Die Rote Fahne* circulou clandestinamente e foi impressa no exílio.

ROTER KÄMPFER (Lutadores Vermelhos). Foram uma organização da resistência alemã contra o nazismo que atuou entre 1928 e 1936. Foi integrada por sindicalistas e membros da "Facção Essen" do Partido Comunista Operário da Alemanha (*Kommunistische Arbeiterpartei Deutschlands* – KAPD, uma cisão esquerdista de 1920 do Partido Comunista alemão), bem como membros da Associação de Ciências Sociais – uma associação não partidária de estudos marxistas sediada em Berlim –, do Partido Socialista Operário (*Sozialistische Arbeiterpartei*– SAP) e da Juventude Socialista Operária (*Sozialistische Arbeiter-Jugend* – SAJ, organização juvenil social-democrata). Depois da ascensão do nazismo ao poder, os *Roter Kämpfer* foram perseguidos, presos e assassinados pelas forças de repressão.

Rudé Právo (*Verdade Vermelha*). Foi o órgão oficial do Partido Comunista da Tchecoslováquia, que circulou de 1920 a 1989.

S

SAP, ver **PARTIDO SOCIALISTA OPERÁRIO**

SAZ, ver ***Sozialistische Arbeiter Zeitung***

II INTERNACIONAL, ver **INTERNACIONAL SOCIALISTA**

SPARTAKUSBUND, ver **LIGA SPARTACUS**

Sozialistische Arbeiter Zeitung (SAZ) (*Jornal dos Trabalhadores Socialistas*). Órgão central do Partido Socialista Operário (Sozialistische Arbeiterpartei – SAP), foi publicado diariamente de 1931 a 1933, inicialmente na cidade de Breslau (atualmente Wroclaw, na Polônia) e, a partir de novembro de 1931, em Berlim, retornando em junho de 1932 a Breslau.

SPD, ver **PARTIDO SOCIAL-DEMOCRATA DA ALEMANHA**

STAHLHELM, ver **CAPACETE DE AÇO (LIGA DOS SOLDADOS DO FRONTE)**

T

Temps, Le. Jornal conservador e ligado a entidades patronais, foi publicado em Paris de 1861 a 1942.

III INTERNACIONAL, ver **INTERNACIONAL COMUNISTA**

U

UNIÃO INTERNACIONAL DOS PARTIDOS SOCIALISTAS. Também conhecida pelo epíteto de Internacional II e ½, que lhe foi dado por representantes da Internacional Comunista. Formada, em uma conferência realizada em Viena em fevereiro de 1921 por Karl Kautsky, Otto Bauer e seus partidários com vistas a promover a reunificação do movimento internacional dos trabalhadores. Ela se dissolveu em maio de 1923, depois de não conseguir estabelecer uma cooperação com a Internacional Comunista, e fundiu-se com a Internacional Socialista.

USPD, ver **PARTIDO SOCIAL-DEMOCRATA INDEPENDENTE DA ALEMANHA**

V

Vorwärts (*Avante*). É um jornal publicado desde 1876 pelos social-democratas da Alemanha. Em 1948, o jornal foi refundado como *Neuer Vorwärts* (*Novo Avante*) e em 1955 retomou o nome *Vorwärts*. Hoje é publicado a cada dois meses e enviado a todos os membros do SPD.

W

Wiener Arbeiterzeitung (*Jornal dos Trabalhadores de Viena*). Foi o jornal da social-democracia austríaca. Fundado por Viktor Adler em 1891, tornou-se diário em 1895, existindo até 1991. Foi editado no exílio após a ilegalização dos social-democratas austríacos em fevereiro de 1934 até o final da Segunda Guerra Mundial.

Índice remissivo

R

S

U

T

V

W

Z

Índice onomástico

Referências

ABRAMO, Fulvio. *A revoada dos galinhas verdes: Uma história da luta contra o fascismo no Brasil.* 2ª ed. São Paulo: Veneta, 2014,: p. 28-29.

______ & PEDROSA, M. *Na Contracorrente da História.* São Paulo, Sundermann, 2015.

AMADO, Jorge *et al. Para onde vai o Brasil? Para o comunismo? O fascismo? O integralismo? A democracia? O socialismo? O federalismo? A ditadura? Para onde?.* Rio de Janeiro: Renascença, 1933. 180: p.

"A ditadura na Alemanha". *Folha da Manhã.* São Paulo, 05-03-1933,: p. 6.

"A vitória do hitlerismo". *Gazeta Popular.* Santos, 11-02-1933,: p. 3.

"Atos do Governo Provisório". *Diário de Notícias.* Rio de Janeiro, 23-05-1934,: p. 6

BEER, Max. *Karl Marx, Sua vida, Sua obra.* São Paulo: Ed. Unitas, 1933.

BEZERRIL, João Carlos (padre). "Hitler, *Mussolini-Affe*!". *Jornal do Commercio.* Rio de Janeiro, 05-02-1933,: p. 3.

BUKHARIN, Nikolai. "O papado a serviço do fascismo e do capitalismo". *In*: BUKHARIN, Nikolai & Sherwood. *A luta religiosa na URSS.* Trad. e org. Benigno Fernandes e Eneida Costa de Moraes. Rio de Janeiro: Alba, 1934,: p. 7-46

______. *ABC do comunismo.* Trad. Aristides Lobo. 2 ed. São Paulo: Ed. Unitas, 1933.

CAMPOS, Humberto de. "O verme do dia". *A Noite.* Rio de Janeiro, 04-02-1933,: p. 1.

CARONE, Edgard. *O marxismo no Brasil (das origens a 1964).* Rio de Janeiro: Dois Pontos, 1986,: p. 11.

DAVIS, Horace B. *N.R.A., fascismo e comunismo.* São Paulo: Nosso Livro, 1934. 186: p.

"Empresa Editora Unitas". *Folha da Manhã*, 11-06-1931,: p.16.

"*Em Tempo*". São Paulo, n. 103, 03/16-04-1980,: p. 17. (Testemunho de Hermínio Sacchetta)

ENGELS, Friedrich. *Princípios do comunismo.* 2 ed. São Paulo: Ed. Unitas, 1931.

______. *Ludwig Feuerbach e o fim da filosofia clássica alemã.* 2 ed. São Paulo: Ed. Unitas, 1932.

______. *Socialismo utópico e socialismo científico.* Trad. Octaviano Du Pin Galvão. 2 ed. São Paulo: Ed. Unitas, 1931.

"Ecos e novidades". *A Noite.* Rio de Janeiro, 31-01-1933,: p. 2.

"Em defesa do proletariado alemão". *A Luta de Classe* (Órgão da Liga Comunista, S. B. da O. I. E.). São Paulo, nº 11, abr. 1933,: p. 3 e 4.

FIBITCH, Daniel. *Os libertos: Romance da Rússia contemporânea.* São Paulo: Unitas, 1934. 317: p. (Coleção Aurora)

"*Fon-Fon*". Rio de Janeiro, ano XXVII, nº 12, 25-03-1933,: p. 33;

GLADKOV, Fedor Vassilievitch. *Cimento.* Prefácio de Victor Serge. São Paulo: Unitas, 1933. 455: p. (Coleção Aurora)

GUANABARINO, Juvenal. *O que vi em Roma, Berlim e Moscou.* Rio de Janeiro: Calvino Filho, 1934. 194: p.

GUÉRIN, Daniel. *Hitler: Defesa ou invasão da Europa?.* Rio de Janeiro: Edições Palácio, 1935. 117: p.

"Graphico-Editora Unitas". *Diário Nacional.* São Paulo, 02-02-1932,: p. 2

"Hitler no poder". *Jornal do Brasil.* Rio de Janeiro, 01-02-1933,: p. 5.

JOBIM, José. *Hitler e seus comediantes na tragicomédia "O despertar da Alemanha".* Rio de Janeiro: Cruzeiro do Sul, 1934. 165: p.

KAREPOVS, Dainis. Dez dias abalando um século. *Livro: Revista do Núcleo de Estudos do Livro e da Edição.* São Paulo, nº 9-10, nov. 1921, especialmente: p. 255-263.

KNICKERBOCKER, H. R. *Alemanha: Fascista ou soviética?* Porto Alegre: Globo, 1932

KROPOTKIN, Piotr. *O anarquismo: Sua filosofia, seu ideal, Suas bases científicas, Seus princípios econômicos.* Trad. Hendioser. São Paulo: Ed. Unitas, 1933.

LENIN, V. I. *No caminho da insurreição.* Trad. Aristides Lobo. São Paulo: Ed. Unitas, 1931.

______. Esquerdismo: A moléstia infantil do comunismo. São Paulo: Ed. Unitas, 1934.

Liga Comunista (Oposição). Ata n. 2: Reunião realizada, em segunda convocação, em 22-01-31,: p. 1 (Fundo Livio Xavier, CEDEM-UNESP).

LUSSU, Emilio. *Marcha sobre Roma... e arredores.* Trad. Paulo M. Oliveira (pseudônimo de Aristides Lobo). Rio de Janeiro: Cultura Política, [1935]. 241: p.

LUXEMBURG, Rosa *et al. O marxismo exposto por Kautsky, Lenine, Plekhanov, Rosa Luxemburg.* São Paulo: Ed. Unitas, 1933.

MALRAUX, André. *A condição humana.* Trad. e prefácio de Lívio Xavier. São Paulo: Unitas, 1934. 400: p. (Coleção Aurora)

MANTSÔ, L. *Tempestade sobre a Ásia: A luta pela Manchúria.* São Paulo: Ed. Unitas, 1932.

MARX, Karl. *O Capital* – Resumo de Carlo Cafiero

MARX, Karl & ENGELS, F. *Manifesto comunista.* 2 ed. Trad. de Livio Xavier. São Paulo: Ed. Unitas, 1932.

MATOS FILHO, Manuel Paulo Teles de. "Um homem de ação". *Correio da Manhã.* Rio de Janeiro, 03-02-1933,: p. 4.

MCCORMICK, Anne O'Hare. Hitler Seeks Jobs for all Germans. *The New York Times*. Nova Iorque, 10-07-1933

MORAES, João Quartim de. "A influência do leninismo de Stálin no comunismo brasileiro". *In*: MORAES, João Quartim de & REIS, Daniel Aarão (Orgs.). *História do marxismo no Brasil*. Vol. I: O impacto das revoluções. Campinas: Editora Unicamp, 2007,: p. 134.

MOURA, Maria Lacerda de. *Fascismo, filho dileto da igreja e do capital*. São Paulo: Paulista, [1934]. 232: p.

"O Momento Internacional: Hitler, chanceler do Reich". *Diário de Notícias*. Rio de Janeiro, 31-01-1933,: p. 2.

"O ideal nietzschiano e a mística de Hitler". *Folha da Manhã*. São Paulo, 22-02-1933,: p. 6.

"O Momento Internacional: Os primeiros dias do chanceler Hitler". *Diário de Notícias*. Rio de Janeiro, 04-02-1933,: p. 2.

"O que representa para a política internacional a subida de Hitler ao poder". *Correio de S. Paulo*. São Paulo, 04-02-1933,: p. 1-2.

"O momento internacional: A situação alemã". *Diário de Pernambuco*. Recife, 04-02-1933,: p. 2.

"O gabinete de Hitler". *Diário da Manhã*. Recife, 03-02-1933,: p. 3.

PEDROSA, M. Quatro horas de ditadura do proletariado. *Isto É*. São Paulo, 10-10-1979,: p. 83.

______. "Revolução e Contrarrevolução na Alemanha", *Correio de S. Paulo*, 21-02-1933,: p. 2.

______. *Pas de politique Mariô! Mario Pedrosa e a política*. Ateliê; Editora da Fundação Perseu Abramo, 2017.

______."Pela nossa cultura". *Diário Carioca*. Rio de Janeiro, 13-02-1932,: p. 7.

______. Prefácio. *In*: Trotsky.

PIATNITSKI, Ossip Aronovitch. *A ditadura fascista na Alemanha*. São Paulo: Editorial Trabalho, 1935. 154: p.

PICCAROLO, Antônio *et al*. *Por que ser antissemita?*. Rio de Janeiro: Civilização Brasileira, 1933. 271: p.

PLEKHANOV, Gueorge. *A concepção materialista da história*. Trad. Octaviano Du Pin Galvão. São Paulo: Ed. Unitas, 1931.

RADEK, Karl. *Hitler no poder*. Rio de Janeiro: Minha Livraria, 1933. 59: p.

ROLLAND, Romain. *Os que morrem nas prisões de Mussolini (Antônio Gramsci)*. Trad. Colbert Malheiros. São Paulo: Udar, 1935. 15: p. (Coleção Janus, 1-B)

SCHNEIDERMANN, Daniel. *Berlin, 1933: La presse internationale face à Hitler*. Paris: Seuil, 2018,: p. 142.

SILVEIRA, Joel & MORAES NETO, Geneton. *Hitler / Stalin, o pacto maldito*. Rio de Janeiro: Record, 1990.

STERNBERG, Fritz. *Der Niedergang des deutschen Kapitalismus* (*O declínio do capitalismo alemão)*. Berlim: Rowohlt, 1932.

THÄLMANNS, Ernst. *Wie schaffen wir die Rote Einheitsfront? Thälmanns Antwort auf 21 Fragen von SPD-Arbeitern* (*Como criaremos a Frente Única Vermelha? Respostas de Thälmann a 21 perguntas de operários do SPD*). Berlim: Verlag Antifaschistische Organisation, 1932.

TONUSSI, Agenor. *Fui estudante em Moscou*. Rio de Janeiro: Laudes, 1968,: p. 23.

TROTSKY, Leon. *A revolução espanhola. São Paulo: Ed. Unitas, 1931*

______. *A Internacional Comunista depois de Lenin.*

______. *A Revolução Permanente.*

______. *Cinco Anos de Internacional Comunista.*

______. *História da Revolução Russa.*

______. *O plano quinquenal* (Trad. Livio Xavier). Ed. Unitas, 1931.

______. *Os problemas do desenvolvimento da URSS*. Ed. Unitas, 1931

______. *O que é a revolução de outubro.* Ed. Unitas, 1933.

______. *Revolução e contrarrevolução na Alemanha.* Trad. Aristides Lobo; Mario Pedrosa e Livio Xavier. Ed. Unitas, 1933.

______. *Crítica ao programa da Internacional Comunista*

______. *Stalin, o grande organizador de derrotas. A III Internacional depois de Lenin*. São Paulo: Sundermann, 2010.

______. Écrits, 1928-1940. Tome III – La tragédie de la classe ouvrière allemande

______. Révolution espagnole. Paris: Quatrième International, 1959;

______. *Contre le fascisme (1922-1940)*. Paris: Syllepse, 2015;

______. *The struggle against fascism in Germany*. Nova Iorque: Pathfinder, 1977;

______. *Writings, 1929-1940*. Nova Iorque: Pathfinder, 1971.

______. *L'Internationale Communiste après Lénine (Le grand organisateur de la défaite)*. Paris: Rieder, 1930

VARGA, Evgeni. *A derrocada do fascismo alemão: Situação econômica mundial. Rio de Janeiro:* Alba, 1935. 152: p.